SANDRA BROWN
Kein Alibi

Buch

Aus einer plötzlichen Laune heraus macht der junge aufstrebende Staatsanwalt Hammond Cross bei einem ländlichen Jahrmarkt halt, wo ihn eine schöne Unbekannte auf den ersten Blick fasziniert. Der Zufall führt sie zusammen, und Hammond und die Fremde verbringen einen traumhaften Abend und eine wunderschöne Nacht. Ihren Namen allerdings verrät die Unbekannte nicht, und am nächsten Morgen ist sie spurlos verschwunden.

Genau in jener Nacht wird der millionenschwere Immobilienmakler Lute Pettijohn in seiner Hotelsuite in Charleston erschossen. Es ist kein Geheimnis, das Pettijohn mehr Feinde als Freunde in der Stadt besaß, und so war zu erwarten, dass an möglichen Motiven und Tätern kein Mangel herrschen würde. Aber mit einem hat Hammond Cross, der als Staatsanwalt in diesem heiklen Fall ermittelt, wirklich nicht gerechnet. Überraschend schnell steht eine eindeutig identifizierte Haupttatverdächtige fest: Es ist seine undurchsichtige Zufallsbekanntschaft, die Psychologin Dr. Alex Ladd. Während sich die Verantwortlichen über die schnelle Aufklärung des Falles freuen, wissen zwei Personen jedoch sehr genau, dass Alex Ladd ein bombensicheres Alibi hat. Beide aber haben sie gute Gründe zu schweigen. Bedroht durch eine Wahrheit, die ebenso hässlich ist wie die Lüge, hat Hammond Cross nur eine Chance, Alex – und sich selbst – zu retten: Er muss den wahren Mörder finden.

Autorin

Sandra Brown ist ein wahres Multitalent. Sie arbeitete mit großem Erfolg als Schauspielerin und TV-Journalistin, bevor sie 1990 mit ihrem Roman »Trügerischer Spiegel« auf Anhieb einen internationalen Erfolg landete. Jedes ihrer Bücher stand seitdem monatelang auf den Spitzenplätzen der Bestsellerlisten. Sandra Brown lebt mit ihrer Familie abwechselnd in Texas und South Carolina.

Von Sandra Brown ist bereits erschienen

Celinas Tochter (35002) · Die Zeugin (35012) · Blindes Vertrauen (35134) · Trügerischer Spiegel (35192) · Im Haus meines Feindes (35289) · Schöne Lügen (35499) · Nachtglut (35721)

Betrogen. Roman (Blanvalet geb., 0135)

SANDRA BROWN

Kein Alibi

Roman

Aus dem Amerikanischen
von Eva L. Wahser

BLANVALET

Die Originalausgabe erschien 1999 unter dem Titel
»The Alibi« bei Warner Books, Inc., New York.

Blanvalet Taschenbücher erscheinen im
Goldmann Verlag, einem Unternehmen der
Verlagsgruppe Random House GmbH.

Taschenbuchausgabe Juli 2003
Copyright © der Originalausgabe 1999
by Sandra Brown Management, Ltd.
Copyright © der deutschsprachigen Ausgabe 2001
by Blanvalet Verlag, München,
in der Verlagsgruppe Random House GmbH
Umschlaggestaltung: Design Team München
Umschlagfoto: Zefa/Edwards
Satz: Uhl + Massopust, Aalen
Druck: Elsnerdruck, Berlin
Verlagsnummer: 35900
MD · Herstellung: Heidrun Nawrot
Made in Germany
ISBN 3-442-35900-7
www.blanvalet-verlag-de

5 7 9 10 8 6

SAMSTAG

Prolog

Der Schrei zerriss die vollklimatisierte Stille des Hotelflurs.

Erst vor wenigen Sekunden hatte das Zimmermädchen die Suite betreten, nun taumelte es kreischend aus dem Raum und hämmerte schluchzend an die Türen anderer Hotelzimmer. Später sollte ihr diese »Überreaktion« eine Rüge der Hausdame einbringen, aber in diesem Augenblick saß ihr die Hysterie im Nacken.

Unglücklicherweise hielten sich an jenem Nachmittag nur wenige Gäste in ihren Zimmern auf. Die meisten genossen draußen den einzigartigen Charme von Charlestons historischem Viertel. Endlich gelang es ihr doch noch, einen Gast aufzutreiben, einen Mann aus Michigan, der eine kurze Ruhepause in seinem Zimmer einlegte. Die ungewohnte Hitze hatte ihn geschafft.

Trotz seiner Benommenheit angesichts der abrupten Störung war ihm sofort klar, dass nur eine größere Katastrophe die enorme Panik des Zimmermädchens ausgelöst haben konnte. Noch ehe er sich aus ihrem Gestammel einen Reim machen konnte, rief er beim Concierge an und alarmierte das Hotelpersonal über einen Notfall im obersten Stockwerk.

Zwei Charlestoner Polizisten, zu deren Revier das neu eröffnete Charles Towne Plaza gehörte, reagierten sofort auf den Anruf. Ein nervöser Angestellter des hoteleigenen Sicherheitsdienstes brachte sie zu jener Penthouse-Suite, die das Zimmermädchen für einen frühen Abendservice betreten hatte, um augenblicklich herauszufinden, dass ihre Dienste nicht mehr gebraucht würden. Der Gast lag der Länge nach auf dem Salonboden – tot.

Der Polizist kniete sich neben die Leiche. »Heiliger… das sieht ganz nach –«

»Richtig, das ist er«, sagte sein Kollege genauso ehrfurchtsvoll. »Das wird 'nen ordentlichen Wirbel geben, stimmt's?«

1

Er bemerkte sie im selben Moment, in dem sie den Pavillon betrat.

Selbst aus einer Menge Frauen, die fast ausschließlich knappe Sommerkleidung trugen, stach sie klar heraus. Überraschenderweise war sie allein.

Als sie innehielt, um sich zu orientieren, blieb ihr Blick kurz am Podium hängen, wo sich die Band abmühte, ehe sie zur Tanzfläche und anschließend zu der kunterbunten Ansammlung von Stühlen und Tischen ringsherum weiterwanderte. Nachdem sie einen freien Tisch entdeckt hatte, steuerte sie darauf zu und setzte sich.

Der Pavillon war ein Rundbau von ungefähr dreißig Metern Durchmesser. Obwohl es sich um eine offene Konstruktion mit konischem Dach handelte, von dessen Unterseite weiße Lichterketten baumelten, staute sich unter der schrägen Decke der Schall zu einer unerträglichen Lärmkulisse.

Ihren Mangel an musikalischem Talent machte die Band durch Lautstärke wett. Offensichtlich glaubten die Musiker, ihre verpatzten Noten hinter steigenden Dezibelwerten besser verstecken zu können. Trotzdem musste man ihnen derben Enthusiasmus und Mut zur Selbstdarstellung zugestehen. Gitarrist und Keyboarder schienen die Töne buchstäblich aus ihren Instrumenten zu dreschen. Der geflochtene Bart des Mundharmonikaspielers hüpfte bei jedem Ruck seines Kopfes. Während der Geiger mit dem Bogen über die Saiten sägte, tanzte er dazu so schwungvoll, dass man seine gelben Cowboystiefel sah. Der Schlagzeuger beherrschte offensichtlich nur einen einzigen Rhythmus, aber dem widmete er sich hingebungsvoll.

Anscheinend störte sich die Menge nicht an der Katzenmusik, genauso wenig wie Hammond Cross. Ironischerweise wirkte der Krach des Jahrmarkts irgendwie beruhigend. Er nahm den Lärm in sich auf: die Juchzer aus der Budengasse, die Pfiffe johlender Halbstarker oben im Riesenrad, das Geplärr müder Babys, scheppernde Glocken, Pfeifengejaule und Hörnerquäken – jeden Schrei, jedes Lachen, das zu einem Volksfest gehört.

Der Besuch eines Jahrmarkts hatte nicht in seinem Terminkalender gestanden. Obwohl dafür wahrscheinlich schon früh in der Lokalzeitung und im Fernsehen Werbung gemacht worden war, war es ihm nicht aufgefallen.

Er war ganz zufällig hierher geraten, auf dieses Gelände ungefähr eine halbe Stunde außerhalb von Charleston. Was ihn zum Anhalten getrieben hatte, war ihm schleierhaft, da er gewiss nicht zu denen gehörte, die begeistert Volksfeste besuchten. Seine Eltern hatten ihn garantiert nie auf eines mitgenommen. Derartige Volksbelustigungen hatten sie unter allen Umständen gemieden. Das war nicht ihre Welt, nicht ihresgleichen.

Auch Hammond hätte dieses Fest normalerweise gemieden, nicht weil er ein Snob war, sondern weil er wegen seiner langen Arbeitszeiten mit seiner Freizeit geizte und seinen Zeitvertreib sehr bewusst wählte: eine Runde Golf, ein paar Stunden Angeln, ein gemütliches Abendessen in einem guten Restaurant. Aber ein Jahrmarkt? So etwas gehörte nicht zu seinen Lieblingsbeschäftigungen.

Aber an diesem besonderen Nachmittag kamen ihm die Menschenmenge und der Lärm gerade recht. Allein hätte er nur über seinen Problemen gebrütet und sich in eine bedrückte Stimmung hineingesteigert. Wer brauchte schon so etwas an einem der wenigen Wochenenden, die noch vom Sommer übrig waren?

Auf der Autobahn hatte er gezwungenermaßen auf Kriechtempo abbremsen müssen und war dabei in eine Fahrzeugschlange geraten, die sich zentimeterweise auf einen Behelfsparkplatz zuschob. Eigentlich handelte es sich um eine Kuhweide, die ein geschäftstüchtiger Farmer in einen Parkplatz verwandelt hatte. Und so war auch er brav zwischen den anderen Autos, Vans und Geländewagen geblieben.

Er zahlte dem Tabak kauenden jungen Mann, der für den Farmer abkassierte, zwei Dollar und hatte das Glück, für sein Auto einen schattigen Platz unter einem Baum zu finden. Vor dem Aussteigen zog er Anzugjacke und Krawatte aus und rollte seine Hemdsärmel hoch. Während er sich vorsichtig einen Weg zwischen den Kuhfladen bahnte, hätte er liebend gerne Anzughose und Halbschuhe gegen Jeans und Stiefel eingetauscht. Aber auch so spürte er, wie sich seine Laune zusehends besserte. Hier kannte ihn niemand. Wenn er nicht wollte, musste er mit keinem reden. Hier war er zu nichts verpflichtet, musste an keinen Konferenzen teilnehmen oder irgendwelche Telefonanrufe beantworten. Hier draußen war er weder Geschäftsmann noch Kollege und schon gar nicht Sohn. Allmählich schwanden Anspannung, Ärger und die Last der Verantwortung. Das Gefühl von Freiheit wirkte berauschend.

Der Jahrmarktsplatz war mit einem Plastikseil abgeteilt, an dem bunte Wimpel reglos in der Hitze hingen. In der lastenden Schwüle duftete es verführerisch nach sämtlichen ungesunden Leckereien. Aus der Entfernung hörte sich die Musik nur halb so schlimm an. Sofort war Hammond froh, dass er angehalten hatte. Das brauchte er – diese Isolation.

Trotz der vielen Menschen, die sich durch das Drehkreuz zwängten, war er in einem höchst realen Sinne isoliert. Mit einem Mal schien es die bessere Wahl zu sein, in einer großen lärmenden Menschenmenge unterzugehen, als einen einsamen Abend in seinem Blockhaus zu verbringen, so wie er es ursprünglich geplant hatte.

Die Band hatte zwei Songs gespielt, seit die Frau mit den rotbraunen Haaren auf der ihm entgegengesetzten Pavillonseite Platz genommen hatte. Hammond hatte sie unaufhörlich beobachtet und seine Vermutungen angestellt. Höchstwahrscheinlich erwartete sie jemanden, vermutlich einen Ehemann mit einer Reihe Kinder. Sie wirkte ein wenig jünger als er, vielleicht Anfang dreißig. Genau das richtige Alter für ein Mitglied des Festausschusses, die Mutter eines Jungpfadfinders, eine Vertreterin des Elternbeirats. Eine jener Hausfrauen, deren einzige Sorge der

Auffrischung von Diphtherie- und Tetanusimpfungen, Zahnspangen und dem strahlendsten Weiß und den buntesten Farben ihrer Wäsche galten. Obwohl seine gesammelten Kenntnisse dieses Frauentyps aus der Fernsehwerbung stammten, schien sie dem Durchschnittsbild zu entsprechen.

Mit einer Ausnahme: Sie war ein bisschen zu... zu... nervös. Sie wirkte nicht wie eine Mutter mit kleinen Kindern, die ein paar Minuten Atempause genoss, während Daddy mit den Kids eine Runde Karussell fuhr. Sie hatte nicht die kühl-kompetente Ausstrahlung der Frauen aus seinem Bekanntenkreis, der Mitglieder in Frauenverbänden und anderen wohltätigen Vereinen, die sich zum Lunch trafen und für ihre Kinder Geburtstagspartys und Dinner für die Geschäftsfreunde ihrer Männer ausrichteten, die zwischen Aerobicstunden und Bibelkreisen ein- bis zweimal pro Woche in ihren schicken Clubs Golf oder Tennis spielten.

Andererseits hatte sie auch nicht den weichen reifen Körper einer Frau, die zwei oder drei Nachkommen geboren hatte. Ihre Figur war straff und sportlich. Sie hatte schöne – nein, *tolle* – Beine, straff, schlank und sonnengebräunt, die durch einen kurzen Rock und hochhackige Sandalen noch betont wurden. Ihr ärmelloses Top hatte einen spitzen Ausschnitt wie ein Pullunder, darüber trug sie eine passende Strickjacke lässig um den Hals gebunden, die sie inzwischen ausgezogen hatte. Ihre Kleidung strahlte einen subtilen Chic aus, der das meiste ausstach, was die Shorts-und-Turnschuh-Truppe hier vor Ort trug.

In ihre Handtasche, die auf dem Tisch lag, passten bestimmt nur Schlüsselbund, Taschentuch und vielleicht noch ein Lippenstift, sie hatte aber nie und nimmer das Fassungsvermögen jener Schulterbeutel junger Mütter voll gestopft mit Mineralwasserflaschen, feuchten Tüchern, Bio-Riegeln und anderen Dingen, mit denen man notfalls tagelang in der Wildnis überleben konnte.

Hammond hatte einen analytischen Verstand. Deduktives logisches Denken war seine Stärke. Deshalb kam er zu dem für ihn höchstwahrscheinlichen Schluss, dass diese Frau keine Mutter war.

Was nicht heißen sollte, dass sie nicht verheiratet oder sonst wie gebunden sein konnte und nur darauf wartete, eine für sie wichtige männliche Person zu treffen, egal, um wen es sich dabei handelte oder wie ihre Beziehung aussah. Diese Frau widmete sich vielleicht ganz ihrer Karriere und brachte in der Geschäftswelt wichtige Dinge ins Rollen: als erfolgreiche Vertreterin, als Geschäftsfrau mit Köpfchen, als Börsen- oder Kreditmaklerin.

Während Hammond an seinem Bier nippte, das in der Hitze allmählich schal wurde, starrte er sie weiter interessiert an.

Bis er plötzlich bemerkte, wie er seinerseits angestarrt wurde.

Als sich ihre Blicke trafen, machte sein Herz einen Satz. Vielleicht weil er sich genierte, ertappt worden zu sein. Trotzdem schaute er nicht weg. Mehrere Sekunden hielten sie den Blickkontakt trotz der Tänzer aufrecht, die sich zwischen ihnen bewegten und immer wieder die Sicht versperrten.

Dann wandte sie sich abrupt ab, als ob sie sich schämte, gerade ihn in der Menge ausgesucht zu haben, und sich ärgerte, auf einen banalen Blickkontakt wie ein junges Mädchen reagiert zu haben. Hammond überließ seinen Tisch zwei Pärchen, die schon längere Zeit in der Nähe herumgestanden und auf den nächsten freien Platz gewartet hatten, und bahnte sich einen Weg durchs dichte Gewühl zu der provisorischen Bar, die man während des Volksfests für die durstigen Tänzer aufgebaut hatte.

Sie war ein beliebter Aufenthaltsort. An der Theke standen in Dreierreihen Soldaten von den verschiedenen Militärstützpunkten der Gegend. Auch ohne Uniform konnte man sie an ihren kurz geschorenen Köpfen erkennen. Sie tranken, musterten die Mädchen, wägten ihre Chancen auf einen Treffer ab, wetteten, wer zum Zuge kommen würde und wer nicht, und übten sich in der Kunst, der Erste zu sein.

Obwohl die Barkeeper das Bier so schnell wie möglich verteilten, konnten sie mit der Nachfrage nicht Schritt halten. Nachdem Hammond mehrmals versucht hatte, auf sich aufmerksam zu machen, gab er schließlich auf und beschloss, mit der nächsten Bestellung zu warten, bis sich die Reihen gelichtet hatten.

Da er annahm, inzwischen weniger pathetisch zu wirken als vorher allein an seinem Tisch, schaute er verstohlen über die

Tanzfläche zu ihr hinüber. Seine gute Laune verschlechterte sich drastisch. Inzwischen hatten drei Männer die freien Stühle an ihrem Tisch besetzt. Ein breitschultriger Kerl verdeckte sie sogar völlig vor Hammonds Blicken. Obwohl das Trio keine Uniform trug, hielt er sie wegen ihres extrem kurzen Haarschnitts und ihrer großspurigen Art für Marines.

Nun ja, es überraschte ihn nicht. Enttäuscht war er, aber nicht überrascht.

Sie sah zu gut aus, um an einem Samstagabend allein zu bleiben. Sie hatte sich also nur die Zeit vertrieben, bis ihr Freund auftauchte.

Und selbst wenn sie allein dort war, wäre sie nicht lange ohne Partner geblieben, nicht auf einer Fleischbeschau wie dieser. Ein ungebundener Soldat mit Wochenendausgang hatte den zielstrebigen Instinkt eines Hais. Er kannte nur ein Ziel: sich für den Abend weibliche Gesellschaft zu verschaffen. Und dieses Exemplar Frau hätte selbst ungewollt Aufmerksamkeit erregt.

Nicht dass *er* daran gedacht hätte, sie kennen zu lernen, redete sich Hammond ein. Dazu war er schon zu alt. Er würde doch nicht wieder eine Schuljungenmentalität an den Tag legen, das könnte doch wohl nicht sein. Außerdem gehörte sich das nicht, oder? Er war zwar nicht direkt gebunden, aber ganz frei war er auch nicht.

Plötzlich stand sie auf, packte ihre Jacke, schob den Riemen ihrer kleinen Tasche über die Schulter und wandte sich zum Gehen. Sofort sprangen die drei Männer, die bei ihr gesessen hatten, hoch und umringten sie. Einer von der offensichtlich hartnäckigen Sorte legte ihr den Arm um die Schultern und drückte sein Gesicht tief zu ihr hinunter. Hammond konnte sehen, wie er die Lippen bewegte. Seine Begleiter lachten schallend über seine Bemerkung.

Sie fand das nicht komisch, sondern drehte den Kopf weg. Auf Hammond wirkte es, als versuche sie, sich aus einer misslichen Situation zu befreien, ohne Aufsehen zu erregen. Sie löste den Arm des Soldaten von ihrem Hals und sagte etwas mit einem verkrampften Lächeln, ehe sie sich erneut zum Gehen wandte. Der

Verschmähte wollte sich unter den Sticheleien seiner beiden Freunde nicht abweisen lassen und ging ihr nach. Als er ihren Arm packte und sie erneut herumzog, handelte Hammond.

Später erinnerte er sich nicht mehr daran, wie er über die Tanzfläche gelangt war, obwohl er sich buchstäblich einen Weg durch die Pärchen hatte bahnen müssen, die in langsamem Rhythmus vor sich hinschaukelten. Innerhalb von Sekunden griff er zwischen die beiden muskelbepackten Marines mit den Waschbrettbäuchen, schubste den hartnäckigen Kerl beiseite, und hörte sich sagen: »Tut mir Leid, Schatz. Ich bin Norm Blanchard in die Arme gelaufen; du weißt schon, der wie ein Maschinengewehr redet. Komm, sie spielen gerade unser Lied.«

Damit legte er ihr den Arm um die Taille und zog sie mit sich auf die Tanzfläche.

»Haben Sie meine Anweisungen verstanden?«

»Jawohl, Sir, Detective. Keiner darf rein, keiner raus. Wir haben alle Ausgänge abgesperrt.«

»Das heißt alle, ohne Ausnahme.«

»Jawohl, Sir.«

Nachdem Detective Rory Smilow seinen Befehlen Nachdruck verliehen hatte, nickte er dem uniformierten Polizisten zu und betrat das Charles Towne Plaza durch den Haupteingang. Zahlreiche Designmagazine hatten den Treppenaufgang als architektonischen Triumph gefeiert, der inzwischen bereits zum Wahrzeichen des Neubaus geworden war. Wie der Inbegriff südstaatlicher Gastlichkeit erhob sich aus der Eingangshalle eine breite Doppeltreppe. Beide Aufgänge schienen den mächtigen Kristalllüster zu umarmen, ehe sie sich in zwölf Meter Höhe über der Halle zur Galerie im ersten Stock vereinigten.

Auf beiden Ebenen mischten sich Polizisten unter Hotelgäste und Angestellte, die inzwischen alle wussten, dass im fünften Stock offensichtlich ein Mord geschehen war.

Nur ein Todesopfer kreiert eine derart erwartungsvolle Atmosphäre, dachte Smilow, während er prüfend die Szene musterte. Schwitzende Touristen mit Sonnenbrand und Kameras im

Schlepptau liefen herum, stellten jeder Autoritätsperson Fragen, unterhielten sich mit ihresgleichen und spekulierten über die Identität des Opfers und den Grund für den Mord.

Smilow war in seinem Maßanzug samt Hemd mit Doppelmanschette viel zu elegant angezogen. Trotz der drückenden Hitze draußen wirkte seine Kleidung frisch und trocken, ohne einen Hauch von Feuchtigkeit. Einmal hatte ein irritierter Untergebener leise nachgefragt, ob Smilow je schwitze. »Blödsinn, nein«, hatte ein Kollege geantwortet. »Weiß doch jeder, dass Aliens keine Schweißdrüsen haben.«

Zielstrebig steuerte Smilow die Aufzugreihe an. Offensichtlich hatte der Polizist, mit dem er am Eingang gesprochen hatte, sein Kommen einem Kollegen angekündigt, der im Aufzug stand und die Tür für ihn offen hielt. Smilow beachtete die höfliche Geste nicht, sondern trat hinein.

»Hält der Glanz noch, Mr. Smilow?« Smilow drehte sich um. »O ja, Smitty, danke.«

Der Mann, von dem alle nur den Vornamen kannten, betrieb in einer Nische neben der Hotelhalle drei Schuhputzstände. Jahrzehntelang war er in einem anderen Hotel im Stadtzentrum Teil des festen Inventars gewesen. Erst vor kurzem hatte man ihn ins Charles Towne Plaza gelockt, wohin ihm seine Kundschaft gefolgt war. Selbst von Leuten, die nicht in der Stadt heimisch waren, bekam Smitty exzellente Trinkgelder, weil er besser als der Empfangschef wusste, was wo los war und wo man alles, wonach man in Charleston suchte, finden konnte.

Rory gehörte zu den regelmäßigen Kunden von Smitty. Normalerweise wäre er auf ein paar freundliche Worte stehen geblieben, aber heute hatte er es eilig. Jede Verzögerung war ihm zuwider, deshalb meinte er nur knapp: »Bis später, Smitty.« Und schon glitten die Aufzugtüren zu.

Stumm fuhr er mit dem uniformierten Polizisten in den obersten Stock. Smilow pflegte nie freundschaftlichen Umgang mit Kollegen, nicht einmal mit gleichrangigen, geschweige denn mit Untergebenen. Nie fing er von sich aus ein Gespräch an, es sei denn, es handelte sich um einen seiner aktuellen Fälle. Alle aus seinem Ressort, die in einem Anfall von Wagemut versuchten, mit ihm zu plaudern, stellten bald fest, dass sie nicht weit kamen. Sein Verhalten ermutigte nicht zu Kameradschaft, und sein tadelloses Äußeres tat ein Übriges; im täglichen Umgang wirkte es wie Stacheldraht.

Als sich die Aufzugtüren im fünften Stock öffneten, verspürte Smilow eine vertraute Erregung. Er hatte schon zahllose Mordschauplätze gesehen, manche eher langweilig und unspektakulär, andere äußerst grausig. Einige waren rasch vergessene Routine, an andere würde er ewig denken. Entweder wegen der Phantasie des Killers, wegen der seltsamen Umstände, unter denen man die Leiche entdeckt hatte, wegen der bizarren Tötungsmethode und der außergewöhnlichen Waffe oder wegen des Alters und der Verhältnisse des Opfers.

Trotzdem löste bei ihm jeder erste Schritt an den Ort eines Verbrechens unweigerlich einen Adrenalinstoß aus, dessen er sich ganz und gar nicht schämte. Genau zu dieser Arbeit war er geboren, er genoss sie in vollen Zügen.

Als er aus dem Aufzug trat, erstarb das Gespräch zwischen den Zivilbeamten im Flur. Aus Respekt oder aus Angst traten sie beiseite, während er auf die offene Tür jener Hotelsuite zuschritt, in der heute ein Mann gestorben war.

Er notierte sich die Zimmernummer, ehe er hineinspähte. Erleichtert stellte er fest, dass bereits sieben Beamte von der Spurensicherung vor Ort waren und ihren unterschiedlichen Aufgaben nachgingen.

Da sie ihren Job gründlich erledigten, wandte er sich zufrieden an die drei Kriminalbeamten, die von der Mordkommission geschickt worden waren. Einer hatte eine Zigarette geraucht, die er nun hastig in einem Aschenbecher ausdrückte. Smilow belohnte ihn mit einem kalten starren Blick. »Collins, hoffentlich enthielt dieser Sand kein Beweismaterial.«

Wie ein Drittklässler, der einen Tadel kassiert, weil er sich nach der Toilette nicht die Hände gewaschen hat, stopfte der Kriminalbeamte die Hände in die Hosentaschen.

»Passen Sie auf«, sagte Smilow zur ganzen Gruppe gewandt.

Er wurde nie laut, das hatte er nicht nötig. »Ich werde keinen einzigen Fehler tolerieren. Sollte an diesem Schauplatz irgendetwas durcheinander kommen, sollte es auch nur minimale Abweichungen von der üblichen Prozedur geben, sollte durch irgendeine Nachlässigkeit auch nur der Hauch eines Beweisstücks übersehen oder gefährdet werden, mache ich aus dem Schuldigen Hackfleisch. Persönlich.«

Er schaute jedem einzeln in die Augen, dann fuhr er fort: »Okay, an die Arbeit.« Während sie hintereinander den Raum betraten, zogen sie Gummihandschuhe über. Jeder hatte seine spezielle Aufgabe, die er nun vorsichtig in Angriff nahm und dabei nichts berührte, was er nicht sollte.

Smilow trat auf die beiden Polizisten zu, die als Erste am Schauplatz gewesen waren, und fragte sie rundheraus: »Haben Sie ihn angefasst?«

»Nein, Sir.«

»Etwas anderes?«

»Nein, Sir.«

»Den Türknauf?«

»Als wir herkamen, stand die Tür offen. Das Zimmermädchen, das ihn gefunden hat, hat sie offen gelassen. Möglicherweise hat ihn der Mann vom Hotelsicherheitsdienst angefasst. Auf unsere Frage meinte er nein, aber…« Er hob die Schultern.

»Telefon?«, fragte Smilow.

»Nein, Sir, ich habe ja mein Handy dabei. Aber der Wachmann könnte es benutzt haben, bevor wir hier waren.«

»Mit wem haben Sie bisher gesprochen?«

»Nur mit ihm. Er hat uns angerufen.«

»Und was hat er gesagt?«

»Dass ein Zimmermädchen die Leiche gefunden hat.« Er deutete auf den Toten. »Genau so, mit dem Gesicht nach unten, zwei Schusswunden im Rücken, neben dem linken Schulterblatt.«

»Haben Sie das Zimmermädchen befragt?«

»Versucht, aber sie ist kaum ansprechbar; wir haben nicht viel aus ihr herausbekommen. Außerdem ist sie Ausländerin. Keine Ahnung, woher sie kommt«, antwortete der Polizist, als Smilow

18

fragend die Augenbraue hochzog. »Aus dem Akzent kann ich's nicht erkennen. Sie sagt nur immer wieder ›Toter Mann‹ und heult in ihr Taschentuch. Ist verrückt vor Angst.«

»Haben Sie den Puls geprüft?«

Der Polizist schielte zu seinem Kollegen hinüber, der nun zum ersten Mal den Mund aufmachte: »Das war ich. Nur um sicherzugehen, dass er tot ist.«

»Also haben Sie ihn *doch* angefasst.«

»Na ja, aber nur dafür.«

»Ich nehme an, dass Sie keinen gespürt haben.«

»Puls?« Der Polizist schüttelte den Kopf. »Nein, er war tot. Kein Zweifel.«

Bis zu diesem Punkt hatte Smilow den Körper ignoriert, jetzt ging er darauf zu. »Hat einer was vom Gerichtsmediziner gehört?«

»Schon unterwegs.«

Smilow registrierte die Antwort, obwohl er intensiv den Toten musterte. Bis er es nicht mit eigenen Augen sah, hatte er nicht glauben können, dass es sich bei dem Mordopfer um keinen Geringeren als Lute Pettijohn handelte, eine stadtbekannte angesehene Persönlichkeit. Pettijohn war unter anderem Vorstandsvorsitzender jenes Baukonzerns, der das verwahrloste Baumwolllagerhaus zum spektakulären neuen Charles Towne Plaza umgebaut hatte.

Obendrein war er einmal Rory Smilows Schwager gewesen.

2

Sie sagte: »Danke.«

Hammond antwortete: »Gern geschehen.«

»Es wurde gerade ungemütlich.«

»Bin ich froh, dass meine Notlüge funktioniert hat. Sonst säßen mir jetzt drei Elitesoldaten im Genick.«

»Ein Lob Ihrer Tapferkeit.«

»Oder meiner Dummheit. Die hätten mit mir Schlitten fahren können.«

Als sie über diese Bemerkung lächelte, war Hammond doppelt froh, dass er seinem idiotischen Impuls, den tapferen Ritter zu geben, gefolgt und zu ihrer Rettung herbeigeeilt war. Vom ersten Augenblick an hatte sie ihn magisch angezogen, aber ihr Anblick jenseits der Tanzfläche war nichts im Vergleich zur ungehinderten Nahaufnahme. Unter seinem intensiven Blick wandte sie die Augen ab und betrachtete einen undefinierten Punkt hinter seiner Schulter. Kein Zweifel, unter Druck reagierte sie kühl.

»Und was ist mit Ihrem Freund?«, fragte sie.

»Mein Freund?«

»Mr. Blanchard. Hieß er nicht Norm?«

»Ach so«, sagte er leise lachend, »nie von ihm gehört.«

»Sie haben ihn erfunden?«

»Tja, keine Ahnung, woher ich diesen Namen hatte. Ist mir einfach so eingefallen.«

»Sehr kreativ.«

»Irgendetwas Glaubwürdiges musste ich doch sagen, damit es so aussah, als ob wir zusammengehören. Etwas, das Sie wenigstens mit mir auf die Tanzfläche gelotst hat.«

»Sie hätten mich auch einfach zum Tanzen auffordern können.«

»Ja, schon, aber das wäre langweilig gewesen. Außerdem hätten Sie dann noch die Möglichkeit gehabt, mir einen Korb zu geben.«

»Nun ja, nochmals danke schön.«

»Nochmals, gern geschehen.« Er schob sie um ein anderes Paar herum. »Kommen Sie hier aus der Gegend?«

»Ursprünglich nicht.«

»Südstaatenakzent.«

»Ich bin in Tennessee aufgewachsen«, meinte sie, »in der Nähe von Nashville.«

»Nette Gegend.«

»Ja.«

»Hübsche Landschaft.«

»Hmm.«

»Und gute Musik.«

Exzellente Konversation, hinreißend, dachte er. *Einfach geistreich.*

Sie fand seine letzte blödsinnige Bemerkung nicht einmal einer Antwort wert, was er ihr auch nicht verübeln konnte. Wenn er so weitermachte, würde sie noch vor dem Ende des Songs verschwinden. Er manövrierte sie um ein anderes Paar herum, das eine komplizierte Drehung vollführte, ehe er mit stoischer Stimme die lahmste aller lahmen Aufreißerfragen stellte: »Kommen Sie oft hierher?«

Sie nahm es als Witz und lächelte ihr Lächeln, das ihn, wenn er nicht aufpasste, zu einem Vollidioten abstempeln würde. »Eigentlich war ich seit meinen Teenagertagen nicht mehr auf so einem Volksfest.«

»Ich auch nicht. Ich weiß noch, dass ich mit ein paar Kumpels hingegangen bin. Wir müssen ungefähr fünfzehn gewesen sein und wollten unbedingt Bier trinken.«

»Mit Erfolg?«

»Null.«

»Und das war Ihr letztes Mal?«

»Nein. Das nächste Mal hab ich eine Freundin mitgenommen. Bin extra zum Knutschen mit ihr in die Geisterbahn.«

»Und wie erfolgreich war das?«

»Genau wie beim ersten Mal. Dabei hab ich mich, weiß Gott, angestrengt, aber anscheinend bin ich immer an das eine Mädchen geraten, das…« Er verstummte, denn er fühlte, wie sie sich verkrampfte.

»Die geben nicht so leicht auf, was?«

Wie zum Beweis stand das Stahlhelmtrio direkt am Tanzflächenrand, genoss eine frische Runde Bier und funkelte sie böse an.

»Nun, wenn die sich schnell geschlagen gäben, stünde es schlecht um unsere nationale Sicherheit.« Mit einem süffisanten Grinsen zu den jungen Männern nahm er sie noch fester in den Arm und tanzte im Walzerschritt an ihnen vorbei.

»Sie müssen mich nicht beschützen«, meinte sie. »Mit der Situation wäre ich schon allein fertig geworden.«

»Davon bin ich überzeugt. Jede attraktive Frau muss die Kunst beherrschen, sich ungebetene Aufmerksamkeiten männlicherseits vom Leib zu halten. Aber Sie sind obendrein noch eine Dame, die sich vor einer Szene scheute.«

Sie schaute verstohlen zu ihm hoch. »Sehr gut beobachtet.«

»Das ist doch alles Schnee von gestern, also könnten wir genauso gut den Tanz genießen, oder?«

»Vermutlich.«

Trotz ihrer Zustimmung zum Weitertanzen entspannte sie sich nicht. Sie warf zwar nicht ständig verstohlene Blicke über die Schulter, trotzdem spürte Hammond, dass sie es am liebsten getan hätte.

Das machte ihn nachdenklich. Was würde sie am Ende dieses Tanzes tun? Er erwartete einen Korb, höflich, aber bestimmt. Zum Glück spielte die Band gerade eine traurige Schnulze. Der Sänger hatte eine uncharmante Blechstimme, kannte dafür aber sämtliche Strophen auswendig, was Hammond gerade recht kam. Je länger der Tanz dauerte, umso besser.

Seine Partnerin passte gut zu ihm. Ihr Scheitel reichte ihm gerade bis zum Kinn. Trotz des verführerischen Gedankens, dass er sie eng umschlungen hielt, spürte er deutlich ihre Distanz.

Momentan genügte es ihm, die Innenseite seines Vorderarms auf ihrem schmalen Rücken zu spüren, und dass ihre Hand – ohne einen Ehering – auf seiner Schulter lag und ihre Füße sich langsam im Takt bewegten.

Ab und zu berührten sich ihre Hüften flüchtig, was lustvolle Schauer in ihm auslöste, aber das konnte er kontrollieren. Obwohl ihm seine Vogelperspektive einen Blick in den Ausschnitt ihres Tops bot, war er Gentleman genug, nicht hinzusehen. Trotzdem ging seine Phantasie mit ihm durch, huschte hierhin und dorthin und prallte von seinen Schädelwänden ab wie eine von der Hitze verrückt gewordene Bremse.

»Sie sind weg.«

Ihre Stimme holte Hammond aus seiner Trance. Als er ihre

Worte begriff, schaute er sich um und sah, dass die Marines nicht mehr da waren. Ja, der Song war zu Ende, die Musiker legten gerade ihre Instrumente weg, und der Bandleader bat alle »am Platz zu bleiben« und versprach, sie würden nach kurzer Pause mit mehr Musik wiederkommen. Die anderen Pärchen machten sich auf den Weg zurück zu ihren Tischen oder strömten an die Bar.

Sie hatte beide Arme gesenkt, sodass Hammond nichts anderes übrig blieb, als die Umarmung zu lösen. Daraufhin trat sie einen Schritt zurück, weg von ihm. »Nun… keiner soll sagen, es gäbe keine Kavaliere mehr.«

Er grinste. »Sollte allerdings der Kampf mit dem Drachen jemals wieder Mode werden, können Sie's vergessen.«

Lächelnd streckte sie die Hand aus. »Ich finde toll, was Sie getan haben.«

»Mit dem größten Vergnügen. Danke für den Tanz.« Er schüttelte ihre Hand, sie wandte sich zum Gehen. »Ach…« Hammond drängte sich durch die Menge hinter ihr.

Als sie zum Rand des erhöhten Pavillons kamen, ging er vor, ehe er ihre Hand ergriff und ihr hinunter half. Eine unnötige höfliche Geste, denn nach unten war es kaum ein halber Meter. Im Gleichschritt ging er neben ihr her. »Darf ich Ihnen ein Bier besorgen?«

»Nein, vielen Dank.«

»Die Maiskolben duften lecker.«

Trotz eines Lächelns schüttelte sie verneinend den Kopf. »Eine Fahrt mit dem Riesenrad?«

Ohne ihr Tempo zu verlangsamen, warf sie ihm einen verletzten Blick zu. »Nicht in die Geisterbahn?«

»Ich will doch mein Glück nicht herausfordern«, meinte er grinsend, denn inzwischen witterte er eine leise Hoffnung, aber sein Optimismus war nur von kurzer Dauer. »Danke, aber jetzt muss ich wirklich gehen.«

»Sie sind doch eben erst gekommen.«

Sie blieb abrupt stehen, wandte sich ihm zu, legte den Kopf in den Nacken und musterte ihn scharf. Gleißend spiegelte sich die untergehende Sonne in ihren Augen. Sie kniff sie leicht zusammen und schirmte sie mit den Wimpern ab. Sie waren viel dunkler als ihre Haare. Wunderschöne Augen, dachte er, offen und ehrlich und doch sexy. Und momentan durchdringend fragend. Sie wollte wissen, woher er gewusst hatte, wann sie gekommen war.

»Sie sind mir gleich beim Betreten des Pavillons aufgefallen«, gestand er.

Mehrere Herzschläge hielt sie seinem Blick stand, ehe sie befangen den Kopf senkte. Ringsherum strudelte die Menge. Eine Gruppe kleiner Buben rannte vorbei, verfehlte sie nur um Zentimeter und wirbelte dabei eine dicke Staubwolke auf, die sich nicht so rasch legte. Ein Kleinkind begann zu plärren, als ihm der mit Helium gefüllte Luftballon aus der winzigen Faust entwischte und Richtung Baumwipfel schwebte. Zwei tätowierte Mädchen zündeten sich im Vorbeischlendern unter großem Getue und lautstarken rüden Bemerkungen Zigaretten an. Sie reagierten auf nichts davon. Offensichtlich konnte die Rummelplatzkakophonie die private Stille nicht stören.

»Ich dachte, Sie hätten mich auch bemerkt.«

Seltsamerweise hatte sie keine Mühe, Hammonds leise Worte im Lärm zu verstehen. Obwohl sie ihn nicht anschaute, sah er ihr Lächeln, hörte sie leicht verlegen auflachen.

»Also doch? Haben Sie mich bemerkt?« Sie hob eine Schulter, ein kleines Signal für ein Geständnis.

»Na gut«, sagte er zum Zeichen seiner Erleichterung übertrieben hastig. »In dem Fall verstehe ich nicht, warum wir unser gemeinsames Volksfest auf einen einzigen Tanz beschränken sollten. Nicht, dass der nicht toll gewesen wäre. War er. So habe ich seit Jahren keinen Tanz mehr genossen.«

Sie hob den Kopf. Ihr Blick signalisierte Rückzug.

»Hmm«, sagte er, »ich benehme mich idiotisch, stimmt's?«

»Total.«

Jetzt strahlte er übers ganze Gesicht. Sie war so verdammt attraktiv und nahm es nicht übel, dass er flirtete, wie er es seit zwanzig Jahren nicht getan hatte. »Wie wär's denn damit? Ich habe heute Abend Ausgang. So außerplanmäßig bin ich seit –«

»Ist das ein Wort?«

»So was Ähnliches.«

»Ein echtes Scrabble-Wort.«

»Damit will ich nur sagen, sollten Sie keine Pläne fürs Abendessen haben…?«

Ihr Kopfschütteln deutete ein Nein an.

»Warum genießen wir dann nicht gemeinsam weiter den Jahrmarkt?«

Während Rory Smilow in Lute Pettijohns tote Augen starrte, fragte er: »Was hat ihn getötet?«

Der Pathologe, ein zierlicher nachdenklicher Mann mit sensiblen Gesichtszügen und unaufdringlichem Verhalten, hatte sich etwas äußerst Seltsames verschafft – Smilows Respekt.

Dr. John Madison war ein schwarzer Südstaatler, der sich in einer typischen Südstaatenstadt Autorität und Einfluss erworben hatte. Smilow hegte größte Hochachtung für jeden, der gegen härtesten Widerstand persönlich so viel erreichte.

Sorgfältig hatte Madison die Leiche in der Lage begutachtet, in der man sie gefunden hatte: mit dem Gesicht nach unten. Man hatte die Umrisse nachgezeichnet und sie anschließend aus unterschiedlichen Blickwinkeln fotografiert. Er hatte die Hände und Finger des Opfers inspiziert, besonders unter den Nägeln, und an den Handgelenken die einsetzende Starre geprüft. Mithilfe einer Pinzette hatte er einen unidentifizierbaren Partikel von Pettijohns Mantelärmel gezupft und das winzige Stück anschließend vorsichtig in einer Tüte für Beweismaterial verstaut.

Erst als er mit seiner vorläufigen Untersuchung fertig war und bat, man möge ihm beim Umdrehen des Opfers helfen, entdeckten sie die erste Überraschung – eine hässliche Wunde an Pettijohns Schläfe, direkt am Haaransatz.

»Glauben Sie, der Täter hat ihn geprügelt?«, fragte Smilow, wobei er in die Hocke ging, um die Wunde besser sehen zu können. »Oder hat man ihn zuerst erschossen und das ist dann beim Sturz passiert?«

Madison rückte seine Brille zurecht und meinte beklommen:

»Falls Sie Schwierigkeiten haben, darüber zu reden, können wir die Details auch später besprechen.«

»Sie meinen, weil er mal mein Schwager war?« Als der Gerichtsmediziner leicht nickte, sagte Smilow: »Ich habe nie mein Privatleben mit Beruflichem vermischt oder umgekehrt. Sagen Sie mir Ihre Meinung, John, und ersparen Sie mir auch nicht die peinlichsten Einzelheiten.«

»Natürlich muss ich die Wunde noch genau überprüfen«, sagte Madison ohne einen weiteren Kommentar zu der Beziehung zwischen dem Opfer und dem Detective. »Trotzdem wäre mein erster Eindruck, dass er sich diese Kopfwunde zugezogen hat, bevor er starb, und nicht post mortem. Es ist jedenfalls ein besonders hässliches Exemplar, das unterschiedliche Gehirntraumata verursacht haben könnte, jedes eventuell mit Todesfolge.«

»Aber daran glauben Sie nicht.«

»Ehrlich gesagt, Rory, nein. So traumatisch wirkt die Wunde nicht. Die Schwellung ist äußerlich, was normalerweise darauf hindeutet, dass innerlich kaum eine oder gar keine vorhanden ist. Trotzdem gibt es manchmal Überraschungen.«

Smilow konnte verstehen, dass der Pathologe zögerte, sich vor einer Autopsie auf die eine oder andere Theorie festzulegen. »Kann man denn momentan mit Sicherheit sagen, dass er an den Kugeln gestorben ist?«

Madison nickte. »Aber das ist nur eine erste Vermutung. Ich habe den Eindruck, als wäre er vor dem Tod gestürzt oder als hätte ihn jemand gestoßen beziehungsweise geschlagen.«

»Wie lange vorher?«

»Der genaue Zeitpunkt wird schwieriger zu bestimmen sein.«

»Hmm.«

Smilow musterte rasch die Umgebung: Teppichboden, Sofa, bequeme Sessel – alles weiche Oberflächen. Bis auf die Glasplatte des Couchtischs. Breitbeinig tappte er zum Tisch hinüber und neigte den Kopf so weit nach unten, bis er mit der Platte auf Augenhöhe war. Man hatte ein Trinkglas und eine Flasche aus der Minibar auf dem Tisch gefunden. Beides hatte die Spurensicherung längst eingesammelt und verpackt.

Aus dieser Perspektive konnte Smilow mehrere Ringe sehen, die inzwischen angetrocknet waren. Hier hatte Pettijohn sein Glas ohne einen Untersetzer abgestellt. Zentimeter für Zentimeter wanderte sein Blick über die Glasplatte. An der Tischkante hatte der Spurendienst etwas entdeckt, das wie der Abdruck einer Hand aussah.

Smilow richtete sich wieder auf und versuchte den möglichen Tathergang gedanklich zu rekonstruieren. Er ging um den Tisch herum und näherte sich dann der anderen Tischseite. »Nehmen wir mal an, Lute wollte gerade nach seinem Glas greifen«, mutmaßte er laut vor sich hin, »und ist dabei nach vorn gefallen.«

»Rein zufällig?«, fragte einer der Kriminalbeamten. Smilow wurde zwar gefürchtet und war allgemein unbeliebt, trotzdem schätzte jeder in der ganzen Mordkommission sein Talent, Verbrechen zu rekonstruieren. Jeder im Raum hielt inne und hörte aufmerksam zu.

»Nicht unbedingt«, antwortete Smilow nachdenklich. »Irgendjemand könnte ihm von hinten einen Stoß versetzt haben, sodass er das Gleichgewicht verlor und vornübergestürzt ist.« Er spielte den Vorfall nach, wobei er sorgfältig darauf achtete, nichts zu berühren, vor allem nicht den Körper. »Er versuchte, den Sturz zu mildern, indem er nach der Tischkante griff, aber vielleicht schlug sein Kopf auch so fest am Boden auf, dass er bewusstlos wurde.« Er warf einen Blick zu Madison hinauf und zog dabei fragend die Augenbrauen hoch. »Möglich«, antwortete der Gerichtsmediziner.

»Wir können wohl wenigstens behaupten, dass er benommen war, ja? Dann wäre er genau hier gelandet.« Dabei deutete er mit gespreizten Händen auf die Umrisse auf dem Boden, die die Position festhielten, in der man den Körper gefunden hatte. »Wer immer ihn gestoßen hat, schoss ihm anschließend zwei Kugeln in den Rücken«, meinte einer der Ermittler.

»Er wurde zweifelsohne erschossen, während er mit dem Gesicht nach unten lag«, sagte Smilow, bevor er Madison wieder ansah.

»Sieht ganz danach aus«, sagte der Gerichtsmediziner.

Detective Mike Collins pfiff leise. »Mensch, das nenn ich kaltblütig. Schießt einem in den Rücken, der schon am Boden liegt. Da war jemand stinksauer.«

»Dafür war Lute bestens bekannt – Leute zu vergrätzen«, meinte Smilow. »Jetzt müssen wir nur noch diese eine Person einkreisen.«

»Es war jemand, den er kannte.«

Er schaute den Kripobeamten an, der das gesagt hatte, und forderte ihn auf fortzufahren. Der Beamte sagte: »Keine Anzeichen für ein gewaltsames Eindringen. Nichts deutet darauf hin, dass die Tür aufgebrochen wurde. Demnach hatte der Täter entweder einen Schlüssel, oder Pettijohn hat ihm die Tür aufgemacht.«

»Pettijohns Zimmerschlüssel steckte in seiner Tasche«, berichtete einer der anderen. »Raub entfällt als Motiv, es sei denn, er wurde dabei gestört. Seine Brieftasche wurde in einer Innentasche unter dem Körper gefunden, offensichtlich unberührt. Nichts fehlt.«

»Okay, dann hätten wir hier also einen ersten Anhaltspunkt«, sagte Smilow. »Trotzdem liegt noch ein weiter Weg vor uns. Was wir nicht haben, sind eine Tatwaffe und einen Verdächtigen. In diesem Gebäude wimmelt es von Menschen, Angestellten wie Gästen. Irgendeiner hat irgendetwas gesehen. Also fangen wir mit der Befragung an. Trommelt die Leute zusammen.«

Während er Richtung Tür trabte, grummelte einer der Beamten: »Wir haben bald Mittag. Das wird nicht gut ankommen.« Daraufhin tönte es von Smilow: »Das ist mir egal.« Woran keiner zweifelte, der je mit ihm gearbeitet hatte. »Was ist mit den Überwachungskameras?«, fragte er. Im Charles Towne Plaza fehlte es an nichts. »Wo ist das Videoband?«

»In dem Punkt scheint etwas Unklarheit zu herrschen.«

Er drehte sich zu dem Kriminalbeamten um, den man mit der Überprüfung des hoteleigenen Sicherheitssystems beauftragt hatte. »Was für eine Unklarheit?«

»Sie wissen schon: Wirrwarr, allgemeines Chaos. Das Band ist derzeit nicht auffindbar.«

»Verloren?«

»So weit wollte man nicht gehen.«

Smilow stieß einen leisen Fluch aus.

»Der Verantwortliche verspricht, dass wir es bald haben werden. Aber, Sie wissen ja …« Der Kripobeamte hob die Schultern, als wollte er geringschätzig sagen: *Zivilisten*.

»Halten Sie mich auf dem Laufenden. Ich will es sehen, aber dalli«, wandte sich Smilow an die ganze Truppe. »Wir haben es hier mit einem hochrangigen Mord zu tun. Keiner redet mit den Medien, nur ich. Haltet die Klappe, kapiert? Die Täterspur wird mit jeder Minute kälter, also an die Arbeit.«

Die Kriminalbeamten gingen hintereinander hinaus, um mit dem Befragen von Hotelgästen und Angestellten zu beginnen, eine unangenehme und ermüdende Angelegenheit. Die Leute sträubten sich bei Befragungen automatisch, weil damit immer eine gewisse Schuldzuweisung verbunden war. Außerdem wussten sie aus Erfahrung, dass Smilow ein hartnäckiger und unerbittlicher Zuchtmeister war. Er wandte sich wieder an Dr. Madison: »Können Sie das schnell erledigen?«

»Innerhalb von ein paar Tagen.«

»Bis Montag?«

»Damit kann ich wohl mein Wochenende in den Wind schießen.«

»Ich meines auch«, sagte Smilow. Es klang nicht wie eine Entschuldigung. »Ich wünsche eine toxikologische Untersuchung, einfach alles.«

»Tun Sie doch immer«, meinte Madison mit einem gutmütigen Lächeln. »Ich werde mein Bestes tun.«

»Tun Sie doch immer.«

Nachdem man den Körper weggeschafft hatte, wandte sich Smilow direkt an ein Mitglied der Spurensicherung. »Wie sieht's aus?«

»Zum Glück ist das Hotel neu. Nicht viele Fingerabdrücke, also dürften die meisten vermutlich von Pettijohn sein.«

»Oder vom Täter.«

»Damit würde ich nicht rechnen«, sagte der Spezialist stirnrunzelnd. »Das ist der sauberste Schauplatz, den ich je gesehen habe.«

Als die Suite leer war, ging Smilow sie ab und überprüfte alles höchstpersönlich. Zog jede Schublade auf, suchte den Wandschrank mit dem eingebauten Safe ab, schaute zwischen die Matratzen, unters Bett, in den Medizinschrank im Bad, ja sogar in den Spülkasten der Toilette. Immer auf der Suche nach irgendetwas, was Lute Pettijohn vielleicht hinterlassen hatte und das einen Hinweis auf die Identität des Täters liefern könnte.

Alles, was Smilow fand, waren eine Gideon-Bibel und das Telefonbuch von Charleston. Nichts Persönliches aus Lute Pettijohns Besitz, keinen Kalender, keine Quittungen, weder Tickets noch handschriftliche Notizen oder Einwickelpapier. Einfach nichts.

Aus der Minibar fehlten nach Smilows Zählung zwei Flaschen Scotch, obwohl nur ein Glas benutzt worden war. Es sei denn, der Mörder war so clever gewesen, sein Glas beim Verlassen mitzunehmen. Aber bei der Befragung der Hausdame erfuhr Smilow, dass jede Suite mit vier Whiskygläsern ausgestattet war. Und drei saubere waren noch da.

Wie am Schauplatz eines Verbrechens üblich, wirkte alles praktisch steril – mit Ausnahme des Blutflecks auf dem Wohnzimmerteppich.

»Detective?«

Smilow, der gedankenverloren auf den blutgetränkten Teppich gestarrt hatte, hob den Kopf.

Im Türrahmen stand ein Polizist und deutete mit dem Daumen in den Flur. »Sie bestand darauf hereinzukommen.«

»Sie?«

»Ich.« Eine Frau schubste den Streifenpolizisten beiseite, als ob er nicht die geringste Bedeutung hätte, entfernte das Absperrband vom Türrahmen und trat ein. Rasch durchkämmten dunkle Augen den Raum. Beim Anblick des trockenen Blutflecks stieß sie enttäuscht und angewidert die Luft aus. »Madison hat den Körper schon? Verdammt!«

Smilow sah auf seine Uhr und sagte: »Gratuliere, Steffi, du hast deinen eigenen Geschwindigkeitsrekord gebrochen.«

3

»Ich dachte, Sie würden vielleicht Mann und Kinder erwarten.«

»Wann?«

»Als Sie den Pavillon betraten.«

»Ach.«

Sie ließ sich nicht von Hammond ködern, sondern lutschte nur weiter ihr Stieleis. Erst als das Holzstäbchen sauber war, meinte sie: »Ist das Ihre Art, sich zu erkundigen, ob ich verheiratet bin?«

Gequält verzog er das Gesicht. »Und dabei dachte ich, ich wäre so subtil vorgegangen.«

»Danke für das Eis.«

»Ist das Ihre Art, einer Antwort auszuweichen?«

Lachend kamen sie zu einer Reihe schiefer Holzstufen, die zu einer Anlegestelle führten. Die Plattform ragte knapp einen Meter über die Wasseroberfläche und war ungefähr zehn Quadratmeter groß. Sachte schwappte das Wasser gegen die Stelzen unter den verwitterten Planken. Außen herum liefen Holzbänke, deren Rückenlehnen als Geländer dienten. Hammond nahm ihr Eisstäbchen samt Einwickelpapier und warf es mit seinem eigenen in einen Abfallkorb, ehe er mit ihr auf eine der Bänke zusteuerte.

In jeder Piereecke stand eine Laterne mit matten unauffälligen Glühbirnen. Dazwischen hingen ähnliche Lichterketten wie unter der Pavillondecke. Sie milderten das rustikale Ambiente und verwandelten die gewöhnliche Anlegestelle in eine romantische Bühne.

Es wehte eine sanfte Brise, die aber doch so kräftig war, dass man eine Chance gegen die Mücken hatte. Im Dickicht am Flussufer quakten Frösche, Zikaden zirpten von den tief hängenden moosbewachsenen Ästen der schützenden Eichen.

»Hübsch hier draußen«, bemerkte Hammond.

»Hmm. Ich bin überrascht, dass es sonst noch niemand entdeckt hat.«

»Ich habe reservieren lassen, damit wir den Platz ganz für uns allein haben.«

Sie lachte. In den letzten paar Stunden hatte es viel zu lachen gegeben, während sie die verführerischen Kalorienbomben an den Verkaufsständen probierten und ziellos von Bude zu Bude schlenderten. Sie hatten eingemachte Pfirsiche und Stangenbohnen nach Hausfrauenart bewundert, hatten sich über den letzten Schrei an Trimm-dich-Geräten informiert und die gepolsterten Sitze von hochmodernen Traktoren getestet. Er hatte für sie bei einem Baseballkorbwerfen einen winzigen Teddybären gewonnen. Sie hatte sich trotz der Überredungskünste der Verkäuferin geweigert, eine Perücke anzuprobieren.

Gemeinsam waren sie mit dem Riesenrad gefahren. Als ihr Wagen ganz oben zum Stehen kam und gefährlich schlingerte, war Hammond regelrecht schwindelig geworden. Es war einer der sorglosesten Momente, an die er sich erinnern konnte, seit…

Er konnte sich an keinen sorgloseren Moment erinnern.

Sämtliche Ketten, die ihn so fest am Boden hielten – Menschen, Arbeit, Verpflichtungen –, schienen mit einem Mal zerrissen. Für wenige kurze Minuten fühlte er sich völlig losgelöst. In diesem Gefühl von Freiheit hatte er den Nervenkitzel genossen, hoch über dem Jahrmarkt zu hängen, und dazu ein unbeschwertes Gefühl, das er schon kaum mehr kannte. Er genoss die Gesellschaft einer Frau, der er erst vor kaum zwei Stunden begegnet war.

Spontan wandte er sich nun zu ihr um und fragte: »Sind Sie verheiratet?«

Sie lachte und duckte sich kopfschüttelnd. »So viel zum Thema Zartgefühl.«

»Mit Zartgefühl bin ich nicht weitergekommen.«

»Nein, ich bin nicht verheiratet. Und Sie?«

»Nein.« Und dann: »Wow! Bin ich froh, dass wir das geklärt haben.«

Sie hob den Kopf und schaute lächelnd zu ihm hinüber. »Ich auch.«

Dann hörten beide zu lächeln auf und schauten sich nur noch an. Der Blick dehnte sich zu Sekunden und dann zu Minuten, von außen betrachtet zu langen stillen, ruhigen Minuten, die sich nur dort, wo die Emotionen regieren, lautstark bemerkbar machen. Für Hammond war das einer jener Momente, die man mit viel Glück nur einmal im Leben erfährt. Einer von der Art, die selbst die begabtesten Regisseure und Schauspieler nur mühsam auf Zelluloid bannen können. Einer jener verbindenden Momente, die alle Dichter und Liedermacher in ihren Werken zu beschreiben suchen und doch nie ganz dingfest machen können. Bis zu diesem Moment hatte Hammond mit der Fehleinschätzung gelebt, sie hätten ihre Sache gut gemacht. Erst jetzt ging ihm auf, wie kläglich sie gescheitert waren.

Wie konnte ein Mensch, egal wer, diesen winzigen Augenblick beschreiben, in dem sich alles zusammenfügt? Wie jene explosive Einsicht beschreiben, wenn man weiß, dass das eigene Leben eben erst begonnen hat, dass alles, was vorher geschah, im Vergleich dazu null und nichtig ist und nichts jemals wieder so sein wird wie früher? Aber die schwer zu fassenden Antworten auf diese Fragen wurden immer unwichtiger, während er begriff, dass die einzige Wahrheit, die er wirklich brauchte, hier war, hier und jetzt. Dieser Augenblick.

So hatte er sich noch nie in seinem Leben gefühlt. Niemand hatte das je so empfunden.

Noch immer schaukelte er im obersten Wagen des Riesenrads und wollte nie wieder hinunter.

Gerade als er sagte: »Möchten Sie noch mal mit mir tanzen?«, sagte sie: »Ich muss wirklich gehen.«

»Gehen?« – »Tanzen?«

Wieder sprachen beide zur selben Zeit, aber Hammond war schneller. »Tanzen Sie noch mal mit mir. Beim letzten Mal war ich nicht in Hochform, kein Wunder, wenn das gesamte Marine Corps jeden meiner Schritte beäugt.«

Sie drehte den Kopf weg und schaute von der Plattform zum Parkplatz auf der anderen Seite hinüber.

Er wollte sie nicht bedrängen. Wahrscheinlich würde sie das nur in die Flucht schlagen. Trotzdem konnte er sie nicht gehen lassen, noch nicht. »Bitte?«

Mit einem Ausdruck tiefer Unsicherheit schaute sie zu ihm zurück, dann schenkte sie ihm ein winziges Lächeln. »Gut, einen Tanz.«

Sie standen auf. Sie wollte schon auf die Stufen zugehen, da ergriff er ihre Hand und drehte sie herum. »Was ist falsch mit dieser Tanzfläche?«

Sie hielt den Atem an, ehe sie langsam und bebend wieder ausatmete. »Nichts, schätze ich.«

Seit ihrem letzten Tanz hatte er sie nicht mehr berührt. Nur einmal hatte er ihr ganz kurz und leicht die Hand auf den Rücken gelegt, um sie im Gewühl um einen Engpass herumzugeleiten. Beim Betreten und Verlassen des Riesenrads hatte er ihr seine Hand angeboten. Während der Fahrt hatten sie nebeneinander gesessen, Ellbogen an Ellbogen, Hüfte an Hüfte. Aber bis auf diese wenigen Ausnahmen hatte er strikt jeder Versuchung widerstanden, sie zu berühren. Er wollte sie weder verscheuchen noch mit aufdringlichem Benehmen beleidigen.

Jetzt zog er sie mit sachtem Druck zu sich, bis sie Zehen an Zehen standen, dann legte er ihr den Arm um die Taille und drückte sie an sich. Näher als vorher. Direkt gegen sich. Sie ließ es nur zögernd geschehen, sperrte sich aber nicht. Sie hob den Arm auf Schulterhöhe, und er spürte am Nackenende den Druck ihrer Hand.

Die Band hatte bereits Schluss gemacht. Inzwischen sorgte ein Discjockey für die Musik und spielte die ganze Bandbreite von Credence Clearwater bis Streisand. Weil es allmählich spät wurde und die Tänzer besinnlicher gestimmt waren, spielte er langsamere Songs.

Hammond erkannte die Melodie wieder, konnte aber weder den Sänger noch das Lied identifizieren, das gerade vom Pavillon herüberdrang. Es war auch nicht wichtig. Es war eine langsame süß-romantische Ballade. Anfänglich versuchte er noch, seine Füße zu der Schrittfolge zu bringen, die er in seiner Jugend widerwillig bei Kotillons gelernt hatte, zu denen ihn seine Mutter überredete. Aber je länger er sie im Arm hielt, umso weniger gelang es ihm, sich auf etwas anderes zu konzentrieren als sie.

Ein Song folgte dem anderen, ohne dass sie auch nur einen Takt ausließen, obwohl sie nur einem einzigen Tanz zugestimmt hatte. Im Grunde merkte keiner von beiden, wenn sich die Musik änderte. Ihre Augen, ihre ganzen Sinne waren nur auf den anderen gerichtet.

Er zog ihre verschlungenen Hände an seine Brust, drückte ihre Handfläche nach unten und bedeckte sie mit seiner. Sie neigte den Kopf nach vorne, bis ihre Stirn an seinem Schlüsselbein ruhte. Er rieb seine Wange an ihrem Haar. In ihrer Kehle vibrierte ein leiser Ton der Hingabe, den er mehr spürte als hörte. Seine eigene Sehnsucht bildete das Echo dazu.

Immer langsamer bewegten sich ihre Füße, bis sie schließlich ganz stehen blieben. Völlig still standen sie da, nur ihre Haarsträhnen streiften in der Brise ihr Gesicht. Die Hitze, die aus jeder Stelle stieg, an der sie sich berührten, schien sie buchstäblich zusammenzuschmieden. Hammond senkte den Kopf für den Kuss, der nun unweigerlich kommen musste.

»Ich muss gehen.« Abrupt löste sie sich und drehte sich zur Bank um, wo sie Handtasche und Jacke liegen gelassen hatte.

Mehrere Sekunden war er zu verblüfft, um reagieren zu können. Nachdem sie ihre Sachen geholt hatte, wollte sie schon mit einem hastigen »Danke für alles. War schön, wirklich« an ihm vorbei.

»Warte eine Minute.«

Sie wich seiner Berührung aus und schritt rasch die Stufen hinauf, wobei sie in ihrer Hast einmal stolperte. »Ich muss gehen.«

»Warum jetzt?«

»Ich… kann das nicht machen.«

Sie warf die Wörter über die Schulter, während sie Richtung Parkplatz eilte. Sie folgte der Wimpelreihe, vermied die Budenstraße, den Pavillon und den schwächer werdenden Rummel an den Ständen. Einige Attraktionen hatten schon geschlossen. Aussteller bauten ihre Buden ab und packten ihre Kunstgewerbesachen zusammen. Mit Souvenirs und Gewinnen beladen tappten ganze Familien zu ihren Vans. Die Stimmung klang nicht mehr so fröhlich und laut wie vorher, und auch die Musik im Pavillon hörte sich eher verloren als romantisch an.

Hammond hielt mit ihr Schritt. »Das verstehe ich nicht.«

»Was gibt's da nicht zu verstehen? Ich habe dir erklärt, dass ich gehen muss. Das ist alles, mehr ist da nicht.«

»Das glaube ich nicht.« Verzweifelt versuchte er, sie aufzuhalten und griff nach ihrem Arm. Sie blieb stehen, holte mehrmals tief Luft und wandte ihm dann ihr Gesicht zu, ohne ihn jedoch direkt anzusehen.

»Es war schön mit dir.« Sie sprach mit flacher, kaum modulierter Stimme, als ob es sich um auswendig gelernte Zeilen handelte. »Aber jetzt ist der Abend vorbei, und ich muss gehen.«

»Aber –«

»Ich schulde dir keine Erklärung. Gar nichts schulde ich dir.« Nach einem kurzen Blickkontakt huschten ihre Augen wieder weg. »Und jetzt versuche bitte nicht mehr, mich aufzuhalten.«

Hammond ließ ihren Arm los und trat zurück, wobei er wie bei einer Gefangennahme die Hände hob.

»Auf Wiedersehen«, war alles, was sie sagte, ehe sie sich von ihm abwandte und sich einen Weg über den unebenen Boden zum abgezäunten Parkplatz bahnte.

Stefanie Mundell warf Smilow die Schlüssel ihres Acura zu. »Du fährst, während ich mich umziehe.« Sie hatten das Hotel durch den Ausgang East Bay Street verlassen und liefen nun rasch den Gehsteig hinunter, den nicht nur die Menschenmenge verstopfte, die jeden Samstagabend unterwegs war, sondern auch Schaulustige, die von den am Straßenrand geparkten Notfallfahrzeugen zu dem neuen Gebäude gelockt worden waren.

Da man beiden ihren Status als Vertreter der Kommune nicht ansah, bewegten sie sich ohne Aufsehen durch die neugierigen Zuschauer. Smilows Anzug wies noch immer keinen Knitter auf, seine Doppelmanschetten waren makellos. Trotz des Tamtams im Zusammenhang mit dem Mord an Pettijohn hatte er keinen Schweißtropfen vergossen.

Und in Steffi würde gewiss niemand eine Assistentin des Bezirksstaatsanwalts vermuten. Sie trug eine kurze Jogginghose mit einem bauchfreien knappen Oberteil. Beides war nicht einmal unter der Klimaanlage im Hotel getrocknet und noch immer schweiß-nass. Obwohl ihre steifen Brustwarzen, gepaart mit schlanken muskulösen Beinen, die anerkennenden Seitenblicke mehrerer männlicher Passanten auf sich zogen, war sie sich dessen nicht einmal bewusst. Sie dirigierte Smilow zu ihrem Wagen, der gesetzeswidrig im absoluten Halteverbot parkte.

Er drückte auf die Fernbedienung, ging aber nicht herum, um für sie die Beifahrertür zu öffnen. Für diese Geste hätte er von ihr nur eine Abfuhr bekommen. Sie kletterte auf den Rücksitz. Smilow setzte sich hinters Lenkrad. Während er den Wagen anließ und auf eine Möglichkeit zum Ausparken wartete, fragte Steffi: »Stimmte das? Was du beim Gehen zu den Polizisten gesagt hast?«

»Welcher Teil?«

»Aha, also war einiges davon Käse?«

»Nicht der Teil, dass wir momentan weder ein eindeutiges Motiv noch eine Waffe oder einen Verdächtigen haben.« Er hatte ihnen erklärt, sie sollten den Mund halten, wenn hier Reporter aufkreuzten und Fragen stellten. Für elf Uhr hatte er bereits eine Pressekonferenz einberufen. Durch diesen Zeitpunkt stellte er sicher, dass die Regionalsender während ihrer Spätnachrichten live zuschalteten, was seinem Fernsehauftritt eine maximale Reichweite sicherte.

Voller Ungeduld über die endlose Autoschlange, die die Durchgangsstraße verstopfte, drückte er die Schnauze von Steffis Wagen in die schmale Spur, was ihm ein lautes Hupkonzert von einem herannahenden Fahrzeug eintrug.

Mit der gleichen Ungeduld, die Smilows Fahrstil kennzeichnete, zerrte sich Steffi das Oberteil über den Kopf. »Okay, Smilow, jetzt kann dich keiner mehr belauschen. Rede. Ich bin's.«

»Das sehe ich«, bemerkte er mit einem verstohlenen Blick in den Rückspiegel.

Unbeeindruckt wischte sie sich die Achseln mit einem Handtuch ab, das sie aus ihrer Sporttasche zerrte. »Eltern, neun Kinder, ein Bad. Wer bei uns daheim schüchtern oder zimperlich war, blieb schmutzig und hatte Verstopfung.«

Für jemanden, der seine Herkunft aus Arbeiterkreisen abstritt, berief sich Steffi ziemlich häufig darauf. Meistens, um ihr derbes Benehmen zu rechtfertigen.

»Na denn, zieh dich an, zack, zack. In ein paar Minuten sind wir da. Obwohl du eigentlich nicht dabei sein müsstest. Ich kann das auch allein«, sagte Smilow.

»Ich *will* aber dabei sein.«

»Gut, gut, allerdings möchte ich nicht unterwegs verhaftet werden, also bleib unten, wo dich keiner in dem Zustand sehen kann.«

»Also, Rory, bist du aber ein prüder Kerl«, sagte sie und mimte die Kokette.

»Und du bist blutrünstig. Wie hast du einen frischen Mord so schnell gerochen?«

»War gerade joggen. Als ich am Hotel vorbeilief und die ganzen Polizeiautos sah, bin ich stehen geblieben und hab einen der Polizisten gefragt, was los war.«

»So viel zu meinen Anweisungen, den Mund zu halten.«

»Ich bin eine Überredungskünstlerin. Außerdem hat er mich wiedererkannt. Als er mir's gesagt hat, wollte ich meinen Ohren nicht trauen.«

»Ging mir auch so.«

Steffi zog einen normalen BH an, dann streifte sie ihre Shorts ab und schnappte sich aus ihrer Tasche ein Höschen. »Hör auf, das Thema zu wechseln. Was hast du herausgefunden?«

»Ist so ziemlich mein sauberster Schauplatz seit langem. Vielleicht der sauberste, den ich je gesehen habe.«

»Ehrlich?«, fragte sie offensichtlich enttäuscht. »Egal, wer ihn umgebracht hat, er wusste, was er tat.«

»Ein Schuss von hinten, während er mit dem Gesicht nach unten auf dem Boden liegt.«

»So war's.«

»Hmm.«

Wieder warf er ihr rasch einen Blick zu. Sie knöpfte gerade ein ärmelloses Kleid zu, ohne mit den Gedanken bei der Sache zu sein. Sie starrte Löcher in die Luft. Er konnte förmlich sehen, wie es in ihrem schlauen Köpfchen rotierte.

Obwohl Stefanie Mundell erst gut zwei Jahre im Büro des Bezirksstaatsanwaltes arbeitete, hatte ihre Tätigkeit nachhaltige Eindrücke hinterlassen – nicht immer die besten. Einige hielten sie für ein Oberbiest, was sie auch sein konnte. Sie hatte eine scharfe Zunge, die sie nicht ungern einsetzte. Es gab keine Beweisführung, bei der sie je klein beigegeben hätte. Das machte sie zur exzellenten Anklägerin und zu einer Geißel für alle Verteidiger – aber nicht bei ihren Mitarbeitern beliebt.

Trotzdem waren die Hälfte der Männer und vielleicht auch ein paar von den Frauen, die im engeren oder weiteren Umkreis von Polizei und Gericht arbeiteten, scharf auf sie. Oft wurde nach der Arbeit in Kneipen in derbsten Details über Phantasiebeziehungen zu ihr spekuliert. Selbstverständlich nicht in ihrer Hörweite. Keiner sehnte sich danach, von Stefanie Mundell in eine Anklage wegen sexueller Belästigung verwickelt zu werden.

Sie tat, als hätte sie von all diesen Schlafzimmerphantasien keine Ahnung – wenn sie sie überhaupt registrierte. Nicht weil ihr die Tatsache, dass Männer ihr die schlüpfrigsten Attribute anhängten, Probleme bereitete oder sie verunsicherte. So etwas tat sie schlichtweg als präpubertäre Auswüchse ab, etwas viel zu Dummes und Albernes, um darauf Zeit und Energie zu verschwenden.

Insgeheim beobachtete Rory sie jetzt im Spiegel, während sie sich einen schmalen Ledergürtel um die Taille band und anschließend mit den Händen durch die Haare fuhr, womit das Thema Kämmen abgeschlossen war. Er fühlte sich körperlich nicht von ihr angezogen. Ihr Benehmen löste in ihm keine wilde Fleischeslust aus, nur eine tiefe Bewunderung für ihre scharfe Intelligenz und den Ehrgeiz, der sie antrieb.

»Steffi, das war ein sehr bedeutsames ›Hmm‹. Woran denkst du gerade?«

»Wie wütend der Täter gewesen sein muss.«

»Das hat auch schon einer meiner Kommissare angemerkt. Es war ein kaltblütiger Mord. Der Gerichtsmediziner meint, möglicherweise sei Lute nicht bei Bewusstsein gewesen, als er erschossen wurde. Jedenfalls stellte er keine Bedrohung dar. Der Mörder wollte einfach sicherstellen, dass er tot ist.«

»Wenn ihr eine Liste aller Leute aufstellt, die Lute Pettijohn tot sehen wollen –«

»So viel Papier und Tinte haben wir gar nicht.«

Sie begegnete im Rückspiegel seinem Blick und lächelte. »Stimmt. Also, irgendwelche Vermutungen?«

»Bis jetzt noch nicht.«

»Oder sagst du's nur nicht?«

»Steffi, du weißt, dass ich erst dann etwas zu dir ins Büro bringe, wenn ich so weit bin.«

»Versprich mir nur eines –«

»Keine Versprechungen.«

»Versprich mir, dass kein anderer den ersten Schuss abfeuern darf.«

»Auf Wortspielchen war ich eigentlich nicht aus.«

»Du weißt genau, was ich meine«, sagte sie verärgert.

»Mason wird den Fall zuweisen«, sagte er mit einer Anspielung auf Monroe Mason, den Bezirksstaatsanwalt von Charleston. »Es liegt an dir, dafür zu sorgen, dass du ihn bekommst.«

Aber ein Blick in den Spiegel und in ihre brennenden Augen genügte, und er wusste, dass sie diesem Fall erste Priorität einräumen würde. Er steuerte den Wagen in die Parkbucht. »Da wären wir.«

Sie stiegen vor Lute Pettijohns Anwesen aus, einem schon rein äußerlich grandiosen Herrenhaus, das zur prestigeträchtigen Adresse von South Battery passte und ein Konglomerat verschiedener Architekturstile darstellte. In den ursprünglich georgianischen Bau waren nach dem Sezessionskrieg ein paar Südstaatenelemente eingefügt worden, gefolgt von einer griechisch-klassizistischen Säulenreihe, die vor dem Krieg als der letzte Schrei galt. Später wurden an der imposanten Struktur hier und da viktorianische Zuckerbäckerornamente ergänzt. Dieser Architekturmischmasch war typisch für das historische Viertel und machte Charleston ironischerweise nur pittoresker. Das dreistöckige Haus hatte breite Doppelbalustraden, umrahmt von prächtigen Säulen und eleganten Bögen, und als Krönung eine Kuppel auf dem Dachfirst. Zwei Jahrhunderte lang hatte es Kriege, dramatische Wirtschaftsflauten und Unwetter überstanden, ehe es die letzte Attacke ertragen musste: Lute Pettijohn.

Die aufwändige Sanierung hatte Jahre gedauert. Der erste leitende Architekt des Projekts hatte nach einem Nervenzusammenbruch gekündigt. Der zweite bekam einen Herzinfarkt; sein Kardiologe zwang ihn zum Rückzug aus dem Projekt. Der dritte hatte tatsächlich das Ende der Sanierung erlebt, allerdings auch das seiner Ehe.

Lute hatte keine Kosten gescheut, sein Haus zu dem Gesprächsstoff von ganz Charleston zu machen: vom prächtigen schmiedeeisernen Tor der Einfahrt, inklusive historisch verbriefter Laternenmasten, bis zu den Türangelrepliken an den Hintertüren. Das hatte er erreicht. Es war nicht unbedingt die am meisten bewunderte Renovierung, aber darüber geredet wurde jedenfalls. Ausgiebigst.

Für seine Idee, das alte verfallene Lagerhaus in das jetzige Charles Towne Plaza zu verwandeln, hatte er sich mit der Gesellschaft zur Bewahrung des alten Charleston, mit der historischen Stiftung, und dem Vorstand der Architektenkammer angelegt. Anfänglich lehnten alle diese Organisationen, die eifrig darauf bedacht waren, den einzigartigen Charakter von Charleston zu bewahren, die Flächennutzung zu kontrollieren und jede Ausweitung von Geschäftszonen zu begrenzen, seinen Vorschlag ab. Er erhielt erst eine Baugenehmigung, als alle überzeugt waren, dass die ursprüngliche Fassade des Ziegelgebäudes weder drastisch verändert noch gefährdet würde, dass man die wohlverdienten Spuren der Vergangenheit nicht übertünchen und das Gebäude nie durch Vordächer oder neuzeitliche Beschilderungen entstellen würde, die es als das kennzeichneten, was es war.

Ähnlich voreingenommen waren die Gesellschaften zur Wahrung des kulturellen Erbes auch gegenüber seiner Hausrenovierung gewesen, obwohl sie erfreut zur Kenntnis genommen hatten, dass der baufällige Besitz, der inzwischen einen traurigen Anblick bot, einen Käufer gefunden hatte, der ihn in angemessener Art und Weise wiederherstellen wollte.

Pettijohn hatte sich an die strikten Vorschriften gehalten, weil ihm keine Wahl geblieben war. Trotzdem war man sich allgemein darüber einig, dass seine Renovierung, besonders im Inneren, ein erstklassiges Beispiel dafür bot, wie vulgär jemand sein kann, der mehr Geld als Geschmack hat. In einem gab es allerdings nichts zu diskutieren: die Gartenanlage suchte in der ganzen Stadt ihresgleichen.

Als Smilow auf den Klingelknopf an der Sprechanlage im Eingangstor drückte, fiel ihm auf, wie üppig und gepflegt der Vorgarten aussah.

Steffi schaute zu ihm hinüber. »Was wirst du ihr sagen?«

Während er darauf wartete, dass man drinnen im Haus auf das Klingeln reagierte, erwiderte er nachdenklich: »Herzlichen Glückwunsch.«

4

Aber so herzlos und zynisch war nicht einmal Rory Smilow.

Als Davee Pettijohn vorsichtig die geschwungene Treppe hinunterschaute, stand der Detective in der Eingangshalle, hatte die Hände hinter dem Rücken verschränkt und starrte entweder seine auf Hochglanz polierten Schuhe oder den aus Italien importierten Fliesenboden darunter an. Jedenfalls wirkte er völlig in die unmittelbare Umgebung seiner Füße versunken.

Zum letzten Mal hatte Davee den Ex-Schwager ihres Mannes beim Besuch eines Empfangs zu Ehren der Polizei gesehen. An jenem Abend hatte man Smilow einen Preis verliehen. Im Laufe der Zeremonie hatte Lute ihn aufgesucht, um ihm zu gratulieren. Smilow hatte Lute die Hand geschüttelt, allerdings nur, weil ihn Lute dazu genötigt hatte. Trotz seines höflichen Benehmens hatte Davee den Eindruck gehabt, dass der Detective Lute lieber die Kehle durchgeschnitten hätte, als ihm die Hand zu schütteln.

Heute Abend wirkte Rory Smilow genauso kontrolliert wie bei der letzten Begegnung. Seine Haltung und sein Äußeres wirkten militärisch steif. Am Hinterkopf bekam er allmählich schüttere

Haare, aber das konnte nur sie aus ihrer Vogelperspektive erkennen.

Die Frau neben ihm war ihr unbekannt. Schon ihr ganzes Leben hatte Davee die Gewohnheit, jede Frau genau zu taxieren, mit der sie in Kontakt kam. Falls sie Smilows Begleitung schon einmal begegnet wäre, hätte sie sich daran erinnert.

Während Smilow kein einziges Mal aufschaute, schien die Frau äußerst neugierig zu sein. Ihr Kopf war ständig in Bewegung, drehte sich im Kreis und registrierte alle Details der Halle. Kein einziges europäisches Importstück entging ihr. Sie hatte blitzschnelle Raubtieraugen. Davee konnte sie auf den ersten Blick nicht ausstehen.

Obwohl nur eine ausgesprochene Katastrophe Smilow in Lutes Haus bringen würde, entschied sich Davee dafür, die Sache so lange wie möglich zu ignorieren. Sie leerte ihr Longdrinkglas und stellte es auf einen kleinen Tisch, wobei sie sorgfältig vermied, dass die Eiswürfel klapperten. Erst dann machte sie sich bemerkbar.

»Ihr wolltet mich sprechen?«

Beim Klang ihrer Stimme drehten sie unisono die Köpfe, bis sie sie oben auf der Galerie entdeckten. Sie wartete, bis ihre Augen das Ziel gefunden hatten. Erst dann begann sie hinunterzusteigen. Obwohl sie barfuß und leicht zerzaust war, schritt sie mit der Hand am Geländer die Treppe herab, als ob sie ein Ballkleid trüge. Die Prinzessin des Abends, der demütige Untertanen anbetend die Ehre erweisen. Sie war in eine Familie im absoluten Mittelpunkt der Charlestoner Gesellschaft hineingeboren worden. Von beiden Seiten gehörte sie zur Hautevolee. Sie vergaß das nie und sorgte dafür, dass es auch andere nicht taten.

»Hallo, Mrs. Pettijohn.«

»Wir müssen doch nicht förmlich sein, nicht wahr, Rory?« Sie blieb in Reichweite stehen, legte den Kopf zur Seite und lächelte zu ihm hinauf. »Schließlich sind wir praktisch verwandt.«

Sie reichte ihm die Hand. Seine war trocken und warm, ihre leicht feucht und eiskalt. Ob er ahnte, dass ein Wodkaglas die Ursache war?

Er ließ ihre Hand los und deutete auf die Frau neben sich. »Das ist Stefanie Mundell.«

»Steffi«, sagte die Frau, wobei sie Davee aggressiv die Hand entgegenstreckte.

Sie war eine zierliche Frau mit kurzen dunklen Haaren und dunklen Augen. Wissbegierige Augen. Hungrige Augen. Sie hatte keine Strümpfe an, obwohl sie hochhackige Pumps trug. Für Davee war das ein größerer Verstoß gegen die Etikette als ihre eigenen nackten Füße.

»Wie geht's?« Davee schüttelte Steffi Mundell die Hand, ließ sie aber rasch wieder los. »Verkauft ihr beide Karten für den Polizeiball, oder was?«

»Können wir uns irgendwo unterhalten?«

Sie tarnte ihr Unbehagen mit einem strahlenden Lächeln und sagte: »Sicher.« Dann führte sie sie in den offiziellen Salon, in dem die Haushälterin gerade die gesamte Beleuchtung einschaltete. Sie hatte die beiden zuvor eingelassen und dann Davee mitgeteilt, dass Gäste da waren. »Danke schön, Sarah.« Kopfnickend nahm die Frau, die so breit und dunkel war wie ein Mahagonikleiderschrank, den Dank zur Kenntnis, ehe sie durch eine Seitentür den Raum verließ. »Kann ich euch beiden einen Drink machen?«

»Nein, danke«, erwiderte Smilow.

Auch Steffi Mundell lehnte ab. »Was für ein schöner Raum«, sagte sie, »und so eine prächtige Farbe.«

»Finden Sie?« Davee schaute sich um, als ob sie ihn zum ersten Mal sah. »Eigentlich mag ich diesen Salon im ganzen Haus am wenigsten, obwohl man einen schönen Blick auf die Battery hat, was ja nett ist. Mein Mann bestand darauf, die Wände in dieser Farbe zu malen. Man nennt das Terrakotta. Angeblich erinnert es an die Villen an der italienischen Riviera. Aber ich muss dabei immer an Footballtrikots denken.« Sie schaute Steffi direkt an und setzte mit einem reizenden Lächeln hinzu: »Meine Mama sagte immer, Orange sei eine Farbe für alles Gewöhnliche und Derbe.«

Steffi bekam vor Wut knallrote Wangen. »Mrs. Pettijohn, wo waren Sie heute Nachmittag?«

»Das geht Sie einen feuchten Kehricht an«, tönte Davee zurück, ohne mit der Wimper zu zucken.

»Meine Damen.« Smilow warf Steffi einen gestrengen Blick zu, gepaart mit dem stummen Befehl, den Mund zu halten.

»Rory, was geht hier vor?«, wollte Davee wissen. »Was macht ihr alle hier?«

Kühl, ruhig und respektvoll meinte er: »Ich schlage vor, dass wir alle Platz nehmen.«

Mehrere Sekunden hielt Davee seinen Augen stand, ehe sie der Frau einen vernichtenden Blick zuwarf und dann mit einer brüsken Geste auf das nächststehende Sofa wies. Sie setzte sich daneben in einen Sessel.

Zuerst erklärte er ihr, dass es sich nicht um einen Höflichkeitsbesuch handelte. »Leider habe ich schlechte Nachrichten.«

Abwartend starrte sie ihn an.

»Lute wurde heute am Spätnachmittag tot aufgefunden. In der Penthouse-Suite im Charles Towne Plaza. Allem Anschein nach wurde er ermordet.«

Davee verzog keine Miene.

Zu viel Gefühl in der Öffentlichkeit war tabu. So etwas machte man einfach nicht.

Eine kontrollierte Fassade war eine Kunst, die man natürlicherweise lernte, wenn der eigene Daddy ein Weiberheld und die Mama Alkoholikerin war und alle den Grund für ihre Trunksucht kannten, obwohl jeder gleichzeitig so tat, als ob es gar kein Problem gäbe. Nicht in ihrer Familie.

Maxine und Clive Burton waren ein perfektes Paar gewesen. Beide stammten aus Charlestoner Elitefamilien. Beide sahen wirklich hinreißend aus. Beide besuchten exklusive Schulen. Ihre Hochzeit setzte einen Standard, an dem bis auf den heutigen Tag alle anderen gemessen wurden. Sie ergänzten einander vollkommen.

Ihre drei zauberhaften Töchter hatten Jungennamen bekommen. Entweder war Maxine bei der Entbindung jedes Mal betrunken oder schon derart neben sich gewesen, dass sie das Geschlecht ihrer Neugeborenen verwechselt hatte. Oder sie hatte dem streunenden Clive eins auswischen wollen, der sich nach männlichen Nachkommen sehnte und ihr vorwarf, sie würde nur Weiber produzieren. Von fehlenden Y-Chromosomen war nie die Rede.

So wuchsen Klein Clancy, Jerri und Davee in einem Haushalt auf, in dem man schwer wiegende häusliche Probleme unter unbezahlbare Perserteppiche kehrte. Schon in jungen Jahren lernten die Mädchen, ihre Reaktionen für sich zu behalten, egal, wie unangenehm die Situation war. Das war sicherer. Die Atmosphäre zu Hause war instabil und nur schwer abzuschätzen, da beide Elternteile sprunghaft waren und zu Wutausbrüchen neigten. Das Ergebnis waren Streitereien, die jeden Anflug von Frieden und Ausgeglichenheit zu Bruch gehen ließen. Folglich trug das Gefühlsleben der Schwestern Narben davon. Clancy hatte ihre Wunden geheilt, indem sie Anfang dreißig an Gebärmutterhalskrebs starb, was die bösesten Klatschzungen auf allzu häufige Geschlechtskrankheiten zurückführten.

Jerri hatte die entgegengesetzte Richtung eingeschlagen und war im ersten Collegesemester zu einer radikal-christlichen Gruppe konvertiert. Sie hatte sich einem Leben in Mühsal geweiht, das sich jeglicher Vergnügungen enthielt, insbesondere Alkohol und Sex. Sie baute in einem Indianerreservat in South Dakota Wurzelgemüse an und predigte das Evangelium.

Davee, die Jüngste, war als Einzige in Charleston geblieben und hatte Klatsch und Schande die Stirn geboten. Selbst als Clive zwischen seiner morgendlichen Vorstandssitzung und dem Golfabschlag am Nachmittag im Bett seiner damaligen Mätresse an einem Herzinfarkt starb, worauf Maxine mit »Alzheimer« in ein Pflegeheim eingewiesen wurde, obwohl alle wussten, dass ihr in Wahrheit der Wodka das Gehirn aufgeweicht hatte.

Davee, die weich und geschmeidig wie warmes Toffee wirkte, war in Wirklichkeit hart wie eine Schuhsohle. So hart, dass sie es aussaß. Sie konnte alles durchstehen. Das hatte sie bewiesen.

»Nun«, sagte sie, wobei sie aufstand, »ich glaube, ich gönne mir jetzt einen Drink, auch wenn ihr alle abgelehnt habt.«

Am Barwagen ließ sie ein paar Eiswürfel in ein Kristallglas fallen und goss Wodka darüber, den sie fast zur Hälfte in einem

Schluck hinunterkippte. Erst nachdem sie das Glas wieder aufgefüllt hatte, drehte sie sich wieder zu ihnen um. »Wer war sie?«

»Pardon?«

»Also wirklich, Rory. Ich falle schon nicht in Ohnmacht. Wenn Lute in seiner tollen neuen Hotelsuite erschossen wurde, hatte er sicher Damenbegleitung dabei. Ich schätze, entweder sie oder ihr eifersüchtiger Ehemann haben ihn getötet.«

»Wer sagt denn, dass er erschossen wurde?«, fragte Steffi Mundell.

»Was?«

»Smilow hat nicht gesagt, Ihr Mann wäre erschossen worden. Er sagte ermordet.«

Davee genehmigte sich noch einen Drink. »Ich nahm an, dass er erschossen wurde. Ist das keine logische Vermutung?«

»War es eine Vermutung?«

Davee riss die Arme weit auseinander, wobei sie ein wenig von ihrem Drink auf dem Teppich verschüttete. »Zum Teufel, wer sind Sie übrigens?«

Steffi stand auf. »Ich vertrete das Büro des Bezirksstaatsanwalts beziehungsweise des County Solicitor, wie man in South Carolina dazu sagt.«

»Ich weiß, wie man in South Carolina dazu sagt«, gab Davee amüsiert zurück.

»Ich werde im Mordfall Ihres Mannes Strafanzeige erstatten. Deshalb habe ich darauf bestanden, Smilow zu begleiten.«

»Aha, ich kapiere. Damit Sie meine Reaktion auf die Nachricht abschätzen können.«

»Ganz genau. Ich muss schon sagen, Sie haben nicht allzu überrascht gewirkt. Und damit zurück zu meiner ursprünglichen Frage: Wo waren Sie heute Nachmittag? Und sagen Sie nicht, das ginge mich einen feuchten Dreck an, Mrs. Pettijohn, denn Sie sehen ja, dass es mich doch etwas angeht, und zwar eine ganze Menge.«

Davee zügelte ihre Wut, hob gelassen erneut ihr Glas an die Lippen und ließ sich mit der Antwort Zeit. »Sie möchten wissen, ob ich ein Alibi nachweisen kann, nicht wahr?«

»Davee, wir sind nicht zum Verhör hergekommen«, meinte Smilow.

»Ist schon gut, Rory. Ich habe nichts zu verbergen. Ich finde nur, es zeugt von Gefühllosigkeit« – vernichtend musterte sie Steffi von Kopf bis Fuß –, »wenn diese Person einfach in mein Haus schneit und mich wenige Sekunden, nachdem ich erfahren habe, dass mein Mann ermordet wurde, mit beleidigenden und anzüglichen Fragen bombardiert.«

»Das ist mein Job, Mrs. Pettijohn, ob es Ihnen passt oder nicht.«

»Nun, es passt mir nicht.« Damit war sie als unbedeutende Kreatur erledigt, und sie wandte sich an Smilow: »Ihre Fragen beantworte ich gerne. Was möchten Sie wissen?«

»Wo waren Sie heute Nachmittag zwischen fünf und sechs?«

»Hier.«

»Allein?«

»Ja.«

»Kann das jemand bestätigen?«

Sie trat an einen Beistelltisch und drückte einen einzigen Knopf auf dem Haustelefon. Durch den Lautsprecher ertönte die Stimme der Haushälterin. »Ja, Miss Davee?«

»Sarah, würdest du bitte hereinkommen? Danke.«

Schweigend warteten alle drei. Während Davee die Staatsanwältin kühl-verächtlich anstarrte, nestelte sie an der perfekten Perlenschnur herum, die sie um den Hals trug. Sie war das Debütantinnengeschenk ihres Vaters gewesen, den sie gleichzeitig geliebt und gehasst hatte. Nach Ansicht ihres Therapeuten handelte es sich um ein Symbol ihres Misstrauens gegenüber anderen Menschen, ausgelöst durch die mangelnde Treue ihres Vaters gegenüber Frau und Töchtern. Davee wusste nicht, ob das wahr war oder ob sie einfach nur Perlen mochte. Egal, sie trug sie zu allem und jedem, sogar zu den Shorts und dem übergroßen weißen Baumwollhemd, die sie heute Abend anhatte.

Davee hatte ihre Haushälterin, die auch hier wohnte, von ihrer Mutter geerbt. Sarah hatte schon vor Clancys Geburt für die Familie gearbeitet und sie durch alle Schicksalsschläge begleitet.

48

Beim Betreten des Raums warf sie Smilow und Steffi einen feindseligen Blick zu.

Davee stellte sie förmlich vor: »Miss Sarah Birch, das ist Detective Smilow und eine Person aus dem Büro des Bezirksstaatsanwaltes. Sie kamen, um mir mitzuteilen, dass Mr. Pettijohn heute Nachmittag ermordet aufgefunden wurde.«

Sarah zeigte genauso wenig Reaktion wie Davee.

Davee fuhr fort: »Ich habe ihnen erklärt, ich sei zwischen fünf und sechs Uhr hier im Haus gewesen und du würdest das bestätigen. Ist das richtig?«

Beinahe wäre Steffi Mundell explodiert. »Sie können doch nicht –«

»Steffi.«

»Aber sie hat soeben das Verhör kompromittiert«, schrie sie Smilow an.

Davee schaute ihn unschuldig an. »Rory, ich dachte, Sie hätten gesagt, man würde mich nicht verhören.«

Trotz seines frostigen Blicks wandte er sich an die Haushälterin und sagte höflich: »Miss Birch, ist Ihnen bekannt, ob Mrs. Pettijohn zur fraglichen Zeit zu Hause war?«

»Ja, Sir. Sie hat fast den ganzen Tag in ihrem Zimmer geruht.«

»Ach, du lieber Schwan«, murmelte Steffi leise vor sich hin.

Aber Smilow beachtete sie gar nicht, sondern bedankte sich bei der Haushälterin, die nun zu Davee hinüberging und ihre beiden Hände umfasste. »Es tut mir Leid.«

»Ich danke dir, Sarah.«

»Bist du in Ordnung, Baby?«

»Mir geht's gut.«

»Kann ich dir etwas bringen?«

»Jetzt nicht.«

»Sag mir nur, wenn du irgendetwas brauchst.«

Davee lächelte zu ihr hoch. Zärtlich strich ihr Sarah übers zerzauste Blondhaar, ehe sie sich umwandte und das Zimmer verließ. Davee trank ihren Drink aus, wobei sie Steffi selbstgefällig über den Glasrand beäugte. Als sie das Glas absetzte, meinte sie: »Zufrieden?«

Steffi kochte vor Wut, wagte aber keine Antwort.

Erneut ging Davee zum Barwagen hinüber und fragte: »Wo ist die… Wohin hat man ihn gebracht?«

»Der Gerichtsmediziner wird eine Autopsie durchführen.«

»Das heißt, die Vorbereitungen für die Beisetzung werden warten müssen –«

»Bis die Leiche freigegeben ist«, beendete Smilow den Satz für sie.

Wieder goss sie sich einen Drink ein. Als sie wieder zurück war, fragte sie: »Wie ist er gestorben?«

»Man hat ihm in den Rücken geschossen. Zwei Kugeln. Wir glauben, dass er sofort tot und vielleicht sogar schon bewusstlos war, als die Schüsse fielen.«

»War er im Bett?«

Natürlich kannte Smilow die Umstände, unter denen ihr Vater gestorben war. Jeder in Charleston kannte diesen Skandal in sämtlichen Details. Sie hielt es Smilow zugute, dass er bei der Antwort auf ihre Frage ein wenig berührt und verlegen wirkte. »Lute wurde auf dem Boden im Salon gefunden, vollständig bekleidet. Es gab keinerlei Anzeichen für ein romantisches Stelldichein.«

»Nun, dann hat sich wenigstens das geändert.« Sie leerte ihr Glas.

»Wann haben Sie Lute das letzte Mal gesehen?«

»Gestern Nacht? Heute Morgen? Ich kann mich nicht erinnern. Heute Morgen, glaube ich.« Davee ignorierte Steffi Mundells ungläubiges Räuspern und hielt die Augen auf Smilow gerichtet. »Manchmal haben wir uns tagelang nicht gesehen.«

»Sie haben nicht zusammen geschlafen?«, wollte Steffi wissen. Davee drehte sich zu ihr. »Wie weit aus dem Norden kommen Sie eigentlich?«

»Warum?«

»Weil Sie offensichtlich aus keinem guten Hause stammen und äußerst rüde sind.«

Erneut ging Smilow dazwischen. »Steffi, in das Privatleben der Pettijohns werden wir nur eindringen, wenn es unbedingt notwendig ist.« Wieder zu Davee gewandt fragte er: »Sie kannten Lutes Terminpläne für heute nicht?«

»Weder für heute noch sonst irgendwann.«

»Er hatte Ihnen gegenüber nicht angedeutet, dass er sich mit jemandem treffen würde?«

»Wohl kaum.« Sie setzte ihr leeres Glas auf den Couchtisch. Beim Aufrichten straffte sie die Schultern. »Bin ich verdächtig?«

»Momentan ist jeder in Charleston verdächtig.«

Davee schaute ihm tief in die Augen. »Eine Menge Leute hatten guten Grund, Lute umzubringen.« Unter ihrem durchdringenden Blick wandte er die Augen ab.

Steffi Mundell machte einen Schritt nach vorne, als wollte sie Davee daran erinnern, dass sie noch immer anwesend und außerdem eine ernst zu nehmende Person sei, jemand, mit dem man rechnen müsse. »Tut mir Leid, Mrs. Pettijohn, dass ich ein wenig zu sehr vorgeprescht bin.«

Sie hielt inne, aber Davee hatte nicht vor, ihr die vielen Verstöße gegen die ungeschriebenen Regeln des guten Tons zu verzeihen. Davee verzog keine Miene.

»Ihr Mann war eine prominente Persönlichkeit«, fuhr Steffi fort. »Seine Geschäfte haben der Stadt, dem Bezirk und dem Staat hohe Einnahmen beschert. Seine Beteiligung an öffentlichen Angelegenheiten –«

»Ergibt das alles irgendeinen Sinn?«

Obwohl sie Davees Unterbrechung nicht schätzte, fuhr sie unverzagt fort: »Dieser Mord wird die ganze Gemeinschaft erschüttern, und mehr. Mein Büro wird dieser Sache so lange erste Priorität einräumen, bis der Schuldige gefunden und verurteilt ist. Ich garantiere Ihnen persönlich, dass die Gerechtigkeit schnell und gründlich ihren Lauf nehmen wird.«

Davee lächelte ihr hübschestes und gewinnendstes Lächeln. »Miss Mundell, Ihre persönliche Garantie ist mir vollkommen egal. Außerdem habe ich schlechte Nachrichten für Sie. Sie werden im Mordfall meines Mannes nicht die Anklage führen. Mit Schnäppchenware gebe ich mich nie zufrieden.« Sie warf Steffi einen Blick voll abgrundtiefem Abscheu zu.

Dann wandte sich die Ex-Debütantin an Smilow mit dem Auftrag, wie die Sache wirklich verlaufen würde: »Ich wünsche, dass sich damit nur die Spitzenleute befassen. Rory, kümmern Sie sich darum, sonst werde ich es tun, ich, Lute Pettijohns Witwe.«

5

»Nen Hunni, hier auf 'n Tisch.« Mit einem widerlichen Biergrinsen klatschte der Mann auf den verfleckten grünen Filz, dass es Bobby Trimble vor Abscheu buchstäblich schüttelte.

Mit spitzen Fingern zog Bobby seinen Geldbeutel aus der Gesäßtasche seiner Hose, holte zwei Fünfziger heraus und gab sie diesem blöden Mistkerl, einem Knallkopf, wie er im Buche stand. »Tolles Spiel«, meinte er lakonisch.

Der Mann sackte die Scheine ein, dann rieb er sich gierig die Hände. »Noch 'ne Runde?«

»Nicht gleich.«

»Biste sauer? Na komm, sei nicht sauer«, sagte er einschmeichelnd.

»Ich bin nicht sauer«, sagte Bobby. Es klang angesäuert. »Vielleicht später.«

»Doppelter Einsatz?«

»Später.« Augenzwinkernd feuerte er dem Kerl eine imaginäre Pistole in den fetten Wanst, ehe er mit seinem Drink in der Hand davonschlenderte.

Eigentlich hätte er nur allzu gern versucht, seine Verluste zurückzugewinnen, aber an der traurigen Tatsache, dass er pleite war, ließ sich nichts ändern. Die letzte Spielserie, bei der er jedes Mal verloren hatte, hatte ihn um mehrere hundert Dollar ärmer gemacht. Bis zur Behebung seines Bargeldproblems konnte er sich das Spielen nicht mehr leisten.

Auch die anderen schönen Dinge des Lebens waren für ihn tabu. Der letzte Hunderter hätte für längere Zeit sein ausgefranstes Nervenkostüm aufpäppeln können. Nicht mit etwas Ausgefallenem, nur ein paar Kokslinien. Oder ein, zwei Pillen.

Ach ja …

Gut, dass er noch immer diese gefälschte Kreditkarte hatte. Damit konnte er seine Monatsausgaben decken, für Extras allerdings brauchte er Bargeld. Und das war ein bisschen schwerer zu beschaffen. Zwar nicht ganz unmöglich, aber man musste mehr dafür tun.

Dabei hatte sich Bobby in den Kopf gesetzt, weniger zu arbeiten und mehr Freizeit zu genießen. »Dauert nicht mehr lange«, redete er sich selbst gut zu und lächelte in sein Longdrinkglas. Sobald sich seine Investition ausgezahlt hatte, konnte er sich auf jahrelange Freizeit freuen.

Aber sein Lächeln war nur von kurzer Dauer. Unsicherheit legte sich wie eine Wolke über das Phantasiegebilde von einer sonnigen Zukunft. Unglücklicherweise hing der Erfolg seines Finanzplans von seiner Partnerin ab, an deren Zuverlässigkeit er allmählich Zweifel hegte. Tatsächlich nagte der Zweifel genauso heftig an ihm wie der billige Whisky, den er schon den ganzen Abend getrunken hatte. Offen gestanden traute er ihr nicht weiter als von hier bis zur nächsten Ecke.

Er setzte sich am Tresenende auf einen Hocker und bestellte noch einen Drink. Der kastanienbraune Vinylsitz hatte früher einmal eine Lederprägung besessen, die sich im Laufe der Jahrzehnte unter dem Druck hart gesottener Trinker in eine fast spiegelblanke Oberfläche verwandelt hatte. Wenn er sich nicht hätte zurückhalten müssen, hätte er nie und nimmer eine derart schäbige Kneipe beehrt. Es war lange her, seit er sich in solchen Spielhöllen herumgetrieben hatte. Er hatte Karriere gemacht. Und wie. Immer nur nach oben, lautete das Motto von Bobby Trimble.

Bobby hatte für sich ein neues Image kultiviert, das er keinesfalls aufgeben wollte. Niemand konnte etwas für die Umstände, in die er hineingeboren wurde, aber wenn man sie nicht mochte und instinktiv wusste, dass man zu Höherem und Besserem bestimmt war, konnte man sein altes Image zum Teufel schicken und sich ein neues kreieren. Und genau das hatte er getan.

Dieser angelernte weltläufige Touch hatte ihm den ruhigen Job in Miami verschafft. Der Nachtklubbesitzer brauchte einen Kerl mit Bobbys Talenten als Manager und Conferencier. Er sah gut aus, und seine hohlen Sprüche lockten die Damen. In diesem Job war er in seinem Element. Der Umsatz steigerte sich enorm. Bald war das Cock 'n' Bull einer *der* Treffpunkte für alle Nachtschwärmer von Miami, einer Stadt, die für ihre aufregenden Nachtlokale berühmt ist.

Jeden Abend war der Club randvoll mit Frauen, die sich zu amüsieren wussten. Bobbys Engagement war es zu verdanken, dass sich der Laden seinen geilen Ruf im Wettbewerb mit den anderen Amüsierlokalen für Frauen sichern konnte.

Das Cock 'n' Bull entschuldigte sich nicht für seine derb-zotige Show, die bewusst Frauen und keine Damen ansprach, Frauen, die sich nicht genierten, auf den Putz zu hauen. Die meisten Nächte zogen sich die Tänzer bis auf die nackte Haut aus. Bobby behielt seinen Smoking an, heizte aber den Gästen mit Worten derart ein, dass sie in einen wahren Sexrausch verfielen. Seine verbale Stimulierung war effektiver als die aufreizenden Hüftschwünge der Tänzer. Sie himmelten ihn für seine derben Sprüche an.

Eines Nachts kletterte ein besonders begeisterter Fan mit einem der Tänzer auf die Bühne, ging vor ihm in die Knie und fing an, mit ihm ihr Spielchen zu treiben. Die Menge drehte durch. So etwas liebten sie.

Die in Zivil arbeitende Sittenstreife allerdings weniger.

Sie forderten insgeheim Verstärkung an, und ehe irgendeiner begriffen hatte, was los war, wimmelte das ganze Lokal von Polizei. Er hatte sich durch die Hintertür verdrücken können, nicht ohne sich noch mit dem gesamten Bargeld aus dem Bürosafe zu bedienen.

Wegen seiner Schwäche für Pferderennen und einer grausamen Pechsträhne in jüngster Zeit hatte er sich bei einem Kredithai verschuldet, der kein Verständnis dafür gehabt hätte, dass das Schließen des Clubs mit einer momentanen Einkommenseinbuße einherging, die sich schon bald wieder umgekehrt hätte. Das Wörtchen »bald« fehlt im Vokabular eines Kredithais.

Also war er mit fast zehntausend Dollar in den Smokingtaschen aus dem Land des Sonnenscheins geflüchtet, der Clubbesitzer, die Polizei und der Kredithai auf seinen Fersen. Er hatte sein Mercedes-Cabrio umspritzen und das Kennzeichen ändern lassen. So war er eine Zeit lang in aller Seelenruhe die Küste hinauf gereist und hatte es sich mit dem gestohlenen Geld gut gehen lassen.

Aber das Geld hatte nicht ewig gereicht. Er hatte wieder arbeiten müssen, wobei er der einzigen Beschäftigung nachging, die er kannte. Er mimte den Gast in Luxushotels und trieb sich am Swimmingpool herum, wo er einsame Touristinnen mit seinem Charme becircte. Das Geld, das er ihnen stahl, betrachtete er als fairen Ausgleich für die Wonnestunden, die er ihnen im Bett bereitete.

Als er dann eines Nachts am Champagner nippte und bei einer zögernden Frischgeschiedenen Süßholz raspelte, um ihr den Zimmerschlüssel zu entlocken, entdeckte er am anderen Ende des Restaurants einen Bekannten aus Miami. Daraufhin hatte sich Bobby mit einem dringenden Bedürfnis entschuldigt, war in sein Hotel zurückgegangen, hatte in Windeseile seine Siebensachen im Mercedes verstaut und war mit Volldampf aus der Stadt gebraust.

Mehrere Wochen hatte er sich bedeckt gehalten und weibliche Opfer nicht einmal in Erwägung gezogen. Seine Barschaft war bis auf einen kläglichen Rest geschrumpft. Und beim Blick in den Spiegel sah Bobby trotz seines affektierten Gebarens und geschliffenen Stils das, was er vor Jahren gewesen war: einen dreisten Schmalspur-Strichjungen auf zweitklassiger Schwindeltour. Immer wenn er pleite war, war dieser Selbstzweifel besonders stark. Dann überfiel es ihn mit voller Wucht. Dieses Gefühl von Verzweiflung, in das sich auch ein wenig Angst mischte, endete eines Nachts mit einer Rauferei in einer Bar.

Die Schlägerei war das Beste, was ihm hatte passieren können, denn sie fand unter den Augen der richtigen Person statt. Sie hatte ihn auf seinen derzeitigen Kurs gebracht. Das Ende lag in Sichtweite. Wenn alles planmäßig verlief, würde er ein Vermögen machen. Dann hätte er das Geld, das zu dem Bobby Trimble, der er heute war, passte. Nie wieder gäbe es einen Weg zu dem Verlierer von damals zurück.

Trotzdem – und dieses »trotzdem« war gigantisch – stieg und fiel sein Erfolg mit seiner Partnerin. Denn eines hatte er schon früher erkannt: Frauen blieben Frauen, und das war das Einzige, worauf man sich bei ihnen verlassen konnte.

Er leerte seinen Drink und gab dem Barkeeper mit der Hand ein Zeichen. »Auffüllen.«

Aber der Barkeeper starrte wie gebannt in den Fernseher. Trotz des verschneiten Bildes konnte Bobby selbst von seinem Sitzplatz aus einen Kerl erkennen, der in die ihm hingehaltenen Mikrofone quatschte. Er gehörte nicht zu denen, die Bobby bekannt vorkamen. Ein humorloser Kauz, das stand fest. Ganz geschäftsmäßig, wie die Schnüffler vom Sozialamt, die in Bobbys Kindheit ständig ums Haus geschlichen waren und sehr persönliche Erkundigungen über ihn und seine Familie eingeholt und sich in seine Privatangelegenheiten gemischt hatten.

Der Kerl im Fernsehen war wirklich eine coole Type, ein Dutzend Reporter traten sich gegenseitig auf die Zehen, um ja dicht an ihn heranzukommen. Er sagte gerade: »Die Leiche wurde heute Abend, kurz nach sechs Uhr, entdeckt und eindeutig identifiziert.«

»Haben Sie –«

»War eine Waffe im Spiel?«

»Gibt es irgendwelche Verdächtigen?«

»Mr. Smilow, können Sie uns sagen –« Bobby verlor das Interesse und rief lauter: »Ich brauche was zu trinken.«

»Hab schon gehört«, erwiderte der Barkeeper mürrisch.

»Ihr Service ließe sich um einiges verbess…«

Bobby erstarb die Beschwerde auf den Lippen. Die Kamera schwenkte von dem Kerl mit den kalten Augen zu einem Gesicht, das Bobby kannte, und zwar gut. Lute Pettijohn. Er strengte sich an, um kein Wort zu verpassen.

»Es gab keinerlei Anzeichen, dass Mr. Pettijohns Suite gewaltsam betreten wurde. Raub wurde als Tatmotiv ausgeschlossen.

Zurzeit haben wir niemanden in Verdacht.« Damit war der live übertragene Sonderbericht beendet, die Sprecher der Elf-Uhr-Nachrichten wurden wieder eingeblendet.

Wieder einmal war Bobbys Selbstvertrauen intakt. Mit einem breiten Grinsen hob er seinen neuen Drink zu einem stummen Toast auf seine Partnerin, die es offensichtlich für ihn geschafft hatte.

»Das ist alles, was ich Ihnen derzeit mitteilen kann.«

Smilow kehrte den Mikrofonen den Rücken zu, nur um hinter sich noch mehr zu entdecken. »Entschuldigung«, sagte er, während er sich einen Weg durchs Mediengewimmel bahnte.

Er ignorierte die Fragen, die man ihm nachrief, und drängte sich weiter durch die Reporter, bis sie einsahen, dass sie nichts mehr aus ihm herausholen würden, und sich allmählich zerstreuten.

Obwohl Smilow so tat, als hasste er die Aufmerksamkeit der Medien, genoss er in Wahrheit Live-Pressekonferenzen wie diese. Nicht wegen der Blitzlichter und der Kameras, auch wenn er wusste, wie einschüchternd er bei Aufnahmen wirkte, ja nicht einmal wegen der öffentlichen Aufmerksamkeit, die damit verbunden war. Sein Job war krisensicher, und er brauchte keinen öffentlichen Beifall, um ihn zu behalten.

Was er mochte, war das Gefühl der Macht, das damit einherging, gefilmt und zitiert zu werden.

Trotzdem brummte er, als er zum Ermittlungsteam stieß, das sich gleich neben dem Empfang in der Hotelhalle versammelt hatte: »Bin ich froh, dass es vorbei ist. Also, was habt ihr für mich?«

»Zero.«

Die anderen bestätigten Mike Collins' Zusammenfassung mit Kopfnicken.

Smilow hatte seine Rückkehr vom Haus der Pettijohns ins Charles Towne Plaza zeitlich so abgestimmt, dass sie mit den Elf-Uhr-Nachrichten zusammenfiel. Getreu seiner Vorhersage hatten sämtliche Lokalsender sowie andere, weiter entfernte aus Savannah und Charlotte, live aus der Hotelhalle übertragen, wo er den Reportern und den Zuschauern zu Hause die rudimentären Fakten mitteilte. Er beschönigte nichts, was in erster Linie daran lag, dass er lediglich rudimentäre Fakten kannte. Zum ersten Mal war seine Weigerung, ihnen mehr Informationen zu geben, kein taktischer Schachzug.

Er war auf Informationen genauso neugierig wie die Medien. Deshalb verschlug es ihm auch bei der knappen Zusammenfassung des Kriminalbeamten die Sprache. »Was meinen Sie mit Zero?«

»Genau das.« Mike Collins war ein alter Hase, der sich von Smilow weniger einschüchtern ließ als die anderen und deshalb normalerweise auf Grund einer stillschweigenden Vereinbarung als Sprecher auftrat. »Bisher haben wir noch nichts herausbekommen. Wir –«

»Detective, das ist unmöglich.«

Collins hatte dunkle Ringe unter den tief liegenden Augen, ein Beweis, wie hart sein Abend gewesen war. Er drehte sich zu Steffi Mundell, die ihn unterbrochen hatte, und musterte sie, als ob er sie am liebsten erwürgt hätte, ehe er sie bewusst ignorierte und Smilow weiter mündlich Bericht erstattete.

»Wie gesagt, wir haben die Herrschaften durch die Mühle gedreht.« Noch immer befanden sich Gäste und Angestellte im großen Ballsaal in polizeilichem Gewahrsam. »Zuerst hat's denen ja direkt Spaß gemacht, Sie wissen schon. Das Ganze war aufregend, wie im Kino. Aber der Reiz des Neuen ist schon seit Stunden weg. Nachdem sie schon x-mal dieselben Antworten auf dieselben Fragen gegeben haben, werden sie allmählich sauer. Es gibt jede Menge Gemurre, warum sie nicht gehen können; mehr bekommen wir aus denen nicht heraus.«

»Es fällt mir schwer, zu glauben…«

»Wer hat Sie eigentlich eingeladen?«, fauchte Collins Steffi an, als sie ihn erneut unterbrach.

»…dass von all diesen Leuten«, fuhr sie fort und überrollte ihn buchstäblich, »keiner etwas gesehen hat.«

Smilow hob die Hand, um einen offenen Streit zwischen seinem entmutigten Detective und der unverblümten Staatsanwältin zu unterdrücken. »Okay, ihr zwei. Wir sind alle müde. Steffi, ich sehe keinen Grund, dass du weiter hier herumhängst. Sobald wir etwas herausgefunden haben, wirst du benachrichtigt.«

»Darauf kann ich lange warten.« Sie verschränkte die Arme und funkelte Collins trotzig an. »Ich bleibe.«

Widerwillig gab Smilow grünes Licht, die Hotelgäste wieder in ihre Zimmer zu lassen. Anschließend versammelte er seine Detectives in einem der Tagungsräume im Zwischengeschoss und ließ Pizzas bringen. Während seine Leute sie vertilgten, fasste er noch einmal die dürftigen Informationen zusammen, die sie nach stundenlangen erschöpfenden Verhören herausbekommen hatten.

»Pettijohn hatte im Fitnesscenter eine Massage?«, fragte er nach einem Blick auf die Notizen.

»Ja.« Einer der Detectives schluckte einen dicken Pizzabrocken. »Gleich nach seiner Ankunft.«

»Haben Sie den Masseur befragt?«

Der Mann nickte. »Er meinte, Pettijohn wollte die Deluxemassage, volle neunzig Minuten. Er hat im Vorraum zum Schwimmbad geduscht, deshalb war das Bad in der Suite trocken.«

»Wirkte der Kerl verdächtig?«

»Nicht, soweit ich erkennen konnte«, nuschelte der Detective mit einem neuen Bissen im Mund. »Kommt von einem Fitnesscenter in Kalifornien. Ist neu in Charleston. Hat Pettijohn heute zum ersten Mal getroffen.«

Smilow studierte die hastig aufgestellte Gästeliste. Alle schienen über jeden Verdacht erhaben. Alle behaupteten, sie hätten Lute Pettijohn nie getroffen, obwohl ihn ein paar dank des Medienrummels kannten, der die Eröffnung des Charles Towne Plaza vor wenigen Monaten begleitet hatte.

Die meisten waren ganz normale Leute auf Familienurlaub. Drei Pärchen feierten ihre Flitterwochen, einige andere gaben das auch vor, obwohl es sich zweifellos um Liebespaare handelte, die verbotenerweise ein geheimes Wochenende in einer romantischen Stadt verbrachten. Nervös beantworteten sie die Fragen der

Detectives, aber nicht, weil sie Gewissensbisse wegen Mordes hatten, sondern nur wegen Ehebruchs.

Sämtliche Zimmer im vierten Stock waren bis auf drei von einer Gruppe Lehrerinnen aus Florida belegt. In zwei Suiten tummelte sich ein Basketballteam. Die Jungs hatten im Frühling ihren High-School-Abschluss gemacht und tobten sich zum letzten Mal gemeinsam aus, ehe sie sich auf verschiedene Universitäten verstreuten. Ihr einziges Vergehen war Alkoholkonsum Minderjähriger. Zur Bestürzung seiner Kumpel übergab einer dem Beamten beim Verhör freiwillig ein winziges Tütchen Marihuana.

Alle waren der Meinung, dass es sich um einen ganz normalen Sommersamstag gehandelt hätte, wäre nicht am Nachmittag Lute Pettijohn ermordet worden.

»Lang, heiß und stickig«, bemerkte einer der Kommissare unter heftigem Gähnen.

»Meinst du damit den Tag oder meinen Schwanz?«, witzelte ein anderer.

»Such's dir aus.«

»Was ist mit dem Überwachungsvideo?«, fragte Smilow und unterbrach das Herumalbern. Die Detectives grinsten. Offensichtlich handelte es sich um Insiderwissen. »Was ist?«, bohrte Smilow nach.

»Möchten Sie es sehen?«, fragte Collins.

»Gibt's da was zu sehen?«

Nachdem alle erneut losprusteten, schlug Collins Smilow vor, er solle einen Blick darauf werfen, und lud auch Steffi zur gemeinsamen Videoshow ein. »Vielleicht lernen Sie etwas daraus«, meinte er zu ihr.

Smilow und Steffi folgten den Detectives durch die breite Halle im Zwischengeschoss in einen kleineren Konferenzraum, in dem ein Videorekorder samt Farbbildschirm einsatzbereit standen.

Mit überzogenem Aplomb kündigte Collins den Film an: »Zuerst hat mir der Typ, der gestern Nachmittag die Sicherheitskameras überwacht hat, erklärt, man hätte das Video aus der Kamera in besagtem Stockwerk verlegt.«

Aus Erfahrung wusste Smilow, dass Überwachungskameras

normalerweise mit Zeitrafferrekordern gekoppelt waren, die nur alle fünf bis zehn Sekunden ein Bild belichteten, je nach Diskretion des Benützers. Deshalb wirkte beim Abspielen alles ruckartig. Eigentlich zeichneten diese Geräte tagelang auf, ehe sie automatisch zurückspulten.

»Was hatte die Kassette außerhalb des Geräts zu suchen? Bleiben denn nicht üblicherweise die Bänder zur Dauerbenutzung im Rekorder, außer wenn es einen Grund zur Überprüfung gibt?«

»Genau deshalb dachte ich, er lügt«, meinte Collins. »Also blieb ich ihm auf den Fersen, bis er schließlich dieses Video ausgespuckt hat. Fertig?«

Nach einem Kopfnicken von Smilow drückte er den Play-Knopf am Videorekorder. Auch ohne die Videoaufnahmen hätte man die Tonspur eindeutig einem schlechten Pornofilm zuordnen können. Seufzen und Stöhnen begleiteten die grobkörnige Filmsequenz eines Paares beim Geschlechtsakt.

»Diese Szene dauert etwa fünfzehn Minuten«, erklärte Collins. »Nach dem Orgasmus gibt's einen Schwenk auf zwei Miezen, die's in einer Badewanne miteinander treiben. Dann kommt die normale Dominaszene mit —«

»Ich habe verstanden«, fauchte Smilow. »Schalten Sie aus.« Die Buhrufe und das Gezische der Männer im Raum ließen ihn kalt. »Entschuldige, Steffi.«

»Nicht nötig. Detective Collins' kleiner Scherz auf meine Kosten unterstreicht nur meine Theorie, dass es sich bei dem Terminus ›erwachsener Mann‹ um ein Paradoxon handelt.«

Während die anderen lachten, räusperte sich Collins nur. Diese Abfuhr konnte ihn nicht erschüttern. »Jetzt kommt die Krönung«, erklärte er ihnen. »Pettijohns Prahlerei bezüglich seiner erstklassigen Sicherheitsanlage war nur heiße Luft. Die Kameras in den Gängen zu den Gästezimmern sind falsch. Alles Attrappen.«

»Was?«, platzte Steffi heraus.

»Die einzige funktionierende Kamera im ganzen Gebäude befindet sich in der Buchhaltung. Pettijohn war's vermutlich egal, ob seine Gäste ausgeraubt oder abgemurkst werden, solange ihn nur niemand beklaute. Das ging dann wohl nach hinten los, was?«

61

Smilow wollte wissen: »Warum hat der Junge gelogen?«

»Weil man's ihm eingeschärft hat. Der große böse Pettijohn höchstpersönlich. Wir reden hier nicht von einem Genie. Der Kerl hat dichtgehalten, auch als wir ihm versichert haben, dass Pettijohn tot ist und er sich lediglich davor fürchten muss, uns anzulügen. Schließlich hat er dann doch klein beigegeben. Wir haben die Sache überprüft, die Kameras sind reine Augenwischerei.«

»Wie viele Leute wissen das?«

»Meiner Meinung nach nicht allzu viele.«

»Überprüfen Sie es. Fangen Sie bei den Mitarbeitern in leitenden Positionen an.«

»Wird erledigt.«

Dann wandte sich Smilow an die Gruppe als ganze und meinte: »Sofort morgen Früh beginnen wir bei den Feinden von Pettijohn. Wir werden eine Liste aufstellen –«

»Die Arbeit könnten wir uns auch sparen und gleich das Telefonbuch nehmen«, witzelte einer der Männer. »Meines Wissens ist jeder froh, dass dieser Mistkerl tot ist.«

Smilow warf ihm einen harten Blick zu.

»Ach, Entschuldigung«, nuschelte er. Das Lachen war ihm vergangen. »Hab vergessen, dass Sie miteinander verwandt waren.«

»Nicht verwandt. Er war mit meiner Schwester verheiratet. Eine Zeit lang. Mehr nicht. Wahrscheinlich hatte ich noch weniger für ihn übrig als alle anderen.«

Steffi beugte sich vor. »Smilow, du hast ihn doch nicht etwa abgeknallt, oder?«

Alle lachten, aber nach Smilows harscher Antwort: »Nein, habe ich nicht«, verstummte das Gelächter so plötzlich, wie es angefangen hatte. Es klang, als hätte er die Frage ernst genommen.

»Entschuldigen Sie, Mr. Smilow?«

In der offenen Tür stand Smitty. Smilow sah auf seine Armbanduhr. Es war nach Mitternacht. »Ich dachte, Sie wollten so schnell wie möglich nach Hause«, sagte er zu dem Schuhputzer. »Man hat uns erst jetzt gesagt, dass wir heim können, Mr. Smilow.«

»Ach ja.« Es war ihm entfallen, dass auch Leute wie Smitty, die im Hotel arbeiteten, für die stundenlangen Verhöre festgehalten wurden, obwohl er das selbst angeordnet hatte. »Tut mir Leid.«

»Macht nichts, Mr. Smilow. Ich hab mich nur gefragt, ob euch hier einer gesagt hat, dass gestern 'n paar Leute ins Krankenhaus gekommen sind?«

»Ins Krankenhaus?«

6

Das große L auf dem Armaturenbrett ihres Autos blinkte rot. Frustriert stöhnte sie laut auf. Anhalten und tanken war das Letzte, was sie wollte, obwohl sie eines aus Erfahrung wusste: Wenn die Tankanzeige dieses Wagens »leer« anzeigte, dann stimmte das gefährlich genau.

Auf diesem Teil der Landstraße gab es nur selten Tankstellen. Als ein paar Kilometer, nachdem sie das Warnlicht entdeckt hatte, eine auftauchte, bog sie deshalb ab und stieg lethargisch aus. Normalerweise bezahlte sie beim Tanken direkt an der Zapfsäule mit Kreditkarte, aber bis in die tiefste Provinz war der Fortschritt noch nicht vorgedrungen. Sie hatte prinzipiell etwas dagegen, im Voraus bezahlen zu müssen. Deshalb hob sie die Zapfpistole aus der Pumpe, drückte den Hebel nach unten, schraubte ihren Tankdeckel ab, legte ihn aufs Dach und schob die Pistole in den Tank. Dann winkte sie dem Tankwart im Häuschen zum Zeichen, dass er die Pumpe in Bewegung setzen sollte.

Aber der schaute auf seinem Schwarzweißfernseher einen Ringkampf an. Wegen der Leuchtreklame und der Plakate, die am Fenster klebten und von längst vergangenen Ereignissen und entlaufenen Haustieren kündeten, konnte sie ihn kaum erkennen. Entweder hatte er sie nicht bemerkt, oder er beharrte auf seinem eigenen Prinzip und schaltete die Pumpe erst an, nachdem der Kunde bezahlt hatte, vor allem nach Einbruch der Dunkelheit.

»Verdammt.« Sie gab auf, ging zum Häuschen und schob eine

Banknote auf ein verdrecktes Tablett unter einem noch dreckigeren Fenster.

»Für zwanzig Dollar? Sonst noch was?«, fragte er, während seine Augen am Bildschirm klebten.

»Nein, danke.«

Das Benzin tröpfelte nur spärlich, aber dann schaltete die Pumpe doch endlich ab. Sie zog die Pistole heraus und steckte sie wieder zurück. Gerade als sie nach dem Tankdeckel griff, bog ein anderes Auto von der Straße ab und in die Tankstelle ein. Gleißendes Scheinwerferlicht erfasste sie. Sie kniff die Augen zusammen.

Der Wagen rollte bis auf ein paar Zentimeter an ihre hintere Stoßstange heran. Der Fahrer drehte die Scheinwerfer ab, ehe er die Tür öffnete und ausstieg, allerdings ohne den Motor auszuschalten.

Vor Überraschung riss sie stumm den Mund auf, rührte und regte sich aber nicht. Sie verübelte es ihm nicht, dass er ihr gefolgt war. Sie wollte auch gar nicht wissen, warum, oder darauf bestehen, dass er fortging und sie allein ließ. Sie schaute ihn nur an, sonst tat sie nichts.

Jetzt, nach Sonnenuntergang, wirkten seine Haare dunkler und nicht so goldbraun wie bei Tageslicht. Sie wusste, dass seine Augen gräulich-blau waren, obwohl jetzt tiefe Schatten darauf lagen. Eine Augenbraue verlief etwas höher und geschwungener als die andere, aber diese Asymmetrie machte ihn nur noch interessanter. Sein Kinn hatte ein flaches Längsgrübchen. Er warf einen langen Schatten, denn er war groß. Gewichtsprobleme würde er nie haben. Schon vom Knochenbau her würde er kaum Extrapfunde ansetzen.

Mehrere Sekunden starrten sie einander über die Motorhaube seines Wagens an, dann ging er um die offene Tür herum. Ihre Augen folgten jedem seiner Schritte, als er auf sie zutrat. Um sein Kinn lag ein entschlossener Zug, der viel von seinem Charakter verriet. Er ließ sich nicht so leicht entmutigen und hatte keine Angst, einer Sache, die er haben wollte, nachzugehen.

Erst als er direkt vor ihr stand, blieb er stehen, nahm ihr Gesicht zwischen seine Hände und hob es zu sich, während er sich hinunterbeugte und sie küsste.

Und sie dachte: *O Gott.*

Er hatte volle sinnliche Lippen, die ihr Versprechen einlösten. Sein Kuss war warm und süß und ernst. Er küsste perfekt, weder zu fest noch zu schwammig. Zweifelsohne ein richtiger Kuss, ohne dass sie sich überrumpelt oder bedroht gefühlt hätte. Ihre Lippen öffneten sich wie von selbst. Als seine Zunge ihre berührte, schwoll ihr Herz an, ihre Arme legten sich um seine Taille.

Er senkte die Hände, bis er ihr den einen Arm um die Schultern legen konnte, während er sie mit dem anderen um die Taille fasste und eng an sich zog. Er neigte den Kopf. Sie erwiderte die Bewegung. Der Kuss wurde tiefer, die Zunge tastete sich weiter vor. Je länger sie sich küssten, umso mehr glühten sie.

Plötzlich löste er sich, schwer atmend. Seine Hände kehrten wieder dorthin zurück, wo sie zuvor gelegen hatten, umrahmten ihr Gesicht. »Ich musste einfach Gewissheit haben. Dass es nicht an mir lag.«

Sie schüttelte den Kopf, soweit seine Hände eine Bewegung zuließen. »Nein«, sagte sie und war selbst von ihrer belegten Stimme überrascht, »es lag nicht an dir.«

»Kommst du mit?«

Der Widerspruch erstarb auf ihren Lippen, noch ehe sie ihn äußern konnte.

»Ich habe hier in der Nähe eine Waldhütte. Drei, vier Kilometer entfernt.«

»Ich –«

»Sag nicht Nein.« Seine geflüsterten Worte klangen abgehackt, leidenschaftlich. Der Druck seiner Hände erhöhte sich. »Sag nicht Nein.«

Ihre Augen suchten die seinen, dann machte sie eine kleine zustimmende Kopfbewegung. Sofort ließ er sie los, drehte sich um und ging mit großen Schritten zu seinem Auto. Vor lauter Hast ließ sie beim Hineinschrauben den Tankdeckel fallen. Als er endlich festsaß, stieg sie ein und ließ den Motor an. Sein Wagen hielt neben ihrem.

Er schaute sie an, als wollte er sich vergewissern, dass sie genauso entschlossen war wie er, dass sie nicht wieder zurückscheuen und bei der erstbesten Gelegenheit verschwinden würde.

Doch genau das hätte sie tun sollen. Dessen war sie sich bewusst, genauso sicher wie sie wusste, dass sie es nicht tun würde. Nicht jetzt.

Erst als ihr Wagen unmittelbar neben seinem endgültig zum Stehen kam, atmete Hammond leichter. Er stieg aus und ging hinüber, um ihr die Tür aufzumachen. »Pass auf, wo du hintrittst, es ist dunkel.« Er nahm ihre Hand und führte sie über einen Kiesweg zur Waldhütte. Eine kleine Verandalampe spendete gerade so viel Licht, dass er das Schlüsselloch erkennen und aufsperren konnte.

Er schob die Tür auf und bat sie herein. Immer wenn die Hütte gebraucht wurde, kam eine Frau aus der Umgebung zum Putzen. Für heute hatte er mit ihr vereinbart, dass sie kam. Statt des abgestandenen Geruchs, der für ein leeres, selten benutztes Gebäude üblich ist, duftete es sauber wie nach frisch gewaschener Wäsche. Auf Hammonds Bitte hatte sie auch die Klimaanlage eingeschaltet, sodass es angenehm kühl war.

Er schloss die Eingangstür, womit er sie vom Verandalicht abschnitt und in völlige Dunkelheit stürzte. Er hatte die besten Absichten, sich als guter Gastgeber und Gentleman zu erweisen, wollte ihr die ganze Hütte zeigen, ihr etwas zu trinken anbieten, ihr mehr über sich selbst erzählen und ihr dadurch Zeit geben, sich nur wenige Stunden nach ihrer ersten Begegnung an das Alleinsein mit ihm zu gewöhnen. Stattdessen zog er sie an sich.

Willig kam sie in seine Arme. Anscheinend sehnte sie sich genauso nach einem Kuss von ihm wie umgekehrt. Ihr Mund erwiderte innig seine Zungenstöße, die sie prüfend liebkosten und schmeckten, bis er innehalten musste, um Atem zu holen. Er senkte den Kopf und presste sein Gesicht in ihren Nacken, während ihre Hände seinen Hinterkopf umfingen und mit den Fingern durch die Haare fuhren.

Unter Küssen erreichte er ihr Ohr. »Das ist Irrsinn«, flüsterte er. » Kompletter.«

»Hast du Angst?«

»Ja.«

»Vor mir?«

»Nein.«

»Solltest du aber.«

»Ich weiß, trotzdem habe ich keine.«

Seine Lippen rieben sich an ihren, schwebend zwischen Küssen und Streicheln. »Hast du Angst vor der Situation?«

»Schreckliche«, sagte sie, während ihr Mund mit seinem verschmolz.

Endlich beendete er den Kuss und sagte: »Das Ganze ist überstürzt, unbedacht und –«

»Völlig unverantwortlich.«

»Trotzdem muss ich's tun.«

»Ich auch.«

»Am liebsten würde ich –«

»Ich will dich auch«, seufzte sie, als seine Hände unter ihr Top glitten und sich über ihre Brüste legten.

Er streichelte sie. Ihr Kopf sank nach hinten und bot ihre Kehle seinen Lippen. Da schwanden seine letzten Bedenken, das Verlangen könnte einseitig sein. Sie hielt den Atem an, während er am Verschluss ihres BHs nestelte, aber als seine Fingerspitzen sachte ihre nackte Haut berührten, atmete sie unter leisem Lustgeflüster aus.

Ihre Hände wanderten über seinen Rücken. Er spürte, wie alle zehn Finger seine Muskeln massierten und Rippen und Rückgrat erforschten. Rasch glitten ihre Handflächen über seinen Gürtel, blieben auf seinem Po liegen und drückten ihn dicht heran.

Noch einmal versanken sie in einem langen, tiefen, aufwühlenden Kuss.

Dann nahm er sie wieder bei der Hand und zog sie hinter sich her, während er sich durch den Wohnraum ins Schlafzimmer tastete. Die Waldhütte war gewiss kein Luxusbau, trotzdem hatte er nicht auf jeden zivilisatorischen Komfort verzichtet. Mit Mühe hatte er ein großes Doppelbett in ein Zimmer gezwängt, das eigentlich schon für ein einzelnes zu klein war.

Darüber taumelten sie nun hin und verschmolzen mit der blinden tollkühnen Lust aller Frischverliebten zu einem einzigen vielgliedrigen Wesen.

Sie lag auf der Seite, das Gesicht von ihm abgewandt.

Hammond suchte nach einer passenden Bemerkung, verwarf aber jede, ehe sie überhaupt ausgereift war.

Alles, was ihm in den Sinn kam, klang entweder falsch, kitschig oder abgedroschen oder alles zusammen. Er dachte sogar daran, ihr die Wahrheit zu sagen.

Mein Gott, das war unglaublich.

Du bist unglaublich.

So habe ich mich mein Leben lang noch nicht gefühlt.

Ich wünschte, diese Nacht ginge nie zu Ende.

Aber da er wusste, dass sie nichts davon glauben würde, sagte er kein Wort. Das lange gezwungene Schweigen wurde noch länger und gezwungener, bis er sich endlich zur Seite rollte und die Nachttischlampe einschaltete. Sie reagierte auf das Licht, indem sie die Knie noch dichter an den Oberkörper zog; das machte sie noch verschlossener und unberührbarer.

Entmutigt setzte er sich auf. Er war noch immer angezogen, obwohl sein Hemd lose und verdreht herunterhing und der Reißverschluss seiner Hose offen stand. Er stand auf und zog bis auf seine Boxershorts alles aus. Als er wieder zum Bett hinüberschaute, hatte sie sich auf den Rücken gelegt und beobachtete ihn aus großen ängstlichen Augen.

»Das ist ein seltsamer Moment. Das darf man doch sagen, oder?«

Vorsichtig setzte sich Hammond auf die Bettkante. »Ja, darf man.«

Sie benetzte ihre Lippen, rollte sie nach innen, wandte die Augen von ihm ab und nickte. »Versuchst du gerade, dir etwas einfallen zu lassen, womit du mich auf elegante Weise loswerden kannst?«

»Was?«, rief er leise. »Nein. Nein.« Er streckte die Hand aus, um ihre Haare zu berühren, ließ sie aber schon vorher sinken.

»Ich habe überlegt, wie ich dich dazu bringen könnte, die Nacht über hier zu bleiben, ohne mich dabei völlig lächerlich zu machen.«

Er merkte, wie ihr das gefiel. Wieder fanden sich ihre Augen. Sie lächelte scheu. Sie sah unglaublich verführerisch aus: vom Orgasmus noch immer zart gerötet, die Lippen von harten Küssen leicht geschwollen, mit zerzausten Haaren ums Gesicht und noch zerknautschteren Kleidern als er. Weich ruhte ihr Busen, vom BH befreit, unter dem Top. Nur ihre Brustwarzen hoben sich deutlich ab. Er wurde schon wieder hart.

»Ich sehe fürchterlich aus.« Gehemmt zerrte sie ihren Rock über die Schenkel. Beide ignorierten das Höschen, das auf der Decke am Fuß des Bettes lag. »Darf ich dein Bad benutzen?«

»Gleich hinter dieser Tür.« Er stand auf und machte sich ans Gehen, damit sie ganz für sich war. »Ich werde uns was zu trinken holen. Hast du Hunger?«

»Nach all dem ungesunden Essen auf dem Rummel?«

Er erwiderte ihr Lächeln. »Wie wär's mit einem Schluck Mineralwasser? Saft? Tee? Limonade? Bier?«

»Wasser klingt gut.«

Er deutete mit dem Kinn auf die angrenzende Badezimmertür. »Wenn du etwas brauchst, frag nur.«

»Danke schön.«

Da sie anscheinend zögerte, das Bett zu verlassen, solange er noch im Zimmer war, lächelte er sie wieder an und ließ sie allein. Dankenswerterweise hatte die Putzhilfe den Kühlschrank mit verschiedenen Getränken, einschließlich Mineralwasser, aufgefüllt. Da er gerade dabei war, überprüfte er gleich die anderen Vorräte: ein halbes Dutzend Eier, ein Pfund Frühstücksspeck, englische Muffins, Kaffee. Sahne? Nein. Hoffentlich trank sie ihren Kaffee schwarz. Orangensaft? Ja, im Gefrierfach lagen 150 Gramm Saftkonzentrat.

Er frühstückte selten und nur bei geschäftlichen Anlässen. Aber auf dem Land, wo sich der Morgen am Wochenende länger und fauler gestaltete, genoss er in vollen Zügen ein herzhaftes spätes Frühstück. Seine Kochkünste waren guter Durchschnitt, besonders wenn es sich um einfache Gerichte wie Eier mit Speck handelte. Vielleicht könnten sie das Frühstück gemeinsam herrichten und sich die Arbeit aufteilen. Dabei käme es immer wieder zu Berührungen. Lachen. Küsse. Anschließend könnten sie ihre Teller zum Essen auf die Veranda hinaustragen. Beim Gedanken an den nächsten Morgen lächelte er.

»Heute Morgen«, korrigierte er sich, als er auf die Uhr schaute; Mitternacht war längst vorbei.

Der gestrige Tag war nicht gut verlaufen. Erregt, wütend und in mancher Hinsicht frustriert hatte er Charleston verlassen. Nichts war glatt gegangen. Nie im Leben hätte er vermutet, ein derart mieser Tag könnte damit enden, dass er mit einer Frau schlief, von deren Existenz er bis vor wenigen Stunden nichts geahnt hatte. Geschweige denn, wie wichtig dieses Erlebnis sein würde.

So grübelte er noch eine Weile über die Launen des Schicksals nach, bis er hörte, wie im Bad das Wasser abgedreht wurde. Da er nicht voreilig sein oder zur unpassenden Zeit wieder auftauchen wollte, zwang er sich, noch zwei Minuten zu warten. Erst dann packte er zwei Flaschen Mineralwasser und begab sich wieder ins Schlafzimmer.

»Übrigens«, sagte er, als er mit dem nackten Fuß die Tür aufdrückte, »meiner Meinung nach sollten wir uns allmählich mal ordentlich vorstellen –«

Er hielt inne. Sie stand vor der Frisierkommode, mit dem Telefonhörer in der Hand. Sie fuhr herum und legte sofort auf. »Hoffentlich macht es dir nichts aus«, stieß sie hervor.

In Wirklichkeit machte es ihm doch etwas aus. Sogar eine ganze Menge. Nicht weil sie, ohne vorher zu fragen, sein Telefon benutzt hatte, sondern weil es in ihrem Leben einen so wichtigen Menschen gab, dass sie ihn in den frühen Morgenstunden anrief, nur wenige Minuten, nachdem sie mit ihm geschlafen hatte. Er war verblüfft, wie viel ihm das ausmachte.

Er hatte in der Küche herumgetrödelt und in seiner Phantasie das Frühstück mit ihr durchgespielt und die Minuten gezählt, bis er mit Anstand wieder auftauchen konnte. Jetzt stand er mit benommener Miene und halb erigiertem Penis da, der sich unter seiner Boxershorts abzeichnete. Und sie hatte die ganze Zeit über mit einem anderen telefoniert. Er stellte die Wasserflaschen auf den Nachttisch.

Er kam sich dumm und lächerlich vor, Empfindungen, die einem Hammond Cross absolut fremd waren. Er, der normalerweise in jedmöglicher Situation selbstbewusst und souverän reagierte, kam sich wie ein Volltrottel vor. Und dieses Gefühl mochte er ganz und gar nicht.

»Möchtest du ungestört sein?«, fragte er hölzern.

»Nein, alles in Ordnung.« Sie hängte den Hörer ein. »Ich bin nicht durchgekommen.«

»Tut mir Leid.«

»War nicht wichtig.« Sie verschränkte die Arme über der Taille, dann ließ sie sie nervös seitlich herunterfallen.

Wenn es nicht wichtig war, zum Teufel noch mal, warum hast du dann um diese Tageszeit telefoniert?, hätte er sie gern gefragt, unterließ es aber.

»Kann ich das anziehen?«

»Was?«, fragte er geistesabwesend.

Sie strich mit der Hand über die Vorderseite des alten ausgewaschenen T-Shirts. Sein Partyshirt aus Collegetagen. Er erkannte es wieder. Es reichte ihr bis zur Mitte der Oberschenkel. »O, klar. Steht dir.«

»Ich habe es in der Kommode im Bad entdeckt. Ich habe nicht herumgeschnüffelt. Ich wollte nur –«

»Nicht der Rede wert.« Sein knapper Ton sprach Bände.

Ihre Hände ballten sich seitlich zu Fäusten, ehe sie sich wieder entkrampfte. »Schau, vielleicht wär's besser, wenn ich jetzt ginge. Wir haben uns beide ein bisschen mitreißen lassen. Vielleicht ist uns die Fahrt mit dem Riesenrad zu Kopf gestiegen.« Ihre witzige Bemerkung kam nicht an. »Das war jedenfalls…« Bei einem raschen Blick aufs Bett erstarben ihre Worte.

Wahrscheinlich blieb ihr Blick länger als beabsichtigt dort haften. Die zerknautschten Bettlaken erinnerten nachhaltig an das, was sich auf ihnen abgespielt hatte, und daran, wie innig und befriedigend es gewesen war. Hemmungsloses Flüstern schien noch jetzt in ihnen nachzuhallen.

Sie hatte sich im Bad gewaschen. Hammond konnte Seife und Wasser auf ihrer Haut riechen. Aber er hatte sich nicht gewaschen. Er roch nach Sex, nach ihr.

»Ich schlüpfe nur rasch wieder in meine Kleider, dann bin ich fort«, sagte sie hastig und machte Anstalten, an ihm vorbeizugehen. Da schoss unvermutet sein Arm heraus und fing sie um die Taille ab.

Stocksteif blieb sie stehen, ohne sich zu ihm zu drehen, und starrte geradeaus. »Egal, was du von mir denkst, ich möchte, dass du weißt, dass… dass so etwas bei mir weder ein gelegentlicher Ausrutscher noch Routine ist.«

Leise sagte er: »Das ist unwichtig.«

Jetzt schaute sie ihn an, drehte aber nur den Kopf. »*Für mich* ist es nicht unwichtig. Für mich ist es wichtig, dass du das weißt.«

Mit einer vorsichtigen Bewegung legte er ihr die Hände auf die Schultern und drehte sie herum, damit sie ihm ins Gesicht sah. »Glaubst du wirklich, dass uns nur eine Fahrt mit dem Riesenrad in diese Situation gebracht hat?«

Sie zog die Unterlippe zwischen die Zähne, als ob sie damit ein Zittern unterdrücken wollte, und schüttelte verneinend den Kopf.

Er legte die Arme um sie, zog sie an sich und hielt sie fest. Nichts weiter. So hielt er sie lange Zeit. Seine Wange ruhte auf ihrem Scheitel, ihre Zehen berührten sich, jeder Körper gab Hitze ab. Barfuß und in sein T-Shirt gewickelt wirkte sie kleiner und zierlicher als vorher. Wie er sie so in den Armen hielt, kam er sich männlich und beschützend vor. Tatsächlich hatte er sich bei ihr vom ersten Augenblick an wie dieser doofe Conan gefühlt.

Bei diesem Gedanken musste er kichern. Sie hob den Kopf von seiner Brust und schaute zu ihm auf. »Was ist?«

»Nichts. Ich musste nur daran denken, was für ein gutes Gefühl du in mir auslöst.« Dann verwandelte sich sein Lächeln in ein besorgtes Stirnrunzeln. »Und wie steht's mit dir? Alles in Ordnung?«

Verblüfft legte sie den Kopf schief. »Ja.«

»Ich meine… mit… du weißt schon.«

»Ach.« Ihr Blick fiel auf seinen Adamsapfel. »Ja, danke für deine Umsicht.«

Er hatte in der Nachttischschublade eine Schachtel mit Kondomen. Noch nie war es so schwierig gewesen, eines aufzureißen und überzustreifen. Inzwischen genierte er sich für seinen tollpatschigen Ringkampf mit dem störrischen Ding, und das zu einem Zeitpunkt, als er eigentlich den Mann von Welt spielen hatte wollen. »Gerade noch rechtzeitig«, stieß er hervor.

Zu seiner Überraschung legte sie ihm die Hände auf die Brust, streichelte ihn sanft und sagte kaum hörbar: »Für mich auch.« Als er ihr Kinn umfing und ihren Kopf zu sich bog, entrang sich beiden ein tiefes lustvolles Stöhnen. Mit einem Schlag flammte die Leidenschaft wieder auf. Erregt, wild und heißer als zuvor.

Ihr Liebesgeflüster verstärkte die Intimität. »Das gefällt dir.«

»Ja.«

»Zu fest?«

»Nein.«

»Hab's nicht gemerkt.«

»Ich auch nicht.«

»Tut mir Leid.«

»War nicht wichtig.«

»Wenn ich dir aber wehgetan habe –«

»Hast du nicht. Geht gar nicht.«

»Ich möchte dich…«

»Ja.«

»Himmel, schau dich an. Wie schön. Du bist ja schon –«

»Ja.«

»Also –«

»Oh…«

»Nass.«

»Entschuldige, entschuldige.«

»Wofür?«

»Nun, ich meine… du…«

»Entschuldige dich nicht.«

»Lass dich streicheln.«

»Nein, *ich* möchte *dich* streicheln.«

7

Mit Steffi am Steuer erreichten sie und Smilow in Rekordzeit das Roper-Krankenhaus.

»Wie viele hieß es?«, wollte sie wissen, während sie über den Notfallparkplatz zum Gebäude rannten. Sie hatte die Einzelheiten verpasst, als sie den Konferenzraum im Hotel verlassen hatte, um ihr Auto zu holen. Am Haupteingang des Charles Towne Plaza hatte sie Smilow aufgelesen.

»Sechzehn. Sieben Erwachsene, neun Kinder. Sie gehören zu einem Kirchenchor aus Macon, Georgia, der auf Tournee ist. Sie haben früh im Hotelrestaurant zu Mittag gegessen, weil sie in die Stadt wollten. Als den Kindern ein paar Stunden danach schlecht wurde, sind sie wieder zurück.«

»Magenkrämpfe? Erbrechen? Durchfall?«

»Alles zusammen.«

»Wer schon mal eine Lebensmittelvergiftung gehabt hat, wird es nie vergessen. Ich hatte mal eine, von einer Pilzcremesuppe aus einem ordentlichen Deli.«

»Man hat eine Pizza mit Sauce Bolognese in Verdacht, die die Kids gegessen haben. Dieselbe Soße wurde auch für die Pasta speciale verwendet.«

Fast im Laufschritt betraten sie die Notaufnahme des Krankenhauses. Für Samstagnacht wirkte das Wartezimmer relativ ruhig, aber einige Patienten waren doch da. Ein uniformierter Polizist bewachte einen Mann in Handschellen, der ein blutiges Frotteehandtuch wie einen Turban um den Kopf gewickelt hatte. Die Augen des Mannes waren geschlossen, und er stöhnte, während seine Frau einer Krankenschwester lakonisch die Standardfragen zu seiner Krankengeschichte beantwortete. Ein junges Elternpaar versuchte vergeblich, sein brüllendes Kleinkind zu beruhigen. Ein älterer Mann saß alleine da und schluchzte ohne ersichtlichen Grund in ein Taschentuch. Eine Frau hockte, fast mit dem Kopf im Schoß, völlig zusammengekrümmt auf ihrem Stuhl. Anscheinend schlief sie.

Für den üblichen Ansturm an dramatischen Notfällen war es noch ein wenig zu früh.

Smilow und Steffi gingen direkt zum Einlieferungsschalter, wo sich Smilow der Krankenschwester vorstellte, ihr seine Dienstmarke zeigte und sich erkundigte, ob sich die Leute aus dem Charles Towne Plaza noch immer in den Räumen der Notaufnahme befänden oder bereits in Krankenzimmer eingewiesen worden waren.

»Sie sind noch hier«, erzählte ihm die Schwester.

»Ich muss sie auf der Stelle sehen.«

»Nun, ich … ich werde den Arzt anpiepsen. Nehmen Sie Platz.« Keiner von beiden setzte sich. Steffi tigerte auf und ab. »Ich kapiere einfach nicht, dass euren Jungs die Diskrepanz nicht aufgefallen ist. Sollten sie nicht die Anzahl der registrierten Gäste mit der Anzahl der Befragten abgleichen?«

»Steffi, gestatte ihnen doch auch mal 'ne Schlamperei. Die Leute sind im Laufe mehrerer Stunden hereingezockelt, nachdem sie stundenlang nicht im Hotel waren. Wir reden hier von hunderten registrierten Gästen, zusätzlich zu schichtweise arbeitenden Angestellten. Die Ermittlung einer genauen Personenzahl wäre schier unmöglich gewesen.«

»Ich weiß, ich weiß«, sagte sie ungeduldig, »Aber nach Mitternacht? Wenn alle mehr oder weniger im Bett stecken? Ich hätte erwartet, dass einer von ihnen noch einmal an eine genaue Überprüfung der Personenzahl gedacht hätte. Oder waren sie zu sehr in ihr Filmchen vertieft?«

»Die hatten alle Hände voll zu tun«, meinte er steif.

»Tja, mit Wichsen.«

Smilow war der Erste, der es kritisierte, wenn ein Ermittlungsbeamter Mist baute. Wenn aber die Kritik von einem Außenseiter kam, war das etwas anderes. Wütend kniff er die Lippen zum Strich zusammen.

»Schau, tut mir Leid«, meinte Steffi in einem wesentlich milderen Ton, »Das wollte ich nicht sagen.«

»Tja, hast du aber. Übrigens solltest du es mir überlassen, über die Beweisfindung zu grübeln, okay?«

Steffi wusste, wann sie klein beigeben musste. Es wäre unklug, sich Smilow zu entfremden. Entgegen der Anordnung der frisch gebackenen Witwe beabsichtigte sie allen Ernstes, zu Bezirks-staatsanwalt Monroe Mason zu gehen und ihn darum zu bitten, in diesem Fall als Hauptvertreterin der Anklage eingesetzt zu wer-den. Und dazu benötigte sie die Unterstützung des Polizeipräsidi-ums. Besonders die von Smilow.

Sie gab ihm ein paar Momente zum Beruhigen, ehe sie sagte: »Ich befürchte, auch die Leute mit der Lebensmittelvergiftung werden den Täter nicht kennen. Man hat sie bereits vor der wahr-scheinlichen Tatzeit ins Krankenhaus verfrachtet.«

»Bei einigen sind die Symptome erst später ausgebrochen«, wi-dersprach er. »Der Hotelmanager hat gestanden, er hätte sie an besagtem Abend erst gegen acht heimlich hierher gefahren.«

»Warum hat er dir das nicht erzählt?«

»Schlechte PR. Offensichtlich macht ihm die frische Lebensmit-telvergiftung samt aller Konsequenzen für seine nagelneue Küche mehr Sorgen als Pettijohns Leiche in der Penthouse-Suite.«

»Sie wollten mich sprechen?«

Beide drehten sich um. Der Arzt war noch jung genug für Ak-nespuren, und doch wirkten seine Augen hinter der Nickelbrille alt, müde und übernächtigt. Sein grüner OP-Anzug und der weiße Medizinerkittel waren zerknittert und hatten Schweißflecken. Auf seinem Fotoausweis stand RODNEY C. ARNOLD.

Wieder präsentierte Smilow seine Dienstmarke. »Ich muss die Leute befragen, die vom Charles Towne Plaza mit Lebensmittel-vergiftung eingeliefert wurden.«

»Worüber?«

»Möglicherweise handelt es sich um wichtige Zeugen in einem Mord, der gestern Nachmittag im Hotel geschah.«

»In dem neuen Hotel? Sie machen Witze.«

»Leider nicht.«

»Gestern Nachmittag?«

»Bis uns die Gerichtsmedizin einen genaueren Zeitpunkt geben kann, gehen wir davon aus, dass das Opfer zwischen vier und sechs Uhr nachmittags gestorben ist.«

Der Klinikarzt lächelte grimmig. »Detective, zu diesem Zeitpunkt hatten diese Leutchen entweder hochgradig Durchfall, kotzten sich die Seele aus dem Leib oder beides. Das Einzige, was sie als Augenzeugen gesehen haben, war der Boden der Toilettenschüssel. Jedenfalls die Glücklichen, die es noch rechtzeitig aufs Klo geschafft haben, was meines Wissens nicht bei allen der Fall war.«

»Ich verstehe, dass sie sehr krank waren –«

»Nicht waren, sind.«

Steffi machte einen Schritt nach vorn und stellte sich vor. »Dr. Arnold, meiner Ansicht nach ist Ihnen nicht klar, wie wichtig die Befragung dieser Leute ist. Einige hatten Zimmer im fünften Stock, dem Tatort. Einer von ihnen könnte entscheidende Informationen besitzen, ohne sich dessen bewusst zu sein. Ihre Befragung ist der einzige Weg, das herauszufinden.«

»Okay«, meinte er achselzuckend, »melden Sie sich morgen im Besucherzentrum. Ich bin sicher, dass einige dann immer noch hier sein werden, allerdings wird man sie inzwischen auf die Stationen überwiesen haben.« Er wandte sich zum Gehen.

»Warten Sie eine Minute«, sagte Steffi. »Wir müssen sie jetzt sehen.«

»Jetzt?« Dr. Arnold warf beiden einen ungläubigen Blick zu. »Tut mir Leid, unter keinen Umständen. Einige von ihnen leiden noch immer unter extremen Magen-Darm-Koliken. Extremen Koliken«, wiederholte er nachdrücklich. »Wir geben ihnen Infusionen. Die Glücklichen, die die kritische Phase bereits überwunden haben, erholen sich, was sie nach der Tortur, die ihnen ihr Gedärm bereitet hat, auch bitter nötig haben. Kommen Sie morgen wieder, möglichst am frühen Nachmittag. Am besten erst abends. Bis dann –«

»Das ist nicht früh genug.«

»Es wird früh genug sein müssen«, konstatierte der Arzt. »Heute Nacht wird niemand mehr mit ihnen reden. Und jetzt entschuldigen Sie mich bitte, meine Patienten warten.« Damit drehte er sich um und stieß die Türen auf, die die Halle von den Untersuchungsräumen trennten.

»Verdammt und zugenäht«, fluchte Steffi. »Willst du ihm das durchgehen lassen?«

»Möchtest du, dass ich den Notdienst stürme und Patienten schikaniere, die unter extremen… et cetera? Das nenne ich schlechte PR.« Damit begab sich Smilow wieder zur Dienst habenden Schwester und bat sie, Dr. Arnold seine Visitenkarte zu geben. »Sagen Sie ihm, er soll mich anrufen, sobald sich einer der Patienten wieder besser fühlt. Jederzeit.«

»Ich habe wenig Zutrauen in die Hilfsbereitschaft des Doktors«, bemerkte Steffi, als Smilow wieder bei ihr war.

»Ich auch nicht. Offensichtlich genießt er seine Rolle als absoluter Herrscher über sein kleines Königreich.«

Steffi musterte ihn mit einem neckischen Lächeln. »Darin kennst du dich ja aus.«

»Du etwa nicht?«, gab er zurück. »Glaubst du, ich weiß nicht, warum du so scharf auf diesen Fall bist?«

Dank seiner Menschenkenntnis war Smilow ein exzellenter Ermittler. Allerdings machte es diese Begabung in seiner Nähe manchmal ungemütlich. »Können wir fünf Minuten Pause machen? Ich brauche ein bisschen Koffein.« Sie ging zu einem Automaten und steckte Münzen hinein. »Soll ich dir 'ne Cola spendieren?«

»Nein, danke.«

Vorsichtig zog sie den Verschluss von der Coladose. »Nun, sieh's mal aus diesem Blickwinkel: Wenn besagte Leute aus Macon so krank sind, hättest du vermutlich sowieso nichts aus ihnen herausgebracht. Wie aufmerksam kann jemand mit einer Lebensmittelvergiftung sein? Es könnte nicht schaden, wenn wir morgen wiederkommen und mit ihnen reden, aber meiner Meinung nach wird's für dich in einer Sackgasse enden.«

»Vielleicht.« Er setzte sich auf einen freien Stuhl, stützte die Ellbogen auf die Knie und tippte sich mit gestreckten Zeigefingern gegen die Lippen. Steffi setzte sich auf den Stuhl neben ihm. Als sie ihm einen Schluck zu trinken anbot, winkte er nur ab. »Eine Grundregel der Kriminalermittlung lautet: Irgendeiner hat immer etwas gesehen.«

»Glaubst du, die Leute halten Informationen zurück?«

»Nein, sie wissen nur nicht, dass das, was sie gesehen haben, wichtig ist.«

Einen Moment waren beide still, jeder hing seinen eigenen Gedanken nach. Schließlich fragte Steffi: »Was ist deiner Meinung nach in der Penthouse-Suite passiert?«

»Ich versuche, keine Theorie aufzubauen, wenigstens nicht in einem so frühen Stadium. Damit würde ich nur die Ermittlung beeinträchtigen. Ich würde nach Spuren suchen, die meine Mutmaßungen bestätigen, und dabei diejenigen übersehen, die tatsächlich zur Lösung führen.«

»Ich dachte, alle Polizisten verlassen sich auf Verdachtsmomente.«

»Verdachtsmomente schon, aber die beruhen auf Spuren, die mit fortschreitender Ermittlung stärker oder schwächer werden, je nachdem, welche Spuren man findet. Entweder verstärken sie das Verdachtsmoment, oder sie zerstreuen es.« Mit einem tiefen Seufzer lehnte er sich zurück. Es war untypisch für ihn, seine Erschöpfung zu zeigen. »Alles, was ich derzeit habe, ist ein Mann, den viele liebend gern tot gesehen hätten.«

»Du eingeschlossen.«

Sein Blick verhärtete sich. »Es wäre gelogen, wenn ich Nein sagen würde. Ich habe diesen Mistkerl gehasst und daraus kein Geheimnis gemacht. Du dagegen –«

»Ich?«

»Pettijohn hatte jede Menge Einfluss auf die Lokalpolitik. Das Büro des Bezirksstaatsanwalts bildet da keine Ausnahme. Kurz vor Masons Pensionierung –«

»Das ist öffentlich noch nicht bekannt.«

»Wird es aber bald sein. Da er sich nicht noch einmal zur Wahl stellen will und sein Stellvertreter mit Prostatakrebs zu kämpfen hat –«

»Wallis hat noch circa sechs Wochen.«

»Also wird das Amt im November zu haben sein. Pettijohn war bekannt dafür, dass er den Ehrgeizigen und Korrupten solche Karotten vor der Nase herumbaumeln ließ. Denk mal, was für ein

Segen es für so einen Hochstapler wäre, wenn ein nettes junges Ding wie du als Bezirksstaatsanwältin dient.«

»Ich bin nicht nett. Und was das jung betrifft, so rücken die Vierzig bedrohlich nahe.«

»Seltsam, dass du darauf eingehst und nicht auf den ehrgeizigen und korrupten Teil.«

»Ersteres gebe ich zu, Letzteres weise ich entschieden zurück. Außerdem, wenn Pettijohn der rote Teppich gewesen sein sollte, der mich ins Büro des Staatsanwalts befördern würde, warum sollte ich ihn dann umbringen?«

»Gute Frage«, meinte er, wobei er sie mit einem Auge musterte. Das andere war zu.

»Smilow, du bist ein Riesenarschloch.« Kopfschüttelnd lachte sie. »Trotzdem weiß ich jetzt, was du im Sinn hast. Wenn man sich Pettijohns gesamtes Intrigennetz vor Augen führt, wächst die Liste der Verdächtigen ins Endlose.«

»Was meinen Job nicht erleichtert.«

»Vielleicht plagst du dich zu viel.« Nachdenklich nippte sie an ihrem Getränk. »Welches sind die beiden gängigsten Mordmotive?«

Er kannte die Antwort, sie führte zu einer Person. »Mrs. Pettijohn?«

»Der Schuh passt, stimmt's?« Steffi reckte den Zeigefinger. »Sie hatte es satt, von ihrem Mann ständig in aller Öffentlichkeit betrogen zu werden. Seine Weibergeschichten haben sie gedemütigt, auch wenn sie ihn nicht geliebt hat.«

»Ihr Daddy hat ihrer Mutter das Gleiche angetan.«

»Das wäre eine mögliche Erklärung für die zweite Kugel, obwohl ihn vermutlich schon die erste getötet hat.« Sie hob den zweiten Finger. »Im Fall von Lute Pettijohns Tod bekommt sie tonnenweise Geld. Schon eines dieser Motive würde genügen. In Kombination…« Sie hob die Schulter, als ob die Schlussfolgerung für sich selbst spräche.

Nach einem Augenblick Bedenkzeit runzelte er die Stirn. »Das ist fast allzu eindeutig, findest du nicht auch? Außerdem hat sie ein Alibi.«

Steffi meinte verächtlich: »Die loyale Dienerin der Familie? Ja, Miss Scarlett, nein, Miss Scarlett. Miss Scarlett, warum geben Sie mir nicht noch eine Ohrfeige?«

»Sarkasmus schmeichelt dir nicht, Steffi.«

»Ich bin nicht sarkastisch. Diese Beziehung ist ein Spiegelbild archaischer Verhaltensweisen.«

»Nicht für Mrs. Pettijohn. Und gewiss auch nicht für Sarah Birch. Die beiden sind einander völlig ergeben.«

»Solange Miss Davee die Herrin bleibt.«

Er schüttelte den Kopf. »Um das zu verstehen, müsste man hier aufgewachsen sein.«

»Gott sei Dank bin ich das nicht. Im Mittleren Westen –«

»Wo die Leute aufgeklärter und alle Menschen von Geburt an gleich sind?«

»Das hast du gesagt, Smilow, nicht ich.«

»Nicht nur sarkastisch, sondern auch noch herablassend und selbstgerecht. Wenn du schon so verdammt viel Verachtung für uns und unsere vorgeblich archaische Attitüde hast, warum bist du dann hierher gezogen?«

»Wegen der Möglichkeiten, die sich hier bieten.«

»Um unsere Fehler gerade zu biegen? Um uns arme rückständige Südstaatler aufzuklären?«

Finster musterte sie ihn.

»Oder findest du unseren Lebensstil beneidenswert?« Um sie noch mehr zu ködern, fügte er hinzu: »Bist du sicher, dass du nicht auf Davee Pettijohn eifersüchtig bist?«

Smilow, leck mich am Arsch, sagte sie lautlos.

Dann trank sie ihre Cola aus und stand auf, um die leere Dose in einen Behälter für Metallabfall zu werfen. Das Geklapper ließ jeden im Wartezimmer zusammenzucken, nur die schlafende Frau nicht.

Steffi sagte: »Frauen wie Davee Pettijohn sind für mich kaum zu ertragen. Bei diesem übertrieben affektierten Gehabe einer Südstaatenschönheit dreht sich mir der Magen um.«

Er dirigierte sie zur Tür. Sie traten in die feuchtwarme Luft hinaus. Im Osten färbte sich der Himmel allmählich grau-rosa, der erste Vorbote der Morgenröte. Nach einigem Überlegen meinte er: »Ich gebe dir Recht, dass Mrs. Pettijohn diese Haltung bis zur Künstlichkeit stilisiert hat.«

»Sie könnte ihre Kunst dazu benutzen, trotz eines Mordes ungeschoren davonzukommen.«

»Steffi, du bist kaltherzig.«

»Da redet der Richtige. Wenn du ein Indianer wärst, hießest du Eis im Blut.«

»Wohl wahr«, sagte er, und es klang nicht beleidigt. »Aber bei dir bin ich mir da nicht so sicher.«

Sie hatte die Autotür erreicht, stieg aber nicht ein. Stattdessen hielt sie inne und musterte ihn übers Autodach hinweg. »In welcher Hinsicht?«

»Niemand bezweifelt deinen Ehrgeiz, Steffi. Trotzdem ist mir zu Ohren gekommen, dass derzeit nicht nur die Arbeit dein Blut in Wallung geraten lässt.«

»Was hast du gehört?«

»Gerüchte«, meinte er. »Welche Gerüchte?«

Mit seinem berühmten frostigen Lächeln wiederholte er: »Nur Gerüchte.«

Loretta Boothe hob den Kopf aus ihrer zusammengesackten Stellung und beobachtete, wie Rory Smilow und Stefanie Mundell quer über den Parkplatz zu einem Auto gingen, wo sie für ein paar Worte stehen blieben, ehe sie einstiegen und davonfuhren.

Energiegeladen und zielstrebig hatten sie die Notaufnahme betreten, zwei Eigenschaften, von denen Loretta wusste, dass beide sie im Übermaß besaßen. Sie erweckten den Eindruck, als saugten sie den ganzen Sauerstoff aus der Atmosphäre für sich selbst ab. Sie mochte beide nicht, allerdings aus unterschiedlichen Gründen.

Gegen Rory Smilow hegte sie einen persönlichen Groll, dessen Anlass mehrere Jahre zurücklag. Und was Steffi Mundell betraf, die kannte sie nur dem Namen nach. Die junge Staatsanwältin galt allgemein als Erzbiest, das zu glauben schien, seine eigene Kacke duftete nach Rosenwasser.

Loretta hätte nicht sagen können, warum sie nicht mit ihnen gesprochen oder ihre Anwesenheit zu erkennen gegeben hatte. Irgendetwas hatte sie bewogen, den Kopf gesenkt und das Gesicht nach unten zu halten und so zu tun, als schliefe sie. Nicht, dass sich einer der beiden auch nur einen Deut um sie geschert hätte, so oder so. Smilow hätte sie verächtlich gemustert, und Steffi hätte sie wahrscheinlich sowieso nicht wiedererkannt. Wenn aber doch, hätte sie sich nicht an ihren Namen erinnert. Höchstwahrscheinlich hätten sie etwas einigermaßen Zivilisiertes zu ihr gesagt, statt sie völlig zu ignorieren.

Warum hatte sie also nichts gesagt? Vielleicht war sie sich überlegen vorgekommen, weil sie ungesehen und unbemerkt ihr Gespräch belauschen konnte, zuerst das mit dem Doktor und dann untereinander.

Am Abend hatte sie aus dem Fernsehen vom Mord an Lute Pettijohn erfahren. Erst später war ihr übel geworden, sodass sie in die Nothilfe fahren musste. Sie hatte Smilows Pressekonferenz gesehen, die er in seiner typischen Art durchgezogen hatte, effizient und unerschütterlich. Steffi Mundell mischte sich bereits wieder in Dinge ein, bei denen sie weder erwünscht war noch gebraucht wurde, und überschritt ihre Grenzen, was sie offenbar blendend beherrschte.

Loretta kicherte in sich hinein. Es tat ihrem alten Herzen wohl, mit anzusehen, wie die beiden nach Spuren tasteten und Indizien verfolgten, die in Sackgassen endeten. Um die Ermittlung konnte es nicht besonders gut bestellt sein, wenn ihre einzigen Augenzeugen Leute mit einer Lebensmittelvergiftung waren. Eines stand fest: Smilow hatte keinen brauchbaren Verdächtigen, sonst würde er nicht hinter Patienten in der Notaufnahme herrennen.

Loretta warf rasch einen Blick auf die Wanduhr. Jetzt wartete sie schon über zwei Stunden und fühlte sich mit jeder Minute schlechter. Sie hoffte auf baldige Hilfe.

Zum Zeitvertreib und um nicht an ihre persönliche Misere denken zu müssen, starrte sie durchs Glasfenster auf den Fleck, wo das Auto geparkt hatte. Inzwischen war er leer. Rory Smilow und Steffi Mundell. Lieber Himmel, was für eine gefährliche

Kombination. Gnade Gott dem glücklosen Mörder, wenn sie ihn fingen.

»Was machst du hier?«

Beim Klang der Stimme ihrer Tochter drehte sich Loretta um. Mit kritischem Blick stand Bev über ihr, die Fäuste in die Seiten gestemmt, und war ganz und gar nicht froh, sie zu sehen. Beim Versuch zu lächeln, spürte sie, wie ihre trockenen Lippen aufrissen. »Hallo, Bev, hat man dir erst jetzt gesagt, dass ich hier unten bin?«

»Nein, aber ich hatte zu tun und konnte erst jetzt weg.«

Bev arbeitete als Krankenschwester auf der Intensivstation. Trotzdem mutmaßte Loretta, dass sie jemanden für fünf Minuten um Vertretung hätte bitten können, wenn sie es gewollt hätte. Natürlich hatte sie nicht gewollt.

Nervös benetzte sie ihre schrundigen Lippen mit der Zunge. »Ich dachte, ich komm mal vorbei und schaue… Vielleicht könnten wir zusammen frühstücken.«

»Bis zum Schichtende um sieben habe ich zwölf Stunden hinter mir. Dann gehe ich heim ins Bett.«

»O.« Die Sache verlief weitaus schlechter, als Loretta gehofft hatte, obwohl sie sich schon nicht allzu viel erhofft hatte. Sie zupfte an den Knöpfen ihrer schmutzigen Bluse herum.

»Du bist doch nicht hierher gekommen, damit wir zusammen frühstücken, oder?« Bevs Stimme klang so herrisch, dass die Schwester am Einweisungsschalter aufmerksam wurde. Loretta merkte, wie sie neugierig zu ihnen herüberschielte. »Du hast kein Geld mehr, also kannst du dir keinen Schnaps kaufen. Deshalb kommst du zu mir zum Betteln.«

Loretta senkte den Kopf, um den wütenden ungnädigen Blicken ihrer Tochter zu entgehen. »Bev, ich hab schon seit Tagen keinen Tropfen getrunken. Ich schwör's.«

»Ich riech's dir doch an.«

»Ich bin krank. Ehrlich. Ich –«

»Ach, sei still.« Bev öffnete ihre Brieftasche und nahm einen Zehndollarschein heraus. Aber anstatt ihn ihr zu geben, zwang sie sie, die Hand danach auszustrecken, was die Demütigung noch verstärkte. »Belästige mich nicht wieder bei der Arbeit. Wenn du's doch tust, lass ich dich durch den Sicherheitsdienst vom Gelände weisen. Verstanden?«

Loretta nickte und schluckte Stolz und Scham hinunter. Bev wandte sich zum Gehen. Die Gummisohlen an ihren Schuhen quietschten auf den Fliesen. Als Loretta hörte, wie sich die Aufzugtüren öffneten, hob sie den Kopf und rief klagend: »Bev, geh doch nicht –«

Noch ehe sie den Satz zu Ende sprechen konnte, waren die Türen zu, aber leider nicht früh genug. Sie konnte sehen, wie Bev den Blick abgewandt hatte, als könnte sie den Anblick ihrer eigenen Mutter nicht ertragen.

SONNTAG

8

Es ergab einfach keinen Sinn.

Man begegnet jemandem, unerwartet, aus heiterem Himmel, wie wenn man ohne Anlass ein Geschenk bekommt. Sofort ist da eine starke und wechselseitige Anziehungskraft. Man genießt die Gesellschaft des anderen. Man lacht, man tanzt, isst Maiskolben und Eis. Man geht miteinander ins Bett und fühlt sich danach, als hätte man erst jetzt entdeckt, wie schön das ist. Man schläft eng umschlungen ein und fühlt sich zufriedener als je zuvor. So war's noch nie.

Und dann wachst du auf. Allein.

Sie ist weg. Kein tschüss, kein auf Wiedersehen. Kein *hasta la vista*, Baby. Einfach nichts.

Hammond schlug mit der Faust aufs Lenkrad, er war wütend. Auf sie. Aber noch wütender auf sich selbst, weil es ihm etwas ausmachte. Warum sollte es ihn kümmern, dass sie weggelaufen war? Hey, er hatte eine tolle Nacht gehabt. Er hatte mit einer hinreißenden Fremden geschlafen, die im Bett super zu ihm passte und danach ohne Wenn und Aber verschwunden war, was ihm noch mehr zupass kam. Die Traumfrau, stimmt's? Besser ging's gar nicht. Frag irgendeinen männlichen Single nach seinem Phantasiewunsch Nummer eins und er würde sagen: das.

Also, akzeptier's endlich als das, was es war, du Trottel, wies er sich selbst zurecht. Interpretiere nicht zu viel hinein. Und mal's dir im Nachhinein nicht schöner aus, als es tatsächlich war.

Aber er malte es sich gar nicht schöner aus, als es gewesen war. Es war phantastisch gewesen, und genauso hatte er es in Erinnerung.

Fluchend überholte er einen Autofahrer, dessen Geschleiche seine Geduld schon länger strapaziert hatte. Heute irritierte ihn einfach alles. Seit er aufgewacht war, hatte er seine Enttäuschung und Frustration an leblosen Objekten ausgelassen. Zuerst an der Kommode, an der er sich den großen Zeh angestoßen hatte, als er aus dem Bett geschossen und in den Wohnbereich der Hütte gerannt war, in der verzweifelten Hoffnung, sie zu finden, wie sie auf der Suche nach einer Schüssel für die Cornflakes in der Küche herumkramte oder im Wohnzimmer in einer Zeitschrift blätterte oder auf der Veranda im Schaukelstuhl saß und dem trägen Lauf des Flusses nachsah, während sie Kaffee trank und darauf wartete, dass er aufwachte.

Über seine Phantasien hatte sich der Weichzeichner aus der Werbung für Kitschpostkarten gelegt.

Aber das war auch schon alles, was sie gewesen waren – Phantasien.

Wohnzimmer und Küche standen leer, ihr Auto war fort und das Einzige, was er im Schaukelstuhl auf der Veranda fand, war eine Spinne, die eifrig ein Netz von einer Armlehne zur anderen webte.

Achtlos hatte er trotz seines nackten Pos die Spinne beiseite gewischt und sich in den Schaukelstuhl gesetzt, wo er sich mit allen zehn Fingern die Haare raufte, die verzweifelte Geste eines Mannes, der kurz davor steht, die Kontrolle zu verlieren.

Wann war sie gegangen? Wie spät war es jetzt? Wie lange war sie schon fort?

Vielleicht kam sie ja wieder. Vielleicht regte er sich grundlos auf.

Eine halbe Stunde redete er sich ein, sie wäre lediglich fort, um Donuts und Teilchen zu holen. Oder Sahne für ihren Kaffee. Oder eine Sonntagszeitung. Aber sie kam nicht wieder. Schließlich hatte er der Spinne den Schaukelstuhl überlassen und war nach drinnen gegangen. Beim Versuch, Kaffee zu kochen, hatte er Pulver auf der Arbeitsplatte verschüttet. In seiner Wut darüber hatte er die Glaskanne zerbrochen und schließlich die ganze verdammte Maschine zu Boden geschleudert, wo sie zerbrach und das Wasser herauslief, das er bereits in den Tank gefüllt hatte.

Auf der Suche nach irgendeiner Hinterlassenschaft hatte er die ganze Hütte auf den Kopf gestellt. Wie sehr wünschte er sich eine Visitenkarte… oder noch besser einen Zettel. Nichts. Im Bad hatte er den Abfallkorb unter dem Waschbecken inspiziert, aber darin befand sich lediglich ein Plastikmüllbeutel. Beim Aufrichten hatte er sich den Kopf am Vorratsschrank gestoßen, voller Wut die Tür zugeworfen und sich dabei den Finger eingeklemmt, was eine noch wütendere Fluchkanonade zur Folge hatte.

Obwohl das Bett am schmerzlichsten an sie erinnerte, war er letztlich doch wieder dort gelandet, hatte sich hineinfallen lassen, den Arm über die Augen gelegt und krampfhaft versucht, sich zusammenzureißen.

Zum Kuckuck, was war nur mit ihm los?, hatte er sich selbst gefragt. Niemand, der ihn kannte, hätte ihn an diesem Morgen wiedererkannt, wie er ungeniert nackt und unrasiert herumtigerte und sich wie ein Wilder aufführte, wie ein gemeingefährlicher verrückter Irrer. Hammond Cross benahm sich wie ein Hornochse, wie ein liebeskranker Kater. *Unser* Hammond Cross? Du machst wohl Witze!

Moment mal, hast du *liebeskrank* gesagt?

Langsam hatte er den Arm sinken lassen, den Kopf zu ihrem Kissen gedreht, es berührt und seine Hand in die Mulde gelegt, die ihr Kopf hinterlassen hatte. Sachte war er auf seine Seite gerollt, hatte das Kissen an die Brust gedrückt, sein Gesicht darin vergraben und ihren Geruch tief eingeatmet.

Begehren überwältigte ihn, aber diesmal ging es nicht um Sex. Okay, ein bisschen schon, aber nicht ausschließlich.

Das war keine normale Lust, wie er sie schon oft erfahren hatte. Die würde er wiedererkennen. Das hier war anders. Tiefer. Berührender. Sehnsucht hatte ihn in den Klauen.

»Scheiße«, flüsterte er. *Hörst du dir selbst auch gut zu? Sehnsucht?*

Er hatte sich wieder auf den Rücken gerollt, zur Decke gestarrt und sich kläglich eingestanden, dass er für sein Empfinden keinen Ausdruck kannte. Es war etwas Fremdes für ihn. Wie sollte er es benennen können, wenn er es noch nie zuvor erlebt hatte?

Er wusste nur, dass es ihn voll und ganz gepackt hatte und lähmte und dass er sich noch nie so gefühlt hatte, obwohl er schon eine Menge Frauen gehabt hatte, jede schön, faszinierend und sexy.

An diesem Punkt waren seine Gedanken von seiner sexuellen Vergangenheit zu der ihren gewandert. Und dabei war ihm wieder der Telefonanruf eingefallen. Stirnrunzelnd hatte er das Telefon auf dem Tisch an der Wand gemustert. Als er sie dabei ertappt hatte, hatte sie verblüfft und schuldbewusst ausgesehen. Wen konnte sie angerufen haben?

Plötzlich sprang er aus dem Bett, beugte sich mit Herzrasen übers Telefon und fuhr mit dem Finger über die gummiüberzogenen Tasten des Apparats. Er war nicht einmal sicher, ob dieses spezielle Modell über die von ihm gesuchte Funktion verfügte, aber dann: Jawohl! Da war sie.

Automatische Wahlwiederholung.

Nach einem kurzen Zögern drückte er den Knopf. Es piepte mehrmals, während das Telefon automatisch die Nummer wählte, die gleichzeitig auf dem Display erschien. Er packte einen Bleistift und das einzige Stück Papier in Reichweite – die Badeanzugnummer von *Sports Illustrated* vom letzten Jahr. Hastig kritzelte er die Telefonnummer quer über den nackten Bauch des Covergirls.

»Dr. Ladd.«

Er hatte keine Ahnung, was er eigentlich erwartet hatte, aber als nach zwei Klingelzeichen eine Frauenstimme kurz und professionell seinen Anruf entgegennahm, war er nicht darauf gefasst.

»Pardon?«

»Haben Sie Dr. Ladd gewählt?«

»Ähm… Ich… Vielleicht habe ich die falsche Nummer.« Er wiederholte die notierte Nummer.

»Das stimmt. Hier ist ein Anrufdienst. Wollten Sie den Doktor sprechen?«

Ratlos sagte er: »Ähm, ja.«

»Bitte, Ihren Namen und Ihre Nummer, wo Sie zu erreichen sind.«

»Wissen Sie, wenn ich's mir recht überlege, warte ich lieber und rufe dann während der Praxisstunden an.«

Obwohl er rasch wieder aufgelegt hatte, hatte er noch lange grübelnd auf der Bettkante gehockt. Zum Kuckuck, wer war Dr. Ladd? Und warum hatte sie ihn mitten in der Nacht angerufen?

Er hatte eine ganze Litanei von Namen und Gesichtern aus seinem Gedächtnis abgerufen. Auf gesellschaftlicher Ebene hatte er mit mehreren Ärzten zu tun, außerdem war er Mitglied von zwei Golfclubs, in denen es von Ärzten aller Sparten nur so wimmelte. Trotzdem konnte er sich nicht erinnern, je einen Dr. Ladd getroffen zu haben.

Hatte er vielleicht Dr. Ladds Frau getroffen? Kannte er Dr. Ladds Frau näher?

Diese unschöne, aber doch äußerst realistische Möglichkeit hatte ihn so geärgert, dass er sich zum Aufstehen zwang und unter die Dusche ging. Nicht weil er sich schuldig fühlte und deshalb den Drang zum Waschen verspürt hätte. Falls sie verheiratet war und diesbezüglich gelogen hatte, konnte man ihm doch nichts vorwerfen. Richtig? Richtig.

Nach dem Anziehen war er in die Küche geschlurft, wo er sich mit zwei Tassen koffeinfreiem Instantkaffee begnügte. Er zwang sogar einen halben englischen Muffin hinunter, wobei er gleichzeitig kaute und grübelte. Sie hatte ihm erzählt, sie sei nicht verheiratet, aber, verflucht noch mal, wie konnte er einer Frau trauen, die ihm nicht mal ihren Namen genannt hatte?

Um Himmels willen, er kannte nicht einmal ihren Namen!

Sie hatte ihm eine Menge Dinge erzählt, zum Beispiel, dass sie normalerweise nicht mit Männern ins Bett ging, die sie eben erst getroffen hatte. Weder gelegentlich noch aus Routine. Waren das nicht ihre exakten Worte gewesen? Aber woher wusste er, dass es auch der Wahrheit entsprach?

Woher wusste er, dass sie nicht zwanghaft log und eine Schlampe war, die zufälligerweise mit einem armen Trottel von Arzt verheiratet war? Sie konnte genauso gut eine Ehefrau auf Abwegen sein, die ihrem Dr. Ladd schon so oft Hörner aufgesetzt hatte, dass diesen kein mitternächtlicher Anruf mehr überraschte.

Je mehr Hammond darüber nachdachte, desto missmutiger wurde er.

Beim Aufräumen in der Küche hatte er überrascht festgestellt, dass es schon früher Nachmittag war. Wie hatte er nur so lange schlafen können? Ganz einfach. Sie hatten nicht genug voneinander bekommen... Erst gegen sechs waren sie allmählich eingeschlafen.

Eigentlich hatte er erst bei Dunkelheit wieder in Charleston sein wollen. Eigentlich hatte er einen faulen Sonntag verbringen wollen, wollte angeln oder nur auf der Veranda sitzen, in die Gegend schauen und im Grunde gar nichts tun, was zu viel Denkarbeit von ihm verlangt hätte.

Aber dann erschienen ihm plötzlich weder der Aufenthalt in der Hütte noch das Nachdenken einigermaßen attraktiv. Deshalb sperrte er ab und brach vor der geplanten Zeit auf. Als er jetzt über die Memorial-Brücke in die Stadt fuhr, kam ihm ein Gedanke: Ob sie aus Charleston stammte und einen ähnlichen Heimweg gefahren war?

Was wäre, wenn sie einander einmal zufällig bei einer Cocktailparty über den Weg liefen? Würden sie sich ihre gemeinsame Nacht eingestehen oder einander wie höfliche Unbekannte grüßen und so tun, als hätten sie sich nie getroffen?

Vermutlich hinge es davon ab, ob sie zu diesem Zeitpunkt allein oder in Begleitung wären. Wie käme er sich vor, wenn man ihm das offensichtlich glückliche Ehepaar Dr. und Mrs. Ladd vorstellte und er ihrem Mann in die Augen schauen, ihm die Hand schütteln, über Belangloses plaudern und so tun müsste, als ob er die Frau an seiner Seite nicht aus intimster Nähe kannte?

Aus vielen Gründen hoffte er, nie in eine solche Situation zu geraten, und wenn doch, dass er sie mit einem vernünftigen Maß an Gelassenheit meistern würde. Hoffentlich benähme er sich nicht wie ein Trottel. Hoffentlich brächte er es fertig, ihr den Rücken zuzukehren und wegzugehen.

Er war unsicher, ob er das fertig brächte.

Normalerweise entschied sich Hammond angesichts eines moralischen Dilemmas für die richtige Seite. Abgesehen von den normalen Kinderstreichen, dem üblichen Schulblödsinn und ein paar Ausrutschern auf dem College benahm er sich mustergültig.

Er hielt sich an die Regeln, egal, ob er nun mit einem Übermaß an Tugend geschlagen war oder lediglich feige.

Das war nicht immer einfach gewesen. Im Grunde genommen war dieser unbeirrbare Instinkt für richtig und falsch der springende Punkt bei der Mehrzahl seiner Auseinandersetzungen mit Freunden und Kollegen gewesen, ja sogar bei seinen Eltern. Sein Vater und er folgten nicht denselben Verhaltensregeln. Preston Cross hätte dieses Dilemma wegen einer Frau lediglich amüsant gefunden.

Während Hammond in den Wohnkomplex einbog, in dem er lebte, fragte er sich, was passiert wäre, wenn er gestern Nacht ein paar Augenblicke früher hereingekommen wäre und gehört hätte, wie sie sagte: »Schatz, es ist schon spät, deshalb habe ich beschlossen, bei meiner Freundin (hier gehörte irgendein weiblicher Name hin) zu übernachten. Aber nur, wenn's dir nichts ausmacht. Ich hielt es für gefährlich, so spät allein heimzufahren. Na schön, dann bis morgen früh. Ich liebe dich auch.«

Als das automatische Tor aufging, lenkte Hammond seinen Wagen in die enge Garage. Nachdem er den Motor abgeschaltet hatte, saß er noch ein paar Augenblicke im Auto und starrte Löcher in die Luft. Hätte er diesen ganz besonderen Moraltest bestanden oder nicht?

Schließlich stieg er verärgert aus, weil er sich zu derart sinnlosen Spekulationen hinreißen ließ, und betrat durch die Verbindungstür zwischen Garage und Küche sein Stadthaus. Aus Gewohnheit wollte er schon zum Telefon gehen, um seinen Anrufbeantworter abzuhören, aber dann unterdrückte er bei nochmaligem Nachdenken diesen Impuls. Garantiert war wenigstens eine Nachricht von seinem Vater darauf. Er war nicht in der Stimmung, die gestrige Konfrontation wieder aufzuwärmen. Eigentlich wollte er mit niemandem reden.

Vielleicht sollte er noch einen kurzen Segeltörn machen. Bis zur Dämmerung blieben ihm noch ein paar Stunden. Das Sechzehnfußboot, ein Geschenk seiner Eltern zum bestandenen Anwaltsexamen, lag auf der anderen Straßenseite im Jachthafen vor Anker. Aus diesem Grund hatte er damals eine Wohnung in diesem Komplex gekauft. Bis zum Jachthafen waren es nur ein paar Schritte.

Heute war ein perfekter Tag zum Segeln. Vielleicht könnte er dabei den Kopf auslüften.

Rasch ging er durch die Küche in die Diele, vorbei am Wohnzimmer, und wollte gerade auf die Treppe zusteuern, als er hörte, wie ein Schlüssel ins Haustürschloss gesteckt wurde. Er hatte kaum noch Zeit zum Umdrehen, da spazierte auch schon Steffi Mundell mit einem Handy am Ohr herein.

Sie sagte: »Ich kann nicht glauben, dass die sich wie störrische Esel benehmen.« Während sie mit Schlüsseln, Handy, Aktentasche und Handtasche jonglierte, winkte sie ihm ein Hallo zu. »Ich meine, eine Lebensmittelvergiftung ist kein Knochenmarkkrebs… Na schön, halt mich auf dem Laufenden… Ich weiß, dass ich nicht dabei sein muss, aber ich will. Du hast meine Handynummer, ja?… Okay, tschü-ü.« Sie schaltete das Telefon aus und musterte Hammond entnervt. »Wo, zum Teufel, bist du gewesen?«

»Wie wär's erst mal mit einem Hallo?«

Seine Kollegin war rund um die Uhr im Einsatz. Ständig schleppte sie in einer überdimensionalen Aktentasche ein Miniaturbüro herum. Bei ihrem Eintritt in die Bezirksstaatsanwaltschaft von Charleston hatte sie sich Polizeifunk ins Auto einbauen lassen, dem sie lauschte, wie andere Autofahrer Musik oder Nachrichten hörten. Unter den übrigen Anwälten und Polizeibeamten kursierte ein Standardwitz: Steffi sei unter den Vertretern der Anklage das Pendant zu einem Verteidiger, der jedem Krankenwagen hinterherhetzt.

Sie ließ ihr Sammelsurium auf einen Sessel fallen, stieg aus ihren hochhackigen Schuhen, zog ihre Bluse aus dem Rockbund und fächelte sich mit dem losen Ende den Bauch. »Meine Güte, ist das stickig draußen. Ich zerfließe. Warum bist du nicht ans Telefon gegangen?«

»Ich hab dir doch gesagt, dass ich in meiner Hütte bin.«

»Da hab ich angerufen. Ungefähr 'ne Million Mal.«

»Ich hatte die Klingel abgestellt.«

»Um Himmels willen, warum?«

Weil ich mit allen Sinnen mit einer Frau beschäftigt war und nicht gestört werden wollte, dachte er, sagte aber: »Du musst den Radar einer Fledermaus haben. Ich bin gerade zur Hintertür hereingekommen. Woher wusstest du, dass ich da bin?«

»Wusste ich nicht. Deine Wohnung liegt näher am Polizeipräsidium als meine. Hab mir gedacht, du hättest nichts dagegen, wenn ich hier warte, bis ich etwas höre.«

»Worüber? Mit wem hast du gesprochen? Was ist denn so wichtig?«

»Wichtig? Hammond?« Mit aufgestemmten Händen schaute sie ihm ins Gesicht. Zuerst wirkte sie ratlos, doch dann änderte sich ihr Gesichtsausdruck. Tiefes Erstaunen machte sich breit. »O, mein Gott, du weißt es nicht.«

»Offensichtlich nicht.« Ihr dramatischer Auftritt beeindruckte ihn nicht. Steffi war immer dramatisch.

Das war's dann wohl mit Segeln. Er hatte keine Lust, Steffi dazu einzuladen, und sie ließ sich nicht so leicht abschütteln, besonders wenn sie, wie jetzt, auf Hochtouren lief. Plötzlich fühlte er sich sehr müde. »Ich brauche etwas zu trinken. Was kann ich dir bringen?«

Er zog sich in die Küche zurück und öffnete den Kühlschrank. »Wasser oder Bier?«

Sie tappte hinter ihm her. »Ich kann's nicht glauben. Du weißt es ehrlich nicht. Du hast nichts gehört. Wo liegt eigentlich deine Hütte? In der äußeren Mongolei? Gibt's dort keinen Fernseher?«

»Okay, Bier.« Er nahm zwei Flaschen aus dem Kühlschrank, öffnete die erste und streckte sie ihr hin. Sie nahm sie, starrte ihn aber weiter an, als ob in seinem Gesicht gerade eitrige Pusteln aufgebrochen wären. Er machte die zweite Flasche auf und hob sie zum Mund. »Die Spannung bringt mich um. Weshalb bist du so aufgekratzt?«

»Irgendjemand hat gestern Nachmittag Lute Pettijohn in seinem Penthouse im Charles Towne Plaza ermordet.«

Die Bierflasche erreichte nie Hammonds Mund. Langsam senkte er sie und starrte sie dabei völlig ungläubig an. Sekunden verstrichen, dann meinte er barsch: »Das ist unmöglich.«

»Es ist wahr.«

»Kann nicht sein.«

»Warum sollte ich lügen?«

Zuerst war er vom Schock wie gelähmt, bis er sich schließlich wieder regte und mit der Hand in den Nacken fuhr, der sich vor Anspannung bereits verkrampft hatte. Ganz automatisch stellte er das Bier auf den kleinen Bistrotisch, zog einen Stuhl heraus und setzte sich langsam hin. Als Steffi ihm gegenüber Platz nahm, blinzelte er so lange, bis er sie klar erkennen konnte. »Hast du ermordet gesagt?«

»Ermordet.«

»Wie?«, fragte er mit derselben trockenen Stimme. »Wie ist er gestorben?«

»Geht's dir gut?«

Er schaute sie entgeistert an, als ob er die Sprache nicht mehr verstünde, dann nickte er abwesend. »Ja, mir geht's gut. Ich bin nur…« Er breitete die Hände aus.

»Sprachlos.«

»Platt.« Er räusperte sich. »Wie ist er gestorben?«

»Schusswunde. Zwei Kugeln in den Rücken.«

Er senkte den Blick auf die Granitplatte und starrte die kalte Bierflasche an, auf der sich allmählich Kondenswasser niederschlug, ohne sie wirklich wahrzunehmen. Er versuchte, die atemberaubende Neuigkeit zu verarbeiten. »Wann? Um wie viel Uhr?«

»Ein Zimmermädchen hat ihn kurz nach sechs gefunden.«

»Gestern Abend.«

»Hammond, ich stottere doch nicht. Ja. Gestern.«

»Entschuldige.«

Er hörte zu, wie sie den Fund des Zimmermädchens beschrieb. »Die Kopfverletzung war mehr als eine Beule, trotzdem meint John Madison, die Kugeln hätten ihn getötet. Selbstverständlich kann er die Todesursache erst nach der Autopsie offiziell feststellen. Erst dann wird man sämtliche Einzelheiten wissen.«

»Hast du mit dem Gerichtsmediziner gesprochen?«

»Nicht persönlich. Smilow hat mich informiert.«

»Also ist er dabei?«

»Machst du Witze?«

»Natürlich ist er dabei«, stieß Hammond hervor. »Was ist seiner Meinung nach passiert?«

Die nächsten fünf Minuten hörte Hammond zu, während sie ihm die bisher bekannten Details des Falls schilderte. »Meiner Ansicht nach sollte das Büro an diesem Fall von Anfang an beteiligt sein, deshalb habe ich die Nacht mit Smilow verbracht – sozusagen.« Ihr neckisches Lächeln wirkte völlig unpassend. Hammond nickte lediglich und forderte sie mit einer ungeduldigen Handbewegung zum Weiterreden auf. »Ich war dabei, während er ein paar Spuren verfolgte, den wenigen, die's gibt.«

»Und der Hotelsicherheitsdienst?«

»Pettijohn ist ohne einen Mucks gestorben. Kein Hinweis auf gewaltsames Eindringen. Kein Anzeichen für einen Kampf. Und die Kameraüberwachung können wir vergessen. Außer einem Videoband mit einer monotonen Geräuschkulisse und eng verschlungenen nackten Leuten haben wir nichts.«

»Hä?«

Als sie ihm die Geschichte mit den getürkten Sicherheitskameras erzählte, schüttelte er bestürzt den Kopf. »Heiliger Strohsack. Dabei hat er so einen Wirbel um dieses System und die enormen Kosten dafür gemacht. Der Mann hat Nerven.«

Hammond war mit Lute Pettijohns fragwürdigen Charakterzügen und seinem skrupellosen Geschäftsgebaren gut vertraut. Schon seit einem halben Jahr hatte er insgeheim gegen ihn im Auftrag des Generalstaatsanwalts ermittelt. Je mehr er über Pettijohn in Erfahrung gebracht hatte, umso mehr waren seine Verachtung und seine Abneigung gewachsen. »Irgendwelche Zeugen?«

»Bisher nicht. Die einzige Person im Hotel, die tatsächlich mit ihm Kontakt hatte, war ein Masseur im Fitnesscenter; das hat sich aber als Sackgasse entpuppt.« Anschließend erzählte sie ihm von der Lebensmittelvergiftung. »Mal abgesehen von den Kids gibt es sieben Erwachsene, die Smilow befragen möchte.

Keiner von uns macht sich über den Ausgang allzu große Hoffnung. Trotzdem hat er versprochen anzurufen, wenn der Arzt grünes Licht gibt. Ich will unbedingt dabei sein.«

»Du nimmst das Ganze sehr persönlich, nicht wahr?«

»Das wird ein Riesenfall.«

Diese Feststellung lag wie ein Fehdehandschuh zwischen ihnen. Obwohl kein Wort über diese Rivalität gefallen war, war sie ständig vorhanden. Hammond gab bescheiden zu, dass er ihr normalerweise überlegen war, und das nicht auf Grund höherer Intelligenz. Er hatte das Jurastudium als Zweitbester abgeschlossen, während Steffi in ihrem Jahrgang die Beste gewesen war. Der Unterschied lag in ihrer beider Persönlichkeit. Während ihm sein Charakter zugute kam, stand Steffi ihre Art und Weise im Wege. Die Leute reagierten nicht sehr positiv auf ihren scharfen Ton und die aggressive Haltung.

Aber sein entscheidender Vorteil war, nach eigenem Eingeständnis, die offene Bevorzugung durch Monroe Mason. Kurz nach Steffis Eintritt ins Büro war eine Stelle frei geworden, für die beide qualifiziert waren und in Betracht kamen. Trotzdem gab es nie den geringsten Zweifel, wer befördert werden würde. Inzwischen arbeitete Hammond als Jungstaatsanwalt mit besonderen Aufgaben.

Trotz Steffis gelassener Reaktion hatte man ihre Enttäuschung deutlich gespürt. Sie war keine schlechte Verliererin und hatte ihm nichts nachgetragen. Ihre Arbeitsbeziehung beruhte auch weiterhin mehr auf Kooperation als auf Feindschaft.

Trotzdem kam es, so wie jetzt, manchmal zu stummen Herausforderungen, die aber derzeit keiner von beiden annahm.

Hammond wechselte das Thema. »Und was ist mit Davee Pettijohn?«

»In welcher Hinsicht? Meinst du, mit Davee Pettijohn als mögliche Verdächtige? Oder als die trauernde Witwe?«

»Verdächtige?«, wiederholte Hammond verblüfft. »Vermutet denn einer, sie hätte Lute getötet?«

»Ich schon.« Steffi fuhr fort, ihm die Geschichte zu erzählen, wie sie Smilow zum Anwesen der Pettijohns begleitet hatte und weshalb sie die Witwe als mögliche Verdächtige betrachtete.

Nachdem sie fertig war, wies Hammond ihre Theorie strikt von sich: »Vor allem ist Davee nicht auf Lutes Geld angewiesen. War sie nie. Ihre Familie –«

»Ich habe meine Hausaufgaben gemacht. Die Burtons hatten Geld wie Heu.«

Ihr abfälliger Ton entging ihm nicht. »Welche Laus ist dir denn über die Leber gelaufen?«

»Keine«, fuhr sie ihn an, dann holte sie tief Luft und atmete langsam aus. »Okay, vielleicht bin ich angeschlagen. Das geht mir immer so, wenn sich vermeintlich erwachsene, professionelle und intelligente Männer in Wackelpudding verwandeln, sobald sie einer Frau ihres Typs nahe kommen.«

»›Einer Frau ihres Typs‹?«

»Also wirklich, Hammond«, setzte sie noch verärgerter nach, »äußerlich das Schmusekätzchen und innen drin ein Panter. Du weißt genau, welchen Typ ich meine.«

»Du hast Davee nach einer einzigen Begegnung abgestempelt?«

»Siehst du? Du verteidigst sie schon wieder.«

»Ich verteidige niemanden.«

»Zuerst benimmt sich Smilow ganz gaga ihretwegen, was man kaum für möglich hält, und jetzt du.«

»Ich bin wohl kaum ›gaga‹. Mir fehlt nur jedes Verständnis dafür, dass du ein komplettes Persönlichkeitsprofil von Davee entwerfen kannst, obwohl –«

»Na schön! Lass mich in Ruhe«, rief sie ungeduldig. »Ich will gar nicht über Lute Pettijohn und den Mord und die Motive reden. Darüber habe ich mir jetzt schon fast vierundzwanzig Stunden den Kopf zerbrochen. Ich brauch mal eine Pause.«

Sie stand auf, drückte die Fäuste ins Kreuz und streckte sich genüsslich, dann ging sie um den Tisch herum und setzte sich auf Hammonds Schoß. Sie schlang ihm die Arme um den Hals und küsste ihn.

9

Nach mehreren raschen Küssen lehnte sich Steffi zurück und zerzauste seine Haare. »Ich habe noch gar nicht gefragt: Wie war deine Nacht in der Fremde?«

»Einfach toll«, erwiderte Hammond wahrheitsgemäß. »War was Besonderes?«

Was Besonderes? Und ob. Sogar ihre alberne Unterhaltung war etwas ganz Außergewöhnliches gewesen.

»Weißt du, ich habe in der National League Football gespielt.«

»Wirklich?«

»Tja, aber nach dem zweiten Super-Bowl-Sieg bin ich zur CIA gegangen.«

»Ein gefährlicher Job?«

»Das übliche Mantel-und-Degen-Spiel.«

»Wow.«

»Im Grunde war's zum Gähnen. Deshalb hab ich mich zum Friedenscorps gemeldet.«

»Faszinierend.«

»War schon okay. Bis zu einem gewissen Punkt, aber nachdem man mir den Nobelpreis verliehen hat, weil ich sämtliche hungrigen Kinder in Afrika und Asien gefüttert habe, habe ich mich nach einer anderen Beschäftigung umgesehen.«

»Eine, die mehr Herausforderung bot?«

»Richtig. Mir blieb die Wahl zwischen zwei Alternativen: Entweder Präsident zu werden und meinem Land zu dienen oder ein Mittel gegen Krebs zu finden.«

»Dein zweiter Name ist bestimmt Altruismus.«

»Nein, Greer.«

»Gefällt mir.«

»Du weißt, dass ich lüge.«

»Dein zweiter Vorname ist nicht Greer?«

»Das stimmt als Einziges, der Rest – alles Lügen.«

»Nein!«

»Ich wollte dich beeindrucken.«

»Weißt du was?«

»Was?«

»Ich bin beeindruckt.«

Hammond musste an die Berührung ihrer Hand denken, an das erregende Gefühl des Anschwellens…

»Hmm«, schnurrte Steffi, »genau wie ich dachte. Du hast mich vermisst.«

Er hatte einen Steifen, aber nicht wegen der Frau, die auf seinem Schoß saß und ihn durch den Hosenstoff streichelte. Er schob ihre Hand weg. »Steffi –«

Sie beugte sich vor und küsste ihn fordernd. Dann schob sie ihren Rock bis zu den Hüften hoch, setzte sich breitbeinig auf seine Schenkel und küsste ihn weiter, während sich ihre Hände an seiner Gürtelschließe zu schaffen machten.

»Ich hasse diese Eile«, meinte sie atemlos zwischen zwei Küssen, »aber wenn Smilow anruft, muss ich sofort weg. Tut mir Leid, aber diesmal reicht's nur zum Quickie.«

Hammond packte ihre eifrigen Hände und hielt sie fest. »Steffi, wir müssen –«

»Nach oben? Fein, Hammond, aber trödeln können wir nicht.« Schwungvoll hüpfte sie von seinem Schoß und war schon auf dem Weg zur Tür, im Gehen ihre Bluse aufknöpfend.

»Steffi.«

Sie drehte sich um und sah verblüfft, wie Hammond aufstand und den Reißverschluss seiner Hose wieder zuzog. Sie lachte silbern. »Ich bin ja gerne bereit, so ziemlich alles auszuprobieren, aber wenn du ihn nicht aus der Hose holst, wird's schon ein bisschen mühsam.«

Er ging zur anderen Seite des Zimmers und lümmelte sich auf den Granittresen. Mehrere Augenblicke starrte er ins makellose Spülbecken, ehe er sich umdrehte, um ihr erneut ins Gesicht zu sehen.

»Steffi, so geht das nicht mehr weiter.«

Kaum war es heraus, fühlte er sich ungeheuer erleichtert. Gestern Nachmittag hatte er aus mehreren Gründen die Stadt so niedergeschlagen verlassen. Einer davon – eigentlich der unwichtigste – war seine unschlüssige Haltung zu der Affäre mit Steffi. Er war unsicher, ob er Schluss machen wollte. Sie hatten sich bequem arrangiert. Keiner stellte an den anderen unvernünftige Forderungen. Sie teilten viele Interessen. Sexuell passten sie gut zusammen.

Trotzdem war nie von Zusammenziehen die Rede gewesen, worüber Hammond froh war. Wenn es dazu gekommen wäre, hätte er eine ganze Liste passender Entschuldigungen aufgestellt, warum eine gemeinsame Adresse keine gute Idee sei. Die eigentliche Ursache war jedoch, dass mit Steffi binnen kurzem ihr enormes Temperament durchgegangen wäre. Offensichtlich hatte auch sie ihn nicht ständig in der Nähe haben wollen. Beide behielten ihre Affäre für sich. Sie sahen einander regelmäßig, wann immer sie wollten. Dieses perfekte Arrangement dauerte nun schon fast ein Jahr.

Allerdings hatten sich bei ihm in letzter Zeit Zweifel an der Perfektion ihrer Liaison eingeschlichen. Er konnte Geheimnistuerei und Täuschungsmanöver nicht ausstehen, besonders nicht in persönlichen Beziehungen, bei denen er die altmodische Überzeugung vertrat, dass Ehrlichkeit dort eine Grundkomponente sein sollte.

Außerdem enttäuschte ihn das geringe Maß an Vertrautheit, die es, wenn man ehrlich war, eigentlich gar nicht zwischen ihnen gab. Obwohl Steffi eine heißblütige und raffinierte Geliebte war, standen sie sich emotional nicht näher als beim ersten Mal. Damals hatte sie ihn zum Abendessen eingeladen. Das Ganze hatte auf ihrem Wohnzimmersofa geendet, nachdem sie sich die Kleider vom Leib gezerrt hatten.

Hammond hatte wochenlang alle Pros und Contras gründlich abgewogen, und er war zu dem Schluss gekommen, dass ihre Beziehung einen Punkt erreicht hatte, an dem ihm etwas fehlte. Statt sich auf ihre gemeinsamen Abende zu freuen, hatte er sie mehr und mehr gefürchtet. Inzwischen rief er sie lieber später als früher zurück. Und selbst im Bett, beim Sex, ertappte er sich dabei, dass er an ganz andere Dinge dachte, während er seine Sache als rein körperliche Routine, ohne emotionale Tiefe abspulte. Es war besser, das Ganze zu beenden, ehe Gleichgültigkeit in Abneigung umschlug.

Obwohl er nicht recht wusste, was er von einer Beziehung erwartete oder brauchte, war er überzeugt, dass er es bei Stefanie Mundell nicht finden würde, egal, was es war. Letzte Nacht war er dem sehr viel näher gekommen, mit einer Frau, von der er nicht einmal den Namen kannte. Das warf zwar ein trauriges Licht auf seine Beziehung mit Steffi, aber es war andererseits eine echte Bestätigung dafür, dass es Zeit war, Schluss zu machen. Doch diesen Entschluss zu fassen, war eine Sache, ihn umzusetzen eine ganz andere. Am liebsten hätte er die Affäre so nett wie möglich beendet, ohne es auf das emotionale Pendant des Hundertjährigen Krieges hinauslaufen zu lassen. Bestenfalls konnte er darauf hoffen, dass es nicht mit mehr Tumult endete, als es angefangen hatte.

Die Wahrscheinlichkeit dafür war kleiner als null. Eine Szene war garantiert. Er, der sich davor gefürchtet hatte, sah sie jetzt kommen.

Es dauerte einen Augenblick, bis die Bedeutung seiner Worte verfangen hatte. Dann schluckte Steffi, verschränkte zunächst die Arme vor ihrer offenen Bluse, ehe sie sie mit einer trotzigen Geste wieder öffnete und seitlich herunterhängen ließ. »Schätzungsweise meinst du mit ›das‹ –«

»Uns.«

»Ach?« Sie legte den Kopf schief und hob die Augenbrauen in einer Art und Weise, die ihm nur allzu vertraut war. Das war ihr typischer Gesichtsausdruck, wenn sie von jemandem die Schnauze voll hatte und ihn baldigst in Stücke reißen würde. Normalerweise war es ein Assistent oder eine Sekretärin, die einen Brief für sie nicht ordentlich vorbereitet hatten, oder ein Polizist, der in seinem Bericht eine wesentliche Tatsache vergessen hatte, oder irgendeiner, der es wagte, ihr über den Weg zu laufen, wenn sie mal wieder ihren Kopf durchsetzen wollte. »Seit wann ›geht‹ das denn für dich nicht mehr weiter?«

»Schon geraume Zeit. Meinem Gefühl nach trudeln wir in unterschiedliche Richtungen.«

Lächelnd zuckte sie mit den Achseln. »Wir waren beide in letzter Zeit abgelenkt, aber das lässt sich leicht ändern. Zwischen uns gibt es genug Gemeinsamkeiten, um zu retten –«

Er schüttelte den Kopf. »Steffi, nicht nur in unterschiedliche Richtungen. In entgegengesetzte.«

»Könntest du dich ein bisschen präziser ausdrücken?«

»Okay.« Er blieb gelassen, obwohl er ihren Tonfall verabscheute, mit dem sie ihn indirekt zum Trottel abstempelte. »Irgendwann würde ich gerne heiraten und Kinder haben. Du hast mir unzählige Male klar gemacht, dass du kein Interesse an einer eigenen Familie hast.«

»Es überrascht mich, dass du es hast.« Er lächelte ironisch. »Eigentlich überrascht's mich auch.«

»Du hast gesagt, du möchtest keinem ahnungslosen Kind das antun, was dein Vater dir angetan hat.«

»Das werde ich auch nicht«, meinte er knapp.

»Ist das nicht ein sehr junger Sinneswandel?«

»Neu, und doch schon länger im Werden. Für eine Weile war unsere Beziehung perfekt, aber dann –«

»War der frische Lack ab?«

»Nein.«

»Was dann? Ist es nicht mehr aufregend? Hat es seinen Reiz verloren, mit der heißen Nummer von der Bezirksstaatsanwaltschaft ins Bett zu gehen? Erregt es dich nicht mehr, Steffi Mundells geheimer Liebhaber zu sein?«

Verneinend ließ er den Kopf hängen. »Bitte, Steffi, lass das.«

»Ich mache ja gar nichts«, fauchte sie ihn an. Allmählich wurde ihre Stimme schrill. »Dieses Gespräch war deine Idee.« Ihre dunklen Augen verengten sich. »Hast du eigentlich eine Ahnung, wie viele Männer mich liebend gern ficken würden?«

»Ja«, sagte er, wobei seine Stimme genauso wütend wurde wie ihre, »ich weiß, was über dich hinter vorgehaltener Hand erzählt wird.«

»Früher hat es dich angetörnt, wenn sie gewettet haben, wer wohl der geheimnisvolle Mann in meinem Bett sei, während du genau gewusst hast, dass du es warst. Was haben wir darüber gelacht.«

»Vermutlich war's dann irgendwann einmal nicht mehr komisch.«

Da sie darauf keine Antwort parat hatte, stand sie nur da und kochte innerlich vor Wut.

Mit ruhigerer Stimme fuhr er fort: »Jedenfalls bin ich dieses Wochenende weggefahren, um unsere Beziehung zu überdenken –«

»Ohne vorher darüber zu sprechen? Ist es dir nie eingefallen, mich dazu einzuladen, um die Sache gemeinsam zu überdenken –«

»Ich hab darin keinen Sinn gesehen.«

»Also hattest du dich bereits entschieden, bevor du zum *Überdenken* in deine kostbare Hütte in den Wäldern gefahren bist«, zischte sie böse.

»Nein, Steffi, ich hatte mich noch nicht entschieden. Während ich fort war, habe ich die Situation aus jedem Blickwinkel betrachtet und bin immer wieder zum selben Ergebnis gekommen.«

»Dass du mich abschieben willst.«

»Nicht –«

»Abschieben? Welches Wort würdest du denn verwenden?«

»Genau diese Szene wollte ich vermeiden«, er wurde laut. Nun hatte er sie doch noch überbrüllt. »Ich wusste, du würdest argumentieren. Wusste, dass du wie beim Plädoyer an die Geschworenen so lange darauf herumtrampeln würdest, bis nichts mehr übrig ist. Aus Spaß an der Diskussion wirst du jedes meiner Worte widerlegen und keinen Zentimeter nachgeben, denn für dich ist alles und jedes letztlich ein Machtkampf. Nun, Steffi, das hier ist kein Wettbewerb und auch kein Gerichtsprozess. Hier geht es um unsere Leben.«

»Ach Gott, erspar mir das Melodrama.«

Er unterdrückte ein kurzes Lachen. »Das genau ist es. Ich brauche ein bisschen Melodramatik. In unserer Beziehung steckt kein Funken davon. Melodrama ist menschlich, ist –«

»Hammond, zum Teufel noch mal, worüber redest du eigentlich?«

»Man kann nicht alles im Leben in einem Plädoyer zusammenfassen. Gesetzbücher enthalten nicht alle Antworten.« Er konnte es nicht erklären. Frustriert fluchte er leise vor sich hin, bevor er es erneut versuchte. »Du bist brillant, aber du kennst keine Grenze. Immer nur Argumente und Gegenreden, ohne Pause. Mit dir gibt es keine Auszeit.«

»Verzeih das Wortspiel, aber ich wusste nicht, dass die Zeit mit mir so eine Strafe für dich gewesen ist.«

»Schau«, meinte er knapp, »ich erspare dir das Melodrama, wenn du mir den scheinheiligen Part der verwundeten Seele ersparst. Du bist wütend, aber verletzt bist du nicht.«

»Würdest du aufhören, mir klar zu machen, was ich bin und was nicht? Du hast keine Ahnung, was ich fühle.«

»Ich weiß nur, dass es nicht Liebe ist. Du liebst mich nicht. Oder doch? Wenn du hier und jetzt die Wahl hättest, wofür würdest du dich entscheiden: Für deine Karriere? Oder für mich?«

»Was?«, rief sie. »Das darf ja wohl nicht wahr sein, dass du ein derart lächerliches und kindisches Ultimatum stellst. ›Wenn du die Wahl hättest‹? Was für ein sexistischer Bockmist ist das? Warum muss ich eine Wahl treffen? Du musst nicht wählen. Warum kann ich nicht dich und meine Karriere haben?«

»Kannst du, aber wenn das funktionieren soll, braucht es zwei Menschen, die bereit sind, ein paar Opfer zu bringen. Zwei Menschen, die einander sehr lieben und alles für ihre Beziehung und das Glück des Partners geben würden. Was uns beide verbindet«, sagte er, wobei er nach oben, Richtung Schlafzimmer, deutete, »ist nicht Liebe, sondern Freizeitgestaltung.«

»Na schön, aber wenigstens beherrschen wir inzwischen die Kunst, einander zu unterhalten, verdammt gut.«

»Das will ich gar nicht leugnen, aber das war's dann auch schon, Freizeitgestaltung. Es ist sinnlos, etwas anderes hineinzugeheimnissen.« Er hielt inne, um Luft zu holen. Sie starrte ihn weiter erbost an.

Er ging zum Tisch, nahm sein Bier und trank einen tiefen Schluck. Schließlich schaute er zu ihr hinüber. »Tu nur nicht so, als wärst du anderer Meinung. Ich weiß genau, dass du diese Meinung teilst.«

»Wir kommen so gut miteinander aus.«

»Kamen. Und kommen. Wir hatten ein paar tolle Tage. Niemand ist schuld daran, so wie's jetzt ist. Es gibt keine schwarze und keine weiße Seite. Das hat einfach damit zu tun, dass wir beide für die Zukunft unterschiedliche Lebensentwürfe verfolgen.«

Einen Augenblick dachte sie darüber nach. »Hammond, ich habe nie einen Hehl aus meinen Wünschen gemacht. Wenn ich Küche und Kinder gewollt hätte, wäre ich in meiner Heimatstadt geblieben, hätte meinem Vater gehorcht und gleich nach der High-School geheiratet – wenn nicht schon früher – und hätte, wie meine Schwestern, ein Baby nach dem anderen bekommen. Das hätte mir deren Hohn und seine Predigten erspart. Dann hätte ich nicht so darum gekämpft, dahin zu kommen, wo ich jetzt bin. Vor mir liegt noch ein weiter Weg bis zu dem Punkt, an den ich wirklich will. Du hast von Anfang an gewusst, wo meine Prioritäten lagen.«

»Ich bewundere dich dafür.«

»Korrektur. Wo meine Prioritäten *liegen*.«

»Hoffentlich erreichst du alle Ziele, die du dir gesteckt hast. Das meine ich ehrlich. Das Problem ist nur, dass deine persönlichen Ziele keinen Raum für etwas anderes lassen. Sie lassen sich mit dem Einsatz, den ich mir von einer Lebensgefährtin wünsche, nicht vereinbaren.«

»Willst du wirklich ein Heimchen am Herd?«

»Liebe Güte, nein«, sagte er lachend und schüttelte den Kopf. Einen Augenblick starrte er in die Luft, ehe er fortfuhr: »Ich bin nicht sicher, was ich will.«

»Aber eines weißt du genau: Mich willst du nicht.«

Wieder wusste er genau, dass sie eher beleidigt als verletzt war. Trotzdem bekam keine Frau gern einen Korb. Er hatte so viel Respekt vor ihr, dass er seine Absage weich verpackte. »Steffi, es liegt nicht an dir, sondern an mir. Ich möchte mit jemandem zusammen sein, der bereit ist, wenigstens an ein paar Punkten Kompromisse zu schließen.«

»Ich schließe nie Kompromisse.«

Leise sagte er: »Das war ein Ausrutscher. Dein Argument spricht für mich.«

»Nein, das geschah bewusst.«

»Danke, ich nehme den Punkt an.«

Danach lächelten sie einander an. Über die gegenseitige physische Attraktion hinaus hatten beide immer die kluge Raffinesse des anderen bewundert. Sie sagte: »Hammond, du bist sehr schlau. Ich liebe schlaue Leute und bewundere Intellekt. Du hast einen scharfen Verstand. Wenn nötig, bist du hart. Und wenn's sein muss, kannst du sogar fies sein, und das macht mich wirklich an. Außerdem siehst du unbestreitbar gut aus.«

»Bitte, ich werde rot.«

»Spiel nicht den Koketten. Du weißt genau, dass du Herzflattern und Hormonsprünge hervorrufst.«

»Danke schön.«

»Im Bett bist du großzügig und rücksichtsvoll und nimmst dir nie mehr, als du gibst. Mit einem Wort, alles, was ich mir von einem Mann wünsche.«

Er legte die Hand aufs Herz. »Ich würde viel länger brauchen, um all die Vorzüge aufzuzählen, die ich an dir bewundere.«

»Ich bettle nicht um Komplimente. Diese weibliche Taktik überlasse ich sämtlichen Davee Pettijohns dieser Welt.«

Er kicherte.

»Worauf ich hinauswill, ist…« Sie holte tief Luft. »Ich nehme nicht an, dass du die Möglichkeit in Betracht ziehst, dass wir beide wie bisher weitermachen, bis –«

Er unterbrach sie mit einem entschiedenen Kopfschütteln. »Das wäre weder gut noch fair, für keinen von uns.«

»Es gibt also keine zweite Möglichkeit?«

»Meiner Ansicht nach wäre ein sauberer Schnitt das Beste, findest du nicht auch?«

Sie lächelte sauer. »Es ist ein bisschen spät, Hammond, um mich um meine Meinung zu bitten. Trotzdem, vermutlich ja. Sollten das wirklich deine Gefühle sein, möchte ich nicht, dass du aus Mitleid mit mir schläfst.«

Jetzt musste er schallend lachen. »Das Letzte, was du bist, ist ein bemitleidenswertes Wesen.«

Besänftigt sagte sie: »Weißt du, du wirst mich vermissen.«

»Sehr.«

Sie schob die Zungenspitze in die Mitte ihrer Oberlippe und öffnete dabei ihre Bluse. Ihre Brustwarzen waren vor Erregung hart und dunkel – es überraschte ihn nicht. Ein Streit brachte Steffi am meisten in Hitze. Nichts stimulierte sie mehr als ein lautstarkes Wortduell. Kein Wunder, dass jede, wie auch immer geartete Auseinandersetzung in einer heißen Bettszene geendet hatte. Doch jetzt erkannte er, dass sie sich damit bei jeder Diskussion das letzte Wort gesichert hatte. Sein Orgasmus war ihr Triumph gewesen. Diese Einsicht besiegelte seine Entscheidung endgültig.

Spitzbübisch grinste sie ihn an. »Ein letztes Mal? Um der alten Zeiten willen? Oder fickt jemand mit so erhabenen Prinzipien keine Frau, die er gerade abgeschoben hat?«

»Nicht gerade ein romantischer Auftakt, Steffi.«

»Aha, jetzt willst du Melodrama und Romantik? Hammond, was ist in dich gefahren?«

Er war versucht, ihr Angebot anzunehmen, nicht aus Lust, sondern weil er vielleicht im Bett die überscharfe schmerzhafte Erinnerung an die letzte Nacht ein wenig verwischen könnte. Wenn er jetzt mit einer anderen Frau schlief, würde das vielleicht dieses bleischwere Verlustgefühl mildern.

Während er noch darüber nachdachte, klingelte sein Telefon.

Mit einem trockenen Lachen zog Steffi ihre Bluse zusammen und knöpfte sie zu. »Du hast Glück, du Mistkerl. Hammond, dir lächelt Fortuna immer noch zu. Du bist um Haaresbreite noch mal davongekommen.« Sie drehte sich auf dem Absatz um und ging ins Wohnzimmer, um ihre Sachen zu holen.

Hammond griff nach dem Telefonhörer. »Hallo?«

»Hier ist Monroe.«

Eigentlich hätte sich Bezirksstaatsanwalt Monroe Mason nicht vorstellen müssen. Er kannte nur eine Stimmlage: dröhnenden Bass. Offensichtlich war der Mann mit einem eingebauten Megafon in den Stimmbändern geboren worden. Sofort drehte Hammond den Lautstärkeregler am Telefon zurück.

»Hey, Monroe, was gibt's? Da bin ich mal eine einzige Nacht nicht in Charleston, und schon ist hier die Hölle los.«

»Also hast du davon gehört?«

»Steffi hat's mir erzählt.«

»Meines Wissens ist sie schon dick in die Sache verwickelt.«

Verstohlen warf Hammond einen Blick ins Wohnzimmer, wo Steffi gerade ihre Schuhe anzog und die Bluse in den Bund stopfte. Er drehte der Tür den Rücken zu und senkte die Stimme. »Sie scheint zu denken, es wäre bereits ihr Fall.«

»Möchtest du, dass sie ihn bekommt?«

Hammond spürte sein Hemd – es klebte an ihm. Wann hatte er zu schwitzen begonnen? Als er sich die Stirn rieb, entdeckte er, dass auch sie feucht war. Dieser ungewöhnliche Schweißausbruch hatte seinen Grund: Er hatte sich gestern Nachmittag mit Lute Pettijohn in dessen Suite im Charles Towne Plaza getroffen.

Das sollte Monroe Mason wissen. Jetzt war der richtige Zeitpunkt, es ihm zu erzählen.

Aber warum sollte er davon ein Aufhebens machen?

Das hatte mit der Ermordung Pettijohns nichts zu tun. Ihr Treffen hatte nicht lange gedauert und war auch noch vor der vermutlichen Todeszeit gewesen. Zwar nur kurz vorher, aber trotzdem…

Er sah keine Veranlassung, es Mason zu sagen. So wie er es auch nicht für nötig befunden hatte, Steffi davon zu erzählen, als sie ihm die Sensationsnachricht mitgeteilt hatte. Es böte keinerlei Vorteile, sie über dieses Zusammentreffen zu informieren, dafür aber jede Menge Nachteile.

Während er sich mit dem Hemdsärmel die Stirn abwischte, sagte er: »Ich möchte diesen Fall haben.«

Sein Gönner kicherte. »Na, dann hast du ihn, mein Junge.«

»Vielen Dank.«

»Bedank dich nicht bei mir. Er war dir schon sicher, bevor du gefragt hast.«

»Ich schätze diesen Vertrauensbeweis.«

»Hammond, hör mit der Arschkriecherei auf. Ich habe diese

Entscheidung nicht unabhängig getroffen. Du hast diesen Fall bekommen, weil mich Pettijohns Witwe seit gestern Abend zehn Uhr stündlich angerufen hat.«

»Weshalb?«

»Sie bat darum – ließe sich auch durch fordern ersetzen –, dass du dem Mörder ihres Mannes den Prozess machst.«

»Dafür bin ich ihr dankbar –«

»Lass diesen Bockmist, Hammond. So was rieche ich kilometerweit. Zum Kuckuck, ich glaube fast, ich habe das erfunden, so verdammt alt bin ich inzwischen. Wo war ich stehen geblieben?«

»Bei der Witwe.«

»Ah, ja. Lute ist tot, aber wenn's darum geht, ein gewichtiges Wörtchen mitzureden, scheint Davee in seine Fußstapfen treten zu wollen. Sie kann in diesem Bezirk ordentlich Krach schlagen. Um unserem Büro eine Menge Kummer und schlechte Presse zu ersparen, war ich deshalb damit einverstanden, dich diesem Fall zuzuteilen.«

Dieser Fall würde wie kein anderer Auswirkungen auf seine Karriere haben. Ein hochrangiges Mordopfer. Medienrummel satt. Alles Aspekte, die ehrgeizigen Staatsanwälten den Mund wässrig machten. Natürlich hätte er ein besseres Gefühl gehabt, wenn Mason ihm den Fall ohne Davees Intervention überlassen hätte, aber an ein derart unwichtiges Detail würde er keinen Gedanken mehr verschwenden. Das war sein Fall, egal, wie er dazu gekommen war.

Er wollte und musste ihn haben, er war definitiv der richtige Mann dafür. Er hatte bereits fünf Mordfälle verhandelt und in allen einen Schuldspruch erreicht, mit einer Ausnahme, bei der der Angeklagte auf geänderte Schuldzuweisung plädiert hatte. Seit dem Tag, als er sich auf die Anklageseite des Gesetzes begeben hatte, hatte er sich innerlich auf einen derart bedeutenden Fall vorbereitet. Er hatte den richtigen Biss dafür und auch genug Erfahrung, um am Ende als Sieger dazustehen. Der Mordprozess um Lute Pettijohn würde seine Karriere genau in die Richtung katapultieren, in die er sie haben wollte… direkt ins Amt des Bezirksstaatsanwalts.

Da ihm der Fall, das Vertrauen seines Vorgesetzten und die Unterstützung der Witwe bereits sicher waren, erwägte er noch einmal, Mason von seinem Treffen mit Pettijohn zu erzählen. Er hasste es, ein derartiges Riesenprojekt auch nur mit dem leisesten Schatten angehen zu müssen. Eine an und für sich unbedeutende, jetzt aber möglicherweise doppeldeutige Situation wie diese konnte erheblichen Schaden anrichten, wenn sie eher später als früher durchsickerte.

»Monroe?«

»Bedank dich nicht bei mir, mein Junge. Auf dich kommen etliche schlaflose Nächte zu.«

»Ich begrüße die Herausforderung. Aber da wäre noch etwas. Ich…«

»Was?« Nach kurzem Zögern sagte er: »Nichts. Nichts, Monroe. Ich kann's gar nicht erwarten, loszulegen.«

»Schön, schön«, erwiderte er. »Du wirst mit Rory Smilow zusammenarbeiten. Könnte das ein Problem sein?«

»Nein.«

»Lügner.«

»Wir müssen doch nicht Blutsbrüder werden. Ich möchte lediglich eine Garantie, dass er mit unserem Büro kooperiert.«

»Den ersten Aderlass hat er schon hinter sich.«

»Was soll das heißen?«

»Ich hatte heute Nachmittag einen Anruf von Polizeipräsident Crane. Smilow plädiert für Steffi Mundell als Anklägerin in diesem Fall. Aber ich habe Crane erklärt, wem die Witwe den Vorzug gibt.«

»Und?«

Er lachte in sich hinein. Monroe Mason blühte in der Politik noch mehr auf als in den Mühlen des Gesetzes. Während Hammond die unentbehrlichen politischen Schachzüge verabscheute, die mit der Arbeit für die Bezirksregierung verbunden waren, genoss Mason genau diesen Teil seines Berufs. »Davee hat auch schon unserem Polizeichef die Ohren voll gesungen. Sie hat ihm erklärt, sie wünsche, dass Smilow den Mörder fängt und du ihn einbuchtest. Also haben wir's auch so arrangiert.«

Hammond zuckte wie beim Zahnarzt zusammen, wenn er mit der Betäubungsspritze kommt und erklärt, es würde gleich leicht pieksen.

»Du und Smilow, ihr werdet eure Differenzen vergessen, bis diese Geschichte vorbei ist. Kapiert?«

»Wir sind beide Profis.« Obwohl er bei allem, was mit Rory Smilow zusammenhing, keine Versprechungen abgab, stellte ein Waffenstillstand ein Zugeständnis dar, zu dem er sich überwinden konnte.

Dann rückte Mason mit der zweiten Bedingung heraus: »Außerdem bringe ich noch Steffi als Schiedsrichterin ins Spiel.«

»Was?« Hammond versuchte, seinen Ärger zu verbergen und die Stimme gedämpft zu halten: »Monroe, das ist ein mistiger Vertragspunkt. Ich brauche keinen Aufpasser.«

»Das ist der Haken an der Sache, Hammond, nimm an oder lass es sein.«

Hammond konnte Steffis Unterhaltung im anderen Zimmer am Handy hören. »Hast du schon mit ihr über diese Regelung gesprochen?«, wollte er wissen.

»Morgen früh reicht. Hast du alles verstanden, mein Junge?«

»Habe ich.«

Trotzdem donnerte Monroe Mason noch mal durchs Telefon: »Steffi ist deine Assistentin und dient als Puffer zwischen dir und Smilow. Hoffentlich kann sie verhindern, dass einer den anderen umbringt, bevor wir Lutes Mörder mit einem Schuldspruch vor Gericht haben.«

10

Ihre Lunge drohte zu platzen, Muskeln brannten wie Feuer, Gelenke schrien nach Aufhören. Aber anstatt das Tempo zu verlangsamen, steigerte sie es noch und rannte schneller denn je, schneller, als gesund war. Sie musste mehrere hundert unnütze Kalorien vom Jahrmarkt verbrennen.

Außerdem versuchte sie, ihrem schlechten Gewissen davonzulaufen.

Schweiß tropfte ihr in die Augen, bis sie brannten und sie alles nur noch verschwommen sah. Ihr Atem ging laut und rasselnd, ihr Mund war trocken. Ihr Herz raste wie ihre Schritte. Selbst als sie glaubte, keinen Schritt mehr weiterzukönnen, peitschte sie sich unnachgiebig voran. Sie hatte ganz gewiss alles übertroffen, was sie bisher an Geschwindigkeit und Ausdauer aufgeboten hatte.

Aber dem, was sie letzte Nacht getan hatte, konnte sie trotz allem nie und nimmer entkommen.

Laufen war ihr Lieblingssport. Sie lief mehrmals pro Woche und nahm häufig an Rennen für gute Zwecke teil. Bei der Organisation eines Laufes, bei dem Geld für die Brustkrebsforschung gesammelt wurde, hatte sie mitgeholfen. Aber an diesem Abend lief sie weder für altruistische Zwecke noch für ihre Fitness oder zur Entspannung nach einem harten Arbeitstag.

Dieses abendliche Laufen war reine Selbstgeißelung.

Natürlich war es widersinnig anzunehmen, durch diese physische Anstrengung ließen sich die gestrigen Sünden büßen. Wahre Buße offenbarte sich nur einem Menschen, der ehrlich und aus tiefstem Herzen bereute. Sie bedauerte, dass ihr Treffen aus Berechnung und nicht dank einer Laune des Schicksals stattgefunden hatte. Dass es sich nicht, wie er glaubte, um eine zufällige Begegnung gehandelt hatte. Leise Gewissensbisse hatten sie versuchen lassen, das Ganze zu beenden, ehe es im Bett endete. Aber trotz allem verspürte sie nicht das geringste Bedauern darüber, wie alles gekommen war.

Keinen einzigen Augenblick bedauerte sie die Nacht, die sie mit ihm verbracht hatte.

»Links vorbei.«

Höflicherweise schwenkte sie nach rechts, um den anderen Jogger passieren zu lassen. Heute Abend wimmelte es von Fußgängern auf der Battery, einem beliebten Spazierweg, der Jogger, Inlineskater und auch Leute ansprach, die lediglich gemütlich bummeln wollten.

Diese historisch bedeutsame Spitze der Halbinsel, wo die beiden Flüsse Ashley und Coopers gemeinsam in den Atlantik mündeten, stand auf dem Reiseplan jedes Touristen beim Besuch in Charleston.

Wie die gesamte Stadt trug auch die Battery – bestehend aus dem White Point Park und dem Deich – Narben von Kriegen, Kämpfen und Katastrophen.

Während sich hier früher der öffentliche Richtplatz und später ein strategischer Verteidigungsposten befunden hatten, diente die Battery heutzutage hauptsächlich als hübsche Kulisse und zum Vergnügen. Im Park jenseits der Deichstraße warfen uralte stolze Eichenbäume, die bösen Stürmen, darunter sogar Hurrikan Hugo, standgehalten hatten, ihre Schatten auf Denkmäler, Konföderiertenkanonen und Kinderwagen schiebende Pärchen.

Leider hatten drückende Hitze und Feuchtigkeit nicht nachgelassen. Aber hier auf dem Deich, wo man einen Blick auf den Charlestoner Hafen und das weiter entfernte Fort Sumter hatte, machte eine leichte Brise die Luft fast samtig für diejenigen, die im Freien die letzten Reste eines wunderschönen Sonnenuntergangs genossen, der das Wochenende beschloss.

Nachdem sie auf ein gesünderes Tempo abgebremst hatte, fand sie es an der Zeit umzudrehen. Auf dem Rückweg schoss ihr bei jedem Auftreten ein scharfer Schmerz durch Schienbein und Oberschenkel in den Lendenbereich, aber inzwischen war er wenigstens erträglich. Ihre Lunge hatte noch immer zu kämpfen, aber das brennende Gefühl in ihren Muskeln hatte nachgelassen.

Nur ihr Gewissen saß noch immer wie ein Stachel im Fleisch.

Den ganzen Tag über hatten sie immer wieder Gedanken an ihn und ihre gemeinsame Nacht überfallen. Sie hatte es sich nicht gestattet, diesen Erinnerungen lange nachzuhängen, denn das hätte ihr eigentliches Delikt nur noch verstärkt, wie bei einem Einbrecher, der nicht nur in fremdes Eigentum eingedrungen war, sondern auch noch den allerpersönlichsten Besitz seines Opfers verletzt hatte.

Trotzdem konnte sie die Gedanken nicht länger zurückdrängen. Während sie ihr Trainingspensum zurückschraubte, gestattete sie ihnen Zutritt und ließ sie verweilen. Wieder schmeckte sie die Gerichte, die sie gemeinsam auf dem Jahrmarkt verzehrt hatten, lächelte bei der Erinnerung an einen seiner albernen Scherze und spürte seinen Atem in ihrem Ohr und ihre Fingerspitzen auf seiner Haut.

Er hatte so fest geschlafen, dass er nicht einmal aufwachte, als sie aus dem Bett geschlüpft war und sich im halbdunklen Zimmer angezogen hatte. An der Schlafzimmertür war sie stehen geblieben und hatte sich nach ihm umgeschaut. Er lag auf dem Rücken, hatte ein Bein außen über die Decke geschlagen. Das Betttuch reichte ihm bis zur Taille.

Er hatte wunderbare Hände, kräftige Männerhände, die trotzdem sehr gepflegt wirkten. Die eine hielt das Betttuch, die andere ruhte auf ihrem Kissen. Die Finger waren leicht nach innen gebogen; nur wenige Augenblicke vorher waren sie noch in ihre Haare vergraben gewesen.

Während sie zusah, wie sich seine Brust unter friedlichen Atemzügen hob und senkte, hatte sie mit der Versuchung gekämpft, ihn aufzuwecken und alles zu beichten. Hätte er es verstanden? Hätte er ihr ihre Ehrlichkeit gedankt? Vielleicht hätte er ihr erklärt, es sei unwichtig, und sie wieder zu sich gezogen und geküsst. Hätte er sie wegen des Eingeständnisses ihrer Tat höher oder geringer geschätzt?

Was hatte er *tatsächlich* gedacht, als er beim Aufwachen merkte, dass sie weg war?

Sicher war er erst in Panik geraten und dachte, er sei beraubt worden. Vermutlich war er aus dem Bett geschossen und hatte nachgesehen, ob seine Brieftasche noch immer auf der Kommode lag. Hatte er seine Kreditkarten wie einen Fächer ausgebreitet, um sich zu vergewissern, dass keine fehlte? War er überrascht, als kein Cent in seiner Börse fehlte? War er darüber sehr erleichtert gewesen?

Und nach dem Gefühl der Erleichterung, hatte er auf ihr Verschwinden verblüfft reagiert? Oder wütend? Wahrscheinlich Letzteres. Möglicherweise war ihr Verschwinden ein persönlicher Affront für ihn.

Eines hoffte sie zumindest: Dass er nach dem Aufwachen nicht lediglich ihr Verschwinden konstatiert und sich anschließend mit einem Achselzucken umgedreht hatte und wieder eingeschlafen war. Diese traurige Möglichkeit, die aber nicht ganz von der Hand zu weisen war, brachte sie zu der Überlegung, ob er heute überhaupt an sie gedacht hatte. Hatte er, genau wie sie, den ganzen Abend in seinem Kopf abgespult, angefangen mit dem ersten Moment, an dem sich ihre Blicke quer über den Tanzboden begegnet waren, bis zum letzten Mal…?

Seine Lippen hauchten Küsse auf ihr Gesicht. Er flüsterte: »Warum fühlt sich das so gut an?«

»Das soll es doch, oder?«

»Ja, aber nicht so, nicht so gut.«

»Das ist…«

»Was?« Er legte den Kopf nach hinten, seine Augen ergründeten ihre.

»Das ist fast noch besser.«

»Meinst du das Stillhalten?«

Ihre Oberschenkel schlossen sich in einer noch engeren Umarmung um seine Hüften und hielten ihn fest. »Genau so. Dich nur so spüren…«

»Hmm.« Er vergrub sein Gesicht in ihrem Nacken. Aber nach einer ganzen Weile stöhnte er: »Tut mir Leid, ich kann nicht stillhalten.«

Keuchend hob sie das Becken. »Ich auch nicht.«

Um nicht zu stolpern, hielt sie plötzlich an, bückte sich und stützte sich mit den Händen auf den Knien ab, während sie gierig die schwüle, sauerstoffarme Luft einsog. Blinzelnd entfernte sie salzige Schweißtropfen aus den Augen und versuchte, sie mit dem Handrücken trockenzuwischen. Doch selbst ihre Hände waren klatschnass.

Sie musste aufhören, daran zu denken. Ihr gemeinsamer Abend, der für sie so wild-romantisch gewesen war, bedeutete ihm wahrscheinlich viel weniger, auch wenn er noch so poetische Dinge gesagt hatte.

Nicht, dass das etwas änderte, so oder so, wies sie sich selbst zurecht. Es war egal, was er von ihr dachte oder ob er überhaupt an sie dachte. Gut möglich, dass sie einander nie wiedersahen.

Als sie wieder zu Atem kam und ihr Herz langsamer schlug, joggte sie die Deichstufen hinunter. Die Gewissheit, ihn nie wiederzusehen, kostete sie mehr Energie als der erschöpfende Lauf. Obwohl sie nur wenige Häuserblocks von der Battery weg wohnte, kamen ihr die paar Schritte länger vor als die weite Strecke, die sie im Eiltempo zurückgelegt hatte.

Sie war noch immer in deprimierten Gedanken versunken, als sie ihr Eingangstor aufhakte. Das unvermutete Blöken einer Autohupe ließ sie zusammenzucken. Sie fuhr herum. Kreischend kam ein Mercedes-Cabrio in der Parkbucht zum Halt. Der Fahrer schob mit einem Finger seine Sonnenbrille herunter und musterte sie über den Rahmen hinweg. »Guten Abend«, sagte Bobby Trimble schleppend. »Ich habe dich den ganzen Tag angerufen und wollte dich schon abschreiben.«

»Was tust du hier?« Sein strafendes Lächeln verursachte ihr eine Gänsehaut. »Scher dich weg von meinem Haus und lass mich in Ruhe.«

»Wär keine gute Idee, wenn du mich ärgerst. Besonders jetzt nicht. Wo bist du den ganzen Tag gewesen?«

Sie weigerte sich zu antworten.

Er grinste. Anscheinend amüsierte ihn ihre verstockte Haltung. »Na egal, steig ein.«

Damit beugte er sich über den Sitz und öffnete die Beifahrertür. Mit einem Satz sprang sie zurück, damit ihr die aufschlagende Tür nicht quer übers Schienbein ratschte. »Du bist verrückt, wenn du glaubst, dass ich mit dir irgendwohin fahre.«

Er griff nach dem Zündschlüssel. »Fein, dann komme ich rein.«
»Nein!«

Er lachte vor sich hin. »Wollt ich ja gar nicht.« Er klopfte auf den Beifahrersitz und meinte: »Beweg dein süßes Ärschchen hierher, aber dalli.«

Sie wusste, er würde nicht so leicht aufgeben und wegfahren. Früher oder später musste sie sich ihm stellen, also konnte sie es genauso gut jetzt hinter sich bringen. Sie kletterte in den Wagen und knallte wütend die Tür zu.

Hammond beschloss, seinen Beileidsbesuch bei Lute Pettijohns Witwe nicht aufzuschieben. Nachdem er sein Gespräch mit Mason beendet und Steffi verabschiedet hatte, duschte er und zog sich um. Binnen Minuten saß er in seinem Wagen und war unterwegs zum Anwesen der Pettijohns.

Während er wartete, dass jemand auf die Türglocke reagierte, schaute er gedankenlos den Leuten zu, die ihren Sonntagabend auf der Battery genossen. Drüben im Park, jenseits der Straße, fotografierten zwei Touristen das Anwesen der Pettijohns, obwohl er davor stand. Auf dem Deich zeichnete sich die übliche Anzahl Jogger und Geher als bewegte Silhouetten ab.

Sarah Birch ließ ihn ein. Die Haushälterin bat ihn, in der Eingangshalle zu warten, während sie ihn ankündigte. Kurz danach kam sie wieder und sagte: »Miss Davee meint, Sie sollen hinaufkommen, Mr. Cross.«

Die füllige Frau brachte ihn nach oben, durch die Galerie, einen breiten Korridor entlang und schließlich durch ein riesiges Schlafzimmer in ein Bad. So etwas hatte Hammond noch nicht gesehen. Unter einem bunten Glasdachfenster war ein Whirlpool in den Boden eingelassen, in dem ein ganzes Volleyballteam Platz gefunden hätte. Es war mit Wasser gefüllt, aber die Düsen waren nicht eingeschaltet. Cremeweiße tellergroße Magnolienblüten schwammen auf der stillen Oberfläche.

Im ganzen Raum waren Duftkerzen auf kunstvollen Leuchtern verteilt, deren flackerndes Licht sich in scheinbar kilometerlangen Spiegelwänden brach. In der einen Ecke stand eine mit Seide bezogene Chaiselongue, auf der sich Berge von Zierkissen türmten. Das goldene Becken hatte die Größe eines Waschzubers. Die Armaturen bestanden aus Bleikristall, passend zu den unzähligen Kosmetiktöpfchen und Parfümflaschen, die die Ablage zierten.

Jetzt dämmerte Hammond, dass die Summen, die über Lutes Ausgaben für die Einrichtung des Hauses im Umlauf waren, vermutlich eher untertrieben waren. Obwohl er schon oft aus den

unterschiedlichsten gesellschaftlichen Anlässen Gast der Pettijohns gewesen war, befand er sich zum ersten Mal im Oberge-
schoss. Er hatte zwar Gerüchte über die opulente Ausstattung gehört, aber diese verschwenderische Pracht hatte er nicht erwartet.

Genauso wenig hatte er erwartet, die frisch gebackene Witwe
nackt unter den Pranken eines Masseurs vorzufinden, von dem
sie sich wohlig die Schenkel kneten ließ.

»Es stört dich doch nicht, Hammond, oder?«, fragte Davee Pettijohn, während ihr der Masseur ein Tuch überlegte, sodass nur
noch ihre Schultern und das Bein herausschauten, das er gerade
bearbeitete.

Hammond nahm die Hand, die sie ihm reichte, und drückte sie.
»Nicht, wenn's dich nicht stört.«

Sie lächelte ihn keck an. »Du kennst mich besser, ich habe keinen Funken Schamgefühl im Leib. Ein Makel, der meine Mama
vermutlich um den Verstand gebracht hätte. Abgesehen davon
war sie sowieso verrückt.«

Seufzend stützte sie ihr Kinn auf die verschränkten Hände,
während der Masseur ihre Pobacken knetete. »Wir sind mitten in
unserer Anderthalbstundensitzung, und die ist so himmlisch,
dass ich's einfach nicht übers Herz brachte, Sandro ums Aufhören zu bitten.«

»Ich mache dir keinen Vorwurf, obwohl es schon komisch ist.«

»Was?«

»Lute hatte gestern im Hotel eine Massage.«

»Bevor oder nachdem er sich hat umbringen lassen?« Sein
Stirnrunzeln brachte sie zum Lachen. »War nur ein Scherz.
Möchtest du dir nicht einen Schluck Champagner einschenken?«
Mit einer trägen Handbewegung deutete sie auf den silbernen
Weinkühler, der neben dem Frisiertisch stand. Die Flasche war
bereits entkorkt, aber auf dem Tablett neben dem Kühler stand
eine unbenützte zweite Schale. Unvermittelt schoss ihm ein ver-
störender Gedanke durch den Kopf: Hatte Davee ihn heute
Abend vielleicht sogar erwartet?

»Danke, lieber nicht«, sagte er.

»Ach, um Himmels willen«, rief sie ungeduldig, »sei kein solcher Muffkopf. Du und ich, wir haben uns doch nie um Förmlichkeiten geschert. Warum sollten wir jetzt damit anfangen? Außerdem ist meiner Meinung nach Champagner das perfekte Getränk, wenn sich der eigene Ehemann in der Penthouse-Suite seines eigenen Misthotels in Stücke blasen lässt. Wenn du schon dabei bist, dann schenk mir auch noch einen Schluck ein.«

Ihr Glas stand neben dem Massagetisch auf dem Boden. Da Hammond wusste, wie unsinnig jede Diskussion mit Davee war, füllte er ihr Glas auf, ehe er sich selbst ein halbes eingoss. Als er ihr ihres brachte, stieß sie mit ihm an.

»Prost. Auf Beerdigungen und andere nette Ereignisse.«

»Ich kann deine Ansicht nicht ganz teilen«, sagte er, nachdem er einen Schluck getrunken hatte.

Sie strich mit der Zunge über die Lippen, um den Geschmack des Champagners noch besser zu kosten. »Vielleicht hast du Recht. Vielleicht sollte man Champagner nur bei Hochzeiten trinken.«

Als ihn ihr Blick streifte, spürte Hammond, wie ihm warm im Gesicht wurde. Sie lachte, denn sie wusste instinktiv genau, was er gerade dachte.

Dasselbe Lachen hatte sie vor Jahren in einer Julinacht gelacht. Er erinnerte sich noch genau daran. Damals waren sie beide Gäste auf der Hochzeit eines gemeinsamen Freundes gewesen. Der Empfang hatte im Elternhaus der Braut stattgefunden, wo der Garten mit Gardenien, Casa-Blanca-Lilien, Päonien und anderen duftenden Blumen geschmückt war. Der schwere, alles durchdringende Blumenduft war ihm genauso zu Kopf gestiegen wie der Champagner, den er in dem vergeblichen Versuch geschlürft hatte, in seinem Smoking nicht ins Schwitzen zu geraten.

Alle acht Brautjungfern waren hinreißende Blondinen gewesen, die einander so ähnlich sahen, als ob eine Filmagentur sie ausgesucht hätte. Davee hatte in ihrem duftigen pinkfarbenen langen Kleid mit dem tiefen Ausschnitt noch bezaubernder ausgesehen als die anderen.

»Du siehst zum Anbeißen aus«, hatte er ihr nur wenige Augenblicke vor der Trauung draußen vor der Kapelle zugeflüstert.

»Vielleicht auch zum Ausschlürfen. Zur Krönung müsste man dir ein Papierschirmchen in die Haare stecken.«

»Ein Papierschirmchen wäre der Gipfel dieses widerlichen Aufzugs.«

»Gefällt's dir denn nicht?«, fragte er sie, um sie noch mehr zu reizen.

Sie zeigte ihm den Mittelfinger.

Als sie später beim Empfang nach einem schwungvollen Tanz zu »Shout« von Otis Day and the Knights die Tanzfläche verließen, fächelte sie sich das Gesicht und klagte: »Dieses Kleid ist nicht nur unglaublich vertüttelt, sondern auch das heißeste Stück Scheißstoff, das ich je am Leib hatte.«

»Dann zieh's doch aus.«

Die Familien Burton und Cross waren noch vor Davees oder Hammonds Geburt miteinander befreundet gewesen. Folglich gehörte Davee bereits zu seinen Kindheitserinnerungen an Weihnachtsfeiern und Picknicks am Strand. Wenn die Kids oben ins Bett gesteckt wurden, während die Erwachsenen weiterfeierten, hatten er und Davee den armen Babysittern, die auf sie aufpassen sollten, stets übel mitgespielt.

Sie hatten ihre erste Zigarette zusammen geraucht. Mit überlegenem Gehabe hatte sie ihn in ihre erste Menstruation eingeweiht. Als sie zum ersten Mal betrunken gewesen war, hatte sie sich in seinem Auto übergeben. Kaum war sie in der Nacht, als sie ihre Jungfernschaft verlor, wieder zu Hause, hatte sie Hammond angerufen und ihm das freudige Ereignis in sämtlichen Details geschildert.

Seit ihrer Kindheit, in der sie gegenseitig ihren Wortschatz an Flüchen und Schimpfworten mehrten, hatten sie bis zu ihrer Teenagerzeit untereinander kein Blatt vor den Mund genommen. Zuerst war alles nur ein Spaß gewesen, den sie ungestraft miteinander treiben konnten. Keiner verpetzte den anderen oder war beleidigt. Als sie allmählich erwachsen wurden, bekamen ihre Wortspielchen eine sexuell-aufreizende Note, obwohl es immer noch leeres und deshalb sicheres Geplänkel war.

Vor besagter Hochzeit im Juli waren beide auf unterschiedlichen

Universitäten gewesen – er in Clemson und sie in Vanderbilt – und hatten einander lange Zeit nicht gesehen. Champagner und der romantische Anlass hatten sie nicht nur beschwipst, sondern auch emotional aufgeheizt. Als Hammond nun diesen aufreizenden Satz fallen ließ, hatte ihn Davee aus verhangenen Augen angeschaut und geantwortet: »Vielleicht tu ich's.«

Während sich die anderen um den zeremoniellen Anschnitt der Hochzeitstorte drängten, klaute Hammond aus einer der Bars eine Flasche Champagner und packte Davee bei der Hand. Dann schlichen sie heimlich in den Garten nebenan. Sie wussten, dass auch der Nachbar auf dem Empfang war. Eine dichte hohe Hecke, die seit Jahrzehnten gehegt und gepflegt wurde, teilte die beiden Grundstücke voneinander und sicherte Hammond und Davee genau die Ungestörtheit, die sie suchten.

Der Champagnerkorken knallte wie ein Kanonenschuss, als Hammond die Flasche öffnete. Beide kicherten hysterisch los. Er goss jedem ein Glas ein, das sie auf einen Zug austranken. Und dann noch ein zweites.

Irgendwann beim dritten Glas bat ihn Davee, ihr bei den Knöpfen hinten am Brautjungfernkleid zu helfen. Und schon war es unten, samt trägerlosem BH, Strumpfband und Seidenstrümpfen.

Nur zögernd steckte sie die Daumen in den elastischen Bund ihres Höschens, aber er flüsterte: »Trau dich, Davee« – ein vertrauter Refrain aus ihrer Kindheit. Sie nahm jede Herausforderung an. Diese Nacht war keine Ausnahme.

Sie zog ihr Höschen aus und gestattete ihm einen tiefen Blick, ehe sie über die Swimmingpoolleiter ins kühle Wasser stieg. In einem Bruchteil der Zeit, die er zum Anziehen gebraucht hatte, entledigte sich Hammond seines Smokings. In alle Himmelsrichtungen flogen die Kragenknöpfe auf Nimmerwiedersehen davon – zumindest für ihn.

Als er am Poolrand stand, riss Davee erstaunt und begeistert die Augen auf. »Hammond, mein Schatz, du hast dich aber prächtig entwickelt, seit man uns das letzte Mal beim Doktorspielen erwischt hat.«

Bis auf ein paar Probeküsse als Kinder hatten sie sich nie geküsst. Damals hatten beide schon den Gedanken an offene Münder und Zungenküsse völlig abartig gefunden. Auch in jener Nacht kam es nicht dazu. Dazu nahmen sie sich nicht die Zeit. Die Gefahr, erwischt zu werden, hatte ihre Erregung bereits bis zu einem Punkt gesteigert, an dem jedes Vorspiel überflüssig war. Kaum war er bei ihr, riss er sie auf seine Schenkel und drang tief in sie ein.

Es war glitschig. Und ging schnell. Die ganze Zeit mussten sie lachen.

Nach jener Nacht hatte er sie mehrere Jahre nicht gesehen. Beim Wiedersehen taten beide so, als sei die Eskapade im Swimmingpool nie passiert. Wahrscheinlich wollte keiner von beiden eine lebenslange Freundschaft durch einen einmaligen Ausrutscher aufs Spiel setzen.

Bis heute hatten sie kein Wort mehr darüber verloren. Er konnte sich nicht einmal mehr daran erinnern, wie sie in jener Nacht wieder in ihre Kleider gekommen waren, wie sie sich bei den anderen Gästen der Hochzeit herausgeredet hatten oder ob sie überhaupt Erklärungen abgeben mussten.

Nur an eines erinnerte er sich lebhaft: an Davees Lachen – tief und lustvoll und verführerisch sexy. Ihr Lachen hatte sich nicht verändert.

Aber ihr Lächeln wirkte fast traurig, als sie sagte: »Als Kids hatten wir viel Spaß, stimmt's?«

»Ja, hatten wir.«

Dann senkte sie den Blick und schaute einen Moment den Perlen in ihrem Glas zu, ehe sie es austrank. »Leider mussten wir erwachsen werden, und dann wurde das Leben garstig.«

Lustlos baumelte ihr Arm über die Tischkante. Hammond nahm ihr das Glas aus der Hand, ehe sie es fallen ließ und es auf dem Marmorboden zerbrach. »Davee, die Sache mit Lute tut mir Leid. Deshalb bin ich gekommen. Du sollst wissen, dass ich den ganzen Vorfall schrecklich finde. Sicher werden morgen meine Eltern anrufen oder sogar vorbeikommen.«

»Ach, morgen wird hier eine ganze Parade von Kondolenzbesuchern durchmarschieren. Heute habe ich mich geweigert, irgendeinen zu empfangen, aber morgen werde ich sie mir nicht vom Leib halten können. Dann werden sie scharenweise ihren Hähncheneintopf und ihren Limettenpudding anschleppen und prüfen, wie ich die Sache verkrafte.«

»Und wie verkraftest du's?«

Die unterschwellige Veränderung in seiner Stimme war ihr nicht entgangen. Sie rollte sich auf die Seite, zog das Tuch hoch, setzte sich auf und ließ die nackten Beine über die Tischkante baumeln. »Fragst du das als mein Freund oder als zukünftiger Bezirksstaatsanwalt?«

»Über diesen Punkt ließe sich streiten, aber ich bin hier als dein Freund. Eigentlich sollte ich dir das nicht erklären müssen.«

Sie holte tief Luft. »Nun, erwarte weder Sack und Asche noch härene Hemden. Keinen solchen Bibelkram. Ich werde mir nicht, wie die Inderwitwen im Kino, einen Finger oder etwas Ähnliches abschneiden. Nein, ich werde mich anständig benehmen. Dank Lute werden die Klatschmäuler genug Stoff haben, ohne dass ich meine wahren Gefühle zeige.«

»Und die wären?«

Sie lächelte so strahlend wie in der Nacht ihres Debütantinnenballs. »Ich bin riesig entzückt, dass dieser Scheißkerl tot ist.« Ihre honigfarbenen Augen forderten Hammond zu einer Antwort heraus. Als sie ausblieb, lachte sie nur, ehe sie sich nach hinten an ihren Masseur wandte: »Sandro, bitte, sei ein Schatz, und massiere meinen Nacken und die Schultern.«

Seit sie sich aufgesetzt hatte, hatte der Masseur mit verschränkten Armen vor der muskelbepackten Brust an der Spiegelwand gestanden. Sandro sah gut aus und war durchtrainiert. Er hatte seine glatten schwarzen Haare aus dem Gesicht gekämmt und mit einer dicken Gelschicht fixiert. Seine Augen waren so dunkel wie vollreife Oliven.

Als er nun hinter Davee trat und ihr die Hände auf die Schultern legte, bohrten sich seine mediterranen Augen so durchdringend in Hammonds, als wollte er einen Konkurrenten abschätzen. Seine Dienste gingen eindeutig übers Massieren hinaus. Am liebsten hätte ihm Hammond erklärt, er solle sich entspannen. Er und Davee seien alte Freunde, nichts weiter, und er hätte in ihm keinen Rivalen zu fürchten.

Gleichzeitig hätte er Davee gerne gewarnt, dass jetzt nicht der richtige Zeitpunkt für einen Verstoß gegen die Konvention sei, indem sie es mit ihrem Masseur trieb. Ein einziges Mal in ihrem Leben sollte sie Diskretion üben. Er mochte sich irren, aber in Anbetracht von Steffis Bemerkungen stand Davees Name ganz oben auf Rory Smilows Verdächtigenliste. Man würde ihr Tun und Lassen peinlichst beobachten.

»Davee, ich bewundere deine Offenheit, aber –«

»Wozu lügen? Hast du Lute gemocht?«

»Keineswegs«, erwiderte er ehrlich, ohne zu zögern. »Er war ein Gauner, ein Betrüger und ein ruchloser Opportunist. Wo es ging, hat er Menschen verletzt, und alle, denen er nichts antun konnte, schamlos benützt.«

»Hammond, du bist genauso ehrlich. Die meisten Leute teilen diese Ansicht. Ich bin nicht die Einzige, die ihn verachtet.«

»Nein, aber du bist seine Witwe.«

»Ich bin seine Witwe«, bemerkte sie trocken. »Ich bin eine Menge Dinge, aber eines bin ich nicht: eine Heuchlerin. Ich werde um diesen Mistkerl nicht trauern.«

»Davee, wenn die falschen Leute solche Äußerungen von dir hören, könnte dich das in große Schwierigkeiten bringen.«

»Leute wie Rory Smilow und das Biest, das er gestern Abend mit hierher gebracht hat?«

»Genau.«

»Diese Dingsda, diese Steffi, arbeitet mit dir zusammen, richtig?« Als er nickte, fuhr sie fort: »Nun, ich fand sie absolut entsetzlich.«

Er lächelte. »Nur wenige mögen Steffi. Sie ist sehr ehrgeizig und bürstet die Leute unbekümmert gegen den Strich. Ihr Ziel ist nicht Platz eins in einem Charakterwettbewerb.«

»Gut, den würde sie nämlich verlieren.«

»Aber wenn man sie erst mal kennt, ist sie durchaus sympathisch.«

»Da muss ich passen.«

»Du musst verstehen, woher sie kommt.«

»Irgendwo aus dem hohen Norden.«

Er lachte in sich hinein. »Davee, damit habe ich keine Region gemeint, sondern ihre Antriebsfeder. In ihrer Karriere gab es einige Enttäuschungen. Diese Rückschläge kompensiert sie, indem sie manchmal ein wenig zu weit geht.«

»Wenn du nicht aufhörst, sie zu verteidigen, werde ich ganz schnell böse.«

Dabei legte sie einen Arm hinter den Kopf und hob ihre Haare hoch, damit Sandro leichter hinkam. Eine sehr provozierende Pose, mit der sie ihren Unterarm und teilweise ihren Busen zur Schau stellte. Wahrscheinlich wusste sie, wie provozierend das wirkte. Ein bewusster Versuch, ihn abzulenken? Hammond kam ins Grübeln.

»Glaubst du ehrlich, dass man mich des Mordes verdächtigt?«, fragte sie.

»Du wirst jetzt eine Menge Geld erben.«

»Das stimmt, ja«, gab sie nachdenklich zu. »Und außerdem wäre da noch eine allseits bekannte Tatsache: Das Hauptbestreben meines verstorbenen Gatten war, möglichst viele meiner Freundinnen – im weitesten Sinne – zu bumsen.

Ich weiß nicht, ob er sie abgearbeitet hat, weil sie, allgemein gesprochen, die begehrenswertesten Frauen von ganz Charleston sind, oder ob er sie nur deshalb begehrenswert fand, weil es meine Freundinnen waren. Vermutlich Letzteres, denn Georgia Arendales Arsch ist größer als ein Schlachtschiff, was ihn nicht daran gehindert hat, sie zu einem Tagesausflug an den Strand von Kiawah mitzunehmen. Wetten, dass sie sich einen Mordssonnenbrand geholt hat, denn bei so viel Cellulitis hätte sie eine ganze Tube Sonnencreme gebraucht.

Emily Southerlands Teint würde trotz unzähliger Tiefenpeelings die Zeiger einer Uhr erstarren lassen. Trotzdem hat Lute sie während ihrer Neujahrsparty gevögelt, in ihrem scheußlichen Badezimmer mit dem Kunstpelzbezug auf dem Toilettendeckel.«

Hammond lachte, obwohl Davee gar nicht witzig sein wollte.

»Während du selbstverständlich treu und brav zu deinen Ehegelübden gestanden hast.«

»Natürlich.« Um ihre Lüge noch zu unterstreichen, ließ sie das Tuch einige Zentimeter tiefer rutschen und klimperte ihn aufreizend an.

»Davee, eure Ehe wurde nicht gerade im Himmel geschlossen.«

»Ich habe nie behauptet, dass ich Lute liebe. Auch er wusste das ganz genau. Aber das war soweit in Ordnung, denn auch er hat mich nicht geliebt. Trotzdem hat diese Ehe ihren Zweck erfüllt. Er wollte mich, um damit angeben zu können. Er war der einzige Mann in ganz Charleston, der den Mumm hatte, sich Davee Burton zu schnappen. Im Gegenzug hatte ich…« Sie hielt inne. Sie wirkte verletzt. »Ich hatte meine Gründe, ihn zu heiraten; glücklich zu werden gehörte allerdings nicht dazu.«

Sie senkte den Arm und schüttelte ihre Haare aus, während Sandro weiter unten ihr Rückgrat massierte. »Hammond, du zuckst zusammen. Was ist los?«

»Jeder deiner Sätze klingt wie ein Mordmotiv.«

Sie lachte verächtlich. »Wenn ich Lute hätte töten wollen, hätte ich das ganz anders angepackt. Ich wäre nicht höchstpersönlich an einem heißen Samstagnachmittag, wenn die ganze Stadt von stinkenden und schwitzenden Yankee-Touristen nur so wimmelt, wie ein Prolet mit einer Pistole unterm Hemd ins Zentrum getrabt, um ihn hinterrücks zu erschießen.«

»Jedenfalls soll die Polizei genau das denken, nicht wahr?«

»Psychologie um drei Ecken? Hammond, so schlau bin ich nicht.«

Sein Blick sprach Bände. O doch, das bist du.

»Okay«, sagte sie. Die Bedeutung seiner Miene war ihr sonnenklar. »Bin ich. Aber dazu hätte ich mich auch anstrengen müssen. Und bisher hat mir noch niemand nachsagen können, ich hätte mir, aus welchen Gründen auch immer, Umstände gemacht oder auf grundlegenden Komfort verzichtet. So sehr bin ich hinter gar nichts her.«

»Ich glaube dir«, erklärte er ihr und meinte es auch. »Dennoch

130

zweifle ich daran, dass es irgendeinen Präzedenzfall gibt, dessen Verteidigung auf Faulheit aufgebaut war.«

»Verteidigung? Glaubst du wirklich, dass es dazu kommt? Beabsichtigt Detective Smilow ernsthaft, mich als Verdächtige in Betracht zu ziehen? Das ist ja verrückt!«, rief sie. »Also, der käme eher als Lutes Mörder in Frage als ich. Smilow hat Lute nie verziehen, was mit seiner Schwester passiert ist.«

Hammond runzelte die Augenbrauen.

»Weißt du noch? Smilows Schwester Margaret war Lutes erste Frau. Wahrscheinlich war sie schon latent manisch-depressiv, aber das kam durch die Ehe mit Lute erst richtig zum Ausbruch. Eines Tages hat sie durchgedreht und eine Schachtel Tabletten zum Mittagessen verspeist. Smilow gab Lute die Schuld an ihrem Selbstmord und behauptete, er hätte die arme Margaret vernachlässigt und emotional missbraucht und nie ein Gefühl für ihre besonderen Bedürfnisse entwickelt. Jedenfalls kam es während des Begräbnisses zu einem Streit, der einen Riesenskandal ausgelöst hat. Erinnerst du dich nicht mehr daran?«

»Jetzt, wo du es sagst, schon.«

»Seither hasst Smilow Lute. Deshalb werde ich mir seinetwegen auch keine Gedanken machen«, sagte sie, wobei sie unter Sandros kundigen Händen wieder ihre Hüften auf den Tisch bettete. »Wenn er mich des Mordes an Lute beschuldigt, werde ich einfach den Spieß umdrehen und ihn daran erinnern, wie oft er ihm mit dem Tod gedroht hat.«

»Das würde ich gerne sehen«, meinte Hammond zu ihr.

Sie erwiderte sein Lächeln und sagte: »Du hast deinen Champagner ausgetrunken. Nachschub?«

»Nein, danke.«

»Ich nehme noch 'nen Schluck.« Während er einschenkte, fragte sie: »Hat Monroe Mason schon Kontakt mit dir aufgenommen? Ich denke doch. Wirst du die Anklage erheben, sobald sie den Mörder haben?«

»So ist es geplant. Danke für die Empfehlung.«

Sie trank aus der Schale, die er ihr reichte. »Hammond, ich bin eine loyale Freundin, egal, was ich sonst bin. Daran solltest du nie zweifeln.«

Er wünschte, sie hätte diesen Satz nie gesagt. Bezirksstaatsanwalt Mason hatte seinem Mitarbeiterstab mitgeteilt, dass er in Kürze in Pension gehen werde. Sein Stellvertreter Wallis war todkrank und würde sich für den kommenden November nicht zur Wahl stellen. Hammond war der Dritte in der Hackordnung. Er hatte Masons Segen als sein Nachfolger praktisch in der Tasche.

Trotzdem war Hammond nicht ganz wohl dabei, dass Davee sich bei Mason für ihn verwendet hatte. Einerseits schätzte er ihre Empfehlung. Sollte man ihr aber später tatsächlich wegen Gattenmordes den Prozess machen, könnte das in einen Interessenkonflikt für ihn münden.

»Davee, ich bin verpflichtet, dich zu fragen… Wie gut ist dein Alibi?«

»Ich glaube, der Fachausdruck dafür lautet ›felsenfest‹.«

»Gut.«

Lachend warf sie den Kopf zurück. »Hammond, Liebling, du bist einfach zu niedlich! Du befürchtest doch tatsächlich, mich wegen Mordes anklagen zu müssen, stimmt's?«

Sie rutschte vom Massagetisch und ging auf ihn zu, wobei sie das Tuch gegen die Brust drückte und es wie eine Schleppe hinter sich herzog. Dann stellte sie sich auf die Zehenspitzen und gab ihm einen Kuss auf die Wange. »Brauchst dich nicht länger zu sorgen. Wenn ich Lute hätte erschießen wollen, hätte ich's nicht von hinten getan. Wo wäre da der Spaß geblieben? Wenn ich den Finger am Abzug gehabt hätte, hätte ich diesem Mistkerl in die Augen gesehen.«

»Davee, diese Verteidigung ist nicht besser als eine wegen Faulheit.«

»Ich werde keine Verteidigung brauchen. Ich habe Lute nicht getötet. Ehrenwort.« Um ihren Worten Nachdruck zu verleihen, zeichnete sie sich ein unsichtbares Kreuz auf die Brust. »Ich würde nie jemanden töten.«

Es erleichterte ihn, dass sie dies so überzeugend bestritt.

Doch dann machte sie den ganzen Eindruck durch ihre nächste Bemerkung wieder zunichte. »Diese Gefängnisuniformen haben keinen Funken Schick.«

Davee lag mit geschlossenen Augen auf dem Rücken, ganz entspannt von Sandros Massage, der ein Beischlaf gefolgt war. Sie hatte nichts weiter tun müssen, als ihren Orgasmus zu genießen. Obwohl sie den Druck seiner Erektion an ihren Hüften spürte, beachtete sie seinen unbefriedigten Zustand nicht weiter. Sachte streichelte er ihre Brustwarze mit seiner Zunge. »Seltsam«, murmelte er in seinem gebrochenen Englisch.

»Was?«

»Dass dein Freund hat Andeutung gemacht, aber nie gefragt, ob du deinen Mann umgebracht.«

Sie schob ihn weg und schaute zu ihm auf. »Was meinst du damit?«

Er zuckte mit den Schultern. »Weil er dein Freund ist, er will nicht genau wissen, dass du warst es.«

Davees Blicke starrten ein Loch in die Luft hinter seiner Schulter. Unabsichtlich sprach sie ihren Gedanken aus: »Vielleicht weiß er auch schon ganz sicher, dass ich's nicht war.«

11

Als Hammond vom Anwesen der Pettijohns wegfuhr, hoffte er inständigst, Davee nie im Zeugenstand ins Kreuzverhör nehmen zu müssen, aus zwei triftigen Gründen:

Erstens waren er und Davee Freunde. Er hatte sie gern. Obwohl sie alles andere als tugendhaft war, respektierte er sie, denn sie nahm das auch nicht für sich in Anspruch. Ihre Behauptung, sie sei nicht scheinheilig, war frei von Angeberei – es stimmte einfach.

Er kannte Dutzende Frauen, die sich auf übelste Weise über sie das Maul zerrissen, ohne selbst auch nur einen Funken Moral mehr im Leib zu haben. Der einzige Unterschied bestand darin, dass sie insgeheim sündigten. Davee sündigte ungeniert vor aller Augen. Sie galt als eitel und selbstsüchtig, was sie auch war. Aber diesen Ruf hegte und pflegte sie mit Hingabe. Bewusst fütterte sie ihre Kritiker löffelweise mit Gründen, sich über ihr Benehmen zu erregen. Keiner begriff, dass die von ihnen zensierte Person nicht die echte Davee war.

Davee hielt die besseren Aspekte ihres Charakters verborgen. Hammond nahm an, dass diese Scharade ihr Selbstverteidigungsmechanismus war, mit dem sie sich gegen jede Verletzung wehrte, die die Erfahrungen ihrer Kindheit überstieg. Sie stieß Menschen ab, ehe diese eine Gelegenheit hatten, sie abzulehnen.

Maxine Burton war eine lausige Mutter gewesen, die Davee und ihren Schwestern nicht einen Hauch von Aufmerksamkeit und Zuneigung hatte angedeihen lassen. Sie hatte nichts getan, womit sie sich die Liebe oder das Pflichtgefühl ihrer Töchter verdient hätte. Trotzdem besuchte Davee jede Woche brav ihre Mutter in dem vornehmem Pflegeheim, in dem sie eingesperrt war.

Aber Davee kümmerte sich nicht nur finanziell und ideell um die Pflege ihrer Mutter, sie beteiligte sich auch persönlich daran und sorgte während ihrer Routinebesuche für Maxines persönliche Bedürfnisse. Wahrscheinlich war er der einzige Mensch, der davon wusste, und auch das nur, weil ihn Sarah Birch eingeweiht hatte.

Der zweite Grund, warum er Davee nicht bei einem Prozess ins Kreuzverhör nehmen wollte, war ihre verführerische Art zu lügen. Man hörte ihr mit solchem Vergnügen zu, bis es einem letztlich egal war, ob sie die Wahrheit sagte oder nicht.

Für die Geschworenen waren Zeugen wie sie unterhaltsam. Sollte man sie in den Zeugenstand rufen, würde sie umwerfend gekleidet vor Gericht erscheinen. Allein ihr auffallendes Äußeres ließe die Geschworenen aufhorchen. Jedem zuckersüßen Wörtchen, das von Davees Lippen tropfte, würden sie aufmerksam lauschen, während sie die Aussage anderer Zeugen vermutlich dösend über sich ergehen lassen würden.

Sollte sie aussagen, dass sie Lute zwar nicht ermordet hatte, aber über seinen Tod nicht unfroh war, weil er ein untreuer Ehemann gewesen war, der sie unzählige Male betrogen hatte, und dazu ein im tiefsten Herzen böser und grausamer Mensch, der den Tod verdient hatte, würden ihr vermutlich sämtliche Frauen und Männer der Jury beipflichten. Sie würde sie davon überzeugen, dass allein schon sein elender Charakter und seine geschäftlichen Schweinereien die Ermordung gerechtfertigt hätten.

Nein, er hatte keine Lust, Davee wegen der Ermordung ihres Ehemannes den Prozess zu machen. Sollte es aber unumgänglich sein, würde er es tun.

Die Übertragung dieses Falls war das Beste, was seiner Karriere passieren konnte. Er hoffte nur drei Dinge: dass ihm Smilows Team genug Stoff lieferte, dass sich der Angeklagte nicht herauswand und dass der Fall auch tatsächlich zur Verhandlung kam.

Dies war ein Fall, in den er sich verbeißen konnte. Eine echte Herausforderung, die seine ganze Energie fordern würde, und außerdem eine exzellente Bewährungsprobe. Denn er war fest entschlossen, sich im November um das Amt des Bezirksstaatsanwalts zu bewerben. Und er wollte gewinnen. Allerdings nicht, weil er besser aussah oder aus einer besseren Familie stammte oder über mehr Geld als der bzw. die Gegenkandidaten verfügte. Er wollte sich dieses Amt verdienen.

Nur selten kreuzte ein Fall wie der Mord an Lute Pettijohn den Weg eines Staatsanwalts, bei dem man alle Muskeln spielen lassen konnte. Und genau deshalb brauchte er ihn. Deshalb hatte er Monroe Mason nichts von seinem Treffen mit Pettijohn erzählt. Er musste diesen Fall haben, und er war nicht bereit, sich durch irgendetwas daran hindern zu lassen, ihn zur Verhandlung zu bringen. Diese Anklage war das perfekte Mittel, ihm vor November die nötige öffentliche Aufmerksamkeit zu sichern.

Außerdem war sie ideal, um seinem Vater in die Suppe zu spucken.

Das war der zwingendste Grund von allen. Vor mehreren Jahren hatte Hammond durch seinen Wechsel von der Verteidigerseite auf die der Anklage einen grundlegenden Karrierewechsel vollzogen. Eine Entscheidung, gegen die Preston Cross heftigst opponiert hatte, wobei er sich auf die enormen Einkommensunterschiede berief und Hammond erklärte, er sei verrückt, sich mit dem Gehalt eines Staatsbediensteten zufrieden zu geben. Erst vor kurzem hatte Hammond erfahren, dass für seinen Vater in Wahrheit nicht das Einkommen eines Staatsanwalts den Ausschlag gegeben hatte.

Sein Wechsel hatte sie in konträren Lagern platziert. Preston war Lute Pettijohns Partner bei einigen skrupellosen Grundstückskäufen und fürchtete, von seinem eigenen Sohn angeklagt zu werden. Bei dieser Entdeckung hatte sich Hammond der Magen umgedreht. Die darauf folgende Konfrontation zwischen ihnen war bitter gewesen und hatte ihrer Feindschaft eine neue Dimension verliehen.

Aber darüber konnte er gerade jetzt nicht nachdenken, denn jedes Mal, wenn er über seinen Vater grübelte, saß er mental in der Patsche. Jede intensive Beschäftigung mit den einzelnen Schichten ihrer Beziehung kostete viel Zeit, wirkte emotional erschöpfend und war schlussendlich unproduktiv. Er hegte nur wenig Hoffnung auf eine völlige Aussöhnung.

Vorübergehend verschloss er das Problem in einer Schublade und konzentrierte sich auf das, was momentan Priorität hatte – seinen Fall.

Glücklicherweise hatte er gerade zum richtigen Zeitpunkt mit Steffi Schluss gemacht. Damit hatte er sich einer Last entledigt, die ihn nur unglücklich machte und vielleicht seine Konzentration behindert hätte. Wenn sie erfuhr, dass man ihr lediglich den Platz des Kopiloten zugedacht hatte, würde sie sauer werden, aber mit ihrem Ärger würde er sich zur rechten Zeit auseinander setzen.

Denn für Hammond Cross war heute ein Neuanfang – und der hatte eigentlich schon letzte Nacht begonnen.

Während er mit einer Hand sein Auto vom Anwesen der Pettijohns weglenkte, griff er mit der anderen nach einem Stück Papier in seiner Brusttasche und schaute noch einmal auf die Adresse, die er aufgeschrieben hatte.

Atemlos platzte Steffi ins Krankenzimmer. »Ich bin so schnell gekommen, wie ich konnte. Was habe ich verpasst?«

Kurz bevor sie Hammonds Wohnung verlassen hatte, hatte Smilow sie auf ihrem Handy erreicht. Wie versprochen hatte er angerufen, sobald der Dienst habende Arzt die Befragung seiner Patienten gestattete.

»Smilow, ich will unbedingt dabei sein«, hatte sie ihm am Telefon erklärt.

»Ich kann nicht auf dich warten. Möglicherweise zieht der Arzt sein Angebot wieder zurück, wenn ich nicht sofort nachhake.«

»Okay, aber mach langsam. Bin schon unterwegs.«

Obwohl Hammonds Wohnanlage nicht weit vom Krankenhauskomplex entfernt lag, hatte sie auf der Fahrt jede Geschwindigkeitsbegrenzung überschritten. Sie wollte unbedingt wissen, ob die Patienten mit der Lebensmittelvergiftung irgendjemanden in der Nähe der Penthouse-Suite von Pettijohns Hotel gesehen hatten.

Nach ihrem stürmischen Auftritt blieb sie einen Moment im Türrahmen stehen, ehe sie über den Fliesenboden zum Krankenbett hinüberging. Der Patient war ein Mann um die fünfzig, mit einer Gesichtsfarbe wie Brotteig. Seine Augen lagen tief eingesunken im Schädel, umrahmt von dunklen Ringen. Seine rechte Hand hing an einer Infusion. Eine Bettpfanne und ein nierenförmiges Spuckbecken standen in Reichweite auf dem Nachttisch.

Auf einem Stuhl neben dem Bett saß eine Frau, in der Steffi seine Frau vermutete. Sie sah nicht krank aus, sondern lediglich erschöpft und trug immer noch Freizeitkleidung: Turnschuhe, Shorts und ein T-Shirt, auf dem in Glitzerbuchstaben **MAUS** stand, **M**ädchen **AU**s dem **S**üden.

Smilow, der neben dem Bett wartete, stellte vor: »Mr. und Mrs. Daniels, Steffi Mundell. Miss Mundell kommt von der Bezirksstaatsanwaltschaft. Sie ist eng an der Ermittlung beteiligt.«

»Hallo, Mr. Daniels.«

»Hi.«

»Fühlen Sie sich besser?«

»Ich habe aufgehört, um meinen Tod zu beten.«

»Das deutet doch auf leichte Besserung hin.« Ihr Blick wanderte von ihm zu seiner Frau. »Mrs. Daniels, Sie sind nicht krank geworden?«

»Ich hatte die Krabbensuppe«, erwiderte sie mit einem matten Lächeln.

»Die Daniels sind die Letzten, mit denen ich gesprochen habe«, sagte Smilow. »Die anderen in ihrer Gruppe konnten uns nicht weiterhelfen.«

»Und sie können?«

»Bei Mr. Daniels durchaus möglich.« Darüber wirkte der Mann im Bett nicht allzu glücklich, denn er brummte: »Vielleicht habe ich jemanden gesehen.«

Steffi konnte ihre Ungeduld nicht länger zügeln und drängte auf eine genauere Aussage. »Entweder haben sie jemanden gesehen oder nicht.«

Mrs. Daniels erhob sich. »Er ist sehr müde. Könnte das nicht bis morgen warten? Nachdem er noch mal eine Nacht Ruhe hatte?« Sofort erkannte Steffi ihren Fehler und zwang sich zum Einlenken. »Tut mir Leid. Verzeihen Sie mein forsches Vorgehen. Leider haben von den Leuten, die ich strafrechtlich verfolge, ein paar schlechte Gewohnheiten auf mich abgefärbt. Normalerweise habe ich mit Mördern, Dieben und Sexualverbrechern zu tun, meistens auch noch mit Wiederholungstätern, und nicht mit so netten Menschen wie Sie. Mit braven Steuerzahlern, die sich an die Gesetze und Gottes Gebote halten, komme ich nicht allzu oft in Berührung.« Nach dieser Rede wagte sie nicht, Smilow ins Gesicht zu sehen. Sie wusste genau, wie geringschätzig seine Miene ausfiele.

Mrs. Daniels kaute an ihrer Unterlippe und wandte sich an ihren Mann. »Schatz, es liegt an dir. Fühlst du dich so, dass du jetzt durchhältst?«

Steffi hatte die beiden taxiert und sofort geschlossen, dass zwischen ihrem IQ und dem Denkvermögen der Daniels' Welten lagen. Sie nützte ihre unentschlossene Haltung zu ihrem Vorteil und drehte noch ein wenig weiter an der Manipulationsschraube. »Selbstverständlich ist es in Ordnung, Mr. Daniels, falls Sie mit unseren Fragen bis morgen warten möchten. Aber bitte verstehen Sie auch unsere Position. Ein führendes Mitglied unserer Gemeinschaft ist kaltblütig ermordet worden. Man hat ihn ohne

Streit einfach hinterrücks erschossen. Jedenfalls konnten wir bisher keinerlei Anzeichen für einen Streit entdecken.« Sie ließ ihre Worte einsinken, dann fügte sie hinzu: »Wir hoffen, dass wir diesen brutalen Killer schnappen, bevor er erneut zuschlagen kann.«

»In dem Fall kann ich Ihnen nicht helfen.«

Alle waren von Mr. Daniels' unerwarteter Erklärung perplex. Smilow fand als Erster die Sprache wieder. »Woher wissen Sie, dass Sie uns nicht helfen können?«

»Weil Miss Mundell von einem männlichen Killer gesprochen hat. Aber die Person, die ich gesehen habe, war eine Frau.«

Steffi und Smilow wechselten Blicke. »Ich habe das Pronomen ganz neutral gebraucht«, erklärte sie.

»Ach, na ja, ich habe jedenfalls eine Frau gesehen«, sagte Daniels, wobei er sich in sein Kissen zurücklegte. »Außerdem sah sie nicht wie ein Killer aus.«

»Könnten Sie das näher erläutern?«, fragte Steffi. »Sie meinen, wie sie aussah?«

»Fangen Sie ganz von vorne an, und erzählen Sie uns alles der Reihe nach«, schlug Smilow vor.

»Nun, wir – das heißt unser Chor hat gleich nach dem Mittagessen das Hotel verlassen. Nach ungefähr einer Stunde Besichtigung fühlte ich mich allmählich komisch. Zuerst dachte ich, es liegt an der Hitze. Aber nachdem sich bereits ein paar unserer Kids übergeben hatten, nahm ich an, dass mehr dahinter steckte. Von Minute zu Minute habe ich mich mieser gefühlt. Schließlich habe ich meiner Frau gesagt, ich ginge wieder ins Hotel, ein Perenterol oder was Ähnliches nehmen, und käme später nach.«

Mrs. Daniels bestätigte alles mit einem ernsten Nicken.

»Als ich zurückging, war ich kurz davor… wirklich krank zu werden. Ich hatte schon Angst, ich könnte es nicht mehr rechtzeitig bis in mein Hotelzimmer schaffen.«

»Wann haben Sie die Frau gesehen?«, fragte Steffi, die sich inständig wünschte, er würde schneller auf den Punkt kommen.

»Als ich vor unserem Zimmer stand.«

»Das im fünften Stock lag«, verifizierte Smilow.

»Fünf-Null-Sechs«, sagte Daniels. »Ich habe eine andere Person am Flurende bemerkt und rasch einen Blick in diese Richtung geworfen. Sie stand draußen vor einer anderen Tür.«

»Was tat sie?«, fragte Smilow.

»Nichts. Sie schaute lediglich zur Tür, als ob sie geklopft hätte und nun auf Antwort wartete.«

»Wie weit war sie von Ihnen weg?«

»Hmm, nicht weit, aber doch einiges. Ich habe keinen zweiten Gedanken daran verschwendet. Sie wissen, wie seltsam es ist, wenn man einer Fremden in die Augen schaut und ganz allein mit ihr ist? So war das. Man möchte weder zu distanziert noch überfreundlich wirken. Heutzutage muss man vorsichtig sein bei den Leuten.«

»Haben Sie mit ihr gesprochen?«

»Nein, nein, nichts dergleichen. Hab nur zu ihr hinübergeschaut. In Wahrheit habe ich nur daran gedacht, möglichst schnell ins Bad zu kommen.«

»Trotzdem konnten Sie sie gut erkennen?«

»So gut auch nicht.«

»Gut genug, um ihr Alter zu schätzen?«

»Sie war nicht alt, aber auch kein junges Mädchen mehr. Ungefähr Ihr Alter«, sagte er zu Steffi.

»Farbig?«

»Nein.«

»Groß, klein?«

Daniels zuckte zusammen und rieb sich eine Stelle am Unterbauch. »Schatz?«, rief seine Frau und hielt ihm besorgt den Spucknapf unters Kinn.

Er schob ihn weg. »Nur ein leichter Krampf.«

»Möchtest du ein bisschen Sprite?«

»Einen Schluck.« Mrs. Daniels hielt ihm den Deckelbecher an die Lippen, und er trank durch einen geknickten Strohhalm. »Was wollten Sie wissen… ach, ihre Größe?« Er schüttelte den Kopf. »Hab nicht darauf geachtet. War wohl weder das eine noch das andere. Schätzungsweise guter Durchschnitt.«

»Haarfarbe? War sie blond?«, fragte Steffi.

»Nicht sehr.«

»Nicht sehr?«, wiederholte Smilow.

»Nicht sehr blond. Ist mir nicht als ein Marilyn-Monroe-Typ aufgefallen. Sie wissen, was ich meine? Aber dunkle Haare hatte sie auch nicht. Irgendwie mittendrin.«

»Mr. Daniels, könnten Sie uns generell ihren Körperbau beschreiben?«

»Sie meinen, ob Sie… fett war?«

»War sie's?«

»Nein.«

»Schlank?«

»Ja, eher schlank. Na ja, so ungefähr, könnte man sagen. Sehen Sie, ich hab sie wirklich nicht besonders beachtet. Hab nur versucht zu verhindern, dass es draußen im Flur zu einem fürchterlichen Unfall kommt.«

»Ich denke, das ist alles, was er Ihnen sagen kann«, meinte Mrs. Daniels zu ihnen. »Wenn Ihnen noch eine weitere Frage einfällt, können Sie ja morgen wiederkommen.«

»Bitte, noch eine letzte Frage«, sagte Smilow. »Haben Sie tatsächlich gesehen, dass diese Frau das Zimmer von Mr. Pettijohn betrat?«

»Nö. Ich hab so schnell's ging meine Tür mit diesem Dingsda, das wie 'ne Kreditkarte aussieht, aufgesperrt und bin hinein.« Er rieb seine stoppelige Wange. »Außerdem weiß ich nicht, ob es das Zimmer war, wo der Typ ermordet wurde, oder nicht. Es könnte jedes Zimmer am anderen Flurende gewesen sein.«

»Es war die Penthouse-Suite. Die Tür ist leicht zurückgesetzt«, meinte Steffi. »Sie sieht anders aus als die anderen. Wenn wir Ihnen Mr. Pettijohns Suite zeigen würden, könnten Sie dann definitiv sagen, dass dies die Tür war, vor der Sie die Frau gesehen haben?«

»Das bezweifle ich ernsthaft. Wie gesagt, ich habe lediglich einen flüchtigen Blick durch den Flur geworfen. Dabei fiel mir auf, dass eine Frau vor einer Tür stand und darauf wartete, dass geöffnet wurde. Das ist alles.«

»Sind Sie sicher, dass sie nicht gerade heraustrat, also am Gehen war?«

»Nein, bin ich nicht.« Allmählich klang Daniels missmutig. »Aber ich hatte nicht den Eindruck. Da war nichts ungewöhnlich, weder an ihr noch an der Situation. Ehrlich, wenn Ihr Leutchen nicht gefragt hättet, hätte ich nie mehr an sie gedacht. Sie haben gefragt, ob ich gestern Nachmittag im Flur irgendjemanden gesehen hätte. Und das habe ich.«

Wieder schaltete sich Mrs. Daniels ein. Steffi und Smilow entschuldigten sich, bedankten sich für die Information, wünschten ihm schnelle Genesung und gingen.

Draußen auf dem Gang wirkte Smilow bedrückt. »Toll. Wir haben einen Augenzeugen, der eine Frau gesehen hat, die nicht allzu weit von ihm weg stand, aber doch einiges, und die vielleicht draußen vor Pettijohns Suite stand, vielleicht auch nicht. Sie war weder alt noch jung und mittelgroß. Hat Haare ›eher mittendrin‹ und ist ›eher schlank‹.«

»Ich bin enttäuscht, aber nicht überrascht«, meinte Steffi. »Ich hatte Zweifel, ob er sich angesichts seiner damaligen Lage überhaupt an irgendetwas erinnern würde.«

»Scheiße«, fluchte Smilow. »Ganz genau.«

Dann schauten sie einander an und lachten; sie lachten noch immer, als Mrs. Daniels aus dem Zimmer ihres Mannes trat. »Endlich hat er mich überredet, wieder ins Hotel zu gehen. Ich war nicht mehr dort, seit uns der Krankenwagen hergebracht hat. Fahren Sie nach unten?«, fragte sie höflich, als der Aufzug kam.

»Noch nicht«, erklärte ihr Steffi. »Ich muss mit Detective Smilow noch etwas Geschäftliches besprechen.«

»Viel Glück beim Lösen des Rätsels.«

Nachdem sie sich bei ihr für ihre Kooperation bedankt hatten, dirigierte Steffi Smilow ins Wartezimmer, das gerade leer war. Als sie in gegenüberstehenden Sesseln Platz genommen hatten, teilte er ihr ohne Umschweife mit, dass Hammond Cross den Fall Pettijohn strafrechtlich verfolgen würde.

»Mason hat ihn seinem Goldjungen zugeschanzt.«

Sie gab sich keine Mühe, ihre Enttäuschung und ihren Ärger zu verbergen, sondern fragte, seit wann er das wisse.

»Seit dem frühen Abend. Polizeipräsident Crane hat angerufen und es mir erzählt, weil ich mich für dich eingesetzt habe.«

»Danke. Hat mir ja viel genützt«, sagte sie bitter. »Wann sollte ich davon erfahren?«

»Vermutlich morgen.«

Hammond hatte von Pettijohns Ermordung nichts gewusst, bis sie es ihm erzählt hatte. Also musste Mason ihn angerufen haben, während sie noch dort war. Es war doppelt bitter, dass er sie nur wenige Minuten, nachdem er ihre Affäre beendet hatte, bei einem Fall aus dem Feld schlug, von dem eine ganze Karriere abhing.

Smilow sagte: »Dahinter steckt Davee Pettijohn.«

»Wie sie versprochen hat.«

»Sie meinte, sie würde sich nie mit zweiter Wahl bescheiden. Offensichtlich hält sie dich dafür.«

»Das ist es nicht, jedenfalls nicht ganz. Sie zieht es vor, dass ein Mann für sie arbeitet, keine Frau.«

»Guter Punkt. Da passt die Chemie besser. Außerdem sind ihre Familie und die von Cross seit Jahrzehnten befreundet.«

»Es kommt nicht darauf an, was man weiß, sondern wen man kennt.«

Nachdem Steffi einen Augenblick stumm nachgedacht hatte, stand sie auf und schob sich den Riemen ihrer schweren Aktentasche über die Schulter. »Da man mich nicht länger –«

Mit einer Handbewegung beorderte Smilow sie wieder in ihren Sessel. »Mason hat dir einen Knochen hingeworfen. Tu überrascht, wenn er dich morgen früh im Büro offiziell informiert.«

»Was für einen Knochen?«

»Du sollst Hammond assistieren.«

»Überrascht mich nicht. So ein Fall verlangt nach mindestens zwei klugen Köpfen.« Da sie spürte, dass noch mehr dahinter steckte, zog sie fragend eine Augenbraue hoch. »Und?«

»Außerdem ist es deine Aufgabe, als Barriere zwischen uns zu dienen und dafür zu sorgen, dass die Zusammenarbeit freundlich ausfällt. Sollte das nicht gelingen, musst du wenigstens ein Blutvergießen verhindern.«

»Wörtliches Zitat von Mason gegenüber deinem Häuptling?«

»Lediglich eine Umschreibung.« Er lächelte grimmig. »Aber mach dir nicht zu viel Sorgen. Ich bezweifle, dass es zum Blutvergießen kommt.«

»Da bin ich mir nicht so sicher. Ich habe euch schon kurz vor einem tödlichen Zweikampf erlebt. Worum geht's dabei eigentlich?«

»Wir können uns auf den Tod nicht ausstehen.«

»Das weiß ich, Smilow. Wie ist es dazu gekommen?«

»Ist 'ne lange Geschichte.«

»Ein andermal?«

»Vielleicht.«

Sie war frustriert, weil er sich nicht festlegen wollte. Nur allzu gern hätte sie gewusst, was hinter der offenen wechselseitigen Abneigung zwischen ihm und Hammond steckte. Natürlich waren beide vom Charakter her grundverschieden. Smilows unnahbare Haltung stieß die Leute ab, aber das war gewollt, falls sie sich nicht völlig irrte. Hammond hatte Charisma. Obwohl man sich auch seine enge Freundschaft erst verdienen musste, war er ein freundlicher, offener Mensch. Smilow war pingelig und makellos gepflegt, während Hammond von Natur aus und mühelos attraktiv wirkte. Auf dem College wäre Smilow der Kommilitone gewesen, der das Examen mit Auszeichnung bestanden und allen anderen den Notendurchschnitt ruiniert hätte. Auch Hammond hatte ausgezeichnete Noten gehabt, war aber obendrein noch ein populärer Studentensprecher und Sportstar gewesen. Beide waren Erfolgsmenschen, aber der eine hatte für seine Leistungen hart kämpfen müssen, während sie dem anderen in den Schoß gefallen waren.

Mit Smilow konnte sich Steffi eher identifizieren. Für seine Abneigung gegenüber Hammond empfand sie ein gewisses Verständnis, eine Abneigung, die durch Hammonds eigene Einstellung gegenüber seinen Vorteilen verstärkt wurde. Er nutzte sie nicht aus, ja, er wies sie sogar von sich. Er verschmähte sein Treuhandvermögen und lebte von seinem eigenen Verdienst. Seine Eigentumswohnung war nett, dennoch hätte er sich etwas viel Besseres leisten können. Sein einziger Luxus waren das Segelboot und die Waldhütte, aber nicht einmal von diesem Besitz machte er Aufhebens.

Man hätte ihn viel leichter hassen können, wenn er mit seinen Privilegien geprahlt hätte.

Abgesehen vom Nutzen reizte es Steffi, den Grund für die Antipathie zwischen ihm und Smilow zu erfahren. Sie standen auf derselben Seite des Gesetzes, arbeiteten für ein gemeinsames Ziel, und dennoch schienen sie einander mehr zu verachten als jeden halsstarrigen Verbrecher.

»Muss hart sein«, sagte Smilow, womit er sie aus ihren Gedanken riss.

»Was?«

»Ständig mit Hammond im Job zu konkurrieren, während man nachts mit ihm schläft. Oder macht gerade dieser Wettkampf die Affäre so erregend?«

Zum ersten Mal war Steffi völlig überrumpelt. Entgeistert starrte sie ihn an.

»Du wunderst dich, woher ich das weiß?« Sein Lächeln war so kalt, dass es ihr wie ein Eiszapfen durchs Rückgrat schoss. »Durch negative Auslese. Er ist der einzige Mann im ganzen Justizgebäude, der noch nicht mit seiner Eroberung geprahlt hat.« Anzüglich schaute er in ihren Schoß. »Ich habe zwei und zwei zusammengezählt; deine verblüffte Reaktion hat meine Vermutung nur noch bestätigt.«

Trotz seiner unerträglichen Selbstgefälligkeit verkniff sie sich jede wütende oder empörte Reaktion. Das hätte seinen Spaß nur vergrößert. Stattdessen verzog sie keine Miene und fragte mit kühler Stimme: »Warum so viel Interesse für mein Liebesleben, Smilow? Eifersüchtig?«

Tatsächlich, er lachte. »Steffi, Flirten steht dir nicht.«

»Fahr zur Hölle.«

Ungerührt fuhr er fort: »Deduktives Denken ist mein Job. Und darin bin ich gut.«

»Was beabsichtigst du mit diesem schlüpfrigen Informationsfetzen anzufangen?«

»Nichts«, sagte er mit einem geringschätzigen Achselzucken.

»Es amüsiert mich lediglich, dass unser Goldjunge in seiner Berufsethik einen Kompromiss eingegangen ist. Bekommt seine Rüstung allmählich Flecken? Nur ein kleines bisschen?«

»Auf ein Verhältnis unter Kollegen steht nicht gerade die Todesstrafe. Ist wie viele Verstöße nur ein Kavaliersdelikt.«

»Stimmt, aber für Hammond Cross ist es fast eine Todsünde. Warum haltet ihr es sonst so geheim?«

»Nun, du kannst dir dein süffisantes Grinsen sparen. Da gibt's nichts mehr geheim zu halten. Die Affäre ist vorbei. Ehrlich«, fügte sie hinzu, als er ihr einen scharfen argwöhnischen Blick zuwarf.

»Seit wann?«

Sie schaute auf ihre Armbanduhr. »Seit zwei Stunden und achtzehn Minuten.«

»Wirklich? Bevor oder nachdem ihm Mason den Fall übertragen hat?«

»Das eine hatte mit dem anderen nichts zu tun«, sagte sie gereizt.

In einem seiner schmalen Mundwinkel zuckte verstohlen ein Lächeln. »Bist du dir da so sicher?«

»Absolut. Meinetwegen kannst du auch gern die Wahrheit erfahren, die ganze Wahrheit und nichts als die Wahrheit. Hammond hat mich fallen gelassen. Platsch. Ende der Diskussion.«

»Warum?«

»Ich bekam den Standardvortrag von ›wir bewegen uns in entgegengesetzte Richtungen‹, was sich normalerweise wie folgt übersetzen lässt: ›War da, war nett, aber jetzt hab ich Lust auf 'nen neuen Ferienort.‹«

»Hmm. Hast du eine Ahnung, welche Urlaubsorte er zu besuchen gedenkt?«

»Keine. Und so etwas weiß eine Frau normalerweise.«

»Ein Mann auch.«

Sein Tonfall verriet mehr als nur diese drei Wörter. Steffi musterte ihn intensiv. »Also, Rory! Sollte es im Entferntesten möglich sein, dass unser Mr. Eis-im-Blut einmal v-e-r-l-i-e-b-t gewesen ist?«

»Entschuldigung?« Sie bemerkten die Krankenschwester erst,

146

als sie vor ihnen stand. »Mein Patient…« Sie deutete mit dem Daumen über die Schulter auf das Zimmer von Mr. Daniels. »Er wollte wissen, ob Sie schon weg sind. Ich hab ihm gesagt, Sie sitzen hier draußen, und er hat mich gebeten, Ihnen zu sagen, dass er sich an etwas erinnert, das Ihnen vielleicht weiterhilft.«

Noch ehe sie ausgesprochen hatte, waren sie schon aufgesprungen.

12

Hammond schaute auf die hingekritzelte Adresse, die er sich in die Hemdtasche gesteckt hatte, bevor er zu Davee aufgebrochen war.

Da er nicht sicher wusste, ob die Telefonnummer, die der Anrufdienst für Dr. Ladd übernommen hatte, zu Charleston gehörte, war er mit dem Finger nervös eine Ärzteliste in den Gelben Seiten abgefahren, bis er einen gewissen Dr. A. E. Ladd gefunden hatte. Das war die richtige Nummer. Er wusste es sofort, denn die Telefonnummer außerhalb der Sprechstunden entsprach der, die er morgens von der Hütte aus gewählt hatte. Dr. Ladd war seine einzige Verbindung zu der Frau, mit der er die letzte Nacht verbracht hatte. Selbstverständlich kam es nicht in Frage, ihn direkt zu kontaktieren. Hammonds kurzfristiges Ziel bestand lediglich darin, seine Praxis zu finden und abzuwarten, ob er, wenn überhaupt, damit etwas anfangen könnte. Später würde er einen Weg suchen, wie er am besten Kontakt mit ihm aufnehmen könnte.

Obwohl er voll und ganz mit dem Ende seiner Beziehung zu Steffi, dem verstörenden Gespräch mit Davee und mit dem Pettijohn-Mord und sämtlichen Konsequenzen beschäftigt war, wollte ihn der Gedanke an die Frau nicht loslassen, der er vom Jahrmarkt gefolgt war und die er an der Tankstelle geküsst hatte.

Jeder Versuch, diese Gedanken zu ignorieren, würde scheitern. Ein Hammond Cross akzeptierte keine offenen Fragen. Selbst als kleiner Junge hatte er sich nicht mit Ausflüchten abspeisen lassen, sondern seine Eltern so lange traktiert, bis sie ihm eine Erklärung gaben, die seine Neugierde befriedigte.

Diese Eigenart hatte er als Erwachsener beibehalten. Bei seiner Arbeit kam es ihm zugute, nicht nur allgemeine Grundzüge, sondern jedes Detail wissen zu wollen. Er bohrte immer wieder so lange nach, bis er die Wahrheit gefunden hatte, mitunter zum erklärten Ärger seiner Kollegen. Manchmal frustrierte ihn seine Hartnäckigkeit sogar selbst.

Der Gedanke an sie würde erst dann weichen, wenn er wusste, wer sie war und warum sie nach ihrer unglaublichen Nacht einfach aus seiner Hütte und damit aus seinem Leben verschwunden war.

Dr. Ladd ausfindig zu machen, war ein, wenn auch kindischer, pathetischer und verzweifelter Versuch, etwas über sie herauszufinden. Insbesondere, ob sie Mrs. Ladd war oder nicht. Wenn ja, dann wäre damit gezwungenermaßen alles zu Ende. Wenn aber nicht ...

Er verbot es sich, weiter über den verschiedenen Varianten dieses »Wenn-aber-Nicht« nachzusinnen.

Als gebürtiger Charlestoner kannte Hammond den Stadtplan in Grundzügen. Die gesuchte Straße war nur wenige Blöcke von Davees Anwesen entfernt. Innerhalb von Minuten war er dort.

Es handelte sich um eine kurze schmale Seitenstraße, deren Gebäude unter einem Gespinst aus wildem Wein und Geschichte verborgen lagen. Eine von mehreren Straßen, die man vom quirligen Geschäftsviertel aus leicht zu Fuß erreichen konnte und die scheinbar doch Welten davon trennten. Die Architektur der meisten Gebäude in diesem Bezirk zwischen Broad Street und der Battery zeichnete sich durch historische Merkmale aus. Hinter einigen Hausnummern stand 1/2, ein Zeichen dafür, dass man den ehemaligen Anbau ans Haupthaus, z. B. eine Remise oder eine frei stehende Küche, in ein eigenständiges Wohngebäude umgewandelt hatte. Hier gab es erstklassige Immobilien; ein teures Viertel. S. O. B. – südlich der Broad Street – lautete die Abkürzung für alle, die hier wohnten.

Hammond war nicht überrascht, dass die Praxis des Doktors

in einem Wohngebiet lag. Viele Selbstständige hatten ihre Büros in älteren Häusern und wohnten in den darüber liegenden Stockwerken, eine in Charleston seit Jahrhunderten übliche Tradition.

Er parkte seinen Wagen etwas entfernt und betrat zu Fuß die gepflasterte Straße. Inzwischen war die Dunkelheit hereingebrochen. Das Wochenende war vorbei, die Menschen hatten sich nach drinnen zurückgezogen. Er war der einzige Fußgänger. Die Häuser lagen im Schatten, wirkten aber durchaus freundlich und einladend. Geöffnete Fensterläden umrahmten hell erleuchtete Zimmer. Jedes Anwesen machte einen wohlhabenden und gepflegten Eindruck. Offensichtlich ging es Dr. Ladd ausgezeichnet.

Schwer drückte die Abendluft wie eine Flanelldecke auf seine Brust und drohte ihn zu ersticken. Binnen Minuten klebte ihm das Hemd am Leib. Selbst sein gemütliches Tempo beruhigte ihn nicht; Unruhe zerrte an seinen Nerven.

Ein Gefühl wie Klaustrophobie überkam ihn; er zwang sich, tief einzuatmen. Exotische Blumendüfte und der salzig-stechende Tanggeruch des Meerwassers, der aus der Entfernung vom Hafen herüberwehte, drangen ihm in die Nase. Es roch nach Holzkohlenfeuer, auf dem jemand sein Abendessen gegrillt hatte. Bei diesem Aroma lief ihm das Wasser im Mund zusammen. Erst jetzt merkte er, dass er außer dem Muffin in der Hütte den ganzen Tag nichts gegessen hatte.

Der Spaziergang bot ihm Gelegenheit, darüber nachzudenken, wie er mit dem Doktor Kontakt aufnehmen würde. Was wäre, wenn er einfach zur Tür ginge und klingelte? Sollte Dr. Ladd herauskommen, könnte er so tun, als hätte er eine falsche Adresse und suchte eigentlich jemand anderen. Er würde sich einfach für die Störung entschuldigen und gehen.

Sollte sie die Tür öffnen… Welche Möglichkeit bliebe ihm dann? Die quälendste Frage wäre damit schon beantwortet. Dann würde er sich umdrehen und ohne einen Blick zurück fortgehen und so weiterleben wie bisher.

All diese Varianten beruhten darauf, dass sie mit dem Doktor verheiratet war. Für Hammond stellte das die logische Erklärung für ihren heimlichen Anruf und ihr schuldbewusstes Benehmen dar. Da sie wie das blühende Leben ausgesehen und äußerlich keinerlei Anzeichen für eine Krankheit gezeigt hatte, war er nie auf den Gedanken gekommen, sie könnte eine *Patientin* sein.

Jedenfalls nicht, bis er vor dem Haus stand. In dem kleinen, durch einen Eisenzaun abgeteilten Vorgarten stand ein weißes Holzschild mit schwarzer Kursivschrift.

Dr. A. E. Ladd war Psychologe.

War sie eine Patientin? Wenn ja, beunruhigte es ihn ein wenig, dass seine Liebste wenige Minuten, nachdem sie sein Bett verlassen hatte, das Bedürfnis verspürte, ihren Psychologen zu konsultieren. Doch er tröstete sich mit dem Gedanken, wie normal es inzwischen war, einen Therapeuten zu haben. Als Beichtväter hatten sie die Stelle von Ehepartnern, älteren Verwandten und Priestern eingenommen. Er hatte Freunde und Kollegen, die jede Woche einen fixen Termin wahrnahmen, und sei es nur, um ihren Alltagsstress abzubauen. Wer zum Psychologen ging, war kein Aussätziger und musste sich dessen gewiss nicht schämen.

Eigentlich fühlte er sich unendlich erleichtert. Dass er mit Dr. Ladds Patientin geschlafen hatte, war akzeptabel. Ganz im Gegensatz zu der Möglichkeit, mit seiner Ehefrau geschlafen zu haben. Aber schon schob sich eine Wolke über den schwachen Hoffnungsschimmer. Wenn sie tatsächlich seine Patientin war, was dann? In diesem Fall wäre es fast unmöglich, ihre wahre Identität herauszufinden.

Dr. Ladd würde keine Informationen über seine Patienten preisgeben. Selbst wenn sich Hammond dazu hergäbe, die Staatsanwaltschaft als Hilfsmittel vorzuschieben, würde er sich vermutlich auf seine ärztliche Schweigepflicht berufen und sich so lange weigern, seine Akten offen zu legen, bis man sie zum Beweismittel einer Anklage erklärte. Und so weit würde Hammond nie gehen. Das verbot ihm seine Berufsehre.

Außerdem, wie sollte er Informationen über sie einziehen, wenn er nicht einmal ihren Namen kannte?

Dieser Zwiespalt bewegte Hammond, während er von der gegenüberliegenden Straßenseite den hübschen Ziegelbau betrachtete, in dem Dr. Ladd seine Praxis hatte. Ein typisches Beispiel für einen einzigartigen Architekturstil: das so genannte Einzimmerhaus, das von der Straßenseite nur ein Zimmer breit erschien, dafür aber mehrere Räume weit in die Tiefe reichte. Dieses hier hatte zwei Stockwerke mit einer tiefen Veranda an jeder Seite, auch Piazza genannt, die von vorne bis hinten durchlief.

Von dem verzierten Tor führte auf der rechten Seite des Vorgartens ein kleiner Weg schnurgerade auf eine Haustür zu, die in Charlestoner Grün gestrichen war, ein fast schwarzer Farbton mit einem Schuss Grün. In der Türmitte prangte ein Messingtürklopfer. Wie meistens bei Einzimmerhäusern führte die Eingangstür nicht direkt ins Haus, sondern zuerst auf die Piazza.

Wilder Wein hatte die Fassade größtenteils überwuchert. Nur um die vier hohen Fenster links und rechts der Eingangstür hatte man ihn ordentlich zurückgeschnitten. Unter jedem Fenster hing ein Blumenkasten, der üppig mit Farn und weißen Fleißigen Lieschen bepflanzt war. Es brannte kein Licht.

Gerade als Hammond den Fuß über den Randstein hob und über die Straße gehen wollte, um sich das Ganze näher anzusehen, öffnete sich hinter ihm die Tür und ein riesiger grau-weißer Hirtenhund sauste mit seinem Besitzer im Schlepptau heraus.

»Brr, Winthrop!«

Aber Winthrop ließ sich nicht bändigen. Er wollte unbedingt Gassi gehen und zerrte an seiner Leine. Am Ende des Wegs stellte er sich auf die Hinterpfoten und drückte gegen das Gartentor. Instinktiv wich Hammond ein paar Schritte zurück.

Über diese Reaktion musste der Hundebesitzer lachen. Er zog das Tor auf, und Winthrop schoss hindurch. »Tut mir Leid. Hoffentlich hat er Sie nicht erschreckt. Er beißt nicht, allenfalls schleckt er Sie zu Tode.«

Hammond lächelte. »Macht nichts.« Aber Winthrop hatte keinerlei Interesse an ihm. Er hob das Bein, und schon pinkelte er gegen einen Zaunpfosten.

Offensichtlich wirkte Hammond harmlos, aber leicht verloren, denn der Mann fragte: »Kann ich Ihnen helfen?«

»Ähem, eigentlich habe ich versucht, Dr. Ladds Praxis zu finden.«

»Sie stehen direkt davor.« Der junge Mann deutete mit dem Kinn auf das Haus jenseits der Straße.

»Richtig, richtig.« Der Fremde warf ihm einen höflich-fragenden Blick zu.

»Ähem, ich bin Vertreter«, platzte er heraus, »für Pharmaartikel. Solche Sachen. Auf dem Schild steht nicht, wann die Praxis öffnet.«

»Ich glaube so gegen zehn. Um Genaueres zu erfahren, könnten Sie ja Alex anrufen.«

»Alex?«

»Dr. Ladd.«

»Ach, sicher. Tja, ich hätte anrufen sollen, aber… Sie wissen ja… ich dachte mir… na ja, okay.« Winthrop schnüffelte unter einem Kamelienstrauch herum. »Danke. Viel Spaß, Winthrop.«

Hoffentlich würde der Nachbar nie diesen stotternden Idioten mit dem Assistenten des Bezirksstaatsanwalts in Verbindung bringen, der häufig bei Interviews im Fernsehen zu sehen war. Hammond tätschelte den Kopf des Wuschelhundes, ehe er sich in die Richtung in Bewegung setzte, aus der er gekommen war. »Eigentlich haben Sie sie nur um Sekunden verpasst.«

Hammond fuhr herum. *»Sie?«*

Mr. Daniels vermied jeden Augenkontakt mit Smilow oder Steffi, als die beiden wieder sein Krankenzimmer betraten und sich links und rechts von seinem Bett aufstellten. Smilow fand, dass der Patient inzwischen deutlich unbehaglicher wirkte als vor einer Viertelstunde, aber dass dahinter keine gastroenterischen Probleme steckten. Es erinnerte ihn mehr an ein schlechtes Gewissen.

»Die Krankenschwester meinte, Sie würden sich an etwas erinnern, das für unsere Ermittlung hilfreich sein könnte.«

»Vielleicht.« Nervös schossen Daniels' Augen zwischen Smilow und Steffi hin und her. »Sehen Sie, es ist wie folgt. Seit meinem Ausrutscher –«

»Ausrutscher?«

Daniels schaute Steffi an, die ihn unterbrochen hatte. »Fremdgehen.«

»Sie hatten ein Verhältnis?«

Typisch Steffi, immer voll ins Schwarze, dachte Smilow. Das Wörtchen »Takt« gehörte nicht zu ihrem Vokabular. Mit äußerst kläglicher Miene stotterte Mr. Daniels weiter.

»Ja. Diese, äh… eine Frau in meiner Arbeit. Wir… Sie wissen schon.« Unruhig rutschte der magere Körper auf der harten Matratze herum. »Aber es hat nicht lange gedauert. Ich habe meine Verfehlung eingesehen. Gehörte zu den Dingen, die einem passieren, bevor man richtig weiß, wie einem geschieht. Dann wacht man eines Morgens auf und sagt sich im Stillen: Zum Kuckuck, warum tust du das? Ich liebe meine Frau.«

Smilow teilte Steffis sichtliche Ungeduld mit Daniels' umständlicher Beichte. Er wünschte, der Mann würde endlich zum Punkt kommen. Trotzdem warf er Steffi warnend einen scharfen Blick zu, sie solle Daniels Zeit geben, damit er seine Geschichte in seinem eigenen Tempo erzählte.

»Der Grund, weshalb ich Ihnen das erzähle… Sie, meine Frau, regt sich jedes Mal fürchterlich auf, wenn ich eine andere Frau auch nur anschaue. Was ich ihr auch nicht übel nehme«, beeilte er sich hinzuzufügen. »Ihr Misstrauen ist ja berechtigt. Dieses Recht hat sie seit meinem Ehebruch.

Aber schon das kleinste bisschen – selbst ein freundliches Wort zu einer fremden Frau – bringt sie auf die Palme. Verstehen Sie, was ich meine? Dann fängt sie gleich zu weinen an und behauptet, sie wäre nicht genug für mich.« Mit mattem Blick schaute er zu Smilow hoch. »Sie wissen ja, wie das geht.«

Wieder warf Smilow Steffi einen Blick zu, sie solle nicht durch eine vernichtende Bemerkung diese männlich-sexistische Suada niedermachen.

»Ich habe Ihnen diese Dame nicht in allen Details beschrieben, weil ich meine Frau nicht aufregen wollte. Wir sind in letzter Zeit gut miteinander ausgekommen. Sie hat für diesen Ausflug sogar ein paar von den, na, Sie wissen schon, Sexsachen mitgebracht, um unsere Ruhezeiten ein bisschen aufzupeppen. Hat das Ganze als 'ne Art zweite Flitterwochen betrachtet. Mit einem Kirchenchor im Bus kann man ja nicht allzu

viel machen, aber sobald wir nachts in unserem Zimmer waren…
Wow.«

Er grinste zu ihnen hoch, aber dann verschwand sein Lächeln, als ob jemand den Stöpsel aus einer Gummimaske gezogen hätte. »Aber wenn meine Lady gedacht hätte, dass ich das Gesicht und die Figur einer anderen Frau beachtet habe, hätte sie vielleicht geglaubt, mir stünde der Sinn nach einer Fremden. Dann wäre wegen nichts die Hölle los gewesen.«

»Verstehen wir ja.« Steffi legte ihm die Hand auf den Arm, eine seltene und, wie Smilow wusste, gespielte Geste.

»Mr. Daniels, wollen Sie damit sagen, dass Sie die Frau, die Sie im Hotelflur gesehen haben, nun doch ausführlicher beschreiben können?«

Er schaute zu Smilow hinüber. »Haben Sie etwas zum Schreiben dabei?«

Langsam zog er ihr das alte T-Shirt über den Kopf. Bis dahin hatte er sie im Dunkeln berührt. Er wusste, wie sie sich anfühlte, wollte aber sehen, was seine Hände berührten.

Er war nicht enttäuscht. Sie war wunderschön. Er genoss den Anblick seiner Hände auf ihren Brüsten, genoss, wie sie auf seine Liebkosung reagierten, hörte sie wollüstig stöhnen, als er sie mit seinen Lippen berührte.

»Das gefällt dir.«

»Ja.«

Er nahm ihre Brustwarze in den Mund und saugte daran. Mit leisem Keuchen umfasste sie seinen Kopf. »Zu fest?«, fragte er. »Nein.«

Trotzdem reagierte er besorgt, besonders als er eine Rötung von seinen Bartstoppeln auf ihrer blassen Haut entdeckte. »Hab's nicht gemerkt.«

Ihr Blick wanderte zu den winzigen Kratzern, dann hob sie seinen Finger an ihre Lippen und küsste ihn. »Ich auch nicht.«

»Tut mir Leid.«

»War nicht wichtig.«

»Wenn ich dir aber wehgetan habe –«

»Hast du nicht. Geht gar nicht.« Sie umfing seinen Nacken und versuchte, seinen Kopf wieder an sich zu ziehen.

Aber er wehrte sich. »Macht's dir was aus, wenn…« Er nickte Richtung Bett.

»Nein.«

Sie legten sich hin, ohne vorher die Tücher glatt zu ziehen. Er beugte sich über sie, nahm ihr Gesicht zwischen beide Hände und küsste sie so leidenschaftlich, dass sie ihm ihren Körper entgegenbog, um ihn zu berühren.

Seine Hand wanderte langsam über ihre Brüste, die Rippen entlang und weiter zu ihrem glatten Bauch. »Himmel, schau dich an. Wie schön.« Seine Hand schmiegte sich zwischen ihre Schenkel, legte sich auf ihren Venushügel. Seine Finger tasteten sich nach unten. Hinein. In ihre weichen Kissen. »Du bist ja schon –«

»Ja.«

»So zauberhaft. So –«

»O…« , stöhnte sie. »Nass.«

Wieder beugte er sich zum Küssen über sie. Ein seidenweicher erregender Kuss, der erst endete, als sie mit einem leisen Schrei zum Höhepunkt kam, direkt unter seinem Daumen.

Sekunden später schlug sie die Augen auf und sah ihn auf sie nieder lächeln. »Entschuldige, entschuldige.«

»Wofür?«, meinte er mit leisem Lachen und küsste ihre feuchte Stirn.

»Nun, ich meine… du…«

Seine Lippen streiften sie wie ein Hauch. Leise und drängend flüsterte er: »Entschuldige dich nicht.«

Vor Überraschung atmete er scharf ein, als sich ihre Hand um ihn legte. Beinahe hätte er protestiert und ihr erklärt, sie müsse sich zu nichts verpflichtet fühlen, müsse nicht das Gleiche tun, er könne sowieso nicht härter werden, als er jetzt schon war. Aber als sie anfing, ihn vorsichtig tastend zu massieren, konnte er nur noch voller Wollust leise stöhnen. Ohne sich dessen bewusst zu sein, legte er seine Hand über ihre und steigerte ihre Bewegungen.

Sie liebkoste seinen Hals, senkte Küsse in seine Brusthaare und biss liebevoll-zärtlich seine Haut. Unabsichtlich – oder viel-

leicht auch nicht – rieb ihre steife Brustwarze an seiner. Wie erregend, und so teuflisch erotisch. Beinahe wäre er jetzt schon gekommen.

Als er ihre Hand wegzog, stützte sie sich auf, küsste wie wild sein Kinn, seine Wange, seine Lippen und murmelte: »Lass dich streicheln.«

Aber es war zu spät. Er legte sich wieder auf sie und drang in sie ein. Zog sich zurück, stieß nach vorne. Tief. Noch tiefer. Seine Stirn ruhte auf ihrer, er presste Augen und Zähne zusammen. So erlebte er eine Ekstase wie in allen früheren Liebesnächten zusammen nicht…

»Nein, ich möchte dich streicheln.«

… er kam.

Das Telefon riss Hammond rüde aus seiner schwülen Erinnerung. Beschämt stellte er fest, dass er eine Erektion hatte und schweißgebadet war. Wie viel Zeit hatte er mit dieser ganz besonderen Erinnerung verloren? Er schaute auf die Uhr am Armaturenbrett. Mehr oder weniger zwanzig Minuten.

Das Telefon läutete ein drittes Mal. Er riss es ans Ohr. »Was ist?«

»Zum Teufel, wo bist du gewesen?«

Gereizt sagte er: »Weißt du, Steffi, du solltest dir mal was Neues einfallen lassen. Diese Frage stellst du mir heute schon zum zweiten Mal und immer im selben Tonfall.«

»Entschuldige, aber seit einer Stunde rufe ich bei dir daheim an und hinterlasse Nachrichten, bis ich mich schließlich entschlossen habe, es auf deinem Handy zu versuchen. Bist du in deinem Auto?«

»Ja.«

»Du bist ausgegangen?«

»Wieder richtig getippt.«

»Ach, ich konnte mir nicht vorstellen, dass du heute Abend ausgehen würdest.«

Das war ihre Art, eine Erklärung einzufordern, wohin und warum er ausgegangen sei, aber er schuldete ihr über seine Zeit keine Rechenschaft mehr. Wahrscheinlich verletzte es ihren Stolz, dass er am selben Abend, an dem er ihre Beziehung beendet hatte, nicht zu deprimiert zum Ausgehen war.

Aber wirklich verletzt wäre sie erst gewesen, wenn sie ahnte, dass er wie ein Perverser auf einer dunklen Straße Wache stand und darauf wartete, ob Dr. A. E. Ladd mit der Frau identisch war, die letzte Nacht zur selben Zeit nackt unter ihm gelegen und ihn gefragt hatte, ob er wüsste, dass seine Augen die Farbe von Gewitterwolken hätten, während sein Glied bequem zwischen ihren Bäuchen ruhte und seine Hände ihren Po liebkosten.

Er verspürte den fiesen Impuls, es Steffi zu erzählen, tat es aber natürlich doch nicht.

Er wischte sich sein Gesicht am Hemdsärmel ab. »Was ist los?«

»Erstens, warum hast du mir nicht erzählt, dass dir Mason den Fall Pettijohn übertragen hat?«

»Das war nicht meine Aufgabe.«

»Hammond, das ist eine saublöde Begründung.«

»Danke schön, Rory Smilow«, stieß er zwischen den Zähnen hervor.

»Er hat es mir in aller Freundschaft erzählt.«

»Und ich bin ein Eichhörnchen. Er hat's dir erzählt, weil er nicht mein Freund ist. Würdest du mir jetzt erzählen, was los ist?«

»Als ich noch nicht wusste, dass ich nur die zweite Geige spielen würde«, sagte sie zuckersüß, »habe ich mich mit Smilow im Roper-Krankenhaus getroffen. Und wir hatten tatsächlich Glück.«

»Wieso?«

»Einer von den Leuten mit Lebensmittelvergiftung…«

»Ja?«

Am anderen Ende der Straße, in der Hammond parkte, tauchten Scheinwerfer auf. Er ließ seinen Wagen an.

»Hammond, wo steckst du?«, wollte Steffi ungeduldig wissen. »Hörst du zu? Es klingt, als würdest du dich abseilen.«

»Ich kann dich hören. Red weiter. Einer von den Leuten mit Lebensmittelvergiftung…«

»Hat draußen vor Pettijohns Suite eine Frau gesehen. Nun, eigentlich kann er nicht beschwören, ob sie von draußen kam, aber diese technische Einzelheit können wir beiseite schieben, wenn sonst alles stimmt.«

Das Auto hielt vor Dr. Ladds Praxis. *Sie ist mit irgendeinem Kerl in einem Cabrio weggefahren*, hatte ihm Winthrops Herrchen erzählt.

Steffi sagte gerade: »Also nach langem Herumgerede über eine Affäre –«

Hammond fuhr langsam weiter und kam nahe genug, um zu erkennen, dass es sich bei dem Wagen um ein Cabrio handelte. »Wenn ich's mir noch mal recht überlege, vergiss die Sache mit der Affäre«, meinte Steffi. »Das ist irrelevant. Jedenfalls konnte Mr. Daniels die Frau wesentlich besser erkennen, als er uns und Mrs. Daniels anfänglich glauben machen wollte.«

Das intensive Scheinwerferlicht des Cabrios blendete Hammond so sehr, dass er dahinter nichts erkennen konnte. Aber als er an dem Auto vorbeifuhr, drehte er den Kopf, um die Insassen zu sehen. Ein Mann hinter dem Lenkrad. Eine Frau auf dem Beifahrersitz. Sie war es. Zweifelsohne.

»Inzwischen gibt Mr. Daniels zu, dass er sich annähernd an ihre Größe, ihr Gewicht, ihre Haarfarbe und so weiter erinnert.«

Hammond schaltete innerlich ab. Kaum war er an dem anderen Wagen vorbei, fixierte er seinen Außenspiegel und sah gerade noch rechtzeitig, wie sich der Mann hinüberbeugte, ihr seine Hand um den Hals legte und ihr Gesicht nahe an seines zog.

Hammond trat das Gaspedal so fest durch und nahm die Kurve so schnell, dass die Reifen quietschten. Sicher war das eine unreife, von Eifersucht geschürte Reaktion, aber genauso fühlte er sich. Am liebsten hätte er etwas angefahren. Er hatte wirklich gute Lust, Steffi zu erklären, sie solle endlich die Schnauze halten.

»Dann tu's doch, Steffi«, sagte er und unterbrach sie mitten im Satz.

Überrascht holte sie Luft. »Was soll ich tun?«

Er hatte keine Ahnung. Er hatte nur halb zugehört, aber das würde er nie zugeben. Sie hatte ihm von einem potenziellen Zeugen berichtet. Jemand, der jemanden in der Nähe von Pettijohns Suite gesehen hatte und eine einigermaßen genaue Beschreibung liefern konnte.

Vielleicht hatte Steffi schon einen Phantomzeichner vorgeschlagen. So etwas Ähnliches hatte sie in dem Moment erwähnt, als Hammond an dem Cabrio vorbeigerollt war, aber ihm war das Blut in den Kopf geschossen und hatte ihr Geplapper ausgelöscht. Ein vager Eindruck von Steffis Worten war hängen geblieben, aber das meiste war einem wilden Urbedürfnis zum Opfer gefallen. Am liebsten wäre er zurückgefahren und hätte den Mistkerl im Cabrio am Kragen gepackt. Eines stand fest: Er musste sich zusammenreißen, sonst würde er explodieren. Jetzt und sofort. Er musste sicherstellen, dass es etwas gab, worüber Hammond Cross noch immer die Kontrolle hatte.

»Ich will gleich morgen früh einen Phantomzeichner haben.«

»Hammond, es ist schon spät.«

Er wusste, wie spät es war. Seit Stunden saß er in einem heißen Auto und hing erotischen Phantasiegebilden nach. Zu seinem Unglück war dabei nur *Dr. Ladd* in Begleitung eines anderen Mannes herausgekommen. »Ich weiß, wie spät es ist.«

»Mein Argument ist Folgendes: Ich weiß nicht, ob ich –«

»Welche Zimmernummer hat dieser Mensch?«

»Mr. Daniels? Ähem …«

»Ich will selbst mit ihm reden.«

»Das ist wirklich nicht nötig. Smilow und ich haben ihn rigoros ausgequetscht. Außerdem wird er, so viel ich weiß, am Morgen entlassen.«

»Dann solltest du am besten einen frühen Termin anberaumen. Halb acht. Und halte den Phantomzeichner bereit.«

MONTAG

13

Am nächsten Morgen betrat Hammond um halb acht mit einer Ausgabe des *Post and Courier* und seiner Aktentasche das Krankenhaus. Am Informationsschalter blieb er stehen und erkundigte sich nach der Zimmernummer, die er von Steffi nicht mehr erfahren hatte. Sein nächster Halt galt dem Kaffeeautomaten.

Er trug zwar eine Krawatte, hatte aber angesichts der Vorhersage für einen heißen Tag seine Anzugjacke im Auto gelassen, die Ärmel aufgekrempelt und den Kragenknopf geöffnet. Sein Auftreten war militant, sein Gesicht finster wie eine Gewitterfront.

Zu Steffis Anerkennung waren die anderen bei seinem Eintreffen schon versammelt. Sie selbst, dazu Rory Smilow, eine zerrupft aussehende Frau in einer schlecht sitzenden Polizeiuniform und der Mann im Krankenbett. Steffi hatte verquollene Augen, als ob sie schlecht geschlafen hätte. Nach einer gemurmelten Begrüßungsrunde meinte sie: »Hammond, du erinnerst dich doch noch an Corporal Mary Endicott. Wir haben schon mal mit ihr zusammengearbeitet.«

Er ließ Aktentasche und Zeitung in einen Sessel fallen, um der Polizeizeichnerin die Hand zu schütteln. »Corporal Endicott.«

»Mr. Cross.«

Danach stellte Steffi ihm Mr. Daniels aus Macon, Georgia, vor, der an dem faden Essen auf seinem Frühstückstablett herumknabberte. »Tut mir Leid, Mr. Daniels, dass ihr Besuch in Charleston nicht optimal verlaufen ist. Geht's Ihnen schon wieder besser?«

»Es reicht, um hier herauszuwollen. Wenn's geht, würde ich die Sache gern hinter mich bringen, bevor mich meine Frau abholen kommt.«

»Wie schnell wir fertig werden, hängt davon ab, wie präzise Ihre Beschreibung ist. Corporal Endicott ist exzellent, aber sie kann nur so gut sein wie Sie.«

Daniels zog ein besorgtes Gesicht. »Müsste ich denn vor Gericht aussagen? Ich meine, wenn Sie diese Dame fassen und sich herausstellt, dass sie diejenige ist, die diesen Mann getötet hat, muss ich sie dann beim Prozess identifizieren?«

»Möglicherweise schon«, erklärte ihm Hammond.

Der Mann seufzte bedrückt. »Nun, wenn's so weit kommen sollte, werde ich meine Bürgerpflicht erfüllen.« Er zuckte philosophisch die Achseln. »Bringen wir's hinter uns.«

Hammond sagte: »Zuerst würde ich gerne Ihre Geschichte hören, Mr. Daniels.«

»Die hat er uns schon mehrmals erzählt«, meinte Smilow. »Das bringt wirklich nicht mehr viel.«

Außer einem formellen Guten Morgen hatte sich Smilow bis jetzt so stumm und still verhalten wie eine Eidechse in der Sonne. Smilows Gebaren wirkte oft träge, aber auf Hammond machte er den Eindruck eines Reptils, das ständig auf eine Gelegenheit zum Zubeißen lauert.

Hammond gestand sich ein, dass sein Vergleich zwischen Smilow und einer Schlange einzig und allein auf seiner uneingeschränkten Abneigung gegen diesen Mann basierte. Ganz zu schweigen davon, wie unrecht er den Schlangen damit tat.

Smilows gut gebügelter Anzug war perfekte Maßarbeit. Von seinem steifen weißen Hemd wäre eine Münze abgeprallt, seine Krawatte war fest gebunden, kein Härchen stand ab. Er hatte klare wache Augen. Nachdem sich Hammond eine ganze Nacht unruhig von einer Seite auf die andere gewälzt hatte, stießen ihm Smilows wie aus dem Ei gepelltes Äußeres und seine unerschütterliche Haltung besonders sauer auf.

»Selbstverständlich ist das Ihr Part«, sagte er höflich. »Das ist Ihre Ermittlung.«

»Richtig, ist es.«

»Aber aus Höflichkeit –«

»Sie waren nicht sehr höflich zu mir, als Sie diesen Termin anberaumt haben, ohne mich vorher zu fragen. Sie sagen, es sei meine Ermittlung, aber von außen betrachtet wirkt es wie Ihre. Wie immer, Hammond, straft Ihr Verhalten Ihre Worte Lügen.«

Typisch Smilow. Brach am frühen Morgen einen Streit vom Zaun, wenn er, Hammond, selbst gereizt war. »Schauen Sie, ich war am Tag, als Pettijohn getötet wurde, nicht in der Stadt, deshalb versuche ich jetzt aufzuholen. Ich habe zwar die Zeitungsberichte gelesen, weiß aber, dass Sie den Medien nicht alle Spuren mitteilen. Ich bitte doch nur darum, dass man mich persönlich über die Details informiert.«

»Sobald die Zeit dafür reif ist.«

»Und was ist gegen heute einzuwenden?«

»Okay, Jungs, Spielchen könnt ihr woanders spielen!« Steffi trat zwischen sie und gestikulierte ein klares »Basta«. »Ist doch wirklich egal, wer diesen Termin anberaumt hat, oder? Hammond, als ich gestern Nacht Corporal Endicott endlich erreicht habe, hatte Smilow schon bei ihr angerufen.« Mit einem Nicken bestätigte die matronenhafte Polizeibeamtin dies. »Also ist Smilow, rein technisch gesehen, zuerst auf die Idee gekommen, so wie es auch sein sollte, denn schließlich ist dieser Fall sein Baby, bis er ihn an uns übergibt. Stimmt's?«

»Außerdem, Smilow, dass Hammond ebenfalls an die Phantomzeichnerin gedacht hat, beweist doch nur, dass kluge Köpfe ähnlich denken. Dieser Fall kann sämtliche gescheiten Leute brauchen, die sich auftreiben lassen. Also, fangen wir an, damit wir die Herrschaften hier nicht länger als nötig aufhalten. Mr. Daniels ist etwas in Eile, und auch wir anderen haben genug zu tun. Ich persönlich hätte nichts dagegen, seinen Bericht noch mal zu hören.«

Mit einem knappen Kopfnicken stimmte Smilow zu. Daniels wiederholte sein Erlebnis vom Samstagnachmittag. Als er fertig war, fragte ihn Hammond, ob er sicher sei, dass er sonst niemanden gesehen hätte.

»Sie meinen, sobald ich im fünften Stock war? Nein, Sir.«

»Sind Sie sicher?«

»Diese eine Dame und ich waren die Einzigen weit und breit.

Allerdings bin ich nach Verlassen des Aufzugs nicht länger als …
hmm … sagen wir mal zwanzig oder dreißig Sekunden im Flur gewesen.«

»Ist jemand bei Ihnen im Lift gewesen?«

»Nein, Sir.«

»Ich danke Ihnen, Mr. Daniels. Sie haben mir einen großen Gefallen getan.«

Ohne auf Smilows Ich-hab's-ja-gesagt-Miene weiter einzugehen, überließ Hammond Daniels Mary Endicott. Smilow entschuldigte sich, um ein paar Telefonate zu führen. Steffi schaute
der Zeichnerin über die Schulter und verfolgte die Fragen, die sie
Daniels stellte. Hammond nahm seinen lauwarmen Kaffee mit
ans Fenster und starrte in einen Tag hinaus, der für seine innere
Stimmung viel zu sonnig war.

Schließlich gesellte sich Steffi zu ihm. »Du bist so ruhig.«

»Die Nacht war kurz. Ich konnte nicht einschlafen.«

»Irgendeinen besonderen Grund für deine Schlaflosigkeit?«

Da ihm die unterschwellige Bedeutung ihrer Frage klar war,
wandte er den Kopf und schaute auf sie hinab. »Nur Unruhe.«

»Hammond, du bist grausam.«

»Wieso?«

»Wenigstens hättest du dich gestern Abend sinnlos betrinken
und deine Entscheidung, mit mir Schluss zu machen, noch mal
überdenken können.«

Trotz seines Lächelns klang er ernst. »Steffi, es war die einzige
Entscheidung, die es für uns gab. Das weißt du genauso gut wie
ich.«

»Besonders im Hinblick auf Masons Entscheidung.«

»Das war seine, nicht meine.«

»Trotzdem hatte ich nie die Chance, um diesen Fall zu kämpfen. Mason bevorzugt dich und macht keinen Hehl daraus. Das
wird er immer tun. Und das weißt du genauso gut wie ich.«

»Steffi, ich war vor dir da. Das Ganze ist eine Sache der älteren Rechte.«

»Jaja, ist schon recht.« Ihr witziger Ton widersprach den Worten.

Noch ehe Hammond darauf antworten konnte, kam Smilow zurück. »Das ist interessant. Einer meiner Jungs hat in Pettijohns Nachbarschaft herumgeschnuppert, um zu sehen, ob einer Lute mit einem Handwerker oder Nachbarn streiten gehört hat. Fehlanzeige.«

»Hoffentlich kommt noch ein *aber*«, sagte Steffi.

Er nickte. »Aber Sarah Birch war am Samstagnachmittag im Supermarkt. Sie bat den Metzger, er solle ihr Taschen in ein paar Schweinekoteletts schneiden, die sie für Sonntagabend füllen wollte. Da er viel zu tun hatte, kam er erst nach einiger Zeit dazu. Statt zu warten, hat sie ihren restlichen Einkauf erledigt. Der Laden war voll. Der Metzger sagt, sie sei erst eine Stunde später wiedergekommen. Das heißt, sie hat uns angelogen. Sie war nicht den ganzen Nachmittag mit Mrs. Pettijohn zu Hause.«

»Wenn sie schon wegen so einer Kleinigkeit wie einkaufen gehen lügt, dann tischt sie uns auch eine dicke Lüge auf, wenn's sein muss.«

»Diese kleine Lüge reicht schon«, meinte Smilow. »Der Zeitrahmen passt. Der Metzger erinnert sich daran, dass er Sarah Birch die Koteletts erst kurz vor Schichtende um halb sieben ausgehändigt hat.«

»Was bedeutet, dass sie zwischen, sagen wir mal, fünf und halb sieben unterwegs gewesen ist«, dachte Steffi laut. »Ungefähr zur selben Zeit, zu der Pettijohn umgelegt wurde. Und der Supermarkt liegt nur zwei Blöcke vom Hotel entfernt! Verdammt! Kann es so einfach sein?«

»Nein«, meinte Smilow widerwillig. »Nach Mr. Daniels' Aussage war die Frau, die er im Hotelflur gesehen hat, keine Farbige. Was Sarah Birch definitiv ist.«

»Trotzdem könnte sie Davee decken.«

»Die Frau, die er gesehen hat, war aber auch nicht blond«, rief ihr Smilow ins Gedächtnis. »Und Davee Pettijohn ist eine waschechte Blondine.«

»Machst du Witze? Sie ist die ungekrönte Clairol-Königin.«

Es überraschte Hammond nicht, dass Davees getreue Haushälterin für sie lügen würde. Ihn störte lediglich Steffis boshafter

Kommentar. Außerdem war ihm nicht ganz wohl dabei zu Mute, dass die Freundin seiner Kindertage auf Grund eines Alibis, das entgegen ihrer Behauptungen gar nicht so felsenfest war, ernsthaft als Verdächtige galt.

»Davee hätte Lute nie und nimmer ermordet.« Die beiden anderen drehten sich zu ihm um. »Welches Motiv sollte sie haben?«

»Eifersucht und Geld.«

Er schüttelte verneinend den Kopf. »Steffi, sie hat selbst Liebhaber. Warum sollte sie auf Lute eifersüchtig sein? Außerdem verfügt sie über eigenes Geld. Vermutlich über mehr als Lute.«

»Schön, trotzdem bin ich noch nicht bereit, sie von der Liste zu streichen.«

Hammond überließ die beiden ihren Spekulationen und begab sich zum Bett hinüber. Ein Skizzenbuch mit einer scheinbar endlosen Vielfalt von Augenformen lag offen auf Daniels' Schoß. Hammond warf rasch einen Blick auf Endicotts Versuch, aber sie arbeitete noch an der korrekten Wiedergabe der Gesichtsform.

»Vielleicht hier ein bisschen schmaler«, meinte Mr. Daniels, wobei er sich über die Wange fuhr. Die Zeichnerin nahm die entsprechenden Korrekturen vor. »Ja, schon eher.«

Als sie zu Augenbrauen und Augen übergingen, gesellte sich Hammond wieder zu Steffi und Smilow. »Wie steht's mit ehemaligen Geschäftspartnern?«

»Natürlich wird man sie befragen«, antwortete Smilow mit unterkühlter Höflichkeit, »das heißt, alle, die keinen Gefängnisaufenthalt als Alibi haben.«

Bis auf die Fälle, die der Bundesgerichtsbarkeit unterstanden, hatte Hammond mitgeholfen, einige dieser sauberen Herren mit den weißen Kragen hinter Schloss und Riegel zu bringen. Lute Pettijohn hatte die Regeln oft genug nach seinem Gutdünken hingebogen und war dabei häufig nur um Haaresbreite an kriminellen Tatbeständen vorbeigeschrammt. Aber trotz seines Flirts mit dem Gesetzesbruch hatte er die Grenze nie überschritten.

»Eines der jüngsten Unternehmen Pettijohns dreht sich um eine Insel«, erklärte ihnen Smilow.

»Und das ist die einzige Neuigkeit?«, spöttelte Steffi.

»Dieses Unternehmen ist anders. Speckle Island liegt ungefähr zwei Kilometer vor der Küste und gehört zu den wenigen, die bisher von der Erschließung verschont geblieben sind.«

»Das genügt, um Pettijohns Begehrlichkeit zu wecken«, bemerkte Steffi.

Smilow nickte. »Er hatte schon alles angeleiert, ohne dass sein Name auf irgendeinem Dokument der Bauträger erscheint. Wenigstens nicht auf den Unterlagen, die wir bisher ausfindig machen konnten. Aber eines kann ich euch versprechen, wir prüfen das.« Dann fügte er nach einem Blick auf Hammond hinzu: »Gründlich.«

Hammonds Herz sackte wie eine Bleikugel in seiner Brust nach unten. Was ihm Smilow soeben über Pettijohns Bauvorhaben auf Speckle Island erzählte, war für ihn ganz und gar nichts Neues. Er wusste noch viel mehr, mehr, als er eigentlich wissen wollte.

Vor ungefähr sechs Monaten hatte ihn der Generalstaatsanwalt von South Carolina um eine verdeckte Ermittlung in Sachen Pettijohns Inselerschließung gebeten. Seine Entdeckungen waren alarmierend gewesen, am meisten aber die Tatsache, dass der Name seines eigenen Vaters auf der Investorenliste aufgetaucht war. Aber dieses Wissen würde er so lange unter Verschluss halten, bis er herausgefunden hatte, welche Verbindung es zwischen Speckle Island und dem Mord an Pettijohn gab, falls überhaupt eine bestand. Was hatte ihm Smilow vorhin rüde erklärt? Auch er würde dem Kommissar diese Details erst dann geben, wenn die Zeit dafür reif war.

Steffi sagte: »Eventuell hat einer der ehemaligen Partner eine derartige Wut auf ihn gehabt, dass er sich zu einem Mord hinreißen ließ.«

»Durchaus möglich«, meinte Smilow, »aber das Problem ist, dass Lute innerhalb eines Zirkels aus einflussreichen Leuten operiert hat, darunter Regierungsbeamte aller Ebenen. Seine Freunde waren Männer, die auf die eine oder andere Form Macht ausüben. Das kompliziert meine Manövrierfähigkeit, wird mich aber nicht davon abhalten, nachzubohren.«

Eines wusste Hammond genau: Da draußen ruhte der Name Preston Cross wie ein vergrabener Schatz, der nur darauf wartete, bei Smilows Tiefenbohrung entdeckt zu werden. Es war nur noch eine Zeitfrage, bis die Verbindung seines Vaters zu Pettijohn aufflog.

Insgeheim verwünschte Hammond seinen Vater, weil er ihn in diese kompromittierende Position gebracht hatte. Schon bald könnte er gezwungen sein, zwischen Pflicht und Loyalität zur Familie zu wählen. Prestons schmutzige Geschäfte konnten Hammond mindestens den Mordfall Pettijohn kosten.

Er schielte zum Krankenbett hinüber, wo die Zeichnerin anscheinend Fortschritte machte.

»Ihre Haare. Waren sie lang oder kurz?«

»Gingen ungefähr bis hier«, sagte Daniels, wobei er auf seine Schulter deutete.

»Pony?«

»Sie meinen, auf der Stirn? Nein.«

»Glatt oder gelockt?«

»Schätze, eher lockig. Wuschelig.« Wieder nahm er zum Verdeutlichen seine Hände zu Hilfe.

»Dann trug sie sie also offen?«

»Tja, schätze schon. Von Frisuren verstehe ich nicht allzu viel.«

»Blättern Sie mal dieses Heft durch. Schauen Sie, ob darin irgendein Foto Ähnlichkeit mit ihren Haaren hat.«

Daniels runzelte die Stirn und warf einen besorgten Blick auf die Uhr, folgte dann aber doch der Anweisung und begann, lustlos das Friseurmagazin durchzublättern.

»Welche Haarfarbe hatte sie?«, wollte die Zeichnerin wissen.

»Irgendwie rot.«

»Sie war ein Rotschopf?«

Hammond fühlte sich bei Daniels' Worten, als ob er, wie beim Tauziehen, Handgriff für Handgriff unaufhaltsam näher gezogen würde.

»Einen Karottenkopf hatte sie nicht.«

»Dann also dunkelrot?«

»Nein. Vermutlich könnte man braun dazu sagen, aber mit 'ner Menge Rot drin.«

»Rot-Braun?«

170

»Das ist es«, sagte er Finger schnippend. »Ich wusste, dafür gibt's ein Wort. Ist mir einfach nicht eingefallen. Rot-Braun.«

Hammond schluckte einen Mund voll Kaffee, der plötzlich bitter schmeckte. Wie ein Mensch mit Höhenangst, der sich zögernd dem Rand des Grand Canyons nähert, schob er sich zentimeterweise ans Krankenbett.

Corporal Endicott warf rasche Bleistiftstriche auf das Papier über ihrem Zeichenbrett. Kratz, kratz, kratz. »Wie ist das?«, sagte sie und zeigte Daniels ihr Werk.

»He, das ist echt gut. Nur eines noch, wissen Sie, sie hatte rund ums Gesicht Fransen.«

Hammond rückte einige Schritte näher. »So ähnlich?«

Daniels erklärte Endicott, sie hätte die Frisur exakt getroffen. »Gut. Dann bliebe jetzt nur noch der Mund«, meinte die Phantomzeichnerin, legte das Magazin beiseite und schlug ein anderes Kapitel im Skizzenbuch auf. »Mr. Daniels, erinnern Sie sich an irgendetwas Auffallendes an ihrem Mund?«

»Sie trug Lippenstift«, murmelte er, während er Hunderte von Lippenzeichnungen studierte.

»Also sind Ihnen ihre Lippen aufgefallen?«

Er hob den Kopf und warf verstohlen einen verunsicherten Blick Richtung Tür, als ob er befürchtete, Mrs. Daniels könnte dort stehen und lauschen. »Ihr Mund sah irgendwie wie der da aus.« Er deutete auf eine der Standardskizzen. »Nur dass ihre Unterlippe voller war.« Endicott prägte sich die Zeichnung im Buch ein und übertrug sie dann auf ihre eigene Skizze.

Daniels schaute zu und meinte: »Sie hat mich flüchtig angeschaut und dabei ein wenig gelächelt.«

»Konnte man ihre Zähne sehen?«

»Nein. Ein höfliches Lächeln, Sie wissen schon, so wie's Leute tun, wenn sie einen Lift oder was Ähnliches betreten.«

Wie wenn sich Blicke zufällig über einer Tanzfläche begegnen. Hammond brachte nicht den Mut auf, Endicotts Arbeit näher anzuschauen, aber vor seinem inneren Auge sah er einen geschlossenen Mund verführerisch lächeln, ein Lächeln, das sich ihm tief ins Gedächtnis gegraben hatte.

»Annähernd in der Art?« Endicott drehte Daniels ihren Block hin, damit er besser sehen konnte.

»Also, da soll mich doch der Schlag treffen«, rief er ehrfürchtig. »Das ist sie.«

Ein einziger rascher Blick genügte Hammond zur Bestätigung, dass sie es wirklich war. Sie war es.

Smilow und Steffi waren ganz in ihre eigene Unterhaltung vertieft gewesen, aber bei Daniels' leisem Ausruf stürzten sie ans Bett. Hammond ließ sich von Steffis Ellbogen beiseite schieben. Er musste nichts mehr weiter sehen.

»Ist zwar nicht exakt«, erklärte ihnen Daniels, »aber verdammt nah dran.«

»Irgendwelche auffälligen Flecken oder Narben?«

Eine Sommersprosse.

»Ich glaube, sie hatte so was Ähnliches wie ein Muttermal«, sagte Daniels. »War aber nicht hässlich. Eher wie 'ne Sommersprosse. Unter dem Auge.«

»Wissen Sie noch --«, hob Steffi an.

»Welches Auge?«, beendete Smilows Frage ihren Gedanken. *Das rechte.*

»Uh, mal sehen, ich habe ihr ins Gesicht geschaut… das heißt also, es müsste… ihr linkes sein. Nein, warten Sie, ihr rechtes. Definitiv ihr rechtes«, sagte Daniels ganz begeistert darüber, dass er diese Details beitragen konnte.

»Waren Sie so nahe, dass Sie ihre Augenfarbe sehen konnten?«

»Nein, leider nicht.«

Grün, mit braunen Flecken. Stehen weit auseinander. Dunkle Wimpern.

»Wie groß war sie, Mr. Daniels?«

Eins achtundsechzig.

»Größer als Sie«, meinte er auf Steffis Frage, »aber einige Zentimeter kleiner als Mr. Smilow.«

»Ich bin eins achtundsiebzig«, schlug er vor.

»Also ungefähr eins siebzig?«, fragte Steffi, die nachgerechnet hatte.

»Ungefähr, würd ich sagen.«

»Gewicht?«

Dreiundfünfzig Kilo.

»Nicht viel.«

»Achtundfünfzig Kilo?«, schlug Smilow vor. »Weniger, vermute ich.«

»Erinnern Sie sich zufällig noch an ihre Kleidung?«, wollte Steffi wissen. »Hosen? Oder Shorts? Ein Kleid?«

Einen Rock.

»Entweder Shorts oder einen Rock. Da bin ich sicher, wissen Sie, weil man ihre Beine sehen konnte.« Daniels rutschte hin und her. »Irgend so 'ne Art Top. An die Farbe oder was Ähnliches kann ich mich nicht mehr erinnern.«

Weißer Rock. Braunes Stricktop mit passender Jacke. Braune Ledersandalen. Keine Strümpfe. Einen beigen Spitzen-BH mit Vorderverschluss. Dazu passender Slip.

Endicott begann, ihr Zeichenzeug einzusammeln, und stopfte es in die randvolle schwarze Tasche. Smilow nahm ihr die Zeichnung ab, dann schüttelte er Mr. Daniels die Hand. »Wir haben Ihre Nummer in Macon, falls wir Sie noch mal kontaktieren müssen. Hoffentlich genügt das. Vielen herzlichen Dank.«

»Gilt auch für mich«, sagte Steffi und lächelte dem Mann zu, ehe sie hinter Smilow zur Tür ging.

Hammond hatte es die Sprache verschlagen, deshalb nickte er Mr. Daniels zum Abschied nur zu. Draußen im Flur bedankten sich Smilow und Steffi ausführlich bei der Phantomzeichnerin, bevor sie in den Fahrstuhl stieg.

Sie selbst blieben noch ein Weilchen, um die Skizze zu begutachten und einander zu gratulieren. »Also das ist unsere geheimnisvolle Dame«, bemerkte Smilow. »Sieht nicht wie eine Mörderin aus, oder?«

»Wie sieht denn eine Mörderin aus?«

»Guter Punkt, Steffi.«

Sie lachte in sich hinein. »Jetzt verstehe ich, weshalb Mr. Daniels seine Frau nicht in der Nähe haben wollte, während er unsere Verdächtige beschrieb. Meiner Ansicht nach stand ihm *trotz* seiner aufgewühlten Eingeweide der Sinn nach einer Fremden. Er erinnert sich an das kleinste Detail, bis zum Leberfleck unter dem rechten Auge des Mädels.«

»Eines musst du zugeben: Dieses Gesicht merkt man sich.«

»Wenn's um schuldig oder nicht schuldig geht, ist das auch kein Freifahrtschein. Hübsche Frauen können genauso bereitwillig töten wie hässliche. Stimmt's, Hammond?« Steffi drehte sich zu ihm um. »Heiliger Strohsack, was ist mit dir?«

Offensichtlich sah er so elend aus, wie er sich fühlte. »Verdorbener Kaffee«, sagte er, wobei er den leeren Styroporbecher in der Hand zerdrückte.

»Na denn, Smilow, auf geht's, schnapp sie dir.« Steffi klopfte mit dem Fingernagel gegen die Zeichnung. »Das Gesicht hätten wir.«

»Wäre hilfreich, wenn wir ihren Namen wüssten.«

Dr. Alex Ladd.

14

Die oberste Justizbehörde war vorübergehend in North Charleston untergebracht, in einem nichts sagenden zweistöckigen Gebäude mitten in einem Gewerbegebiet. Gleich nebendran lagen ein Baumarkt und eine Bäckerei, die Waren vom Vortag verkaufte. Dieser abgelegene Bau musste so lange genügen, bis die langwierige Renovierung des prächtigen alten Justizgebäudes im Stadtzentrum beendet war. Sie war bereits überfällig gewesen, als der Hurrikan Hugo das Gebäude endgültig baufällig und unbenutzbar gemacht und so den Umzug erzwungen hatte.

Die Fahrt vom Zentrum dauerte nur zehn Minuten, aber wie er sie an diesem Morgen hinter sich gebracht hatte, war ihm ein Rätsel. Er parkte, ging hinein und reagierte ganz automatisch auf den Wachposten neben dem Metalldetektor am Eingang. Dann bog er nach links in die Räume der Bezirksstaatsanwaltschaft ab, marschierte, ohne anzuhalten, an der Empfangsdame vorbei und bat sie brüsk, keinen Anruf durchzustellen.

»Sie haben bereits –«

»Ich werde mich später um alles kümmern.«

Damit schloss er laut und deutlich die Tür zu seinem Büro hinter sich. Nachdem er sein Jackett samt Aktentasche achtlos auf den Papierstapel geworfen hatte, der ihn auf seinem Schreibtisch erwartete, ließ er sich in den hochlehnigen Ledersessel fallen und presste die Handballen in die Augenhöhlen.

Das konnte es einfach nicht geben. Das musste ein Traum sein. Schon bald würde er erschreckt und schweißgebadet zwischen nassen Laken auffahren. Nach kurzer Orientierung inmitten der vertrauten Umgebung würde er dann erleichtert feststellen, dass er tief geschlafen und dass dieser Albtraum nichts mit der Realität zu tun hatte.

Und doch war es so. Er träumte nicht, er erlebte es. Gegen jede Wahrscheinlichkeit hatte die Phantomzeichnerin Dr. Alex Ladd gezeichnet, die Frau, die nur wenige Stunden, nachdem sie am Schauplatz eines Mordes gesichtet worden war, Hammonds Bett geteilt hatte.

Zufall? Höchst unwahrscheinlich.

Zwischen ihr und Lute Pettijohn musste irgendeine Verbindung bestehen. Hammond war sich nicht sicher, ob er den wahren Charakter dieser Verbindung wirklich kennen wollte. Im Grunde war er sich sogar absolut sicher, dass er die Wahrheit nicht erfahren wollte.

Er fuhr sich mit den Händen übers Gesicht, dann stützte er die Ellbogen auf seinen Schreibtisch, starrte in die Luft und versuchte, einen Hauch Ordnung in seine chaotischen Gedanken zu bringen.

Erstens: Corporal Endicott hatte das Gesicht der Frau gezeichnet, mit der er Samstagnacht geschlafen hatte. Daran bestand kein Zweifel. Auch wenn er sie nicht am Abend vorher erneut gesehen hätte, würde er ihr Gesicht nicht so schnell vergessen. Es hatte ihn von Anfang an angezogen. Samstagnacht und am frühen Sonntagmorgen hatte er es stundenlang angeschaut, bewundert, gestreichelt und geküsst.

»Woher hast du das?« Er berührte einen Fleck unter ihrem rechten Auge.

»Mein Muttermal?«

»Das ist ein Schönheitsfleck.«

»Danke.«

»Bitte.«

»Als ich jünger war, hab ich es gehasst. Inzwischen, muss ich gestehen, hab ich's ziemlich lieb gewonnen.«

»Kann ich gut verstehen. Ich könnte es auch lieb gewinnen.« Er küsste es, einmal, dann ein zweites Mal, wobei er es sachte mit seiner Zungenspitze berührte.

»Hmm. Wie schade.«

»Warum?«

»Dass ich nicht mehr solche Stellen habe.«

Ihr Gesicht war ihm tief vertraut. Bei der Skizze handelte es sich lediglich um eine zweidimensionale Schwarzweißzeichnung. Angesichts dieser begrenzten Möglichkeiten konnte sie unmöglich das Wesen dieser Frau einfangen. Trotzdem hatte sie so verblüffend viel Ähnlichkeit, dass es keinen Zweifel gab: Dr. Ladd war in der Nähe jenes Zimmers gesehen worden, in dem ein Mord geschah, und war kurz darauf einem Vertreter der Bezirksstaatsanwaltschaft über den Weg gelaufen, genauer gesagt einem gewissen Hammond Cross, der sich selbst an jenem Nachmittag in der Gesellschaft von Pettijohn befunden hatte.

»Lieber Himmel.« Mit gesenktem Kopf raufte er sich die Haare und hätte beinahe vor dem Nicht-glauben-Können und der Verzweiflung kapituliert, die über ihn hereinbrachen. Zum Teufel, was sollte er tun?

Nun, innerlich zusammenbrechen konnte er nicht, auch wenn ihm das am liebsten gewesen wäre. Was für ein Gefühl – sich aus diesem Büro davonzustehlen, fort aus Charleston, fort aus diesem Bundesstaat, einfach weglaufen und sich verstecken. Man sollte diese Schweinerei ungestört auffliegen lassen und sich den Widerstand gegen den Skandal ersparen, der sich danach wie Lava unvermeidlich über alles ergießen würde.

Aber er war aus härterem Stoff gebaut. Er hatte ein angeborenes unerschütterliches Verantwortungsgefühl, ein Charakterzug, den seine Eltern tagtäglich gefördert hatten. Die Vorstellung, vor dieser Sache wegzulaufen, war genauso eine Fata Morgana wie der Wunsch nach Flügeln.

Deshalb zwang er sich, einen zweiten Punkt zu sehen, für den es kein Gegenargument zu geben schien: Die Tatsache, dass sie ihm ihren Namen verheimlicht hatte, hatte nichts mit Flirten zu tun gehabt, wie er fälschlicherweise angenommen hatte. Sie waren schon mindestens eine Stunde zusammen auf dem Volksfest gewesen, ehe er überhaupt daran gedacht hatte, sie danach zu fragen. Sie hatten gelacht, weil sie so lange bis zu einem Punkt gebraucht hatten, der normalerweise an erster Stelle kam, wenn sich zwei Menschen begegnen und selbst vorstellen müssen.

»Namen sind doch wirklich nicht wichtig, oder? Nicht bei einer so reizenden Begegnung.«

Er bejahte. »Tja, was heißt das: Name?« Und dann zitierte er die Passage aus Romeo und Julia, *so weit sie ihm noch einfiel.*

»Das ist gut! Hast du je daran gedacht, es aufzuschreiben?«

»Hab ich tatsächlich, verkauft sich aber nicht.«

Dieser Scherz wiederholte sich von da an immer wieder: Er fragte sie nach ihrem Namen, sie weigerte sich, ihn zu nennen. Wie ein Volltrottel hatte er es als die Phantasie interpretiert, mit einem anonymen Fremden zu schlafen, die sie spielerisch wahr machten. Die Namenlosigkeit war ein Teil des verführerischen Abenteuers gewesen, der den Reiz des Ganzen nur noch steigerte. Er hatte nichts Böses dahinter vermutet.

Jetzt verstörte ihn nur eines: Alex Ladd hatte höchstwahrscheinlich die ganze Zeit über seinen Namen gekannt. Sie waren einander nicht aufs Geratewohl begegnet. Es war kein Zufall, dass sie kurz nach ihm den Tanzpavillon betreten hatte. Ihr Treffen war geplant gewesen. Der Rest des Abends hatte darauf abgezielt, ihn und/oder die Staatsanwaltschaft entweder in Verlegenheit zu bringen oder zur Gänze bloßzustellen.

Das wahre Ausmaß blieb abzuwarten. Aber selbst der kleinste Fleck könnte für seine junge Karriere fatal sein. Noch der leiseste Skandal würde zum Stolperstein. Ein Skandal dieser Größenordnung würde seine Hoffnung auf die Nachfolge von Monroe Mason ganz gewiss schwer beeinträchtigen, wenn nicht gar vernichten. Damit wäre er als führender Gesetzeshüter im Bezirk Charleston erledigt.

Er lehnte sich über seinen Schreibtisch und vergrub erneut das Gesicht in den Händen. *Zu schön, um wahr zu sein.* Ein triviales und doch treffendes Sprichwort. Während des Jurastudiums hatte er sich mit seinen Freunden in einer Bar namens Niunede getroffen, eine Abkürzung für »Nichts ist umsonst, nicht einmal das Essen«. Der Traumabend mit der aufregendsten Frau seines Lebens hatte nicht nur Haken. Vermutlich würde man ihn letztlich an einem dieser Haken aufhängen.

Mit weit offenen Augen war er in die älteste Falle der Menschheit getappt. Sex war eine bewährte Methode, um einen Mann zu kompromittieren, die sich schon unzählige Male im Laufe der Geschichte als verlässliches und wirksames Mittel zum rechten Zeitpunkt erwiesen hatte. Nie hätte er sich für so leichtgläubig gehalten, aber offensichtlich war er es.

Leichtgläubigkeit war verzeihlich, Justizbehinderung nicht.

Warum hatte er nicht sofort vor Smilow und Steffi zugegeben, dass er die Frau auf dem Phantombild kannte?

Weil sie eventuell völlig unschuldig war. Dieser Daniels könnte sich irren. Sollte er Alex Ladd tatsächlich im Hotel gesehen haben, wäre der Zeitpunkt das eigentlich Entscheidende. Hammond wusste fast auf die Minute genau, wann sie im Pavillon aufgetaucht war. Angesichts der Entfernung, die sie hätte zurücklegen müssen, und in Anbetracht des Verkehrsstaus hätte sie es nicht geschafft, wenn sie das Hotel später als… rasch rechnete er nach… sagen wir mal fünf Uhr dreißig verlassen hätte. Sollte der Pathologe die Todeszeit auf irgendwann danach festlegen, konnte sie nicht die Mörderin sein.

Gutes Argument, Hammond. Im Nachhinein. Ein hinreißend vernünftiger Gesichtspunkt.

Aber eine Tatsache blieb: Es war ihm nie in den Sinn gekommen, Alex Ladd zu identifizieren.

Seit jenem winzigen Augenblick, an dem er mit Herzrasen die Zeichnung angeschaut und mit absoluter Sicherheit gewusst hatte, wer die besagte Person war, hatte er ebenso sicher gewusst, dass er ihren Namen nicht preisgäbe.

Beim Anblick dieses Gesichts auf dem Skizzenblock, so wie er es auf seinem Kopfkissen aus nächster Nähe gesehen hatte, gab es kein Abwägen seiner Möglichkeiten mehr, kein bewusstes Nachdenken über die Vor- und Nachteile seines Schweigens. Sein Geheimnis war ein für alle Mal versiegelt. Er würde ihre Identität schützen, zumindest momentan. Damit hatte er wissentlich jedes moralische Gesetz gebrochen, das er als Anwalt vertrat. Sein Schweigen war eine bewusste Verletzung jenes Gesetzes, auf das er als Hüter vereidigt worden war, ein vorsätzlicher Versuch, die Ermittlung in einem Mordfall zu behindern. Das volle Ausmaß der Konsequenzen, die sich möglicherweise daraus für ihn ergaben, konnte er nicht einmal erahnen.

Trotzdem lehnte er es ab, sie Smilow und Steffi auszuhändigen. Es klopfte laut an seine Bürotür, unmittelbar danach sprang sie auf. Er wollte schon die Sekretärin tadeln, weil sie ihn trotz seines ausdrücklichen Wunsches störte, aber die barschen Worte fielen nie.

»Guten Morgen, Hammond.«

Scheiße. Das ist das Letzte, was ich brauche.

Wie immer unterzog sich Hammond in Gegenwart seines Vaters einer Prozedur, die an die Inspektion vor einem Flug erinnerte. Wie sah er aus? Befanden sich alle Systeme und Einzelteile im Optimalzustand? Gab es irgendwelche Fehler, die sofort korrigiert werden mussten? Genügte er den Anforderungen? Hoffentlich nähme ihn sein Vater heute Morgen nicht allzu genau unter die Lupe.

»Hallo, Dad.« Er stand auf. Ganz formell schüttelten sie einander über dem Schreibtisch die Hände. Sollte ihn sein Vater je umarmt haben, war Hammond zu jung gewesen, um sich noch daran zu erinnern.

Er packte seine Anzugjacke und hängte sie an einen Wandhaken, stellte seine Aktentasche auf den Boden und bat seinen Vater, auf dem einzigen freien Sessel in dem voll gestopften Zimmer Platz zu nehmen.

Preston Cross war deutlich untersetzter und kleiner als sein Sohn, ohne dass die fehlenden Zentimeter seinen Eindruck auf Menschen gemindert hätten, egal ob in einer größeren Ansammlung oder im Einzelgespräch. Sportliche Aktivitäten im Freien, darunter Tennis, Golf und Segeln, sorgten dafür, dass er das ganze Jahr eine gesunde sonnengebräunte Gesichtsfarbe hatte. Kaum war er fünfzig geworden, hatte er, wie auf Befehl, vorzeitig weiße Haare bekommen, die er wie ein Markenzeichen trug, das ihm den geforderten Respekt sicherte.

Da er selbst keinen einzigen Tag krank gewesen war, verachtete er einen schlechten Gesundheitszustand als Zeichen von Schwäche. Das Zigarettenrauchen hatte er vor einem Jahrzehnt eingestellt und genoss nun nur noch ab und zu eine Zigarre. Ein Essen ohne Wein betrachtete er als Sakrileg, und er trank zum Einschlafen immer ein Glas Cognac. Trotz dieser Sünden ging es ihm prächtig.

Als Mittsechziger war er robuster und besser in Form als die meisten Männer, die nur halb so alt wie er waren. Hinter seiner machtvollen Ausstrahlung steckte nicht nur eine imposante physische Präsenz, sondern auch ein dynamischer Charakter. Sein gutes Aussehen betrachtete er als selbstverständlich. Er schüchterte sogar selbstbewusste Männer ein, Frauen himmelten ihn an.

Seine Entscheidungen kamen meist unvermutet und wurden selten in Frage gestellt, im Geschäfts- wie im Privatleben. Vor drei Jahrzehnten hatte er mehrere kleine Krankenversicherungen zu einer großen verschmolzen, die unter seiner Leitung immens gewachsen war und inzwischen auf einundzwanzig überregional arbeitende Unterfirmen stolz sein konnte. Offiziell befand er sich im Vorruhestand, war aber immer noch Konzernvorstand, und das nicht nur dem Titel nach. Er überwachte alles, bis hinunter zum Preis für Kugelschreiber. Nichts entging ihm.

Er saß in zahllosen Aufsichtsräten und Ausschüssen, stand mit Mrs. Cross auf jeder wichtigen Einladungsliste und kannte jeden, der im Südosten der USA irgendetwas zu sagen hatte. Preston Cross hatte beste Beziehungen.

Wie gerne hätte Hammond seinen Vater geliebt, bewundert

und respektiert, aber er wusste ganz genau, dass Preston seine an-
geborenen Fähigkeiten bewusst für äußerst krumme Touren eingesetzt hatte.

Preston begann seinen unangekündigten Besuch mit den Worten: »Ich bin sofort gekommen, als ich davon gehört habe.«

Normalerweise leiteten diese Worte einen Beileidsbesuch ein.
Hammond sackte das Herz in die Magengrube. Wie hatte sein Vater so schnell sein Abenteuer mit Alex Ladd herausfinden können? »Was hast du gehört?«

»Dass du die Anklage im Mordfall Lute Pettijohn leiten wirst.«

Hammond versuchte, seine Erleichterung zu verbergen. »Das
stimmt.«

»Es wäre nett gewesen, Hammond, wenn ich diese gute Nachricht direkt von dir erfahren hätte.«

»Geschah nicht mit böser Absicht, Dad. Ich habe mit Mason
erst gestern Abend gesprochen.«

Ohne auf Hammonds Erklärung weiter einzugehen, fuhr sein
Vater fort: »Stattdessen muss ich die Sache von einem Freund hö-
ren, der heute Morgen mit Mason ein Geschäftsfrühstück hatte.
Als er später im Club mir gegenüber beiläufig davon sprach,
nahm er natürlich an, ich wüsste es längst, was, zu meiner
Schande, nicht der Fall war.«

»Ich bin am Samstag in meine Hütte gefahren und habe erst
nach meiner Rückkehr, gestern Abend, die Geschichte mit Pettijohn erfahren. Seither haben sich die Dinge derart überschlagen,
dass ich noch nicht mal selbst Gelegenheit zum Verdauen hatte.«
Die größte Untertreibung aller Zeiten.

Preston bürstete ein unsichtbares Staubkörnchen von seiner
rasiermesserscharfen Bügelfalte. »Ich bin überzeugt, du weißt zu
schätzen, welch unglaubliche Chance sich dir damit bietet.«

»Jawohl, Sir.«

»Der Prozess wird in der Öffentlichkeit großes Aufsehen erregen.«

»Ich bin mir bewusst –«

»Die du nutzen solltest, Hammond.« Mit dem Eifer eines End-
zeitpropheten hob Preston die Hand und ballte sie zur Faust, als

ob er eine Hand voll Radiowellen festhalten wollte. »Bedien dich der Medien. Sorge dafür, dass regelmäßig dein Name fällt. Lass die Wähler wissen, wer du bist. Eigenwerbung, das ist der Schlüssel.«

»Der Schlüssel liegt im Gewinnen eines Prozesses«, konterte Hammond. »Ich hoffe, dass mein Auftreten vor Gericht für sich selbst sprechen wird und ich nicht auf eine Medienhysterie angewiesen bin.«

Preston Cross wedelte geringschätzig mit der Hand. »Hammond, den Leuten ist es egal, wie du den Fall führst. Wen interessiert es wirklich, ob der Mörder zu lebenslänglich oder zur Todesspritze verurteilt wird oder ungeschoren davonkommt?«

»Mich«, sagte er erregt, »und die Bürger hoffentlich auch.«

»Vielleicht wurde früher mehr darauf geachtet, was Volksvertreter tatsächlich bewirken. Inzwischen interessiert sich das Volk doch nur noch dafür, wie gut sie sich im Fernsehen machen.« Preston lachte. »Ich bezweifle, ob die Leute bei einer Befragung auch nur annähernd eine Vorstellung von der Aufgabe eines Bezirksstaatsanwalts haben.«

»Und doch empören sich dieselben Leute über die Kriminalstatistik.«

»Das ist gut. Daran solltest du appellieren«, rief Preston. »Halt eine gute Rede, und schon gibt das Publikum Ruhe.« Er lehnte sich bequem in seinen Sessel. »Hammond, schmier den Reportern Honig ums Maul und schlag dich auf ihre Seite. Wenn sie um eine Presseerklärung bitten, gib sie ihnen, immer, auch wenn's nur heiße Luft ist. Du wirst dich wundern, wie weit man mit wenig Substanz kommt. Dann werden sie dir schon bald unbegrenzte Redezeit vor der Kamera einräumen.« Augenzwinkernd hielt er inne. »Lass dich erst mal wählen, dann kannst du nach Herzenslust Kreuzzüge führen.«

»Was wäre, wenn ich nicht gewählt werden kann?«

»Was sollte dich aufhalten?«

»Speckle Island.«

Hammond hatte eine Bombe platzen lassen, aber Preston zuckte nicht einmal zusammen. »Was ist das?«

Hammond versuchte nicht einmal, seinen Abscheu zu verbergen. »Du bist gut, Dad, sogar sehr gut. Leugne so viel du willst, ich weiß trotzdem, dass du lügst.«

»Hüte deine Zunge in meiner Gegenwart, Hammond.«

»Meine Zunge hüten?« Wütend sprang Hammond von seinem Sessel auf und stieß die Hände in die Hosentaschen. »Vater, ich bin kein Kind mehr. Ich bin Staatsanwalt. Und du ein Gauner.« Bourbongetränktes Blut schoss Preston ins Gesicht. »Okay, du bist ja so schlau. Was glaubst du denn, was du weißt?«

»Ich weiß nur eines: Sollte Detective Smilow oder ein anderer im Zusammenhang mit dem Speckle-Island-Projekt auf deinen Namen stoßen, könnte dich das eine hohe Geldstrafe, vielleicht sogar Gefängnis kosten und mich das Ende meiner Karriere. Außer wenn ich gegen meinen eigenen Vater Anklage erhebe. In beiden Fällen hat mich deine Verbindung zu Pettijohn in eine unhaltbare Situation gebracht.«

»Ganz ruhig, Hammond, du hast nichts zu befürchten. Ich bin raus aus Speckle Island.«

Hammond wusste nicht, ob er ihm glauben sollte oder nicht. Im gelassenen Gesicht seines Vaters gab es keinerlei verräterische Anzeichen für eine Lüge. Aber darin war er sehr geübt. »Seit wann?«, fragte er.

»Schon vor Wochen.«

»Davon wusste Pettijohn nichts.«

»Natürlich hat er's gewusst. Er hat versucht, mir den Rückzug auszureden. Trotzdem bin ich ausgestiegen und habe mein Geld gleich mitgenommen. Hat ihn ziemlich gewurmt.«

Hammond spürte, wie ihm die Schamröte ins Gesicht stieg. Erst letzten Samstagnachmittag hatte ihm Pettijohn erklärt, Preston würde bis zum Hals in Speckle Island stecken. Er hatte ihm gültige Dokumente gezeigt, auf denen jeder mühelos die Unterschrift seines Vaters erkennen konnte. Hatte Pettijohn mit ihm ein Spielchen getrieben? »Einer von euch lügt.«

»Wann hattest du denn ein vertrauliches Gespräch mit Lute?« wollte Preston wissen.

Hammond ignorierte die Frage. »Hast du beim Ausstieg deinen Anteil mit Gewinn verkaufen können?«

»Wenn nicht, wär's ein schlechtes Geschäft gewesen. Es gab einen, der wollte sich unbedingt in diese Transaktion einkaufen, und er war bereit, den von mir geforderten Preis für meinen Anteil zu bezahlen.«

Hammond kam der saure Kaffee im Magen wieder hoch. »Es ist unwichtig, ob du inzwischen draußen bist oder nicht. Du bist schon dann vorbelastet, wenn du je in dieses Projekt verwickelt warst. Und damit auch ich.«

»Hammond, du bauschst das Ganze viel zu sehr auf.«

»Sollte die Sache je publik werden –«

»Wird sie nicht.«

»Könnte aber sein.«

Preston zuckte die Schultern. »Dann werde ich die Wahrheit sagen.«

»Und die wäre?«

»Dass ich keine Ahnung hatte, was Lute dort draußen tat. Als ich es erfuhr, war ich damit nicht einverstanden und bin ausgestiegen.«

»Du hast dir jeden Gesichtspunkt ausgerechnet.«

»Richtig, habe ich. Tu ich doch immer.«

Wütend starrte Hammond seinen Vater an. Preston forderte ihn unterschwellig auf, daraus einen Prozess zu machen. Aber Hammond wusste, wie sinnlos dies wäre. Vermutlich hatte sogar Lute Pettijohn gewusst, dass Preston alles unter Dach und Fach hatte, und hatte Prestons kurzfristige Verbindung mit dem Speckle-Island-Projekt benutzt, um Hammond zu manipulieren.

»Hammond, mein Rat an dich ist«, sagte Preston, »aus dieser Geschichte eine nützliche Lektion zu lernen. Du kommst mit fast allem durch, so lange du dir ein zuverlässiges Hintertürchen offen lässt.«

»Diesen Rat gibst du deinem einzigen Sohn? Pfeif auf die Integrität?«

»Ich habe die Regeln nicht gemacht«, fauchte er, »und vielleicht passen sie dir nicht.« Dabei beugte er sich in seinem Sessel vor und unterstrich seine Worte mit dem ausgestreckten Zeigefinger. »Trotzdem musst du dich daran halten, sonst wirst du den Staub aller anderen fressen, die nicht so hochgestochene Ideale haben.«

Dies war bekanntes Territorium, das sie schon tausendmal abgegrast hatten. Kaum war Hammond alt genug, um die Unfehlbarkeit seines Vaters in Frage zu stellen und über einige seiner Prinzipien zu streiten, wurde sehr schnell klar, dass beide grundverschieden waren. Seither verlief zwischen ihnen eine Demarkationslinie. Diesen Streit konnte keiner von beiden gewinnen, da keiner auch nur einen Zentimeter nachgab.

Mit eigenen Augen hatte Hammond den schriftlichen Beweis gesehen, dass sein Vater in eine von Pettijohns fieseren Intrigen verwickelt war. Erst jetzt dämmerte ihm, wie grundverschieden ihre Ansichten waren. Keine Sekunde glaubte er, dass Preston keine Ahnung von den Vorgängen auf dieser Insel gehabt hatte. Gewissensbisse waren sicher nicht der Grund für seinen Ausstieg gewesen. Er hatte lediglich auf eine Gelegenheit gewartet, bis seine Investition Profit abwarf.

Hammond sah, dass zwischen ihnen eine wachsende Kluft gähnte. Eine Möglichkeit, sie zu überbrücken, sah er nicht.

»Ich habe in fünf Minuten eine Konferenz«, log er, wobei er um den Schreibtisch ging. »Sag Mom einen schönen Gruß. Ich werde versuchen, heute im Laufe des Tages bei ihr anzurufen.«

»Sie stattet Davee heute Nachmittag mit ein paar Freundinnen einen Kondolenzbesuch ab.«

»Ich bin sicher, Davee wird das zu schätzen wissen«, sagte Hammond, wobei er daran denken musste, wie höhnisch sich Davee über die Vorstellung geäußert hatte, dass ganze Scharen von Beileidsbesuchern ihr Haus überschwemmen würden. Nicht aus Anstand, sondern aus reiner Neugier.

An der Tür wandte sich Preston um. »Ich habe nie meine Gefühle verhehlt, als du die Kanzlei verlassen hast.«

»Nein, Sir, hast du nicht. Du hast klipp und klar betont, dass es deiner Ansicht nach die falsche Wahl war«, meinte Hammond steif. »Trotzdem bleibe ich bei meiner Entscheidung. Ich mag meinen Job, hier, auf der anderen Seite des Gesetzes. Außerdem beherrsche ich ihn gut.«

»Du hast unter den Fittichen von Monroe Mason gute Fortschritte gemacht. Sogar ausnehmend gute.«

»Danke schön.«

Das Kompliment bedeutete Hammond nichts. Inzwischen legte er auf die Meinung seines Vaters keinen Wert mehr. Obendrein wurde Prestons Lob immer sofort mit einem Gradmesser verbunden.

»Die ganzen Einser gefallen mir, Hammond, aber diese Zwei plus in Chemie ist unakzeptabel.«

»Wirklich schade, dass du die Läufer im Triple durch deinen Schlag in Position gebracht hast. Ein Grand Slam – das wäre wirklich was gewesen!«

»Zweiter im Jura-Examen? Sohn, das ist wunderbar, natürlich nicht so gut wie der erste Platz.«

So ging das seit seiner Kindheit. Auch heute Morgen brach sein Vater nicht mit diesem Schema.

»Hammond, jetzt hast du eine Chance, deine Entscheidung zu bestätigen. Du hast die Aussicht, in einer angesehenen Anwaltskanzlei Sozius zu werden, in den Wind geschlagen und bist in den Staatsdienst getreten. Wenn du der Boss wärst, würde das wenigstens einen Sinn machen.« Mit gespielter Zuneigung landete seine Hand wie ein Zementsack auf Hammonds Schulter. Ihr Streit von vorhin war schon vergessen, bewusst oder unbewusst.

»Mit diesem Fall könntest du dir deine Sporen verdienen, mein Sohn. Mit dem Mordfall Pettijohn steht dir die Tür zum Amt des Bezirksstaatsanwaltes offen.«

»Und was, wenn deine krummen Touren meine Chancen zunichte machen, Vater?«

Offensichtlich ungeduldig erwiderte er: »Das wird nicht passieren.«

»Und wenn doch? Angesichts deiner ehrgeizigen Pläne für mich wäre das doch grausame Ironie, oder?«

Am Montag hatte Dr. Alex Ladd keine Sprechstunde.

Diesen Tag nutzte sie für aufgeschobene Büroarbeiten und persönliche Erledigungen. Heute war ein ganz besonderer Montag. Heute würde sie Bobby Trimble auszahlen, um ihn loszuwerden – hoffentlich für immer. Diese Vereinbarung hatten sie gestern Abend getroffen. Sie würde seine Forderungen erfüllen, und er würde verschwinden.

Trotzdem wusste sie aus Erfahrung, dass Bobbys Versprechen wertlos waren.

Während sie ihre Praxistür aufsperrte, musste sie daran denken, wie oft sie wohl noch gezwungen sein würde, aus ihrem Tresor Bargeld zu holen. Für den Rest ihres Lebens? Eine traurige Vorstellung, aber durchaus möglich. Es war unwahrscheinlich, dass Bobby sie in Ruhe ließe, nachdem er sie jetzt wieder gefunden hatte.

Ihre hübsch eingerichtete Praxis erinnerte sie an alles, was sie zu verlieren drohte, falls Bobby sie bloßstellen würde. Sie wollte es ihren Patienten so angenehm wie möglich machen und hatte sich für schlichtes, aber teures Mobiliar entschieden. Wie in den übrigen Zimmern des Hauses verliehen einige antike Stücke dem klassischen Einrichtungsstil individuelle Akzente.

Der Orientteppich dämpfte ihre Schritte. Sonnenlicht drang durch die Fenster herein, von denen aus man die ebenerdige Piazza und den dahinter liegenden ummauerten Garten sehen konnte, den sie zu jeder Jahreszeit wunderschön gestaltete. Momentan waren alle Stauden und Blumen, die im halbtropischen Klima von Charleston prächtig gediehen, am schönsten. Sie genossen die hohe Luftfeuchtigkeit und sorgten für lebhafte Farbtupfer auf den gepflegten Beeten.

Zum Glück hatte sie ein bereits renoviertes Haus gefunden, das über alle modernen Annehmlichkeiten verfügte. Sie hatte ihm nur noch ihren individuellen Anstrich geben müssen, damit es auch wirklich ihres war. Früher war dieses vordere Eckzimmer der offizielle Salon des Einzimmerhauses gewesen. Der spiegelgleiche Raum daneben, ursprünglich ein Esszimmer, diente ihr mittlerweile als Wohnzimmer. Bei Einladungen ging sie mit ihren Gästen auswärts essen. Die häuslichen Mahlzeiten nahm sie in der Küche ein, dem Hinterzimmer im Erdgeschoss. Oben gab es noch zwei große Schlafzimmer. Von jedem der Zimmer hatte man direkten Zugang auf die beiden schattigen Piazzas. Eine jasminüberwucherte Mauer umgab den ganzen Garten und garantierte ein ungestörtes Leben.

Alex schob das gerahmte Gemälde beiseite, das ihren Wandtresor verbarg, und drehte energisch die Zahlenscheibe am Schloss. Als sie die Sperrriegel zurückgleiten hörte, drückte sie den Griff nach unten und zog die schwere Tür auf.

Drinnen lagen mehrere Bündel Banknoten, nach Bestimmung geordnet. In früheren Jahren hatte sie Not, ja sogar Hunger kennen gelernt. Vielleicht war das der Grund, warum sie immer Bargeld zur Hand hatte. Eine kindische widersinnige Gewohnheit, die sie sich aber angesichts der Ursachen selbst verzieh. Ökonomisch betrachtet war es Unfug, Geld in einem Tresor aufzubewahren, wo es keine Zinsen einbrachte. Trotzdem gab ihr schon das Bewusstsein seiner Existenz, der mögliche Zugriff im Notfall, ein Gefühl der Sicherheit. So wie jetzt.

Sie zählte den vereinbarten Betrag ab und steckte das Geld in einen Reißverschlussbeutel, der ihr ungewöhnlich schwer vorkam. Kein Wunder, wenn man bedachte, was er symbolisierte. Zu ihrem eigenen Entsetzen verspürte sie auf Bobby Trimble einen unendlich großen Hass, der mit Geld nichts zu tun hatte. Das gönnte sie ihm, ja, sie würde ihm sogar mit Freuden noch mehr geben, wenn sie ihn dann nie wieder sehen müsste. Ihre Abneigung richtete sich nicht gegen den Betrag, sondern gegen die Tatsache, dass er in ihr ureigenstes Leben eingedrungen war, das sie sich aufgebaut hatte.

Vor zwei Wochen war er aus dem Nichts aufgetaucht. Ohne zu ahnen, was sie erwartete, hatte sie fröhlich auf ihre Türglocke reagiert. Draußen auf der Schwelle stand er.

Einen Moment hatte sie ihn nicht wiedererkannt. Die Veränderungen waren verblüffend. Statt auffälliger billiger Kleidung trug er auffällige teure Stücke. An seinen Schläfen zeigte sich ein Hauch Grau, was jedem anderen Mann ein distinguiertes Aussehen verliehen hätte, aber Bobby Trimble wirkte nur noch finsterer, als ob sich die fiesen Züge eines jungen Mannes zu etwas durch und durch Bösem entwickelt hätten.

Nur das zynische Grinsen war allzu vertraut. Jahrelang hatte sie versucht, dieses triumphierende, höhnische, anzügliche Lächeln aus ihrem Gedächtnis zu tilgen. Als sie es nach zahllosen Therapiestunden und Strömen von Tränen nicht losgeworden war, hatte sie Gott angefleht, sie davon zu befreien. Inzwischen tauchte es nur noch selten in einem Albtraum auf, aus dem sie schweißnass und am ganzen Leibe zitternd hochschrak. Denn dieses Lächeln stand für die Kontrolle, die er gnadenlos über sie ausgeübt hatte.

»Bobby.« In ihrer Stimme hatte das fahle Geläut einer Totenglocke nachgeschwungen. Die Tatsache, dass er unangekündigt wieder in ihrem Leben aufgetaucht war, konnte nur Unheil bedeuten, besonders, weil seine subtilen äußerlichen Veränderungen die Bedrohung, die er verkörperte, nur noch betonten.

»Du klingst nicht gerade hocherfreut, mich zu sehen.«

»Wie hast du mich gefunden?«

»Nun, das war nicht leicht.« Auch seine Stimme hatte sich verändert, klang glatter und geschliffener. Kein Hauch von Dialekt mehr. »Wenn ich's nicht besser wüsste, würde ich meinen, du hättest dich die ganzen Jahre vor mir versteckt. Wie sich's herausstellt, bringt mich purer Zufall vor deine Tür. Ein Wink des Schicksals.«

Sie wusste nicht, ob sie ihm glauben sollte oder nicht. Gut möglich, dass ihr das Schicksal diesen üblen Streich gespielt hatte. Andererseits verfügte Bobby über viele Quellen. Vielleicht war er ihr schon seit langem auf den Fersen. So oder so, es war egal. Er stand hier, und mit ihm stiegen ihre schlimmsten Erinnerungen und dunkelsten Ängste aus den Tiefen ihrer Seele auf, wo sie sie begraben hatte.

»Ich möchte mit dir nichts zu tun haben.«

Theatralisch faltete er die Hände über dem Herzen und spielte den Betroffenen. »Und das nach all dem, was wir einander bedeutet haben?«

»Genau deswegen.«

Die Frau, die vor ihm stand, war gelassener und selbstsicherer als in ihrer Jugend. Vor Wut lief er dunkelrot an. »Möchtest du wirklich unsere gemeinsamen Erlebnisse aus der Vergangenheit miteinander vergleichen? Willst du genau abmessen, was wem passiert ist? Vergiss nicht, ich war derjenige, der –«

»Was willst du? Mal abgesehen von Geld, denn das willst du immer. Ich weiß es ganz genau.«

»Zieh nur keine voreiligen Schlüsse, Dr. Ladd. Du bist nicht die Einzige, die den Erfolg kennt. Auch mir ist es seit unserer letzten Begegnung immer besser gegangen.«

Dann hatte er mit seiner Karriere als Nachtclub-Geschäftsführer geprahlt. Als sie von seinem Bericht über die tollen Tage im Cock 'n' Bull die Nase voll hatte, sagte sie: »In fünfzehn Minuten erwarte ich einen Patienten.«

Sie hatte gehofft, das Wiedersehen rasch beenden zu können, aber nun lief Bobby erst recht zur Hochform auf und präsentierte wie beim Kartenspiel seinen Trumpf: jenen Plan, der ihn nach Charleston geführt hatte.

Kein Zweifel, er war durchgeknallt, total, was sie ihm auch gesagt hatte.

»Vorsicht, Alex«, sagte er erschreckend sanft, »ich bin nicht mehr so nett wie früher. Und viel schlauer.«

Sie kämpfte gegen ihre Angst an und meinte: »Dann brauchst du ja mich nicht.«

Aber sein Plan betraf auch sie. »Eigentlich bist du der Schlüssel zum Erfolg.«

Als er ihr erklärt hatte, was er von ihr wollte, hatte sie gesagt: »Bobby, du träumst. Wenn du glaubst, ich würde dir auch nur einen Funken Zeit widmen, dann irrst du dich gründlich. Geh weg und komm nicht wieder.«

Aber er war wiedergekommen. Am nächsten Tag. Und am übernächsten. Eine ganze Woche lang war er hartnäckig zu jeder Tageszeit aufgetaucht, hatte ihre Sitzungen gestört und wiederholt Nachrichten auf ihrem Anrufbeantworter hinterlassen, die zusehends bedrohlicher wurden. Wie der typische Parasit, der er war, hatte er sich an ihrem Leben festgesaugt.

Endlich hatte sie sich zu einem Treffen bereit erklärt, was er als Kapitulation wertete, aber als sie jede Teilnahme ablehnte, war sein Wohlgefallen in Wut umgeschlagen. »Vielleicht hast du mehr Schliff, Bobby, mehr Raffinesse, aber geändert hast du dich nicht. Du bist noch immer derselbe wie damals, als du für ein Taschengeld auf den Strich gegangen bist. Kaum kratzt man an der dünnen Lackschicht, kommt darunter der Abschaum hervor, der du bist.«

Voller Wut über diese Wahrheit riss er eines ihrer Diplome von der Wand und warf es auf den Boden, dass Rahmen und Glas in tausend Stücke zerbarsten. »Jetzt hör mal gut zu«, sagte er in einem Ton, den sie von früher kannte, »das solltest du dir noch mal überlegen und mir diesen Gefallen tun. Sonst mische ich dein Leben gründlich auf. Aber wirklich gründlich.«

In dem Moment begriff sie, dass er kein Strichjunge mehr war. Er war nicht nur in der Lage, sie zu verletzen, er konnte sie völlig vernichten.

Also hatte sie sich einverstanden erklärt, ihre kleine Rolle in seinem lächerlichen Plan zu spielen. Allerdings nur, weil sie sich bereits einen Weg ausgedacht hatte, ihn zu hintertreiben.

Leider war dasselbe passiert wie bei allen Plänen, die Bobby ausgeheckt hatte: Es war schief gelaufen.

Schrecklich schief.

Sie hatte es nicht geschafft, ihren eigenen Plan zu realisieren. Jetzt galt es in erster Linie, sich von Bobby zu distanzieren. Wenn sie ihm dazu die geforderte Summe bezahlen müsste, wäre dies ein kleines Opfer im Vergleich zum ganzen Ausmaß ihres Verlustes, falls ihre Verbindung zu ihm aufflöge.

Im Gefühl, dieser Entschluss sei gerechtfertigt, schloss sie den Wandtresor, schob das Gemälde wieder an seinen Platz und verließ ihre Praxis, wobei sie die Tür hinter sich zusperrte. Wie bestellt klingelte ihre Türglocke. Bobby kam ganz pünktlich. Sie schob die Geldtasche hinter eine Vase auf dem Dielentisch, trat auf die Piazza hinaus und öffnete.

Aber auf der Schwelle stand nicht Bobby, sondern ein Mann mit blassen Augen und einem schmalen unfreundlichen Mund, eingerahmt von zwei Polizisten in Uniform. Alex sank das Herz in die Magengrube. Sie wusste ganz genau, was diese Leute in ihr Haus geführt hatte. Wieder einmal drohte ihr Leben im Chaos zu versinken.

Sie verbarg ihre Besorgnis hinter einem freundlichen Lächeln. »Kann ich Ihnen helfen?«

»Dr. Ladd?«

»Ja.«

»Ich bin Sergeant Rory Smilow, Detective der Mordkommission. Ich würde mich gerne mit Ihnen über den Mord an Lute Pettijohn unterhalten.«

»Lute Pettijohn? Tut mir Leid, aber ich kenne keinen –«

»Dr. Ladd, man hat sie an dem Nachmittag, als er ermordet wurde, vor seiner Penthouse-Suite gesehen. Also, bitte, vergeuden Sie nicht meine Zeit, indem Sie so tun, als wüssten Sie nicht, wovon ich rede.«

Sie und Detective Smilow starrten einander abschätzend an, bis Alex schließlich nachgab und beiseite trat. »Kommen Sie herein.«

»Eigentlich hatte ich gehofft, Sie würden mit uns kommen.«

Sie schluckte, obwohl ihr Mund trocken war. »Ich würde gerne meinen Anwalt anrufen.«

»Das ist nicht nötig. Hier handelt es sich nicht um eine Verhaftung.«

Ostentativ schaute sie die beiden stoischen Polizisten an seiner Seite an.

Smilow verzog die Lippen. Man hätte es als ironisches Lächeln deuten können. »Wenn Sie sich freiwillig zu einer Befragung ohne Beisein eines Anwalts bereit erklären könnten, würde mich das wesentlich von Ihrer Unschuld überzeugen.«

»Detective Smilow, das glaube ich Ihnen keine Sekunde.« Dieser Punkt ging an sie. Ihre direkte Art schien ihn zu überraschen. »Ich werde Sie gerne begleiten, sobald ich meinen Anwalt verständigt habe.«

15

Rory Smilow saß auf der Kante seines Schreibtisches, der im Gegensatz zu allen anderen in der Mordkommission sauber aufgeräumt war. Alle Akten lagen ordentlich übereinander. Dank Smittys morgendlichen Poliereifers spiegelten sich die Deckenlichter in seinen Schnürschuhen. Er hatte sein Jackett anbehalten.

Alex Ladd saß mit brav gekreuzten Beinen da und hielt die Hände gelassen im Schoß gefaltet. Smilow fand ihre Haltung bemerkenswert gefasst für jemanden, der im Büro eines Detectives fehl am Platze wirkte, wenigstens auf den ersten Blick.

Seit einer halben Stunde warteten sie schon auf ihren Rechtsanwalt, der versprochen hatte, sich hier mit ihr zu treffen. Falls sie sich unter dem langen Schweigen und Smilows prüfenden Blicken unbehaglich fühlte, ließ sie es sich nicht anmerken. Sie zeigte weder Furcht noch Nervosität, sondern schien die unangenehme Situation etwas unwirsch zu ertragen.

Rechtsanwalt Frank Perkins traf gehetzt mit rotem Kopf ein und entschuldigte sich. Bis auf Spikeschuhe erschien er in Golfkleidung. »Entschuldige, Alex, ich war am zehnten Loch, als deine Nachricht auf dem Pager erschien. Ich bin so schnell es ging gekommen. Smilow, was soll das Ganze?«

Perkins war als grundsolider Anwalt von ausgezeichnetem Ruf bekannt und galt darüber hinaus als ebenso anständiger wie integrer Mensch. Da Smilow nicht wusste, in welchem Umfang der Strafverteidiger bisher für Alex Ladd gearbeitet hatte, fragte er nach.

»Das ist eine rüde Frage«, erwiderte Perkins, »aber wenn Alex nichts dagegen hat, werde ich darauf antworten.«

»Bitte«, sagte sie.

»Bis jetzt waren wir lediglich locker miteinander befreundet. Wir haben uns vor mehreren Jahren kennen gelernt, als sie und meine Frau Maggie zusammen in einem Spoleto-Komitee saßen«, erklärte er, wobei er auf das berühmte Charlestoner Kunstfestival im Mai anspielte.

»Dann war also Dr. Ladd Ihres Wissen nach noch nie mit einer Anklage konfrontiert?«

»Smilow, kommen Sie zum Punkt.« Perkins' Tonfall ließ Smilow spüren, warum ihn Staatsanwälte für einen harten Gegner im Gerichtssaal hielten.

»Ich möchte Dr. Ladd in Verbindung mit dem Mord an Lute Pettijohn befragen.«

Perkins kippte der Unterkiefer herunter. Er starrte sie an, als ob er auf die Pointe wartete. »Das muss ein Scherz sein.«

»Leider nein«, sagte Alex. »Danke, Frank, dass du gekommen bist. Es tut mir sehr Leid, dass ich deine Golfrunde gestört habe. Hast du vorn gelegen?«

»Äh, tja-ja«, erwiderte er geistesabwesend, während er immer noch Smilows Eröffnung verdaute.

»Dann tut's mir doppelt Leid.« Mit einem Seitenblick auf Smilow sagte sie: »Das ist alles so lächerlich. Reine Zeitverschwendung. Ich möchte die Geschichte hinter mich bringen und hier verschwinden.«

Sie nickte Smilow zu, als gäbe sie ihm die Erlaubnis fortzufahren. Smilow beugte sich über seinen Schreibtisch, schaltete ein Tonbandgerät ein und nannte anschließend die Namen aller Anwesenden sowie Uhrzeit und Datum.

»Dr. Ladd, der Parkplatzwächter an der East Bay Street hat sie anhand einer Phantomskizze identifiziert. Da der Parkplatz nicht über einen vollautomatischen Ticketapparat verfügt, hält er jedes Auto mit Kennzeichen und Ankunftszeit in einer Liste fest.«

Zu Smilows Bedauern wurde keine Liste über den Zeitpunkt geführt, wann ein Auto den Parkplatz verließ. Die Gebühr wurde bereits bei der Einfahrt erhoben und betrug fünf Dollar für einen Aufenthalt bis zu zwei Stunden. Erst danach wurde ein erhöhtes Entgelt fällig. Der Parkplatzwächter notierte den Erhalt der Gebühr, aber nicht die genaue Ausfahrtszeit.

»Wir haben Sie über Ihr Fahrzeugkennzeichen ermittelt. Am Samstagnachmittag hatten Sie Ihr Auto bis zu zwei Stunden auf diesem Parkplatz abgestellt.«

Perkins, der aufmerksam zugehört hatte, lachte. »Und das ist

Ihre erderschütternde Entdeckung? Ist das Ihr entscheidender Durchbruch bei diesem Fall?«

»Es ist ein Anfang.«

»Ein veritabler Rohrkrepierer. Wieso bringt die Sache mit dem Parkplatz Dr. Ladd in Verbindung mit dem Mord?«

»Ich habe –«

Perkins hob warnend die Hand, aber sie winkte ab. »Ist schon gut, Frank. Ich habe dem jungen Mann auf dem Parkplatz einen Zehndollarschein gegeben, weil ich's nicht klein hatte. Das war ein Trinkgeld von fünf Dollar für ihn. Sicher hat er sich deshalb so gut an mich erinnert, dass er mich einem Phantomzeichner beschreiben konnte.«

»Er ist nicht der Einzige, der uns eine Beschreibung geliefert hat«, eröffnete ihnen Smilow. »Da war noch ein gewisser Mr. Daniels aus Macon, Georgia. Sein Zimmer im Charles Towne Plaza lag auf demselben Flur wie die Penthouse-Suite, in der sich Lute Pettijohn an jenem Nachmittag kurz aufgehalten hat. Kannten Sie ihn?«

»Alex, du musst nicht antworten«, erklärte ihr der Anwalt. »Eigentlich empfehle ich dir, nichts zu sagen, bis wir Gelegenheit zu einem Gespräch unter vier Augen hatten.«

»Ist schon gut«, wiederholte sie, diesmal mit einem kleinen Lachen, und fuhr nach einem Blick zu Smilow fort: »Ich habe noch nie von einem Mr. Daniels aus Macon, Georgia, gehört.« Die ist nicht nur kühl, sondern auch schlau, dachte Smilow. »Meine Frage bezog sich auf Mr. Pettijohn. Haben Sie ihn gekannt?«

»Jeder in Charleston hat schon mal den Namen Lute Pettijohn gehört«, sagte sie. »Er war dauernd in den Nachrichten.«

»Sie wissen also, dass er ermordet wurde.«

»Natürlich.«

»Haben Sie es aus dem Fernsehen?«

»Ich war am Wochenende zeitweise nicht in der Stadt, aber als ich zurückkam, habe ich es in den Nachrichten gehört.«

»Sie haben Pettijohn nicht persönlich gekannt?«

»Nein.«

»Warum haben Sie dann ungefähr um die Zeit, als er ermordet wurde, draußen vor seiner Hotelsuite gestanden?«

»Habe ich nicht.«

»Alex, bitte, sag nichts mehr.« Perkins schob die Hand unter ihren Ellbogen und deutete auf die Tür. »Wir gehen.«

»Würde nicht gut aussehen.«

»Detective, Sie sind derjenige, der schlecht aussieht. Dr. Ladd hat bei Ihnen eine Entschuldigung gut.«

»Frank, ich habe nichts dagegen, diese Fragen zu beantworten, wenn der Unsinn damit ein für alle Mal beendet ist«, sagte sie. Perkins musterte sie einen langen Augenblick und wandte sich dann an Smilow, obwohl er offensichtlich anderer Meinung war: »Bevor wir weitermachen, bestehe ich darauf, mich mit meiner Mandantin zu beraten.«

»Schön, ich gebe Ihnen fünf Minuten allein.«

»Stellen Sie sicher, dass das Mikrofon ausgeschaltet ist, ehe Sie gehen.«

»Glauben Sie mir, Frank, ich möchte, dass diese Sache strikt nach Vorschrift verläuft. Ich habe keine Lust, einen Mörder wegen einer Formsache auf freien Fuß setzen zu müssen.« Mit einem bezeichnenden Blick auf Alex schaltete er das Band ab und ließ sie mit ihrem Anwalt allein.

»Kaum zu glauben.« Draußen im schmalen Flur stand Steffi Mundell und starrte durch den Spionspiegel in Smilows Privatbüro. »Die Zeichnerin hat ins Schwarze getroffen. Wie ist sie denn?«

»Steffi, hast du sonst keine anderen Fälle? Ich dachte, ihr Staatsanwälte seid samt und sonders überarbeitet und unterbezahlt. Wenigstens möchtet ihr das allen weismachen.«

»Mit Masons Erlaubnis habe ich meine Fälle so weit abgebaut, dass ich mich auf diesen einen konzentrieren kann. Er wünscht, dass ich Hammond in jeder Hinsicht zur Seite stehe.«

»Wo steckt denn der Wunderknabe?« Er sah, wie Alex Ladd eine von Frank Perkins' Fragen mit einem heftigen Kopfschütteln beantwortete.

»Hat sich in seinem Büro verschanzt. Ich habe ihn seit heute

Morgen im Krankenhaus nicht mehr gesehen. Hab ihm eine Nachricht hinterlassen, dass ich hierher bin, um einen Blick auf unsere Verdächtige zu werfen. Übrigens, gute Arbeit, guter Fang.«

»Kinkerlitzchen. Wird Hammond zu uns stoßen?«

»Würde es dir was ausmachen?«

Smilow zuckte mit den Schultern. »Ich sähe gerne seine Reaktion.«

»Auf Dr. Ladd?«

»Könnte durchaus interessant sein, ob Sankt Hammond im Stande wäre, für eine schöne Frau die Todesstrafe zu fordern.« Steffi reagierte verblüfft. »Findest du sie denn schön?«

Bevor Smilow antworten konnte, öffnete Frank Perkins die Tür, begrüßte Steffi kurz und winkte beide herein.

Bobby Trimble atmete tief durch, um sein Herzrasen wieder unter Kontrolle zu bringen. Seit er Alex auf der Treppe im Gespräch mit den Bullen gesehen hatte, schlug es wie wild.

Das war schlecht. Ganz schlecht. Hatten die Bullen von seinem Pettijohn-Plan Wind bekommen? Hatte Alex sie angerufen, um ihn zu verpfeifen und sich selbst zu retten?

Mit gespielter Gleichgültigkeit war er langsam an ihrem Haus vorbeigefahren. Aber das, was er aus dem Augenwinkel beobachtete, war alarmierend: zwei Uniformierte, ein Zivilbeamter und eine rachsüchtige Frau, die aus ihrer Abscheu für ihn keinen Hehl machte. Eine narrensichere Kombination für eine Katastrophe.

Und doch gab es ein positives Zeichen. Alex hatte nicht mit dem Finger auf ihn gezeigt und geschrien: »Schnappt ihn!« Trotzdem wusste er nicht recht, was das bedeutete; vielleicht hatte sie ihn auch nur nicht vorbeifahren sehen.

Während er seinen nächsten Schachzug plante, lenkte er das Cabrio ziellos durch den Mittagsverkehr im Stadtzentrum Charlestons. Letzte Nacht war er sich sicher gewesen, ins Schwarze getroffen zu haben. Nach einer Menge Drohungen war Alex einverstanden, ihm das geforderte Geld zu geben.

»Falls du dir einbildest, du kannst meine Idee stehlen und zu deinem eigenen Vorteil verwenden, dann irrst du dich gründlich, Missy!« Wenn er erregt war, verfiel er wieder in seinen Dialekt. Aber da er den Klang dieses hinterwäldlerischen Singsangs hasste, hatte er innegehalten, um seine Stimme zu modulieren. »Alex, wag ja nicht, nur daran zu denken, mich hinters Licht zu führen«, erklärte er ihr in einem weicheren, aber nicht weniger bedrohlichen Tonfall. »Dieses Geld gehört mir, und ich will es haben.«

Auch Alex hatte ihr Benehmen geändert. Sie sprach besser, war besser gekleidet und lebte gut. Aber trotz all ihres hochnäsigen Gehabes hatte sie sich nicht wirklich verändert. Genauso wenig wie er. So wie sie seine wahre Natur kannte, kannte er ihre. Dachte sie, er sei von gestern? Er sah genau, was los war. Sie hatte sich in seine Gehirnwindungen eingeklinkt und versuchte nun, ihn um seine Hälfte zu betrügen.

Als er ihr das vorwarf, hatte sie gesagt: »Bobby, zum letzten Mal, ich habe kein Geld, das ich dir geben könnte. Lass mich in Ruhe!«

»Alex, so einfach geht das nicht. Ich bleibe in deinem Leben, bis ich habe, weshalb ich gekommen bin. Wenn du willst, dass ich verschwinde, dann zahl.«

Ihr müdes Seufzen war so gut wie eine weiße Flagge gewesen. »Komm morgen Mittag zu mir nach Hause.«

Also war er mittags an ihrem Haus gewesen. Und dann? Sie hatte Gesellschaft, Bullen. Vielleicht gab es sogar schon einen Haftbefehl für ihn.

Vielleicht aber auch nicht, dachte er und zwang sich, ruhiger zu werden. Wenn sie ihm mit der Polizei eine Falle gestellt hatte, warum parkte dann der Streifenwagen weithin sichtbar? Außerdem, wie könnte sie ihn verpfeifen, ohne sich dabei selbst ans Messer zu liefern?

So oder so, Bobby Trimble wäre klug beraten, eine Weile unterzutauchen, bis er genau wüsste, was los war. *Wie lang-wei-lig.*

Während er an einer roten Ampel hielt, faltete er die Hände über dem Steuerrad und bedachte seine nähere Zukunft. Da bemerkte er ein anderes Cabrio, das neben ihm anrollte. Er drehte den Kopf.

Die beiden Gesichter, die ihn ihrerseits anschauten, waren zum Teil hinter Sonnenbrillen mit grellgelben Gläsern verborgen. Zwei junge attraktive Studentinnen mit aufreizend-anzüglichem Grinsen. Verwöhnte Gören reicher Väter, die an einem heißen Sommernachmittag der Hafer stach.

Mit anderen Worten – Beute.

Die Ampel sprang um. Mit quietschenden Reifen schoss ihr Wagen vorwärts und bog an der nächsten Ecke rechts ab. Bobby wechselte die Spur und folgte ihnen. Verstohlen warfen die Mädels Blicke über die nackten Schultern. Sie wussten genau, dass er ihnen nachfuhr. Er sah, wie sie lachten.

Blitzschnell bog das BMW-Cabrio in den Parkplatz vor einem schicken Restaurant. Bobby hinterdrein. Er beobachtete, wie sie auf den Eingang zugingen. Sie trugen knappe Shorts, die den Po zwei Finger breit frei ließen. Ihre gebräunten Beine wirkten endlos lang. Die Spagettitops boten tiefe Einblicke. Ihr Gang, ihr Kichern, ihr Flirten erinnerten Bobby an das, was er am besten konnte.

Er bahnte sich einen Weg durch das volle Restaurant und entdeckte sie an einem Tisch im Innenhof unter einem Schirm, wo sie gerade ihre Getränke bestellten. Als die Bedienung ging, ließ sich Bobby in einen freien Stuhl an ihrem Tisch fallen.

Auf ihren Lippen, die sehr weiße, kerzengerade Zähne umrahmten, schimmerte Lipgloss. In den Ohren glitzerten Diamantstecker. Sie dufteten nach teuren Parfüms.

»Ich bin Jugendpolizist«, meinte er anzüglich. »Sind die beiden jungen Damen denn schon alt genug für Alkohol?«

Sie kicherten.

»Machen Sie sich keine Gedanken über uns, *Officer.*«

»Wir sind schon längst volljährig.«

»Volljährig wofür?«, fragte er.

»Wir haben Ferien, also sind wir für alles offen.«

»Und damit meinen wir wirklich alles.«

Er warf ihnen ein forsches Lächeln zu. »Ist das wahr? Und ich hätte euch für Wanderpredigerinnen gehalten.«

Diese Bemerkung löste erneut Kichern aus. Die Bedienung

kam mit zwei Gläsern. Bobby lehnte sich in seinen Stuhl zurück. »Was trinken wir denn da, meine Damen?«

Er hatte es geschafft.

Endlich durchbrach die Empfangsdame kühn die unsichtbare Barriere vor Hammonds Büro. »Diese Verdächtige von der Phantomzeichnung – sie wurde als Dr. Alex Ladd identifiziert. Derzeit sitzt sie zum Verhör im Büro von Detective Smilow.«

In seinen Handflächen brach kalter Schweiß aus. »Hat er sie verhaftet?«

»Laut Miss Mundell ist sie freiwillig mitgekommen. Allerdings hat sie ihren Anwalt dabei. Gehen Sie jetzt rüber, oder was?«

»Vielleicht später.« Die Empfangsdame zog sich zurück.

Die Konsequenzen dieser Neuigkeiten hallten schlagartig wider. Hammond wurde buchstäblich bombardiert. Smilows Befragungsmethoden hätten selbst Mutter Teresa ein Geständnis entlockt. Hammond hatte keine Ahnung, wie Alex Ladd darauf reagieren würde. Wäre sie feindselig oder kooperativ? Hätte sie etwas zu gestehen? Würde sie, bei einem Wiedersehen mit ihm, vielleicht etwas enthüllen? Und was würde er vielleicht enthüllen?

Um sicherzugehen, wollte er die unvermeidliche persönliche Begegnung so lange wie möglich hinausschieben. Bis er mehr über Alex Ladd in Erfahrung gebracht und Wesen und Ausmaß ihrer Beziehung zu Pettijohn eruiert hatte, war es für ihn am besten, sich aus diesem Fall herauszuhalten.

Was normalerweise auch durchaus möglich gewesen wäre. Bis auf wenige Ausnahmen wurde sein Büro erst dann direkt eingeschaltet, wenn entweder die Detectives das Gefühl hatten, genug Beweismaterial für eine formelle Anklageerhebung zu haben, oder wenn Hammond einen Fall für das große Geschworenengericht kommen sah. Im Gegensatz zu Steffi, die keine Diplomatie kannte, überließ er der Polizei den Fall so lange, bis er an der Reihe war.

Aber hier handelte es sich um eine jener seltenen Ausnahmen. Hier war seine Beteiligung gefordert, und sei es nur aus politischen Gründen. Amtspersonen von Stadt und Staat – einige waren zu Pettijohns Lebzeiten seine eingeschworenen Feinde gewesen, andere seine Gefolgsleute – benützten den Mord an ihm als politische Plattform und forderten über die Medien eine rasche Verhaftung und Verurteilung seines Mörders.

Ein Leitartikel in der Tageszeitung hatte das öffentliche Interesse noch angeheizt. Er klang wie die Fanfare der traurigen Wahrheit, dass niemand vor Gewalt sicher sei, nicht einmal eine anscheinend unverwundbare Person wie Lute Pettijohn.

Im Mittagsmagazin hatte ein Reporter die Leute auf der Straße befragt, ob sie erwarteten, dass Pettijohns Killer gefasst und seiner gerechten Strafe zugeführt würde.

Der Fall kreierte exakt den Medienrummel, nach dem sich sein Vater sehnte, während Hammond sich am liebsten so lange wie möglich aus dieser Schlacht herausgehalten hätte. Zu diesem Zweck vergrub er sich noch eine weitere halbe Stunde hinter seinen Aktenbergen.

Sofort nach dem Lunch tauchte Monroe Mason auf. »Wie ich höre, hat Smilow bereits einen Verdächtigen.« Sein Bass prallte wie ein Tennisball von Hammonds Bürowänden ab.

»Neuigkeiten haben schnelle Beine.«

»Also ist es wahr?«

»Ich habe es eben erst erfahren.«

»Dann gib mir eine Zusammenfassung.«

Er erläuterte die Sache mit Daniels und der Zeichnung. »Ein Flugblatt mit Endicotts Skizze und einer schriftlichen Beschreibung wurde im Viertel um das Charles Towne Plaza in Umlauf gebracht. Ein Parkplatzwächter hat Dr. Ladd identifiziert.«

»Meines Wissens ist sie eine prominente Psychologin.«

»So heißt es.«

»Hast du je von ihr gehört?«

»Nein.«

»Ich auch nicht. Vielleicht meine Frau, die kennt jeden. Denkst du, Pettijohn war ihr Patient?«

»Monroe, momentan weißt du so viel wie ich.«

»Sieh zu, was du herausbekommst.«

»Ich werde dich über den Fall auf dem Laufenden halten.«

»Nein, ich meine heute Nachmittag. Jetzt.«

»Jetzt? Smilow mag es nicht, wenn wir dazwischenfunken«, argumentierte Hammond, »schon gar nicht, wenn ich es tue. Steffi ist schon drüben. Wenn ich auch noch hingehe, wird ihm erst recht der Kamm schwellen. Dann sieht's so aus, als würden wir ihn überwachen.«

»Falls er sich aufplustert, wird Steffi das wieder glätten. Ich muss etwas für die Reporter haben, wenn sie bei mir im Büro anrufen.«

»Monroe, ich kann nicht behaupten, dass Dr. Ladd verdächtig ist. Das wissen wir nicht. Um Himmels willen, sie wird nur verhört.«

»Immerhin war sie so besorgt, dass sie Frank Perkins mitgebracht hat.«

»Frank ist ihr Anwalt?« Hammond kannte ihn gut und respektierte ihn. Ein Plädoyer gegen ihn vor Gericht war immer eine Herausforderung. Einen fähigeren Anwalt konnte sie nicht haben. »Jeder vernünftige Mensch würde seinen Anwalt mitnehmen, wenn man ihn zum Verhör auf eine Polizeiwache bittet.« Mason ließ sich nicht ablenken. »Lass mich wissen, wie's mit ihr steht.« Mit einem donnernden »Auf Wiedersehen« trat er ab, und damit auch jede Wahl, die Hammond noch geblieben war.

Kaum hatte er die Polizeiwache erreicht, ging er in den zweiten Stock und drückte auf den Summer an der versperrten Doppeltür, die zur Mordkommission führte. Eine Polizistin öffnete ihm. Da sie den Grund für seine Anwesenheit kannte, meinte sie nur: »Sie sind in Smilows Büro.«

»Warum nicht im Verhörzimmer?«

»War vermutlich belegt. Außerdem wollte Staatsanwältin Mundell durch den Spiegel zusehen.«

Hammond war beinahe froh, dass Alex nicht in jenem fensterlosen Kabuff verhört wurde, in dem es nach abgestandenem Kaffee und Schuldschweiß stank. Er konnte sie sich unmöglich im selben Raum vorstellen, wo man vor seinen Augen Pädophilen,

Vergewaltigern, Dieben, Zuhältern und Mördern in unnachgiebigen Verhören Geständnisse abgerungen hatte.

Er bog um die Ecke in den kurzen Flur mit den Büros. Er hatte gehofft, die Sache wäre bei seiner Ankunft schon vorbei und Alex längst fort. Leider war ihm das Glück nicht hold. Mit zusammengekniffenen Augen spähten Steffi und Smilow durch das verspiegelte Glas wie Geier, die auf den letzten Atemzug ihres Opfers lauern.

Er hörte Steffi sagen: »Sie lügt.«

»Natürlich lügt sie«, meinte Smilow. »Ich weiß nur nicht, welcher Teil gelogen ist.«

Sie bemerkten Hammond erst, als er den Mund aufmachte. »Wie steht's?«

Steffi drehte sich um, sie war restlos verärgert. »Na, wird aber auch Zeit. Hast du meine Nachricht nicht bekommen?«

»Ich konnte nicht weg. Wieso denkst du, sie lügt?« Er deutete mit dem Kinn auf das kleine Fenster. Bisher fehlte ihm noch immer der Mut hinzusehen.

»Ein Unschuldiger ist normalerweise nervös und fahrig«, sagte Smilow.

»Unsere Frau Doktor blinzelt kaum«, erklärte ihm Steffi. »Kein Herumdrucksen, kein Räuspern, keine Ausweichmanöver. Jede Frage wird direkt beantwortet.«

Hammond meinte: »Ich bin überrascht, dass Frank sie auf alles antworten lässt.«

»Er will das nicht. Sie besteht darauf. Die hat ihren eigenen Kopf.«

Endlich folgte Hammond Smilows nachdenklichem Blick und drehte sich um. Obwohl er nur ein Profil erkennen konnte, traf ihn selbst dieses wie ein Schlag. Im ersten Impuls hätte er am liebsten die Locke zurückgestrichen, die auf ihrer Wange lag. Dann hätte er sie gerne gepackt und wütend geschüttelt und gefragt, was sie, verdammt noch mal, im Schilde führte und warum sie ihn mit hineingerissen hatte.

»Was wissen wir von ihr?«, fragte er.

Selbst Smilow wirkte beeindruckt, während er eine lange Liste

Referenzen herunterratterte. »Außer zwei Veröffentlichungen in *Psychologie heute* wird sie häufig um Gastvorlesungen gebeten, besonders über ihre Studie zu Panikattacken. Auf diesem Gebiet gilt sie als Expertin. Erst vor wenigen Monaten konnte sie einem Mann den Sprung vom Fensterbrett ausreden.«

»Daran erinnere ich mich«, meinte Hammond.

»Stand in den Zeitungen. Die Ehefrau des Mannes rechnet es Dr. Ladd hoch an, dass sie ihm das Leben gerettet hat.« Mit einem Blick auf seinen Notizblock fügte Smilow hinzu: »Über ihr Privatleben ist nichts bekannt. Wir wissen lediglich, dass sie Single und kinderlos ist. Frank ist sauer. Er behauptet, wir hätten die Falsche geschnappt.«

»Und was hat er sonst noch auf Lager?«, bemerkte Steffi schneidend.

Hammond versuchte, unbeteiligt zu wirken, und meinte: »Sie wirkt wie jemand, der alles unter Kontrolle hat.«

»O ja, die ist kontrolliert, und wie«, sagte Steffi. »Unter deren Hintern schmilzt kein Eisblock. Wenn du mit ihr redest, wirst du merken, was wir meinen. Die ist so cool, die hat praktisch kein Blut in den Adern.«

Wie wenig du weißt, Steffi.

»Bereit zur nächsten Runde?« Sie begab sich mit Smilow zur Tür.

Hammond blieb zurück. »Wollt ihr, dass ich mitgehe?« Überrascht drehten sie sich um.

»Und ich dachte, du seist ganz wild darauf, den ersten Schuss auf die Mörderin abzufeuern«, sagte Steffi.

»Erst mal abwarten, ob sie eine Mörderin ist«, erwiderte er gereizt. »Aber das ist nicht der Punkt. Wir beide sind Smilow gegenüber zwei zu eins. Ich möchte nicht, dass er denkt, wir würden ihn überwachen.«

»Sie können mich schon direkt ansprechen«, sagte Smilow.

»Okay«, sagte Hammond, wobei er den Detective anschaute. »Nur damit das klar ist: Mein Eingreifen war Masons Idee, nicht meine.«

»Mir hat Polizeipräsident Crane dieselbe Lektion in friedlicher

Koexistenz erteilt. Ich kann Sie tolerieren, wenn Sie mich tolerieren.«

»Klingt fair.«

Steffi atmete heftig aus. »Ende der ersten Runde im Pinkelwettbewerb. Könnten wir jetzt bitte wieder zur Sache kommen?«

Smilow hielt ihnen die Tür auf. Hammond ließ Steffi vorangehen. Hinter ihm trat Smilow ein und schloss die Tür. Damit war der kleine Raum mit viel zu vielen Leuten voll gestopft. Smilow konnte sich nur mit Mühe an Hammond vorbei zu seinem Schreibtisch schieben. »Dr. Ladd, sind Sie sicher, dass Sie nichts trinken möchten?«

»Nein, Detective, danke.« Auf Hammond wirkte der Klang ihrer Stimme so elektrisierend, als ob sie ihn berührt hätte. Er spürte fast ihren Atem an seinem Ohr. Hart und dumpf pochte sein Herz gegen die Rippen. Er konnte kaum Luft holen. Verdammt noch mal, nur mit äußerster Mühe gelang es ihm, sie nicht zu berühren.

Smilow vollführte die überflüssige Vorstellungszeremonie. »Dr. Ladd, das ist Sonderstaatsanwalt Hammond Cross. Mr. Cross, Dr. Alex Ladd.«

Sie wandte den Kopf. Hammond hielt den Atem an.

16

»*Sonderstaatsanwalt Cross kann ihnen erzählen, wo ich am Samstagabend gewesen bin und was ich getan habe, nicht wahr, Sonderstaatsanwalt Cross?*«

»*Ich habe am Samstag niemanden getötet, und wenn doch, wäre es reine Notwehr gewesen. Sehen Sie, Detective Smilow, Staatsanwalt Cross hat mich in seine Hütte im Wald gelockt und dort mehrfach vergewaltigt.*«

»*Staatsanwalt Cross, nett, Sie wiederzusehen. Wie lange ist das her? Ach ja, ich erinnere mich. Letzten Samstag haben wir uns um den Verstand gevögelt.*«

Alex Ladd sagte nichts dergleichen. Und auch keinen jener anderen schrecklichen Sätze, die sich Hammond eingebildet hatte. Weder schleuderte sie ihm Beschimpfungen ins Gesicht, noch denunzierte sie ihn vor seinen Kollegen. Kein anzügliches Blinzeln und auch sonst kein Zeichen des Wiedererkennens.

Aber als sie sich ihm zuwandte und sich ihre Blicke trafen, schien alles andere um ihn herum zu verschwinden, und er kannte nur noch ein Ziel: sie. Nur ein, zwei Sekunden versanken ihre Blicke ineinander, aber auch wenn der Kontakt eine Ewigkeit gedauert hätte, hätte er kaum intensiver oder bedeutungsvoller sein können.

Am liebsten hätte er gefragt: *Was hast du mir angetan?* Und das in mehr als einem Sinn. Am Samstagabend war er wie vom Donner gerührt gewesen. Er hatte gedacht, ja sogar darauf gehofft, dass ein Wiedersehen unter grellem Neonlicht und weit weniger romantischen Umständen ihn auch weniger berühren würde. Aber genau das Gegenteil war der Fall. Sein Wunsch, die Arme nach ihr auszustrecken, tat ihm physisch weh.

All das schoss ihm schneller als ein Lidschlag durch den Kopf. In der Hoffnung, dass ihn seine Stimme nicht verriet, sagte er: »Dr. Ladd.«

»Angenehm.«

Dann wandte sie sich ab. Diese Routinefloskel zerstörte Hammonds verzweifelte Hoffnung, dass er für sie am Samstag *tatsächlich* ein Fremder gewesen war und ihr Treffen auf dem Jahrmarkt purer Zufall. Wenn ja, hätten sich jetzt, in dieser Situation ihre grünen Augen geweitet, und sie wäre mit einem Satz herausgeplatzt wie: »Also, hallo! Sie hätte ich nicht hier erwartet.« Aber sie hatte kein bisschen überrascht gewirkt. Als sie den Kopf zur Begrüßung drehte, hatte sie ganz genau gewusst, wem diese gelten würde.

Eigentlich machte es den Eindruck, als wäre sie auf diese Begegnung genauso gefasst gewesen wie er. Sie hatte fast zu sehr die Kühle gespielt und sich fast zu rasch abgewandt, um noch als höflich zu gelten.

Eines stand nunmehr außer Zweifel: Ihre Begegnung war geplant gewesen. Aus immer noch unerfindlichen Gründen war die gemeinsam verbrachte Zeit für sie ebenso kompromittierend wie für ihn.

Frank Perkins sprach als Erster. »Hammond, für meine Mandantin ist das hier völlige Zeitverschwendung.«

»Sehr gut möglich, Frank, trotzdem würde ich gerne selbst zu diesem Schluss kommen. Offensichtlich ist Detective Smilow der Meinung, dass Dr. Ladds Aussage mein Beisein rechtfertigt.«

Der Anwalt wandte sich an seine Mandantin: »Alex, macht es dir etwas aus, das Ganze zu wiederholen?«

»Nicht, wenn ich dann schneller nach Hause komme.«

»Wir werden sehen.«

Diese Bemerkung kam von Steffi. Hammond hätte sie dafür am liebsten geohrfeigt. Er überließ das Frage-und-Antwort-Spiel Smilow und lehnte sich gegen die geschlossene Tür, von wo aus er Alex' Profil ungehindert im Blick hatte.

Smilow schaltete das Tonbandgerät wieder ein und fügte Hammonds Namen zu denen der Anwesenden hinzu. »Dr. Ladd, kannten Sie Lute Pettijohn?«

Sie seufzte, als hätte sie diese Frage schon tausendmal beantwortet. »Nein, Detective, kannte ich nicht.«

»Was haben Sie am Samstagnachmittag im Zentrum gemacht?«

»Ich könnte mich auf den Standpunkt stellen, dass ich dort lebe, aber um Ihre Frage zu beantworten: Ich war bummeln.«

»Haben Sie irgendetwas gekauft?«

»Nein.«

»Haben Sie irgendwelche Geschäfte betreten?«

»Nein.«

»Sie sind also nicht in einem Geschäft gewesen oder haben mit irgendwelchen Verkäuferinnen geplaudert, die bestätigen könnten, dass Sie dort zum Einkaufen waren?«

»Leider nein. Ich habe nichts gesehen, was mir aufgefallen wäre.«

»Sie haben also nur Ihr Auto geparkt und sind herumgelaufen?«

»Richtig.«

»War es draußen für einen Spaziergang nicht ein wenig zu heiß?«

»Für mich nicht. Ich mag die Hitze.«

Ihr Blick huschte zu Hammond hinüber, aber er brauchte ihn nicht zur Erinnerung.

Jetzt, nach Sonnenuntergang, ist es nicht so heiß.«

Sie lächelte zu ihm hoch, die wirbelnden Karusselllichter spiegelten sich in ihren Augen. »Eigentlich mag ich die Hitze.«

Hammond blinzelte, bis Smilow wieder klar zu sehen war.

»Sind Sie ins Charles Towne Plaza gegangen?«

»Ja, gegen fünf Uhr. Um etwas zu trinken. Nichts Alkoholisches. Ich bin sicher, dass mich dieser Mr. Daniels dabei gesehen hat. Das ist der einzige Zeitpunkt und Ort, als er mich gesehen haben könnte, denn vor Mr. Pettijohns Zimmer habe ich nie gestanden.«

»Er hat uns ausführlich geschildert, dass Sie genau das gegen fünf Uhr getan haben.«

»Er irrt sich.«

»Sie haben in der Bar etwas getrunken.«

»Ja, gleich neben der Halle. Ungesüßten Eistee.«

Steffi beugte sich zu Hammond und flüsterte: »Die Kellnerin bestätigt das. Aber das heißt nur, dass sie wenigstens von zwei Leuten im Hotel gesehen wurde.«

Er nickte kommentarlos, weil Smilow soeben eine neue Frage stellte und ihn Alex' Antwort interessierte.

»Was haben Sie gemacht, nachdem Sie ausgetrunken hatten?«

»Ich bin zum Parkplatz zurück, wo mein Auto stand.«

»Um wie viel Uhr war das?«

»Viertel nach fünf. Nicht später als halb sechs.«

Hammond bekam vor Erleichterung weiche Knie. John Madison hatte in seiner ersten Vermutung den Zeitpunkt des Todes später angesetzt. Also war sein Schweigen gerechtfertigt. Fast. Wenn sie tatsächlich völlig unschuldig war und das Opfer eines Versehens durch einen Mann, der unter einer Lebensmittelvergiftung litt, warum hatte sie bei seinem Eintreten nicht reagiert? Warum hatte sie so getan, als wären sie einander nie begegnet? Er hatte Gründe, warum er ihre Begegnung für sich behielt. Sie offensichtlich auch.

»Ich habe dem Parkplatzwächter zehn Dollar gegeben, den kleinsten Schein; den ich bei mir hatte«, sagte sie gerade.

»Das ist ein sehr großzügiges Trinkgeld.«

»Ich dachte, eine Bitte um Wechselgeld würde billig wirken. Der Parkplatz war voll, und er hatte zu tun, war aber trotzdem sehr nett und höflich.«

»Was taten Sie, nachdem Sie Ihren Wagen geholt hatten?«

»Ich habe Charleston verlassen.«

»Und wohin sind Sie gefahren?«

»Nach Hilton Head Island.«

Hammond schluckte hörbar. So viel zur Wahrheit. Warum log sie? Um ihn zu schützen? Oder sich selbst?

»Hilton Head.«

»Ja.«

»Haben Sie unterwegs irgendwo angehalten?«

»Zum Tanken.« Sie senkte die Augen, wenn auch sehr kurz. Vermutlich fiel es nur Hammond auf.

Sein Herz pochte heftig gegen seine Rippen. Jener Kuss. Der Kuss. Der Kuss, an den er sich den Rest seines Lebens erinnern würde. Keiner war je so gut gewesen, keiner hatte sich so verdammt richtig angefühlt – oder war so verdammt falsch gewesen. Dieser Kuss konnte in letzter Konsequenz sein Leben verändern, seine Karriere ruinieren und ihn verdammen.

»Erinnern Sie sich noch an den Namen der Tankstelle?«

»Nein.«

»Texaco? Exxon?«

Achselzuckend schüttelte sie den Kopf.

»Standort?«

»Irgendwo an der Autobahn«, antwortete sie unvermittelt. »Es war nicht in einer Stadt. Selbstbedienung. Bezahlung am Fenster. Solche gibt es auf dieser Autobahn zu Dutzenden. Der Kassierer sah sich einen Wrestlingkampf im Fernsehen an. Das ist alles, was ich noch weiß.«

»Haben Sie mit Kreditkarte bezahlt?«

»Bar.«

»Ich verstehe. Mit einem dieser großen Scheine.«

Hammond sah die Falle und hoffte, dass sie es auch tat. Die meisten Tankstellen mit Selbstbedienung und Kioske nahmen keine größeren Scheine als Zwanzigdollarnoten, besonders nicht nach Einbruch der Dunkelheit.

»Mit einem Zwanziger, Mr. Smilow«, sagte sie mit einem müden Lächeln. »Ich habe für zwanzig Dollar getankt und nichts herausbekommen.«

»Echt cool, wirklich.«

Trotz Steffis leisem Gemurmel hatte Alex es gehört und schaute verstohlen zu ihnen hinüber, zuerst zu Steffi, dann zu Hammond. Wieder musste er daran denken, wie er ihr Gesicht zwischen den Händen gehalten und ihren Mund zu seinem gezogen hatte.

»Sag nicht Nein. Sag nicht Nein.«

Mit Smilows nächster Frage konzentrierte sich Alex wieder voll auf ihn. Hammond atmete aus, aber es fiel niemandem auf, dass er den Atem angehalten hatte.

»Wann sind Sie in Hilton Head angekommen?«

»Das war das Schöne an diesem Tag. Ich hatte nichts Konkretes vor, keinen Stundenplan. Da ich weder auf die Uhr geschaut noch eine direkte Route gewählt habe, kann ich mich auch nicht an den genauen Zeitpunkt meiner Ankunft erinnern.«

»Ungefähr.«

»Ungefähr… neun Uhr.«

Ungefähr um neun hatten sie Maiskolben gegessen. Ihre Lippen waren fettig von der geschmolzenen Butter gewesen. Sie hatten darüber gelacht und beschlossen, sämtliche Manieren zu vergessen und sich schamlos die Finger abzuschlecken.

»Was haben Sie auf Hilton Head gemacht?«

»Ich bin die ganze Insel entlanggefahren, bis nach Harbour Town, bin herumspaziert und habe die Musik aus den Freiluftbars genossen. Habe dem jungen Mann zugehört, der unter der großen Eiche die Kinder unterhielt. Ich bin hauptsächlich um den Jachthafen und raus auf die Mole gelaufen.«

»Haben Sie mit jemandem gesprochen?«

»Nein.«

»In einem Lokal gegessen?«

»Nein.«

»Sie hatten keinen Hunger?«

»Offensichtlich nicht.«

»Das ist lächerlich!«, protestierte Frank Perkins. »Dr. Ladd gibt zu, dass sie am Samstag im Hotel war, aber das waren hundert andere Leute auch. Sie ist eine attraktive Dame, die einem Mann wahrscheinlich selbst in einer Menschenmenge auffällt. Und dieser Daniels macht da keine Ausnahme.«

Hammond beobachtete sie noch immer. Als ihre Augen zu ihm wanderten, wiederholte sich jener erste Blick quer durch den Pavillon. Sofort war da eine Verbindung, er spürte es, etwas zerrte an seinem Innersten.

Perkins argumentierte noch immer: »Alex sagt, sie sei nirgendwo auch nur in die Nähe von Pettijohns Suite gekommen. Sie haben nichts, was ihre Anwesenheit dort bestätigt. Das Ganze ist nur ein Herumstochern im Nebel, weil Sie sonst nichts haben. Obwohl ich vollstes Verständnis für Ihr Bestreben habe, einen schlüssigen Verdächtigen zu präsentieren, werde ich nicht zulassen, dass meine Mandantin darunter leidet.«

»Frank, nur noch ein paar Fragen«, sagte Smilow. »Haben Sie Nachsicht mit mir.«

»Machen Sie's kurz«, meinte der Anwalt barsch.

Smilow starrte die Psychologin unverwandt an. »Ich wüsste gerne, wo Dr. Ladd die Nacht verbracht hat.«

»Daheim.«

Ihre Antwort schien ihn zu überraschen. »Bei Ihnen zu Hause?«

»Ich war sauer, weil ich auf Hilton Head nicht reserviert hatte. Sobald ich dort war, wäre ich gern über Nacht geblieben, aber ich habe in mehreren Hotels angerufen, es war alles ausgebucht. Also bin ich nach Charleston zurückgefahren und habe in meinem eigenen Bett geschlafen.«

»Allein?«

»Ich habe keine Angst, im Dunkeln Auto zu fahren.«

»Haben Sie allein *geschlafen*, Dr. Ladd?«

Sie starrte ihn kalt an.

Frank Perkins sagte: »Alex, sag ihm, er soll sich verpissen. Wenn du's nicht tust, mach ich es.«

»Detective, Sie haben den Rat meines Anwalts gehört.«

Smilow verzog die Mundwinkel nach oben, was man als Lächeln hätte deuten können. »Haben Sie sich während Ihres Aufenthalts in Harbour Town mit irgendjemandem unterhalten?«

»Ich bin durch eine der Kunstgalerien geschlendert, allerdings ohne mit jemandem zu reden. Außerdem habe ich mir am Leuchtturm ein Eis gekauft, aber das ist eine offene Eisdiele, die viel Betrieb hatte. Ich würde die junge Frau, die mich bedient hat, nicht wiedererkennen und bezweifle auch, dass sie es umgekehrt könnte. Sie hatte viele Kunden an dem Abend.«

»Also gibt es niemanden, der bestätigen kann, dass Sie dort waren?«

»Schätzungsweise nicht. Nein.«

»Und von dort sind Sie nach Hause gefahren. Ohne anzuhalten?«

»Ja.«

»Wann sind Sie daheim gewesen?«

»In den frühen Morgenstunden. Ich habe nicht darauf geachtet. Ich war sehr müde.«

»Meine Geduld ist jetzt zu Ende.« Frank Perkins half ihr höflich, aber so bestimmt vom Stuhl auf, dass weder sie noch Smilow zu widersprechen wagten. »Dafür kann Dr. Ladd eine Entschuldigung erwarten. Und wenn Sie im Zusammenhang mit diesem Fall den Medien gegenüber ihren Namen auch nur andeutungsweise fallen lassen, werden Sie nicht nur mit einem ungelösten Mord zu kämpfen haben, sondern auch mit einem Prozess, bei dem Ihnen Hören und Sehen vergeht.«

Er schob Alex Richtung Tür, aber noch ehe irgendeiner sich bewegen und ihnen Platz machen konnte, öffnete ein anderer Detective die Tür. Er hielt einen Aktendeckel in der erhobenen Hand. »Das wollten Sie doch haben, so schnell es ging.«

»Danke«, sagte Smilow und griff nach der Akte. »Wie ist's gelaufen?«

»Madison'sche Korinthenkackerei. Meint, er entschuldigt sich, weil's so lange gedauert hat.«

»Solange er gründlich war.«

»Steht alles da drin.«

Der Detective verschwand wieder. Zur Information der Anwesenden meinte Smilow: »Dieser Detective war bei der Autopsie als Augenzeuge dabei. Hier ist Madisons Bericht.«

Steffi drängte sich an Smilow, während er die Dokumente aus dem Umschlag zog, und überflog sie mit ihm.

Ohne den Blick vom Bericht zu heben, fragte Smilow: »Dr. Ladd, besitzen Sie eine Waffe?«

»Man könnte vieles als Waffe benützen, nicht wahr?«

»Der Grund für meine Frage…«, meinte Smilow, wobei er den Kopf hob, um sie anzusehen, »ist folgender: Es war genauso, wie wir dachten. Lute Pettijohn ist nicht am Schlag auf den Kopf gestorben, sondern an einer Kugel.«

»Pettijohn wurde *erschossen*?«

»Ich denke, das war echt.«

Steffi presste eine Zitronenscheibe in ihren Drink, den man ihnen soeben an den Tisch gebracht hatte. »Also wirklich, Hammond, komm auf den Teppich.«

»Es war das erste und einzige Mal, dass sie spontan irgendwelche Emotionen gezeigt hat«, beharrte er. »Ich glaube, ihre Überraschung war authentisch. Bis zu diesem Zeitpunkt hat sie nicht einmal gewusst, wie Pettijohn gestorben ist.«

»Ich war überrascht, dass er einen Schlaganfall hatte.« Das war eines der erstaunlichen Ergebnisse der Autopsie gewesen. Lute Pettijohn hatte einen Schlaganfall erlitten, der ihn allerdings nicht getötet hatte. Nach John Madisons Meinung war der Schlaganfall so intensiv gewesen, dass er gestürzt war, was wiederum zu der Kopfverletzung geführt hatte. Außerdem hatte Madison versichert, Pettijohn hätte im Überlebensfall höchstwahrscheinlich unter Lähmungserscheinungen oder anderen Behinderungen ge-

213

litten. Erst nachdem Frank Perkins Alex Ladd aus Smilows Büro geleitet hatte, hatten sie den Bericht ausführlich gelesen und den immer komplexer werdenden Kriminalfall um diese neue Information erweitert.

»Glaubst du, dieser Schlaganfall wurde durch irgendein Ereignis ausgelöst?«, überlegte Steffi. »Oder war die Ursache ein medizinisches Problem, von dem er nichts wusste?«

»Wir werden herausfinden müssen, ob er wegen irgendwelcher Beschwerden in Behandlung war«, meinte Smilow, während er eine Serviette unter sein Mineralwasser schob. »Auch wenn es unwichtig ist. Der Schlaganfall war nicht tödlich, sondern die Schüsse. Daran ist er gestorben.«

»Das hat Alex Ladd nicht gewusst«, konstatierte Hammond, »jedenfalls nicht, bevor sie es von uns erfuhr.«

Nachdenklich nippte Steffi an ihrem Gin Tonic, dann schüttelte sie entschieden den Kopf und lächelte ihn an wie jemand, der es besser weiß. »Nee. Ihr Erstaunen war gespielt. Frauen sind gute Schauspieler, schließlich müssen wir ständig einen Orgasmus vortäuschen.«

Die Bemerkung sollte keine Beleidigung für ihn sein, was sie auch nicht war. Trotzdem reagierte er sauer. »Frauen mit Penisneid.«

»Hammond, das ist ein ziemlich guter Anfang«, sagte sie und hob ihr Glas mit gespieltem Beifall. »Mit ein bisschen Übung hättest du das Zeug zum echten Macho.«

Smilow, der diesem Schlagabtausch mit eingeschränkter Aufmerksamkeit gefolgt war, meinte: »Auch wenn's mir noch so wehtut, so neige ich doch dazu, Hammond zuzustimmen.«

»Du meinst meinen Penisneid?«

Er verzog nicht einmal die Mundwinkel. »Ich pflichte ihm bei, dass Ladds Schock echt war.«

»Du bist mit Hammond einer Meinung? Das ist fast so schockierend, wie euch an einem Tisch zu sehen«, sagte sie.

Die Bar in der Halle des Charles Towne Plaza war zur Happy Hour bis zum Platzen mit Gästen gefüllt. Obwohl das Hotel im Vergleich zum Polizeipräsidium am anderen Ende der Stadt lag, war es ihnen zur Diskussion über Alex' Verhör als passender Treffpunkt erschienen.

In den Boutiquen rings um die Halle gingen Touristen einkaufen, egal, ob sie Gäste des Hauses waren oder nicht. Sie fotografierten die eindrucksvolle Treppe, den Kronleuchter und sich gegenseitig.

Kichernd vermieden es zwei barfüßige Frauen, in hoteleigenen Bademänteln und mit einem Handtuchturban auf dem Kopf, auf einem Schnappschuss zu landen. Steffi folgte Hammonds starrem Blick und meinte: »Einfach lächerlich, so herumzulaufen, und das alles nur wegen einer Kosmetikbehandlung. Kannst du dir vorstellen, wie Pettijohn ausgesehen haben muss, als er hier in einem solchen Aufzug durchgetrampelt ist?«

»Hä?«

»Hammond, wo bist du? Im Nirwana?«, fragte sie irritiert.

»Entschuldige, ich war ganz in Gedanken.«

Er hatte die Bademanteldamen nicht bemerkt. Seit sie Smilows Büro verlassen hatten, hatte er kaum etwas bemerkt. Er dachte nur unentwegt an sie, an Alex Ladd, und ihre Reaktion auf die Art und Weise, wie Pettijohn gestorben war.

Sie hatte ehrlich schockiert gewirkt und dadurch in ihm die Hoffnung geweckt, dass ihr Kommentar zu Mr. Daniels doch wahr sein könnte. Sie sei ihm zwar im Hotel aufgefallen, aber bezüglich Zeitpunkt und Ort irrte er sich.

In der Hoffnung, in Smilow einen Verbündeten zu gewinnen, beugte er sich über den Tisch, wobei er die Vorderarme an der Kante aufstützte. »Sie sagten, Sie würden mir beipflichten. Wieso? Woraus schließen Sie das?«

»Meines Erachtens ist sie schlau genug, ihre Überraschung so vorzutäuschen, dass es echt wirkt. Aus welchen Gründen, weiß ich nicht. Noch nicht. Aber mich beschäftigt weniger ihre überraschte Reaktion als ihre Story.«

»Wir hören«, sagte Steffi.

»Angenommen, sie hätte Pettijohn abgeknallt. Hätte sie dann nicht sofort das Hotel verlassen und sich ein Alibi gesucht?«

Hammond versuchte, möglichst unbekümmert zu wirken, und

griff nach seinem Bourbonglas. »Interessante Idee. Möchten Sie sie näher erörtern?«

»Man kann den Todeszeitpunkt erstaunlich genau festlegen. Im Grunde genommen minutengenau.«

»Zwischen fünf Uhr fünfundvierzig und sechs«, sagte Hammond. Angesichts dieser Zeitangabe im Autopsiebericht war er zutiefst erleichtert gewesen. Alex konnte unmöglich die Mörderin sein, da sie sich nicht zur selben Zeit an zwei Orten hatte aufhalten können. »Dr. Ladd sagt, sie sei spätestens um halb sechs gegangen.«

»Ungemütlich nahe dran«, meinte Smilow. »Ein guter Staatsanwalt wie Sie würde diesen Zeitrahmen in Frage stellen, eine gewisse Abweichung einkalkulieren. Aber selbst wenn wir nicht genau wissen, wann sie ihr Auto vom Parkplatz geholt hat, würde Frank Perkins diesen Zeitstrang wie eine Salami zerschneiden und dazu verwenden, berechtigten Zweifel zu säen. Allerdings funktioniert das nur dann, wenn…«

»Ich sehe, worauf du hinauswillst…«, warf Steffi ein.

»…wenn Dr. Ladd ein exzellentes…«

»Alibi hätte.«

Während Steffi und Smilow durcheinander redeten, nahm Hammond noch einen Schluck. Der Whisky kratzte ihm im Hals. »Macht Sinn«, meinte er rau.

Smilow runzelte die Stirn. »Das Problem, das ich mit ihrer Story habe, ist die Tatsache, dass sie kein Alibi hat. Sie sagt, sie sei nach Hilton Head gefahren und hätte mit niemandem gesprochen, der das bezeugen könnte.«

»Verwirrend«, meinte Steffi. »Findest du, dass sie ohne ein Alibi unschuldiger wirkt als mit einem?«

Der Detective schaute zu ihr hinüber. »Nicht ganz, aber ich denke darüber nach, ob sie abwartet, wie sich die ganze Sache entwickelt, ehe sie uns mit einem Alibi überrascht.«

»So, als hielte sie eines für alle Fälle in der Hinterhand?«

»So ähnlich.«

Jetzt beteiligte sich Hammond an der Spekulation. Er hatte zugehört, während die anderen unwissend auf seine größte Angst anspielten. »Was bringt Sie auf den Gedanken, sie hätte ein Alibi in petto?«

»Sie ist nicht nervös. Von dem Zeitpunkt, als sie zur Tür kam und mich mit den Polizisten auf ihrer Veranda sah, bis Frank sie vor einer halben Stunde hinausbegleitet hat, war sie viel zu gleichmütig, um völlig unschuldig zu sein.

Unschuldige können es kaum erwarten, dich von ihrer Unschuld zu überzeugen«, fuhr er fort. »Sie plappern nervös und bauschen ihre Story bei jedem Erzählen noch mehr auf. Die sagen dir mehr, als du wissen wolltest. Erfahrene Lügner beschränken sich aufs Wesentliche und sind normalerweise sehr gefasst.«

»Klingt nach einer vernünftigen Theorie«, meinte Hammond, »ist aber doch nicht todsicher. Sollte Dr. Ladd als Psychologin ihre Emotionen nicht besser unter Kontrolle haben als ein Durchschnittsmensch? Sie bekommt während der Sitzungen schockierende Dinge zu hören. Müsste sie deshalb nicht wissen, wie man Reaktionen tarnt?«

»Möglicherweise«, sagte Smilow. Hammond gefiel das Lächeln des Detectives nicht. Binnen weniger Sekunden erfuhr er, warum dieser so siegessicher wirkte. »Aber Dr. Ladd lügt *tatsächlich*. Ich weiß es ganz genau.«

Steffi beugte sich so begierig vor, dass sie beinahe ihren Drink verschüttet hätte. »Was weißt du ganz genau?«

Smilow bückte sich und zog eine Zeitung aus seiner Aktentasche. »Diese Meldung ist ihr offensichtlich in den Morgennachrichten entgangen.«

Er hatte die Meldung mit rotem Filzstift eingekreist. Trotz der Kürze waren es für Hammond vier niederschmetternde Absätze.

»Harbour Town evakuiert«, las Steffi laut vor.

Smilow fasste zusammen: »Letzten Samstagabend brach auf einer der Jachten, die im Hafen vor Anker lagen, ein Feuer aus. Durch den kräftigen Wind wurden rings um den Hafen Funken in Bäume und Segel getrieben. Zur Sicherheit ließ die Feuerwehr alles räumen. Sogar die Leute auf anderen Booten und in den Wohnungen wurden evakuiert.

Das Feuer wurde gelöscht, bevor es großen Schaden anrichten

konnte. Aber da es sich um die teuersten Eigentumswohnungen im ganzen Land handelt, überließ die Feuerwehr nichts dem Zufall. Die Straße zum Leuchtturm wurde für jeden Verkehr gesperrt und die ganze Gegend intensiv überprüft. Insbesondere Harbour Town war für mehrere Stunden abgeriegelt.«

»Von wann bis wann?«

»Von neun Uhr an. Als Restaurants und Bars nach Mitternacht grünes Licht bekamen, sahen sie keine Veranlassung, noch mal aufzumachen, und blieben bis Sonntagmorgen geschlossen.«

Steffi flüsterte: »Sie war nicht da.«

»Wenn doch, hätte sie diesen Vorfall erwähnt.«

»Gute Arbeit.« Steffi prostete Smilow zu.

»Meiner Meinung nach sind Glückwünsche ein wenig verfrüht«, sagte Hammond wütend. »Vielleicht hat sie eine logische Erklärung.«

»Und vielleicht ist der Papst Protestant.«

Er ignorierte Steffis Bonmot. »Smilow, warum haben Sie Dr. Ladd damit nicht während Ihrer Befragung konfrontiert?«

»Ich wollte sehen, wie weit sie gehen würde.«

»Sie haben sie weit genug gehen lassen, um sich selbst an den Galgen zu liefern.«

»Es erleichtert meinen Job, wenn ein Verdächtiger so etwas selbst erledigt.«

Hammond zerbrach sich den Kopf über einen Neuansatz.

»Okay, also ist sie nicht in Harbour Town gewesen. Was beweist das? Nichts, außer dass sie ihr Privatleben schützen möchte. Sie will nicht bekannt geben, wo sie war.«

»Oder mit wem.«

Er warf Steffi einen kalten Blick zu, ehe er sich weiter an Smilow wandte: »Sie haben immer noch nichts gegen sie in der Hand, nichts, was sie in Pettijohns Suite oder auch nur in die Nähe davon bringt. Auf Ihre Frage, ob sie eine Pistole besitzt, hat sie mit Nein geantwortet.«

»Ist doch selbstverständlich«, widersprach Steffi. »Außerdem haben wir die Zeugenaussage von Daniels.«

Hammond war mit seinen Argumenten noch nicht durch.

»Nach Madisons Bericht handelte es sich bei den Kugeln, die aus Pettijohns Körper entfernt wurden, um Kaliber .38. Ganz gewöhnliche Kugeln aus ganz gewöhnlichen Waffen. Allein in dieser Stadt gibt es hunderte .38er, selbst in Ihrem Beweisfundus, Smilow.«

»Und das heißt?«

»Das heißt, die Waffe dürfte kaum auffindbar sein, falls wir sie nicht im Besitz des Mörders entdecken«, sagte Smilow, der Hammonds Gedanken weitergesponnen hatte.

»Und was Daniels betrifft«, fuhr Hammond fort, da er nun schon mal in Fahrt war, »aus dem würde Frank Perkins im Zeugenstand Hackfleisch machen.«

»Auch damit haben Sie vermutlich Recht«, sagte Smilow.

»Also, was bleibt Ihnen dann noch?«, fragte Hammond.
»Nichts.«

»Ich habe SLED einige Beweisstücke vom Schauplatz testen lassen.«

»Per Kurier nach Columbia gebracht?«

»Absolut.«

Die South Carolina Law Enforcement Division lag in der Hauptstadt des Bundesstaates. Normalerweise wurden die von der Spurensicherung in beschrifteten Tüten gesammelten Beweisstücke von einem Polizisten persönlich zur SLED gebracht, um jede Abweichung in der Beweiskette auszuschließen.

»Mal sehen, was dabei herauskommt«, meinte Smilow auf seine unerschütterliche Art, die Hammonds zum Zerreißen gespannten Geduldsfaden nur noch mehr strapazierte. »In den Zimmern der Suite war zwar nicht viel zu holen, aber ein paar Fasern, Haare und Partikel haben wir doch aufgehoben. Hoffentlich kommt dabei etwas –«

»Hoffentlich?«, spottete Hammond verächtlich. »Sie verlassen sich auf die Hoffnung? Smilow, um einen Killer zu schnappen, müssen Sie sich schon was Besseres einfallen lassen.«

»Machen Sie sich um mich keine Sorgen«, sagte er, der inzwischen genauso gereizt war wie Hammond. »Sie kümmern sich um Ihren Job und ich mich um meinen.«

»Ich habe nur keine Lust, dem großen Schwurgericht lediglich mit meinem Schwanz in der Hand gegenüberzutreten.«

»Ich bezweifle, ob Sie Ihren Schwanz mit der Hand finden können. Aber ich werde das Bindeglied zwischen Alex Ladd und Pettijohn finden.«

»Und wenn nicht«, rief Hammond mit erhobener Stimme, »können Sie ja immer noch eines erfinden.«

Smilow fuhr so rasch aus seinem Stuhl auf, dass er über den Boden schrappte. Hammond war gleichfalls im Handumdrehen auf den Beinen.

Auch Steffi schoss hoch. »Jungs«, sagte sie unterdrückt, »alle schauen her.«

Da merkte Hammond, dass sich tatsächlich die Aufmerksamkeit sämtlicher Barbesucher auf sie konzentrierte. Ringsherum waren die Gespräche verstummt. »Ich muss gehen.« Er warf einen Fünfdollarschein für seinen Drink auf den Tisch. »Bis morgen.«

Erst als er sich umdrehte und durch die Menge zum Ausgang steuerte, ließ er Smilow aus den Augen. Er hörte, wie Steffi Smilow bat, er solle ihr noch etwas zu trinken bestellen, sie käme gleich wieder. Dann kam sie auch schon hinter ihm her. Eigentlich wollte er nicht mit ihr reden, aber kaum waren sie draußen, packte sie ihn am Arm und drehte ihn herum.

»Möchtest du Gesellschaft?«

»Nein«, sagte er barscher als beabsichtigt. Dann schob er sich die Finger durchs Haar, holte tief Luft und atmete langsam aus. »Entschuldige, Steffi, aber das war wieder einer von diesen Montagen. Heute Morgen kam mein Dad vorbei. Dieser Fall wird zur Schlangengrube. Und Smilow ist ein Mistkerl.«

»Bist du sicher, dass es das ist, was dir im Magen liegt?«

Er senkte die Hand und schaute sie näher an. Er befürchtete, sich verraten zu haben, aber in ihren Augen standen weder Argwohn noch Anklage. Ihr Blick war weich, sanft und einladend. Er entspannte sich. »Ja, bin ich.«

»Ich dachte nur, vielleicht…« Sie hielt inne und zuckte ganz leicht mit den Schultern. »Vielleicht wäre es dir doch lieber gewesen, wenn wir über alles geredet hätten, bevor du das Ende unserer Beziehung beschlossen hast.« Sie berührte seine Hemdbrust. »Falls du etwas Dampf ablassen möchtest, wüsste ich etwas, was dabei immer geholfen hat.«

»Ich weiß es auch noch.« Er lächelte sie freundlich an und hoffte, damit ihr Ego zu beschwichtigen. Trotzdem schob er ihre Hand weg und ließ sie nach einem sanften Händedruck los. »Du gehst jetzt besser wieder rein. Smilow wartet mit deinem Drink.«

»Der soll zur Hölle fahren.«

»Daraus könnte was werden. Ich seh dich dann morgen.«

Er drehte sich um und ging los, aber sie rief hinter ihm her: »Hammond?« Als er sie wieder anschaute, fragte sie: »Wie fandest du sie?«

»Wen? Dr. Ladd?« Sein nachdenkliches Stirnrunzeln war gespielt. »Kann sich gut ausdrücken. Wirkt unter Druck kühl. Aber im Gegensatz zu Smilow bin ich nicht bereit –«

»Ich meine *sie*. Wie fandest du sie?«

»Was soll ich an ihr finden?«, witzelte er mit gezwungenem Lachen. »Sie sieht klasse aus und ist offensichtlich hochintelligent.«

Dann drehte er sich mit einem jovialen Winken um.

Da er nicht Alex Ladds Fähigkeit zum Lügen hatte, hielt er es für sicherer, bei der Wahrheit zu bleiben.

17

Die Zitadelle – eine der herausragendsten Einrichtungen für höhere Bildung in Amerika – befand sich nur wenige Straßenzüge von der Shady Rest Lounge entfernt. Trotz dieser räumlichen Nähe lagen in jeder Hinsicht Welten zwischen der Kneipe und der Militärakademie.

Anders als die berühmte Akademie mit ihrer Torwache und den mustergültig gepflegten Anlagen konnte sich das Shady Rest keiner eindrucksvollen Fassade rühmen. An Stelle der ehemaligen Fenster gähnten lediglich verkohlte Löcher. Der Eingang bestand aus einer Metalltür, in die ein Vandale ein obszönes Wort geritzt hatte. Anschließend hatte man den schlampigen Versuch unternommen, die Schmiererei mit einer dünnen Schicht schlechter Farbe zu übermalen, die leider weder zum Originalton passte noch die Kerben ausfüllte. Dadurch zog der Kraftausdruck inzwischen mehr Aufmerksamkeit auf sich als vorher. Über der Tür verkündete eine Leuchtschrift den Namen der Kneipe, der einzige Hinweis auf das, was einen hinter den Mauern erwartete. Aber selbst die Neonbuchstaben funktionierten nur sporadisch; meist flackerten und zischten sie bloß.

Trotz ihres vornehmen Nachbarn und der eigenen Mängel passte die Shady Rest Lounge wie angegossen in ihre Umgebung, ein Stadtviertel, wo Armut und Kriminalität die Straßen beherrschten, wo die Fenster verbarrikadiert waren und jedes sichtbare Zeichen von Wohlstand wie ein Signal zum Überfall wirkte.

Zum Selbstschutz hatte Hammond seinen Anzug gegen Jeans, T-Shirt, Baseballkappe und Turnschuhe vertauscht, die alle schon bessere Tage gesehen hatten. Trotzdem genügte ein Kleiderwechsel allein nicht. In diesem Teil der Stadt musste man zum Überleben ein gewisses Verhalten annehmen.

Als er beim Betreten der Kneipe die entstellte Tür aufzog, trat er nicht höflich beiseite, um zwei Kerlen Platz zum Gehen zu machen. Stattdessen drängelte er sich zwischen ihnen durch, in der Hoffnung, Manns genug für die Umgebung zu wirken, aber hoffentlich nicht so aggressiv, dass er damit einen Streit vom Zaun brach, den er mit ziemlicher Wahrscheinlichkeit verlieren würde. Er kam mit einem leisen Fluch davon, der ihm und seiner Mutter galt.

Drinnen in der Kneipe brauchten seine Augen mehrere Sekunden, um sich an die Dunkelheit zu gewöhnen. Im Shady Rest gingen zwielichtige Geschäfte über die Bühne. Obwohl er noch nie in dieser Kneipe gewesen war, erkannte er diese Art Lokal sofort. Jede Stadt hatte solche Kneipen, und Charleston bildete da keine Ausnahme. Ihm war mulmig zu Mute, denn eines wusste er genau: Falls einem der anderen Gäste dämmerte, dass er das Büro des Bezirksstaatsanwaltes vertrat, würde er sich hier nicht lange halten können.

Sobald sich seine Augen eingewöhnt und er wieder Mut gefasst hatte, entdeckte er auch schon die gesuchte Person. Sie saß allein am Ende der Bar und starrte trübsinnig in ein Longdrinkglas. Mit betontem Desinteresse für die misstrauisch-feindlichen Blicke, die ihn taxierten, ging Hammond zu ihr hinüber.

Loretta Boothe hatte grauere Haare als bei ihrer letzten Begegnung. Sie sahen aus, als sei die letzte Wäsche schon eine Weile her. Sie hatte versucht, Make-up aufzutragen, aber entweder hatte sie dabei geschludert, oder die Schminke war schon einige Tage alt. Auf ihren Wangen klebten Mascarakrümel, und ihr Augenbrauenstift war verschmiert. Der Lippenstift durchzog die feinen Linien rings um den Mund, während auf den Lippen selbst kein bisschen Farbe mehr war. Auf der einen Wange lag rosiges Rouge, die andere war teigig und farblos. Ein Gesicht zum Erbarmen.

»He, Loretta.« Sie drehte sich um und fixierte ihn mit trüben Augen. Trotz der Baseballkappe erkannte sie ihn sofort. Offensichtlich freute sie sich, ihn zu sehen. Die Tränensäcke unter den vorzeitig gealterten glasigen Augen verzogen sich zu einem faltigen Grinsen, im Unterkiefer zeigte sich ein Vorderzahn, der dringend einen Zahnarzt gebraucht hätte.

»Ach, du lieber Herr und Heiland, Hammond.« Ihr Blick wanderte hinter ihn, als ob sie einen Geleitzug erwartete. »Du bist der letzte Mensch auf der Welt, den ich in so einem Loch erwartet hätte. Treibst dich heute Nacht herum?«

»Ich wollte mich mit dir treffen.«

»Genauso unwahrscheinlich«, sagte sie mit einem trockenen Lachen. Es klang nicht witzig. »Ich hab nicht erwartet, dass du mit mir redest.«

»Wollte ich auch nicht.«

»Du hast jedes Recht, sauer zu sein.«

»Bin ich immer noch.«

»Was hat dich dann in eine mildere Stimmung versetzt?«

»Ein Notfall.« Rasch warf er einen Blick auf ihr fast leeres Glas. »Trinkst du noch was?«

»Hast du mich je einen ablehnen sehen?«

Da Hammond lieber in einer der abgetrennten Nischen sitzen wollte, half er ihr galant vom Barhocker. Ohne seine stützende Hand wären ihr beim Aufstehen vielleicht die Knie weggesackt. Der Drink, den sie auf der Bar stehen ließ, war nicht ihr erster gewesen, ja nicht einmal der zweite.

Wie sie so neben ihm dahinschwankte, gestand er sich innerlich ein, dass er dieses Vorhaben höchstwahrscheinlich schon bald bedauern würde. Aber wie hatte er zu ihr gesagt? Es handelte sich um einen Notfall.

Nachdem er sie sicher in einer Nische verstaut hatte, trat er wieder an die Bar und bestellte zwei Jack Daniels Black Label, einen ohne und einen mit Wasser und Eis. Ersteren schob er Loretta zu, als er zu ihr rutschte.

»Prost.« Sie hob ihr Glas, ehe sie einen kräftigen Schluck nahm. Gestärkt durch den Drink, wandte sie Hammond ihre Aufmerksamkeit zu. »Siehst gut aus.«

»Danke.«

»Ich mein's ernst. Natürlich hast du immer gut ausgesehen, aber erst jetzt bekommst du Konturen. Bist in dein Gestell hineingewachsen. Woran liegt es nur, dass ihr Männer mit dem Älterwerden immer besser aussieht, während wir Weiber rasant einknicken.«

Er lächelte. Wie gern hätte er ihr Kompliment erwidert. Sie war knapp fünfzig, sah aber viel älter aus.

»Siehst besser aus als dein Vater«, bemerkte sie. »Dabei habe ich Preston Cross immer für 'nen richtig gut aussehenden Mann gehalten.«

»Kann nur wieder danke sagen.«

»Dein Problem mit ihm beruht teilweise –«

»Ich habe kein Problem mit ihm.«

Stirnrunzelnd schob sie seine Behauptung beiseite. »Euer Problem beruht teilweise darauf, dass er auf dich eifersüchtig ist.«

Hammond verzog den Mund.

»Es ist wahr«, verkündete Loretta mit der Überheblichkeit aller Betrunkenen und Weisen. »Dein Vater befürchtet, du könntest ihn übertrumpfen. Könntest mehr erreichen als er. Wirst vielleicht mächtiger als er, wirst mehr respektiert. Das könnte er nicht ertragen.«

Hammond starrte in seinen Drink, den er eigentlich nicht wollte. Schon seit dem einen, den er vor mehreren Stunden mit Smilow und Steffi getrunken hatte, war ihm leicht übel. Vielleicht schlug ihm aber auch nur das Thema auf den Magen. Jedenfalls war ihm nicht nach einem Schluck Tennessee-Whisky zu Mute. »Loretta, ich bin nicht hergekommen, um über meinen Vater zu reden.«

»Richtig, ja, ein Notfall.« Sie trank noch einen Schluck. »Wie hast du mich gefunden?«

»Ich habe die letzte Telefonnummer angerufen.«

»Da lebt jetzt meine Tochter.«

»Ist doch deine Wohnung.«

»Aber Bev zahlt die Miete, und das schon seit Monaten. Sie hat mir gesagt, dass sie mich rauswirft, wenn ich mich nicht zusammenreiße.« Sie hob die Schultern. »Hier bin ich.«

Plötzlich wurde ihm klar, warum sie so abgerissen und ungewaschen aussah, eine Erkenntnis, die seine Übelkeit verstärkte. »Loretta, wo lebst du zurzeit?«

»Zerbrich dir meinetwegen nicht den Kopf, mein Superstar. Ich kann für mich selbst sorgen.«

Er ließ ihr einen Rest Stolz und platzte nicht sofort mit der Frage heraus, ob sie auf der Straße oder in einem Obdachlosenheim lebte. »Bev hat mir erzählt, hier hingst du am liebsten herum.«

»Bev arbeitet als Krankenschwester auf der Intensivstation«, prahlte sie.

»Toll. Hat viel erreicht.«

»Trotz ihrer Mutter.«

Hammond sagte gar nichts. Er fühlte sich an ihrer Stelle gehemmt und linkisch. Deshalb studierte er intensiv das DEFEKT-Schild, das an der Hitauswahltaste auf ihrem Tisch klebte. Papier und Tesa waren im Lauf der Zeit vergilbt. Dunkel und stumm stand die Jukebox im hintersten Winkel, als hätte auch sie sich der alles durchdringenden Niedergeschlagenheit im Shady Rest gebeugt.

»Bin stolz auf sie«, sagte Loretta, die noch immer bei ihrer Tochter war.

»Solltest du auch.«

»Obwohl sie meinen Anblick nicht ausstehen kann.«

»Das bezweifle ich.«

»Nein, sie hasst mich, was ich ihr nicht mal vorwerfen kann. Hammond, ich hab sie im Stich gelassen.« Ihre Augen tränten vor Reue und Hoffnungslosigkeit. »Hab alle im Stich gelassen. Besonders dich.«

»Loretta, wir haben den Kerl ja doch noch erwischt. Drei Monate nachdem –«

»Nachdem ich alles vermasselt hatte.«

Wieder ließ sich die Wahrheit nicht leugnen. Loretta Boothe hatte bei der Charlestoner Polizei Dienst getan, bis ihr Alkoholproblem so schlimm wurde, dass man sie feuerte. Man hatte ihre wachsende Sucht auf den Tod ihres Mannes geschoben, der mit seiner Harley gegen einen Brückenpfeiler geknallt war. Er war sofort tot gewesen. Sein Tod war als Unfall eingestuft worden, aber Loretta hatte ihm während einer alkoholgeschwängerten vertraulichen Unterhaltung ihre Zweifel gebeichtet. Hatte ihr Mann den Selbstmord einem Leben mit ihr vorgezogen? Diese Frage verfolgte sie.

Etwa zu dieser Zeit ernüchterte sie der Polizeidienst immer mehr. Vielleicht war aber diese Ernüchterung auch nur das Ergebnis ihres persönlichen Lebens, das immer weiter absackte. Jedenfalls verursachte sie so viele Probleme, dass sie schließlich ohne Job dastand.

Sie bekam eine Lizenz als Privatdetektivin und arbeitete eine Zeit lang regelmäßig. Hammond hatte sie immer gemocht. Sie war die Erste gewesen, die ihn als Frischling von der juristischen Fakultät bei seinem Eintritt in die prestigeträchtige Kanzlei mit »Herr Anwalt« tituliert hatte. Eine Kleinigkeit. Trotzdem hatte er ihr nie vergessen, wie sie mit ihrer Streicheleinheit sein Selbstbewusstsein aufpoliert hatte.

Als er zur Bezirksstaatsanwaltschaft wechselte, ließ er sie trotz stabseigener Detektive häufig für sich Erkundigungen einziehen.

Auch als sie immer unzuverlässiger wurde, hatte er sie in einer Mischung aus Loyalität und Mitleid weiterbeschäftigt, bis sie schließlich mit Pauken und Trompeten versagt hatte. Die Katastrophe war perfekt gewesen.

Bei dem Angeklagten handelte es sich um einen unverbesserlich gewalttätigen jungen Mann, der seine Mutter mit einem Schraubenschlüssel fast zu Tode geprügelt hatte. Wenn man ihn nicht für lange Zeit hinter Gitter verfrachtete, stellte er für die Gesellschaft eine Bedrohung dar.

Um einen Schuldspruch zu erzielen, benötigte Hammond unbedingt die beeidete Zeugenaussage des Cousins zweiten Grades des Angeklagten. Doch dieser zögerte nicht nur, gegen ein Familienmitglied auszusagen, sondern hatte obendrein Angst vor dem Kerl und fürchtete Vergeltung. Trotz der Vorladung war er aus der Stadt verduftet. Es hieß, er sei bei anderen Verwandten in Memphis untergetaucht. Da die fest angestellten Detektive bereits mit anderen Fällen betraut waren, zog Hammond Loretta hinzu, gab ihr im Voraus Geld für ihre Spesen und schickte sie nach Memphis auf die Suche nach dem Cousin.

Aber nicht nur sein Augenzeuge verschwand spurlos, sondern auch Loretta.

Später erfuhr er, dass sie das Spesengeld in eine Sauftour investiert hatte. Der Richter, der für Hammonds Misere kein Verständnis zeigte, hatte seine Bitte um Aufschub abschlägig beschieden und angeordnet, das Verfahren mit dem einzigen Beweismittel weiterzuführen, das er hatte: die Aussage der geprügelten Mutter. Da auch sie die Rache ihres gewalttätigen Sohnes fürchtete, hatte sie im Zeugenstand ihre Aussage geändert und geschworen, sie hätte sich die Verletzungen bei einem Sturz vom hinteren Balkon zugezogen.

Die Jury bestand auf Freispruch. Drei Monate später war derselbe Kerl auf ähnliche Weise über seinen Nachbarn hergefallen. Das Opfer starb zwar nicht, behielt aber schwere irreparable Gehirnschäden zurück. Diesmal wurde der Verbrecher überführt und zu jahrelanger Haft verurteilt. Aber der Staatsanwalt hieß – Steffi Mundell.

Auch heute noch, Monate später, hatte Hammond Loretta diesen Vertrauensbruch nicht verziehen, insbesondere zu einem Zeitpunkt, als ihr sonst niemand Arbeit gegeben hatte. Sie hatte ihn im Stich gelassen, als er sie am meisten brauchte, und ihn im Gerichtssaal zum Narren gestempelt. Und das Schlimmste war: Ihre Pflichtvergessenheit hatte dazu geführt, dass ein Mann brutal zusammengeschlagen wurde und deshalb mental und physisch für den Rest seines Lebens behindert war.

In nüchternem Zustand war Loretta die Beste ihres Fachs. Sie hatte den Instinkt eines Bluthundes und eine schier unheimliche Fähigkeit, Informationen aufzustöbern. Wenn es darum ging, wohin man gehen und wen man fragen musste, schien sie einen sechsten Sinn zu besitzen. Ihre eigenen menschlichen Schwächen waren so klar zu erkennen, dass andere sie als entwaffnend und Vertrauen erweckend empfanden. Sie ließen jede Vorsicht außer Acht und redeten offen mit ihr. Außerdem war sie schlau genug, um zwischen wichtigen und anderen Informationen unterscheiden zu können.

Dennoch hatte Hammond angesichts ihrer eingeschränkten Verfassung heftige Zweifel, ob es klug sei, sie wieder zu beschäftigen. Nur ein Verzweifelter würde bei einer chronisch Alkoholsüchtigen Hilfe suchen, die schon einmal ihre Unzuverlässigkeit unter Beweis gestellt hatte.

Aber beim Gedanken an Alex Ladd wurde ihm bewusst, dass er genau das war: verzweifelt.

»Loretta, ich habe Arbeit für dich.«

»Was haben wir heute? Ersten April?«

»Nein, aber vermutlich bin ich trotzdem ein Narr, weil ich dir überhaupt eine Aufgabe anvertraue.«

Tiefe Emotion verzerrte ihre Gesichtszüge. »Hammond, du tätest gut daran, sofort zu gehen. Wenn ich die Chance hätte, das wieder gutzumachen, was ich letztes Mal verpatzt habe, würde ich sofort zugreifen, aber du bist verrückt, wenn du dich noch mal auf mich verlässt.«

Er lächelte grimmig. »Nun, man hat mich schon früher verrückt geschimpft.«

Obwohl ihr Tränen in die Augen stiegen, räusperte sie sich und setzte sich gerade hin. »Woran… Woran hast du gedacht?«

»Du hast von Lute Pettijohn gehört.«

Ihr sackte der Unterkiefer weg. »Du willst, dass ich bei so was Wichtigem mitmache?«

»Indirekt.« Unruhig rutschte er auf der harten Bank herum. »Was ich von dir will, hat offiziell mit der Bezirksstaatsanwaltschaft nichts zu tun. Das ist ganz vertraulich. Zwischen dir und mir. Das darf sonst niemand wissen. Okay?«

»Hammond, ich bin ein Arschloch, das habe ich zur Genüge bewiesen. Aber ich habe dich immer gemocht. Ich bewundere dich. Du bist einer von den Guten, und der Gedanke, dass du mein Freund bist, schmeichelt mir. Du bist gut zu mir gewesen, als die Leute eine Hundertachtziggradwendung gemacht haben, um nicht mit mir reden zu müssen. Vielleicht enttäusche ich dich, vielleicht sogar ganz sicher, aber man müsste mir schon die Zunge herausschneiden, ehe ich dein Vertrauen verrate.«

»Das glaube ich.« Er schaute ihr tief in die Augen. »Wie betrunken bist du?«

»Ich werde mich morgen daran erinnern, obwohl ich schon ganz schön angesäuselt bin.«

»Okay.« Er hielt inne, um tief Luft zu holen. »Ich möchte, dass du über etwas so viel wie möglich herausfindest. Soll ich's aufschreiben?«

»Möchtest du vielleicht je damit in Verbindung gebracht werden?«

Er dachte einen Augenblick darüber nach. »Nein.«

»Dann schreib's nicht auf. Wo nichts Greifbares ist, gibt's auch kein Beweisstück.«

»Beweisstück? Wow, Loretta«, sagte er und hielt beide Hände hoch. »Was ich von dir möchte, ist vertraulich und strapaziert jeden Moralbegriff. Ist aber nicht illegal. Ich möchte nur für einen Verdächtigen das Spielfeld einebnen.«

Sie legte den Kopf schief und musterte ihn neugierig. »Vielleicht bin ich doch betrunkener, als ich dachte. Sagtest du gerade –«

»Du hast richtig gehört.«

»Du möchtest einem Verdächtigen im Fall Pettijohn ein Schlupfloch lassen?«

»In gewisser Weise.«

»Wieso?«

»Um dir das zu erklären, bist du nicht betrunken genug.«

Rasselndes Lachen drang aus ihrer Brust. »Okay«, sagte sie, noch immer zweifelnd. »Wer ist der Verdächtige?«

»Dr. Alex Ladd.«

»Stammt er aus Charleston?«

»Er ist eine Sie.«

Sie blinzelte mehrmals, ehe sie ihn lang und unverwandt anschaute. »Eine Sie.«

Hammond tat so, als übersähe er die offene Frage, die sich in ihren hochgezogenen Augenbrauen abzeichnete. »Sie ist eine Psychologin aus Charleston. Finde alles über sie heraus, was du kannst. Hintergrund, Familie, Schulausbildung, alles. Und jedes. Aber insbesondere jede mögliche Verbindung zwischen ihr und Lute Pettijohn.«

»Zum Beispiel, ob sie eine seiner Freundinnen war?«

»Ja«, nuschelte er, »so ähnlich.«

»Ich hatte den Eindruck, als ob diese Steffi Mundell im Fall Pettijohn Anklage erheben würde.«

»Wie kommst du darauf?«

Daraufhin erzählte sie ihm von der Nacht, in der sie Steffi und Rory Smilow in der Notaufnahme des Krankenhauses gesehen hatte. »Ich war hingegangen, um Bev zu sehen, besser gesagt, um Geld von ihr zu schnorren. Jedenfalls kamen da Steffi-Hochnase und dieser Eis-Smilow wie die Ledernacken hereingeplatzt. Auch wenn's ihnen nicht viel genützt hat. Der kleine Jungdoktor hat's ihnen gezeigt. Mit dem konnten sie nicht Schlitten fahren. Hat mir das gut getan.« Sie hielt inne und gluckste in sich hinein, ehe sie ernüchtert wieder zu Hammond hinüberschaute. »Schläfst du immer noch mit ihr?«

Er konnte seine Verblüffung nicht verbergen, fragte aber trotzdem nicht, woher sie über seine geheime Affäre mit Steffi Bescheid wusste. Ihr Wissen bestätigte, dass sie in allem, was sie tat, ausgezeichnet war. »Nein.«

Sie musterte ihn einen Augenblick, als wolle sie sich vergewissern, dass er auch die Wahrheit sagte. »Gut. Ich hasse es, die Frau mies zu machen, mit der du ins Bett gehst.«

»Du magst Steffi nicht?«

»Genauso wenig wie Giftschlangen.«

»So schlecht ist sie auch nicht.«

»Nein, noch schlimmer. Sie ist eine Viper. Seit sie in Charleston ist, hat sie ein Auge auf dich geworfen. Und das nicht nur, um in deine Hose zu grapschen. Die will sie auch noch anziehen.«

»Falls du damit meinst, dass wir beide um denselben Job konkurrieren, so bin ich mir dessen wohl bewusst.«

»Hast du's aber schon mal aus diesem Blickwinkel betrachtet? Vielleicht benützt Steffi deinen Schwanz als direktes Sprungbrett ins Amt des Staatsanwalts.«

»Willst du damit andeuten, sie hätte nur aus Karrieregründen mit mir geschlafen? Lieber Himmel, danke, Loretta, du tust meinem Ego echt gut.«

Sie rollte mit den Augen. »Ich hatte befürchtet, dass dir diese Möglichkeit vielleicht entgangen ist. Männer halten ihren Schwanz meistens nur für einen Zauberstab, mit dem sie dankbare Frauen verhexen können. Und genau deshalb kann man einen steifen Schwanz so verdammt gut ausnützen.«

Sofort musste Hammond an Alex Ladd denken. Wenn Loretta wüsste, wie leichtgläubig er letzten Samstag gewesen war, könnte sie ihm erst recht einen Vortrag halten.

Sie aber sagte gerade: »Steffi Mundell würde es mit einem Rottweiler treiben, wenn ihr das nützen würde.«

»Sei ein bisschen nachsichtig. Sicher, ehrgeizig ist sie, aber sie musste auch mit Zähnen und Klauen um jeden Erfolg kämpfen. Sie hatte einen dominanten Vater, der den Wert aller anderen nur am Testosteronpegel maß. Von Steffi wurde Kochen, Putzen und Bedienung der männlichen Bevölkerung erwartet, zuerst für ihre Brüder samt Vater und später für ihren Ehemann. Eine strenggläubige griechisch-orthodoxe Familie. Sie aber war nicht nur nicht strenggläubig, sondern auch Agnostikerin, was sie noch immer ist. Sie bekam keine Hilfe, keine Unterstützung, weder in der Schule noch beim Studium. Und als sie als Jahrgangsbeste abgeschlossen hat, hat ihr Vater gesagt: ›Jetzt wirst du ja vielleicht mit diesem Blödsinn aufhören und heiraten.‹«

»Bitte, mir blutet das Herz«, sagte Loretta sarkastisch.

»Schau, ich weiß, sie kann einem höllisch auf die Nerven gehen, aber sie hat auch gute Seiten, die die schlechten aufwiegen. Ich bin alt genug, zu wissen, was Steffi will.«

»Tja, nun denn…«, murmelte sie, ohne überzeugt zu sein, »dann wäre da noch Smilow.« Sie griff nach ihrem Whiskyglas, aber Hammond streckte die Hand über den Tisch und nahm es ihr liebevoll aus den Händen. »Kann ich nicht mal den einen austrinken?«, jammerte sie. »Was für eine Verschwendung. Der gute Whisky.«

»Ab sofort bist du auf Entzug. Zweihundert Dollar pro Tag und nüchtern. So lauten die Vertragsbedingungen.«

»Staatsanwalt Cross, du bist ein harter Geschäftspartner.«

»Zusätzlich werde ich deine Spesen decken, und am Ende bekommst du außerdem einen saftigen Bonus.«

»Damit war nicht die Bezahlung gemeint, die ist großzügig. Mehr, als ich verdiene.« Sie wischte sich mit dem Handrücken über den Mund. »Mich schreckt die Alkoholverbotsklausel.«

»Das sind die Spielregeln, Loretta. Wenn ich herausfinde, dass du auch nur einen Tropfen trinkst, ist die Sache geplatzt.«

»Okay, hab schon kapiert«, meinte sie gereizt. »Ich muss es doch erst mal aus dem Gedärm bekommen, das ist alles. Ich brauche das Geld, um es Bev zurückzuzahlen. Sonst würde ich dir erklären, du sollst dir deine ›Bedingungen‹ an eine Stelle stecken, wo garantiert kein Sonnenlicht hinfällt.«

Er lächelte. Er wusste genau, dass sie die Beleidigte nur spielte. Sie war begeistert, weil sie wieder arbeiten konnte. »Was wolltest du über Smilow sagen?«

»Dieser Hurensohn«, fauchte sie, »er ist schuld daran, dass ich gefeuert wurde. Hat mir einen unmöglichen Auftrag gegeben. Den hätte nicht mal Dick Tracy in der Zeit erledigen können, die

Smilow angesetzt hat. Als ich nichts vorweisen konnte, hat er es auf mein Trinken geschoben und nicht auf seinen eigenen unmöglichen Zeitplan.

Anschließend ist er zum Häuptling marschiert und hat ihm gesagt, es würde nicht genügen, mich vom Ermittlungsdienst abzuziehen. Er wolle mich weghaben – aus, basta. Hat mich 'ne Schande genannt, eine Blamage fürs ganze Präsidium, eine Belastung. Hat sogar mit seiner eigenen Kündigung gedroht, falls man mich nicht feuert. Was glaubst du, wofür sich die hochmächtigen Herren nach einem solchen Ultimatum entscheiden? Für eine Polizistin mit einem kleinen Alkoholproblem oder für einen erstklassigen Detective?«

Man hätte dagegenhalten können, dass Smilow mit sämtlichen Behauptungen Recht gehabt hatte, dass Lorettas Alkoholproblem mehr als nur »klein« gewesen war und dass Smilow seine Vorgesetzten lediglich zu einer Handlung gezwungen hatte, die sie trotz aller Notwendigkeit nur zögernd angegangen waren, weil sie einen Prozess wegen sexueller Diskriminierung oder wegen etwas ähnlich Lästigem befürchtet hatten.

Vielleicht hatte Smilows Ultimatum eine Katastrophe verhindert, auch wenn die Sache für Loretta noch so unglückselig gelaufen war. Schon Monate vor ihrer Entlassung war sie ständig betrunken gewesen. In diesem Zustand konnte sie unmöglich als bewaffnete Polizistin arbeiten und wegen Körperverletzung und anderer Verbrechen ermitteln, das war schon unter optimalen Bedingungen eine gefährliche Treibjagd.

Trotzdem hatte Hammond Verständnis dafür, dass sie sich Luft verschaffen musste. »Smilow ist nicht sehr tolerant gegenüber menschlichen Schwächen.«

»Obwohl er selbst welche hat.«

»Und die wären?«

»Seine Liebe zu seiner Schwester und sein Hass auf Lute Pettijohn.«

Eingedenk der kurzen Zusammenfassung, die ihm Davee am Abend vorher von dieser Geschichte gegeben hatte, fragte er: »Was weißt du davon?«

»Dasselbe wie alle. Margaret Smilow hatte es in sich, neigte zu Extremen, denke ich. Smilow war ein älterer Bruder mit Beschützerinstinkt. Als sie sich in Lute Pettijohn verknallt hat, war Rory von Anfang an dagegen. Vielleicht war er auf den neuen Beschützer im Leben seiner Schwester eifersüchtig, vielleicht hat er aber auch nur Pettijohns wahres Ich durchschaut, während alle anderen blind waren. Egal warum, Rory missbilligte diese Ehe.«

»Soweit ich weiß, gab es einige heftige Streitereien.«

Loretta räusperte sich. »Eines Nachts verfolgten Rory und ich einen Kiosküberfall, der mit Mord endete. Da bekam er eine Pagermeldung; er sollte sofort seine Schwester anrufen. Margaret war hysterisch und flehte ihn an, auf der Stelle zu kommen. Er war so außer sich, dass wir den Tatort unserem Sicherungsteam überließen und ich ihn hinfuhr.

Hammond«, sagte sie und schüttelte verständnislos den Kopf, »bis wir dort waren, hatte sie das Haus komplett zerlegt. Ein Hurrikan hätte weniger Schaden angerichtet. Kein Glas war mehr heil, alle Kissen zerschlitzt, sämtliche Regale ausgeräumt. Man konnte keinen Schritt laufen, so war der Fußboden mit Bruchstücken übersät.

Offenbar hat sie herausgefunden, dass Pettijohn eine Freundin hatte. Als wir hinkamen, stand Margaret im Bad, hielt sich eine scharfe Rasierklinge ans Handgelenk und drohte mit Selbstmord. Smilow überredete sie, die Sache mit der Rasierklinge aufzugeben, und rief ihren Arzt an, der netterweise herüberkam und ihr eine Spritze gab. Anschließend ließ sich Smilow von mir zu Pettijohns Liebesnest fahren.

Langer Rede kurzer Sinn… er drang gewaltsam ein und erwischte das Mädel, wie es auf Lutes Gesicht hockte. Er und Pettijohn hatten sich ordentlich in der Wolle, ehe ich dazwischenging. Smilow war nicht mehr ansprechbar, ich musste ihn physisch bändigen. Wenn ich nicht da gewesen und ihn in Schach gehalten hätte, hätte er Pettijohn damals wahrscheinlich umgebracht. Ich habe noch nie einen Menschen, ob Mann oder Frau, so außer sich gesehen.«

Sie kniff die Augen zusammen und klopfte mit einem eingerissenen schmutzigen Fingernagel gegen den hässlichen Resopaltisch. »Und genau deswegen hat Rory was gegen mich, daran glaube ich bis zu meinem letzten Stündchen. Der restlichen Welt gegenüber spielt er den Eisklotz, mimt den Mann ohne Emotionen, den Kalten, Kontrollierten. Aber ich habe erlebt, wie er so menschlich war wie alle anderen auch. Ja sogar noch menschlicher, denn er hat die Kontrolle verloren. Deshalb konnte er es nicht ertragen, mich tagtäglich als Erinnerung daran um sich zu haben.«

Hammond bezweifelte nicht, dass sie die Wahrheit sagte. Er hatte nie erlebt, dass Loretta log oder eine Geschichte auch nur ausmalte, trotz all ihrer Fehler. »Warum hast du mir das erzählt?«

»Wollte nur ein paar Möglichkeiten antippen.«

»*Möglichkeiten?* Glaubst du, Smilow hat Pettijohn getötet?«

»Ich sage lediglich, dass er's getan haben könnte. Ob er die Möglichkeit dazu hatte, weiß ich nicht, aber ein Motiv hätte er todsicher gehabt. Er hat Lute Margarets Selbstmord nie verziehen. Und das sind nicht die Wahngebilde einer alten Saufnase. Deine Freundin Steffi hat auch schon daran gedacht. Ich habe gehört, wie sie das Thema in der Nacht im Krankenhaus zur Sprache gebracht hat. Sie machte eine Bemerkung darüber, wie liebend gern Smilow Pettijohn sterben sähe.«

»Was sagte Smilow darauf?«

»Hat's nicht gestanden, aber geleugnet hat er auch nicht.« Sie kicherte in sich hinein. »Jedenfalls nicht wortwörtlich. Soweit ich mich erinnere, hat er den Spieß umgedreht und ihr den schwarzen Peter zugeschoben.«

»Steffi?«

»Er brachte die Idee ins Spiel, Pettijohn hätte ihr vielleicht den Weg auf Masons Stuhl nach dessen Pensionierung geebnet.«

Hammond lachte. »Smilow muss ganz schön von der Rolle gewesen sein. Wenn Lute jemandem einen Gefallen tut, warum sollte der ihn dann töten?«

»Das war auch Steffis Antwort, und damit hatte sich das Gespräch erledigt. Außerdem hat er es nur provozierend gemeint, weil Steffi die Ansicht vertrat, Davee hätte die Welt von Pettijohn befreit.«

»Sie hatte Davee als Erste in Verdacht, aber inzwischen hat sie jemand anderen im Visier.«

»Diese Dr. Ladd?«

Nickend schob ihr Hammond einen Umschlag mit ein wenig Vorschuss zu. »Wenn du das vertrinkst –«

»Werde ich nicht, ich schwör's.«

»Finde möglichst viel über Alex Ladd heraus. Ich will, so schnell es geht, genaue Informationen in der Hand haben.«

»Vielleicht klingt das vermessen –«

»Ist es sicher auch.«

Ohne auf ihn einzugehen, fuhr Loretta fort: »Hat man sie verhaftet?«

»Noch nicht.«

»Aber offensichtlich denkst du, Smilow und Co. stünden kurz davor.«

»Ich bin mir nicht sicher.« Er fasste die Ereignisse vom Tage für sie zusammen, angefangen von Daniels' Story bis zu Alex und ihrer Aussage, sie würde Pettijohn nicht mal kennen. »Sie haben keine Verbindung gefunden. Aus Sicht des Staatsanwaltes steht sein Fall auf schwachen Beinen.«

»Und aus anderer Sicht?«

»Gibt es nicht.«

»Aha.« Loretta musterte ihn, als ob sie ihm kein Wort glaubte, ging aber nicht näher darauf ein. »Nun, falls diese Dr. Ladd Pettijohn nicht umgebracht hat, dann gnade ihr Gott.«

»Du meinst, gnade ihr Gott, falls sie's getan hat?«

»Nein, ich meine, was ich sage.«

»Das kapiere ich nicht«, meinte Hammond verblüfft.

»Falls Dr. Ladd am Tatort war, ihn aber nicht getötet hat, könnte sie eine Augenzeugin sein.«

»Augenzeugin? Hätte sie uns das denn nicht gesagt?«

»Nicht, wenn sie Angst hat.«

»Was könnte sie mehr fürchten als eine Anklage wegen Mordes?«

»Den Mörder«, erwiderte Loretta.

18

Alex klebte beim Autofahren mit einem Auge am Rückspiegel. Obwohl sie ihre Symptome als paranoid erkannte, gestand sie sich ein Recht darauf zu, nachdem sie die meiste Zeit des Tages bei einem Verhör in Verbindung mit einem Mordfall verbracht hatte. Mit Hammond Cross im selben Raum. Der genau wusste, dass sie log.

Natürlich hatte auch er gelogen, indem er Dinge verschwieg. Aber warum? Aus Neugierde? Vielleicht hatte er sehen wollen, wie weit sie, was den Samstagabend betraf, lügen würde. Als sie mit ihrem Märchen von Hilton Head fertig gewesen war, hatte sie erwartet, von ihm entlarvt zu werden.

Er hatte es nicht getan. Für sie ein Hinweis darauf, dass er seinen eigenen Ruf schützte. Er hatte seine Kollegin, Miss Mundell, und diesen entsetzlichen Detective Smilow nicht wissen lassen wollen, dass er genau in der Mordnacht mit ihrer einzigen Spur im Mordfall Pettijohn geschlafen hatte. Wenigstens für heute war es ihm wichtiger gewesen, ihre Begegnung geheim zu halten, als sie als Verdächtige festzunageln.

Aber das konnte sich ändern. Und damit war und blieb sie verwundbar. Bis sie absehen konnte, wie Hammond diese Partie zu Ende spielen wollte, musste sie alles Erdenkliche unternehmen, um sich gegen jede Beschuldigung zu schützen. Vielleicht würde es ja gar nicht dazu kommen, aber für den Fall der Fälle musste sie gewappnet sein.

Am Ziel angekommen, mied sie die Auffahrt mit den Bediensteten und hielt stattdessen auf dem öffentlichen Parkplatz. Bobby war die Treppe hinaufgefallen. Der Mann, den sie früher gekannt hatte, war durchaus in billigen Absteigen bekannt gewesen. Jetzt hatte er sich in einer Hotelkette in Zentrumsnähe einlogiert. Sie hatte nicht vorher angerufen, um ihm mitzuteilen, dass sie zu ihm unterwegs war. Vielleicht lieferte ihr das Überraschungselement einen kleinen Vorteil bei einer Konfrontation, die zweifelsohne unangenehm würde.

Im Aufzug schloss sie die Augen und kreiste den Kopf über den

Schultern. Sie war erschöpft und hatte schreckliche Angst. Wie gerne hätte sie die Uhr zurückgedreht und den Tag ausgelöscht, an dem Bobby Trimble nach zwanzig Jahren Freiheit wieder in ihr Leben getreten war. Wie gerne hätte sie diesen und alle folgenden Tage ausradiert.

Aber damit müsste sie auch ihre Nacht mit Hammond Cross löschen.

Sie hatte im Leben nicht viel Glück kennen gelernt, nicht einmal als Kind. Damals schon gar nicht. Weihnachten war ein ganz normaler Kalendertag gewesen. Für sie hatte es nie einen Geburtstagskuchen, ein Osternest oder ein Halloweenkostüm gegeben. Erst als Jugendliche hatte sie begriffen, dass auch ganz normale Leute Festtage feiern durften und nicht nur Menschen in Zeitschriften und im Fernsehen.

Als junge Erwachsene hatte sie die Schäden der Vergangenheit wettmachen müssen und ein neues Individuum kreiert. Gierig hatte sie alles aufgesogen, was man ihr bisher verwehrt hatte. Auf der Universität hatte sie sich mit solchem Feuereifer ihrem Studium gewidmet, dass nur wenig Zeit für Rendezvous blieb. Und als sie endlich ihre eigene Praxis hatte, konzentrierte sie ihre gesamte Energie darauf. Bei ihrer freiwilligen Tätigkeit für karitative Organisationen hatte sie begehrte Männer kennen gelernt. Mit einigen hatte sie Freundschaft geschlossen, aber Romantik hatte in diesen Beziehungen keinen Platz gehabt, und das war ihre Entscheidung gewesen.

Allmählich begnügte sie sich mit dem Erreichten und zog ihre innere Befriedigung daraus, dass sie Menschen in Schwierigkeiten bei der Aufarbeitung ihrer Probleme helfen und ihnen ihren eigenen Wert deutlich machen konnte.

Echtes Glück hatte einen Bogen um sie gemacht, Schwindel erregende überschäumende Freude, wie sie sie in jener Nacht mit Hammond erlebt hatte. Dieses Gefühl war für sie bis jetzt etwas so unerreichbar Fremdes gewesen, dass sie sich seinen süchtig machenden Sog nicht hatte vorstellen können. Allerdings auch nicht die Risiken, die es möglicherweise barg. Inzwischen fragte sie sich, ob man für Glück immer so viel bezahlen musste.

Kaum öffneten sich die Aufzugtüren, hörte sie Musik. Vermutlich kam sie aus Bobbys Zimmer. Sie hatte Recht. Sie trat zur Tür und klopfte, wartete einen Moment, ehe sie wieder klopfte, diesmal lauter. Die Musik wurde abgedreht.

»Wer ist da?«

»Bobby, ich muss dich sprechen.«

Einige Sekunden später ging die Tür auf. Bis auf ein Handtuch um die Hüften war er nackt. »Wenn du mir die Polente auf den Hals hetzt, dann gnade dir Gott. Ich werde –«

»Sei nicht albern. Das Letzte, was ich möchte, ist, dass die Polizei von einer Verbindung zwischen dir und mir weiß.«

Prüfend musterte er den Flur. Als er endlich befriedigt feststellte, dass sie allein war, sagte er: »Das höre ich gern, Alex. Denn heute habe ich schon eine Weile befürchtet, du hättest mich wieder aufs Kreuz gelegt.«

»Ich –«

Hinter ihm bewegte sich etwas, ihr Blick wanderte über seine Schulter. Zuerst tauchte ein Mädchen auf, dann ein zweites. Er warf einen Blick nach hinten. Beim Anblick der Mädchen lächelte er, zog sie nach vorne und legte jeder einen Arm um die Taille. Beide waren höchstens achtzehn. Die eine trug nichts außer einem Tanga, die andere hatte sich in ein Bettlaken gewickelt.

»Alex, das ist –«

»Ist mir egal«, unterbrach sie, »ich muss mit dir reden.« Sie schaffte es, ihn ungeduldig anzustarren.

»Okay.« Er seufzte. »Aber du weißt ja, wie es so schön heißt: immer nur Arbeit und keine Freizeit.«

Damit scheuchte er die Mädchen mit einem Klaps auf die Kehrseite ins Zimmer zurück und bat sie, ihn mit Alex ein paar Minuten allein zu lassen. »Wir müssen was Geschäftliches erledigen. Danach geht die Party erst richtig los. Okay? Also, ab geht's.«

Während sie ihn gespielt weinerlich ermahnten, sie nicht lange warten zu lassen, trat er auf den Flur hinaus und zog die Türe zu.

Alex sagte: »Du bist bekifft, stimmt's?«

»Habe ich nicht allen Grund dazu? Der Anblick von Bullen an

deiner Haustür war nicht gerade das, was ich erwartet habe, als ich heute bei dir war.«

»Wo hast du den Stoff gekauft?«

»Den musste ich nicht kaufen. Ich weiß, wie man sich Freunde aussucht.«

»Deine Opfer.«

Er grinste und nahm es nicht übel. »Die Mädels hatten einen hübschen Vorrat. Erstklassiges Zeug. Warum nimmst du nicht auch 'ne Prise?« Er streckte die Hand aus und drückte ihre verkrampfte Schulter. »Alex, du bist ja völlig verspannt. Wie wär's mit 'nem kleinen Aufmunterer?« Sie versetzte seinem Arm einen Schlag. »Wie du meinst«, sagte er mit freundlichem Schulterzucken. »Wo ist mein Geld?«

»Ich hab's nicht.«

Sein Lächeln wurde ein wenig schmaler. »Du verarschst mich, ja?«

»Bobby, du hast doch die Polizisten vor meinem Haus gesehen. Wie könnte ich dir da jetzt Geld bringen? Ich bin gekommen, um dich zu warnen, damit du mir nicht wieder zu nahe kommst. Ich will dich nicht mehr sehen. Ich will nicht, dass du an meinem Haus vorbeifährst. Ich will dich nicht kennen.«

»Nun halt mal eine gottverdammte Minute den Mund. Wir waren uns einig, erinnerst du dich?« Er fuchtelte mit der Hand zwischen ihrer Brust und seiner hin und her. »Wir hatten eine Vereinbarung.«

»Die Vereinbarung ist geplatzt. Die Umstände haben sich geändert. Man hat mich wegen Mordes an Lute Pettijohn verhört.«

»Alex, das ist nicht meine Schuld. Du kannst mir doch nicht deinen Schlamassel in die Schuhe schieben.«

»Ich habe dir gestern Abend erklärt –«

»Ich weiß, was du mir *erklärt* hast. Was nicht heißt, dass ich's auch *glaube*.«

Jede Diskussion mit ihm war zwecklos. Er hatte ihr gestern nicht geglaubt und würde es auch jetzt nicht tun. Aber was er glaubte, war ihr egal, sie wollte ihn nur los sein.

»Ich werde dir die Hunderttausend geben, wie vereinbart.«

240

»Heute Abend.«

Sie schüttelte den Kopf. »In ein paar Wochen. Sobald das hier geklärt ist. Es wäre Wahnsinn, wenn ich's dir jetzt gäbe. Die Polizei beobachtet mich intensiv.«

Er stemmte die Hände in die schlanken Hüften, beugte sich vor und brachte sein Gesicht auf dieselbe Höhe wie ihres. »Ich habe dich gewarnt, du sollst vorsichtig sein. Habe ich das nicht?«

»Ja, du hast mich gewarnt.«

»Also, wieso sind sie dann auf dich gekommen?«

Sie hatte nicht die geringste Lust, mit einem fast nackten Mann im Flur eines familienfreundlichen Hotels zu stehen und ihr Polizeiverhör zu diskutieren. Außerdem war es ihm in Wirklichkeit ziemlich egal, wie die Polizei sie in Verbindung mit Pettijohn gebracht hatte. Ihn interessierte nur eines. »Du wirst dein Geld bekommen«, sagte sie. »Ich werde mich bei dir melden, wenn ich das Gefühl habe, dass wir uns wieder in Sicherheit treffen können. Bis dahin hältst du dich von mir fern. Wenn nicht, geht der Schuss nach hinten los.«

Offensichtlich ließ die Wirkung der Droge nach, denn inzwischen mimte er nicht mehr den coolen Freund, sondern wirkte streitlustig. »Du musst mich wirklich für bescheuert halten. Glaubst du allen Ernstes, Alex, dass du mich loswirst, nur weil du es willst?«

Er schnippte nur Zentimeter vor ihrer Nase heftig mit den Fingern. »Denk noch mal nach. Bis ich meinen Anteil von dem Geld habe, bin ich dein Schatten. Das bist du mir schuldig.«

»Bobby«, sagte sie gelassen, »wenn ich dir das vergelten würde, was ich dir schulde, müsste ich dich umbringen.«

»Drohungen, Alex?«, meinte er aalglatt. »Das kann doch nicht wahr sein.« Dann stieß er ihr überraschend hart den Zeigefinger in die Brust, sodass sie ein paar Schritte zurücktaumelte. »Du bist nicht in der Position, mir zu drohen. Du bist diejenige, die am meisten zu verlieren hat. Denk daran. Und jetzt sag ich's zum letzten Mal. Bring mir das Geld.«

»Begreifst du denn nicht, dass ich nicht kann? Nicht jetzt.«

»Und wie. Du hast 'nen wahren Rattenschwanz von Titeln vor

deinem Namen. Du hast doch Grips genug, um das auszubaldowern.« Seine Augen verengten sich zu bösen Schlitzen. »Du besorgst mir das Geld. Nur so verschwinde ich.«

Rot glühender Hass stieg in ihr auf. »Ist diesen Mädchen klar, dass sie morgen früh ohne Schmuck und Geld aufwachen werden?«

»Die bekommen dafür schon das, was sie wollen.« Er zwinkerte. »Und noch mehr.«

Angewidert drehte sich Alex um und ging auf den Aufzug zu. »Bleib mir vom Leib, bis ich dich benachrichtige.«

Leise rief er hinter ihr her: »Alex, dein Schatten. Sieh dich um. Ich werde da sein.«

Hammond knipste die Nachttischlampe an. Weiches Licht erhellte die pastellfarbene Streifentapete. Er sah sich um. Eines musste man Lute Pettijohn lassen: Für sein Charles Towne Plaza hatte er einen guten Innenarchitekten engagiert und an der Einrichtung nicht gespart. Zumindest nicht in der Penthouse-Suite.

Der großzügige Raum war benutzerfreundlich gestaltet. Hinter den Türen der Schrankwand verbarg sich ein Fernseher mit 70-Zentimeter-Bildröhre und Videorekorder, der jedes normale Gerät in Hotels oder Motels übertraf. Außerdem fand er einen CD-Player mit einer Auswahl an CDs, die aktuelle Ausgabe von *TV heute* und eine Fernbedienung vor. Sonst nichts.

Er ging weiter ins Bad. Offensichtlich unberührt hingen die Handtücher auf den hübschen Haltern, so, wie sie das Zimmermädchen platziert hatte. In einem Silberkörbchen auf der Marmorplatte lagen noch immer Fläschchen mit Shampoo und Pflegelotionen, ein winziges Nähetui, ein Schuhputzhandschuh und eine Duschhaube.

Er drehte das Licht aus und ging zurück ins Schlafzimmer. Der flauschige Teppichboden dämpfte seine Schritte. Zusätzlich zum Salon verfügte auch das Schlafzimmer über eine eigene Minibar, deren Inhalt die Spurensicherung bereits überprüft hatte. Trotzdem nahm er ein Taschentuch zur Hand und öffnete den Kühlschrank. Ein rascher Vergleich zwischen Inventarliste und tatsächlichem Inhalt ergab, dass nichts fehlte. Als er die Tür wieder schloss, setzte summend der Motor ein.

Das Geräusch war ihm willkommen, denn trotz der luxuriösen Dekoration und aller Annehmlichkeiten handelte es sich bei der Suite inzwischen um einen Tatort, dessen gespenstische Stille von allen Seiten auf ihm lastete.

Nach seinem Besuch in der Shady Rest Lounge hatte er eigentlich vorgehabt, nach Hause zu gehen und diesen fürchterlichen Montag für beendet zu erklären. Stattdessen hatte es ihn magisch hierher gezogen. An diesem unwiderstehlichen Bedürfnis war nichts Geheimnisvolles. Lorettas letzte Bemerkung hatte sich in seinem Gehirn festgesetzt und wollte nicht weichen.

War Alex letzten Samstag hier gewesen? Hatte sie etwas beobachtet, was sie aus Angst, ihr Leben zu riskieren, nicht offenbaren wollte? Er zog diese Variante vor, statt sich auf die Idee zu versteifen, sie sei eine Mörderin. Trotzdem waren beide Varianten kein Grund zum Jubeln. Unbewusst war er in der Hoffnung hierher gekommen, etwas zu finden, das Alex Ladd entlasten und möglichst jemand anderen belasten würde. Völlig irrational fühlte er sich verpflichtet, eine Frau zu beschützen, die sich als ausgekochte und unerhörte Lügnerin entpuppt hatte.

Es war nicht leicht gewesen, diese Zimmerflucht wieder zu betreten, in der er sich letzten Samstag mit Lute zu einem hitzigen Wortwechsel getroffen hatte. Er war über den Salon nicht hinausgekommen, ja nicht einmal viel weiter als über die Türschwelle. Gleich hinter der Tür hatte er Lute gesagt, weswegen er da war.

Wie ein Muster an Selbstgefälligkeit hatte Lute mit einem Drink auf dem Sofa gesessen und Hammond gewarnt, er müsse sich darauf einrichten, auch seinen eigenen Vater anzuklagen, falls er ihn, Lute, unbedingt vor ein großes Schwurgericht bringen wolle.

»Natürlich«, hatte Lute lächelnd hinzugefügt, »gibt es einen Weg, all diese hässlichen Dinge zu vermeiden. Wenn du dich meinem Vorgehen anschließt, bekommt jeder, was er will, und geht fröhlich nach Hause.«

Sein Vorschlag lief darauf hinaus, dass Hammond seine Seele

dem Teufel verkaufte. Er hatte das Angebot ausgeschlagen, und Pettijohn hatte nicht gerade freundlich auf seine Weigerung reagiert.

Verstört trat Hammond zum Schrank, dem einzigen Bereich im Schlafzimmer, den er noch nicht inspiziert hatte. Hinter den hohen verspiegelten Schiebetüren zeigten sich ein leerer Safe und leere Kleiderbügel. Auf einem hing, unangetastet, ein Bademantel aus weißem Frottee. Passende Badeschuhe waren noch immer in Zellophan verschweißt. Anscheinend war alles unverändert.

Erst als er die Türen zuschob, sah er etwas im Spiegel. »Suchen Sie etwas?«

Hammond fuhr herum. »Ich hatte keine Ahnung, dass noch jemand da ist.«

»Offensichtlich«, sagte Smilow, »denn Sie sind gehüpft, als ob man auf Sie geschossen hätte.« Nach einem schiefen Blick über die Schulter zu den Blutflecken auf dem Salonteppich fügte er hinzu: »Verzeihen Sie meine unpassende Wortwahl.«

»Sie sind ein Komiker, Rory«, sagte Hammond, wobei er seinen Unmut darüber, beim Herumschnüffeln ertappt worden zu sein, hinter Sarkasmus verbarg. »Sie haben doch noch nie Ihre Worte auf die Goldwaage gelegt.«

»Richtig, habe ich nicht. Also, verdammt noch mal, was machen Sie hier?«

»Was geht Sie das an, verdammt noch mal?«, schoss Hammond im selben zornigen Ton wie der Detective zurück.

»Die Tür ist versiegelt, damit alle draußen bleiben.«

»Ich bin berechtigt, den Tatort des Verbrechens aufzusuchen, gegen das ich Anklage erheben werde.«

»Aber die Vorschrift fordert, dass Sie mein Büro darüber informieren und sich von jemandem begleiten lassen.«

»Ich kenne die Vorschrift.«

»Also?«

»Ich war aus«, meinte Hammond kurz angebunden. Obwohl Smilow Recht hatte, wollte er nicht sein Gesicht verlieren. »Es ist spät, und ich sah keine Veranlassung, einen Polizisten hierher zu schleppen. Ich habe nichts angefasst.« Er schwenkte das Taschentuch, das er noch immer in der Hand hielt. »Ich habe nichts weggenommen. Außerdem dachte ich, Sie seien damit fertig.«

»Sind wir.«

»Was tun Sie dann hier? Suchen Sie Beweise? Oder wollen Sie welche hinterlegen?«

Wütend starrten beide Männer einander an. Smilow hatte seine Wut als Erster im Griff. »Ich bin hier, um einige Aspekte zu überdenken, die bei der Autopsie aufgetaucht sind.«

Gegen seinen Willen war Hammond interessiert. »Und die wären?«

Smilow begab sich wieder in den Salon, gefolgt von Hammond. Der Detective stellte sich über den Blutfleck auf dem Boden. »Die Wunden. Anhand des verletzten Gewebes lässt sich die Schussbahn der Kugeln nur schwer bestimmen, aber Madison vermutet stark, dass der Lauf der Waffe von oben auf ihn gerichtet war, aus einer Entfernung zwischen dreißig Zentimetern und maximal einem halben Meter.«

»Der Killer konnte ihn also nicht verfehlen.«

»Dafür hat er schon gesorgt.«

»Aber als er kam, wusste er nicht, dass Lute einen Schlaganfall gehabt hatte.«

»Trotzdem ist er gekommen, um ihn zu töten.«

»Aus nächster Nähe.«

»Was bedeutet, dass Pettijohn seinen Killer gekannt hat.« Einen Moment betrachteten sie den hässlichen dunklen Fleck auf dem Teppich. »Mir ist etwas durch den Kopf gegangen«, meinte Hammond nach einiger Zeit, »und jetzt wird mir klar, was. Lärm. Wie kann man einen mit einer .38er abknallen, ohne dass es jemand hört?«

»Nur wenige Gäste waren auf ihren Zimmern. Der Abendservice kommt erst nach sechs Uhr, die Zimmermädchen befanden sich noch nicht auf der Etage. Der Schütze könnte einen Schalldämpfer benützt haben, vielleicht sogar einen provisorischen. Obwohl Madison weder um noch in den Wunden irgendwelche Fetzen gefunden hat, die darauf hindeuten. Ich vermute, dass die schalldichten Räume, mit denen Pettijohn geprahlt hat, im Gegensatz zu seinem erstklassigen Videoüberwachungssystem keine Scharade waren.«

»Gerade kommt mir noch ein Gedanke.« Smilow schaute zu ihm hinüber und forderte ihn mit einer Handbewegung zum Weiterreden auf. »Egal, wer Lute abgeknallt hat, er hat nicht nur ihn gut gekannt, sondern auch sein Hotel. Es sieht so aus, als hätte sich der Killer mit allem, was Pettijohn tat, bestens vertraut gemacht. Als ob er von ihm besessen gewesen wäre.« Er bohrte sich in Smilows kalte Augen. »Verstehen Sie, was ich damit meine?«

Zehn Sekunden hielt Smilow seinem Blick stand, ehe er mit dem Kinn auf die Tür deutete. Er wollte sich nicht provozieren lassen. »Nach Ihnen, Herr Anwalt.«

DIENSTAG

19

Lute Pettijohn hatte testamentarisch seine Einäscherung verfügt. Kaum hatte Dr. John Madison die Leiche am Montagnachmittag freigegeben, brachte man sie zur Leichenhalle. Die Witwe hatte bereits alle Vorkehrungen getroffen und sich um die notwendigen Papiere gekümmert, weigerte sich jedoch, den Körper vor der Verbrennung noch einmal zu sehen.

Für Dienstagvormittag war ein Gedenkgottesdienst angesetzt worden, was einige als ungebührlich früh ansahen, besonders im Hinblick auf die Umstände von Pettijohns Ableben. Aber angesichts des exaltierten Verhaltens, das die Witwe auch sonst an den Tag legte, war niemand überrascht, als sie sich über ein altehrwürdiges Ritual hochnäsig hinwegsetzte.

Der Morgen dämmerte diesig und heiß herauf. Gegen zehn Uhr war die Episkopalkirche von St. Philip bis zum Bersten gefüllt. Die Berühmten und die Berüchtigten waren genauso vertreten wie alle, die nur kamen, um die Berühmten und Berüchtigten anzugaffen, darunter den ehrwürdigen Senator von South Carolina sowie einen Filmstar, der in Beaufort lebte.

Einige waren Pettijohn nie begegnet, hielten sich aber für wichtig genug, um am Begräbnis eines wichtigen Mannes teilzunehmen. Bis auf wenige Ausnahmen hatten die meisten Anwesenden den Verstorbenen zu seinen Lebzeiten verachtet. Nichtsdestotrotz spazierten sie nacheinander zur Kirche herein und beklagten kopfschüttelnd seinen tragischen vorzeitigen Tod. Der große Altar konnte die überbordenden Trauergebinde kaum fassen.

Um Punkt zehn Uhr wurde die Witwe zur vordersten Reihe geleitet. Sie trug von Kopf bis Fuß Tiefschwarz, unterbrochen lediglich von ihrem Markenzeichen, der Perlenkette. Die Haare hatte sie zu einem schlichten Pferdeschwanz zurückgebunden, über dem sie einen breitkrempigen Strohhut trug, der ihr Gesicht verdeckte. Den ganzen Gottesdienst über behielt sie eine schwarze undurchsichtige Sonnenbrille auf.

»Versteckt sie ihre Augen, weil sie vom Weinen geschwollen sind? Oder vielleicht gerade nicht?«

Steffi Mundell saß neben Smilow. Ihre Frage wurde mit einem Stirnrunzeln beantwortet. Er hielt den Kopf gesenkt und schien tatsächlich dem Eingangsgebet zu lauschen.

»'tschuldigung«, flüsterte sie, »ich wusste nicht, dass du eine religiöse Ader hast.«

Den restlichen Gottesdienst verhielt sie sich respektvoll schweigend, obwohl sie selbst sich zu keiner Religion bekannte. Das Leben nach dem Leben interessierte sie weit weniger als das vorher. Sie wollte ihre ehrgeizigen Pläne hier auf Erden verwirklicht sehen. Sterne in einer Himmelskrone deckten sich nicht mit ihrer Vorstellung von Belohnung.

Deshalb schaltete sie während der Lesungen und Gedenkreden ab und nützte die Stunde zum Nachdenken über die relevanten Aspekte dieses Falles, insbesondere, wie sie sie zu ihrem Vorteil verwenden könnte.

Obwohl man Hammond mit dem Fall beauftragt hatte, war sie und nicht er es gewesen, die gestern Abend noch Staatsanwalt Mason angerufen hatte. Sie hatte sich entschuldigt, weil sie ihn beim Abendessen störte, aber als sie ihm erzählte, dass Alex Ladd bezüglich ihres Aufenthalts am Samstagabend gelogen hatte, bedankte er sich bei ihr, weil sie ihn auf dem Laufenden hielt. Damit war sie zufrieden. Der Anruf hatte ihr ein paar Fleißpunkte eingebracht. Aber sie war noch einen Schritt weitergegangen und hatte ihrem Chef versichert, Hammond werde ihm vermutlich irgendwann im Laufe des heutigen Tages – sobald er Zeit dazu fand – diesen letzten Stand der Dinge mitteilen. Womit sie andeutete, Hammond halte dies wohl nicht für vordringlich.

Nach langer Zeit, die große Ähnlichkeit mit der vom Pfarrer gepriesenen Ewigkeit hatte, ging der Gottesdienst zu Ende. Als sich alle erhoben, meinte Steffi: »Also, ist das nicht süß?« Von allen, die sich um Davee Pettijohn drängten, um ihr Beileid auszusprechen, konzentrierte sie sich auf Hammond. Die Witwe umarmte ihn herzlich. Er küsste ihre Wange.

»Alte Familienfreunde«, bemerkte Smilow.

»Wie gut?«

»Warum?«

»Anscheinend zögert er, sie als mögliche Verdächtige in Betracht zu ziehen.«

Weiterhin beobachteten sie, wie auch Mr. und Mrs. Preston Cross Davee umarmten. Steffi war dem Ehepaar nur einmal bei einem Golfturnier begegnet. Hammond hatte sie seinen Eltern nicht als seine Freundin vorgestellt, sondern als Kollegin. Sie hatte Preston bewundert, da sie in ihm eine starke einschüchternde Persönlichkeit erkannte. Amelia Cross, Hammonds Mutter, war das genaue Gegenteil ihres Mannes, eine zierliche reizende Südstaatendame, die vermutlich ihr Leben lang keine einzige selbstständige Meinung geäußert hatte. Wahrscheinlich hatte sie sich nicht einmal eine gebildet.

»Siehst du?«, sagte Smilow. »Die Familie Cross ist Davees Ersatzfamilie, in Ermangelung einer eigenen.«

»Vermutlich.«

Wegen der großen Menschenmenge dauerte es mehrere Minuten, bis sie draußen waren. »Was hast du eigentlich gegen Davee?«, wollte Smilow wissen, während sie zu seinem Wagen gingen. »Jetzt, wo sie nicht mehr auf deiner Verdächtigenliste steht.«

»Wer sagt das?« Steffi öffnete die Beifahrertür und stieg ein.

Smilow nahm hinter dem Lenkrad Platz. »Ich dachte, Alex Ladd wäre deine Hauptverdächtige.«

»Ist sie. Trotzdem schließe ich auch die lustige Witwe nicht aus. Könntest du bitte die Klimaanlage einschalten?«, bat sie und fächelte sich Luft zu. »Hast du Davee mit der Lüge ihrer Haushälterin konfrontiert?«

»Hat einer meiner Männer gemacht. Offensichtlich hatten beide Sarah Birchs Einkaufstrip zum Supermarkt am Samstag völlig vergessen.«

Mit übertriebener Aufrichtigkeit schauspielerte Steffi: »Ach, ich bin überzeugt, dass dies der Wahrheit entspricht.«

Sie fuhren mehrere Straßenblöcke, ehe Smilow sie mit einer leisen Bemerkung überraschte. »Wir haben ein menschliches Haar gefunden.«

»In der Suite?«

»An Pettijohns Jackettärmel.« Nach einem Seitenblick auf sie lachte er schallend über ihren Gesichtsausdruck. »Freu dich nur nicht zu früh. Er könnte es auch von einem Möbelstück aufgelesen haben. Es könnte jedem Gast gehören, der vorher diese Räume bewohnt hat, oder einem Zimmermädchen oder einem Mann vom Zimmerservice. Jedem.«

»Aber wenn es zu Alex Ladd passen sollte –«

»Ich sehe, du bist schon wieder bei ihr gelandet.«

»Wenn es mit ihren Haaren identisch wäre –«

»Wir wissen noch nicht, ob es so ist.«

»Wir wissen, dass sie gelogen hat!«, rief Steffi erregt. »Dafür könnte es Dutzende Gründe geben.«

»Jetzt klingst du wie Hammond.«

»Der Amateurdetektiv.«

Steffi hörte zu, während er ihr erzählte, wie er gestern Nacht Hammond in der Hotelsuite angetroffen hatte. »Was hat er da gemacht?«

»Sich umgesehen.«

»Wo?«

»Vermutlich überall. Mit der hinterhältigen Unterstellung, ich hätte etwas übersehen.«

»Und was hast du dort gemacht?«

Leicht betreten meinte er: »Vielleicht habe ich etwas übersehen.«

»Testosteron!«, rief sie verächtlich. »Was dieses Hormon aus einem ansonsten vernünftigen *Homo sapiens* macht.« Nach kurzer Pause fügte sie hinzu: »Sieh doch nur, wie es beispielsweise deine Meinung über Alex Ladd beeinflusst.«

»Was soll das heißen?«

»Mal angenommen, Alex Ladd wäre keine bekannte Ärztin mit

einer langen Liste von Referenzen. Angenommen, sie wäre nicht so gebildet und attraktiv und beredt und so verdammt gelassen, sondern ein hartes Mädchen mit auftoupierten Haaren und tätowierten Titten. Würdet ihr beide dann auch so zögern, sie verstärkt unter Druck zu setzen?«

»Diese Frage ist mir nicht mal eine Antwort wert.«

»Und warum agierst du dann so zurückhaltend?«

»Weil ich sie nicht wegen einer Lüge bezüglich ihres Aufenthalts auf Hilton Island verhaften kann. Dafür brauche ich mehr, Steffi, und das weißt du. Ich muss ihr ausdrücklich einen Aufenthalt in diesem Zimmer nachweisen. Dafür brauche ich stichfeste Beweise.«

»Zum Beispiel eine Waffe.«

»Da sind wir dran.«

Während sie weiter sein Profil musterte, breitete sich allmählich ein Lächeln über ihr Gesicht. »Na los, Smilow, was gibt's? Du musst dir doch schon buchstäblich die Zunge abbeißen.«

»Du wirst die jüngste Entwicklung mit allen anderen zusammen erfahren.«

»Und wann wird das sein?«

»Heute Nachmittag. Ich habe Dr. Ladd gebeten, für eine zweite Befragung ins Präsidium zu kommen. Sie war damit einverstanden, gegen den Rat ihres Anwalts.«

»Ohne zu ahnen, dass sie in eine sorgfältig getarnte Falle läuft.« Steffi hatte wieder Oberwasser und lachte. »Ich kann's kaum erwarten, ihr Gesicht zu sehen, wenn du sie zuschnappen lässt.«

Ihr Gesicht spiegelte wie bei Hammond totale Überraschung wider.

Doch dazu war es auf völlig verrückte Weise gekommen.

Hammond, Steffi, Smilow und Frank Perkins standen zusammen vor Smilows Büro und warteten auf Alex. Steffi jammerte, sie hätte am Eingang eine Akte auf dem Tisch liegen gelassen. Da Hammond bereits unter Klaustrophobie litt, bot er an, rasch hinunterzugehen und die Akte für sie zu holen.

Er verließ die Mordkommission im ersten Stock und ging zu

den Aufzügen. Die Türen glitten auf. Drinnen stand nur Alex, die offensichtlich unterwegs zu Smilows Büro war. Sie schauten einander eine Sekunde lang verblüfft an, ehe Hammond einstieg und den Abwärtsknopf drückte. Alex stieg nicht aus.

Die Türen gingen zu, und sie waren in dem kleinen engen Raum eingesperrt. Er konnte ihr Parfüm riechen. Er nahm alles auf einmal wahr: Haare, Gesicht, Figur. Ihre zerzauste Frisur, das dezente Make-up und die schöne Figur verliehen ihrem maßgeschneiderten Kostüm mit der ärmellosen Jacke einen Hauch von Weiblichkeit. Ihre Haut sah glatt und weich aus. Ihre Haut war glatt und weich. An den Armen, am Busen, in den Kniekehlen. Überall.

Ihre Augen reagierten genauso unruhig wie seine, berührten jeden seiner Gesichtszüge. Genau wie damals an der Tankstelle, in den Sekunden, bevor er sie geküsst hatte. Es war ein Teil ihrer sexuellen Ausstrahlung, dieses scheinbar völlige Versinken in das, worauf sich ihre Augen konzentrierten. Unter der Intensität ihrer Blicke fühlte er sich, als ob sein Gesicht das bezauberndste der Welt wäre.

Er sprach als Erster. »Samstagabend –«

»Bitte, frag mich nicht.«

»Warum hast du auf die Frage, wo du gewesen bist, gelogen?«

»Wäre es dir lieber, wenn ich ihnen die Wahrheit erzählt hätte?«

»Was ist die Wahrheit? Hat dich dieser Mann vor Lute Pettijohns Hotelsuite stehen gesehen?«

»Ich kann mit dir nicht darüber sprechen.«

»Natürlich kannst du, verdammt noch mal!«

Die Türen öffneten sich im Erdgeschoss. Niemand wartete auf den Aufzug. Hammond trat hinaus, behielt aber die Hand auf dem Gummifalz, damit die Tür offen blieb. »Sergeant, hat Miss Mundell hier unten eine Akte liegen lassen?«

»'ne Akte? Hab nichts gesehen, Mr. Cross«, rief er zurück. »Wenn doch, lass ich sie hochbringen.«

»Danke.«

Damit trat er wieder in den Aufzug und drückte den Aufwärtsknopf. Die Türen schlossen sich.

»Du kannst mit mir reden«, wiederholte er in rauem Flüsterton.

»Wir haben nur wenige kostbare Sekunden. Ist es das, worüber du sprechen möchtest?«

»Nein, verdammt, nein.« Er trat auf sie zu und knurrte leise: »Ich möchte dich verschlingen.«

Ihre Hand fuhr an die Kehle. »Ich bekomme keine Luft.«

»Das hast du auch gesagt, als du zum zweiten Mal gekommen bist. Oder war's beim dritten Mal?«

»Hör auf, bitte, hör auf.«

»Das ist einer der wenigen Sätze, die du nicht gesagt hast. Die ganze verdammte Nacht lang nicht. Also, warum hast du dich heimlich davongestohlen?«

»Aus demselben Grund, aus dem ich das Zusammensein mit dir verheimlichen muss.«

»Pettijohn? Ich weiß, dass du ihn nicht umgebracht hast. Die Tatzeit passt nicht. Aber auf irgendeine Weise bist du schuldig.«

»Ich musste dich am Sonntag verlassen. Und auch jetzt darf man uns bei keinem privaten Gespräch erwischen.«

»Wenn du nicht irgendwie darin verwickelt wärest«, sagte er, wobei er noch einen Schritt näher trat, »warum solltest du dir dann ein Alibi sichern müssen, indem du die Nacht in meinem Bett verbringst?«

Ihre Augen funkelten vor Zorn. Ihre Lippen öffneten sich, als ob sie ihm widersprechen wollte. Der Aufzug hielt an, die Türen gingen auf. Draußen wartete Steffi Mundell.

»O«, rief sie leise, als sie die beiden zusammen sah. Ihr Blick durchbohrte erst Alex, dann Hammond. »Äh, ich wollte dich gerade holen. Ich hab sie gefunden«, sagte sie, wobei sie geistesabwesend die Hand hob und ihm die Akte zeigte, die sie vermisst hatte. »Entschuldigung.«

»Macht nichts.«

»Verzeihung«, sagte Alex und trat zwischen sie, damit sie hinauskonnte.

»Dr. Ladd, Mr. Perkins ist schon da«, erklärte ihr Steffi im Vorbeigehen.

Sie nahm diese Mitteilung mit einem würdevollen Dankeschön zur Kenntnis, ehe sie weiter den Flur entlang auf die gesicherte Doppeltür zuging.

»Wo seid ihr beide denn zusammengestoßen?«

Obwohl ihn Steffis Frage bis aufs Äußerste reizte, versuchte er, sich nichts anmerken zu lassen. »Sie hat drunten auf den Aufzug gewartet«, log er.

»Ach, na ja, schätzungsweise sind jetzt alle da, also können wir anfangen.«

»Halt sie noch ein paar Minuten hin. Ich muss auf die Toilette.«

Beim Betreten der Toilette war Hammond froh, dass niemand drin war. Er beugte sich übers Waschbecken und spritzte sich kaltes Wasser ins Gesicht, dann stützte er die Hände auf das kühle Porzellan und ließ den Kopf zwischen den Schultern hängen, damit das Wasser vom Gesicht ins Becken tropfen konnte. Mehrmals holte er tief Luft und atmete leise fluchend wieder aus.

Er hatte um ein paar Minuten gebeten, aber um sich wirklich wieder zu fassen, bräuchte er länger. Vermutlich würde er sich überhaupt nicht von dem Schuldgefühl befreien können, das wie ein Ring um seine Brust lag und sie einschnürte.

Was sollte er tun? Letzte Woche um diese Zeit hatte er noch nie von dieser Frau gehört. Jetzt war Alex Ladd der Mittelpunkt eines Mahlstroms, der ihn nach unten zu ziehen und zu ertränken drohte.

Er sah keinen Ausweg. Er hatte nicht nur einmal gegen die gültige Rechtsordnung verstoßen, sondern fortlaufend, und tat es weiter. Wenn er beim ersten Blick auf ihr Phantombild reinen Tisch gemacht hätte, hätte er sich vielleicht noch retten können.

»Smilow, Steffi, ihr werdet es nicht glauben! Mit dieser Frau habe ich am Samstag die Nacht verbracht. Und jetzt wollt ihr mir erzählen, sie hätte Lute Pettijohn erledigt, bevor sie mich ins Bett gelockt hat?«

Vielleicht hätte er den Sturm ausgehalten, wenn er seine Schuld eher eingestanden hätte. Als er sie in seine Hütte mitnahm, hatte er ja keine Ahnung, dass sie später in ein Verbrechen verwickelt sein würde. Er war das unschuldige Opfer einer sorgfältig geplanten Verführung gewesen.

Vielleicht hätte er sich lächerlich gemacht, weil er mit einer völlig Fremden ins Bett gegangen war. Vielleicht würde man ihm Indiskretion vorwerfen. Sein Vater hätte ihn als Trottel abgestempelt. Hatte er ihn so schlecht erzogen, dass er mit einer Frau schlief, die er nicht kannte? Hatte er ihn nicht immer wieder vor den Katastrophen gewarnt, die ein junger Mann in den Händen eines tückischen Weibes zu erwarten hatte? Die Sache wäre peinlich gewesen, für ihn, seine Familie und die Staatsanwaltschaft. Er wäre das Klatschthema Nummer eins gewesen und die Zielscheibe von tausend schlüpfrigen Witzen, aber er hätte es überlebt.

Doch dieser Punkt war irrelevant. Er hatte ihre Identität nicht preisgegeben und sie nicht entlarvt, als sie einen Ausflug nach Hilton Head vorgetäuscht hatte. Er hatte nur dagestanden, während Pflicht und Lust miteinander rangen. Und die Lust hatte gewonnen. Bewusst und vorsätzlich hatte er eine Information zurückgehalten, die möglicherweise das Schlüsselelement in einem Mordfall war. So wie er es auch unterlassen hatte, Monroe Mason von seinem Treffen mit Pettijohn am Samstagnachmittag in Kenntnis zu setzen. Sein Verhalten in den letzten Tagen war, nach allen Regeln der Staatsanwaltschaft, unverzeihlich.

Obendrein befürchtete er etwas noch Schlimmeres: Falls er die Gelegenheit hätte, diese Entscheidungen zu überdenken, würde er dieselben falschen Entschlüsse wieder treffen.

Alex misstraute der höflichen Geste, mit der Smilow für sie einen Stuhl herauszog. Er erkundigte sich, ob sie bequem sitze und etwas zu trinken wolle.

»Mr. Smilow, bitte hören Sie auf, das Ganze als Höflichkeitsbesuch darzustellen. Ich bin nur aus einem einzigen Grund hier: weil sie darum gebeten haben, und ich es als meine Bürgerpflicht ansehe, dieser Bitte nachzukommen.«

»Sehr lobenswert.«

Frank Perkins sagte: »Lassen wir doch die Floskeln und kommen wir zur Sache, oder?«

»Schön.« Wie tags zuvor bezog Smilow seine Position auf der Schreibtischkante, was ihm einen klar kalkulierten Vorteil sicherte, da Alex gezwungen war, zu ihm aufzuschauen.

Als hinter ihr die Tür aufging, wusste sie, dass Hammond hereingekommen war. Seine Energie lud die Luft in ganz besonderer Weise auf. Sie hatte sich noch nicht wieder von ihrer Begegnung im Aufzug erholt. Die wenigen Momente hatten eine tiefe Wirkung hinterlassen.

Sie hatte rein körperlich darauf reagiert, was man ihr offensichtlich auch ansah, denn als sie zu Frank Perkins stieß, hatte er eine Bemerkung über ihr erhitztes Gesicht gemacht und sich erkundigt, ob sie sich wohl fühle. Sie hatte es auf die Hitze draußen geschoben. Aber an ihrem Erröten war das Wetter so wenig schuld wie an dem prickelnden Gefühl in ihren sämtlichen erogenen Körperzonen.

Zu dieser sexuellen und emotionalen Erregung gesellte sich ein bedrückendes Schuldgefühl, weil sie Hammond unfairerweise in ein derartiges Dilemma gebracht hatte. Sie hatte ihn vorsätzlich kompromittiert.

Anfänglich, betonte sie ihrem Gewissen gegenüber. *Nur anfänglich*. Dann hatte die Biologie die Oberhand gewonnen.

Auch jetzt, als er im Zimmer war, konnte sie spüren, wie sie an ihr zerrte.

Aus Angst, Steffi Mundell könnte vielleicht merken, dass etwas im Gange war, unterdrückte sie den Impuls, sich umzudrehen und ihn anzusehen. Die Staatsanwältin hatte allzu reges Interesse gezeigt, nachdem sie beide zusammen im Aufzug gesehen hatte. Obwohl Alex versucht hatte, beim Aussteigen gelassen zu wirken, hatte sie Steffis Blicke wie ein Brandeisen zwischen den Schulterblättern gespürt, während sie den Flur hinunterging. Wenn irgendeiner die Signale auffing, die sie und Hammond unbewusst ausstrahlten, dann Steffi Mundell. Und das nicht nur, weil sie einen messerscharfen Verstand hatte, sondern weil Frauen ganz allgemein mehr auf romantische Untertöne achteten als Männer.

Alex merkte erst wieder auf, als Smilow das Tonbandgerät einschaltete und Tag und Uhrzeit sowie die Namen aller Anwesenden aufsagte. Anschließend händigte er ihr einen aufgeklebten Zeitungsartikel aus. »Dr. Ladd, ich möchte gerne, dass Sie das lesen.«

Neugierig überflog sie die Überschrift. Weiter musste sie nicht lesen. Ihr war klar, dass sie einen entsetzlichen Fehler begangen hatte, der sie teuer zu stehen käme.

»Warum lesen Sie nicht laut vor?«, schlug Smilow vor. »Ich hätte gerne, dass es auch Mr. Perkins hört.«

Im Bewusstsein, dass der Detective versuchte, sie zu demütigen, zwang sie sich zu einer gleichmäßigen emotionslosen Stimme, während sie die Nachricht von der Evakuierung und Schließung von Harbour Town auf Hilton Island vorlas, die genau zur selben Zeit stattgefunden hatten, zu der sie dort angeblich die Attraktionen genossen hatte. Als sie fertig war, herrschte lange drückende Stille.

Schließlich bat Perkins ganz leise darum, den Ausschnitt sehen zu können. Während sie ihn ihm reichte, ließ sie Smilow nicht aus den Augen. Sie weigerte sich, seinem anklagenden Blick auszuweichen. »Nun?«

»Nun was, Detective?«

»Sie haben uns angelogen, Dr. Ladd, stimmt's?«

»Du musst nicht antworten«, erklärte ihr Frank Perkins.

»Wo waren Sie vergangenen Samstag? Nachmittags und abends.«

»Alex, antworte nicht«, riet ihr Anwalt erneut.

»Aber Frank, ich würde es gerne tun.«

»Ich rate dir sehr, nichts zu sagen.«

»Meine Antwort kann keinen Schaden anrichten.« Ohne seinen Rat zu beachten, sagte sie: »Ich hatte eine Fahrt nach Hilton Head geplant, habe mich aber in letzter Minute anders entschieden.«

»Warum?«

»Aus einer Laune heraus. Stattdessen habe ich einen Jahrmarkt außerhalb von Beaufort besucht.«

»Einen Jahrmarkt?«

»Ein Volksfest, Mr. Smilow, und das lässt sich leicht nachprüfen. Ich bin sicher, dass so ein großes Fest angeschlagen war. Dort bin ich gewesen, nachdem ich Charleston verlassen hatte.«

»Kann das irgendjemand bezeugen?«

»Das bezweifle ich. Dort waren Hunderte von Menschen. Unwahrscheinlich, dass sich jemand an mich erinnert.«

»Ähnlich wie die Eisverkäuferin auf Hilton Head.«

Anscheinend schätzte Smilow Steffi Mundells Bemerkung genauso wenig wie Alex. Beide warfen ihr einen wütenden Blick zu, ehe Smilow fortfuhr: »Wenn Sie die Plakate für den Jahrmarkt gesehen haben, dann könnten Sie die Geschichte doch genauso gut erfinden, nicht wahr?«

»Vermutlich schon, aber ich tue es nicht.«

»Warum sollten wir das glauben? Schließlich haben wir Sie schon einmal beim Lügen erwischt.«

»Es macht keinen Unterschied, wo ich war. Ich habe Ihnen schon erklärt, dass ich Lute Pettijohn nicht einmal gekannt habe. Und von seiner Ermordung wusste ich definitiv nichts.«

»Sie wusste ja nicht einmal, wie er gestorben ist«, warf Frank Perkins ein.

»Ja, wir alle erinnern uns daran, wie verblüfft Ihre Mandantin auf die Tatsache reagierte, dass Pettijohn erschossen wurde.«

Obwohl Alex unter Smilows sarkastischem Blick glühend heiß wurde, verlor sie nicht die Fassung. »Ich habe Charleston mit der festen Absicht verlassen, nach Hilton Head zu fahren. Als ich auf den Jahrmarkt stieß, habe ich mich kurzerhand entschlossen, stattdessen dort zu halten.«

»Wenn die Sache so unverfänglich war, warum haben Sie dann diesbezüglich gelogen?«

Erstens zu meinem Selbstschutz. Und dann, um Hammond Cross zu schützen.

Schön und gut, wenn sie die Wahrheit wollten, aber Hammond war mehr als sie verpflichtet, die Wahrheit zu sagen. Doch er schwieg weiterhin. Gestern Abend hatte sie nach ihrem Treffen mit Bobby vor Aufregung wach gelegen und über ihr Dilemma nachgedacht.

Nach qualvollem Überlegen war sie zu dem Schluss gekommen, alles wäre es wert, Bobby auf Distanz zu halten. Zwischen ihr und Pettijohn ließ sich keine Verbindung herstellen. Solange

Hammond an ihre Unschuld glaubte, würden die Vorgänge von Samstagnacht ihrer beider Geheimnis bleiben, weil er ihnen keine Bedeutung zumaß.

Sollte er allerdings je von ihrer Schuld überzeugt sein, wäre er als Staatsanwalt verpflichtet…

Sie gestattete sich selbst keinen weiteren Gedanken daran. Fürs Erste würde sie so lange mit Smilow kooperieren, bis er – hoffentlich – jede Verwicklung ihrerseits abtat und seine Ermittlung in eine andere Richtung lenkte.

»Mr. Smilow, es war dumm von mir zu lügen«, sagte sie. »Ich habe angenommen, ein Ausflug nach Hilton Island klänge überzeugender als der Bummel über einen Jahrmarkt.«

»Warum verspürten Sie das Bedürfnis, uns zu überzeugen?«

Frank Perkins hob eine Hand, aber Alex sagte: »Weil ich Polizeiverhöre nicht gewöhnt bin. Ich war nervös.«

»Verzeihen Sie mir, Dr. Ladd«, meinte Smilow trocken, »aber von allen, die ich verhört habe, sind Sie am wenigsten nervös. Das war unser einhelliger Kommentar. Miss Mundell, Mr. Cross und ich haben festgestellt, dass Sie für jemanden, der unter Mordverdacht steht, bemerkenswert gefasst sind.«

Da sie nicht sicher war, ob er das als Beleidigung oder als Kompliment meinte, antwortete sie nicht. Es verunsicherte sie, dass man ihr Verhalten diskutiert hatte. Welchen »Kommentar« hatte Hammond über sie abgegeben? Sie grübelte. Sie hatte ihm vermutlich eine Menge Redestoff geliefert.

»Weißt du, du bist eine Betrügerin.«

»Verzeihung.« Sie tat, als wäre sie beleidigt, packte mit beiden Händen seine Haare und versuchte seinen Kopf hochzuziehen, aber er gab nicht nach.

»Du hast den Eindruck einer völlig ruhigen, kühlen und gefassten Frau erweckt.« Seine Stoppeln kratzten leicht über ihren Bauch. »Jedenfalls dachte ich das, nachdem ich dich aus den Klauen der Marines befreit hatte. Das ist aber ein cooles Mäuschen.«

Sie lachte. »Wenn ich mich zwischen Betrügerin und Mäuschen entscheiden müsste, wüsste ich nicht, was beleidigender ist.«

»Aber im Bett«, fuhr er fort, ohne sich von seinem Ziel – im Re-

den und im Tun – ablenken zu lassen, »gibst du dich alles andere als zurückhaltend.«

»Es ist hart –«

»Ganz sicher«, stöhnte er, »aber das kann warten.«

»– die Fassung zu bewahren, wenn –«

»Wenn?«

»Wenn…« In dem Moment berührte er sie mit der Zunge, und alle Fassung war dahin.

»Sind Sie allein auf diesen Jahrmarkt gegangen?«

»Was?« Einen schrecklichen Augenblick befürchtete sie, sie hätte im Nachhall ihres erinnerten Orgasmus gekeucht. Aber noch viel schrecklicher war, dass sie sich unbewusst umgedreht hatte und nun Hammond ansah. Auch seine Augen glühten, als könnte er ihre Gedanken lesen. An seiner Schläfe pochte sichtbar eine Ader.

Sie riss den Kopf zu Smilow herum, der seine Frage wiederholte. »Sind Sie allein auf diesen Jahrmarkt gegangen?«

»Ja. Ja, allein. Das stimmt.«

»Und sind den ganzen Abend allein geblieben?«

Ein Blick in Rory Smilows unerbittliche Augen erschwerte das Lügen. »Ja.«

»Sie haben sich dort nicht mit einem Freund getroffen? Oder mit sonst jemandem?«

»Wie ich schon sagte, Mr. Smilow: allein.«

Er hielt eine Sekunde inne. »Wann sind Sie weggegangen? Allein.«

»Als die Buden geschlossen haben. An die genaue Zeit kann ich mich nicht mehr erinnern.«

»Und wohin sind Sie von dort aus gegangen?«

Frank Perkins sagte: »Irrelevant. Diese ganze Befragung ist irrelevant und unangebracht. Da sie jeder Grundlage entbehrt, ist es auch egal, wo Alex war beziehungsweise ob sie allein war oder nicht. Sie muss sich für das, was sie am Samstagabend getan hat, ebenso wenig rechtfertigen wie Sie, da Sie sie noch immer nicht in Pettijohns Suite platzieren können. Sie hat Ihnen ja erklärt, dass sie ihn nicht einmal kannte.

Es ist entsetzlich, dass sich jemand mit ihrem untadeligen Ruf und hohem Ansehen in der Öffentlichkeit einem Verhör unterziehen muss. Irgend so ein Kerl aus Macon behauptet, sie gesehen zu haben, zu einem Zeitpunkt, als ihm die Därme zu platzen drohten. Smilow, halten Sie ihn allen Ernstes für einen verlässlichen Augenzeugen? Wenn ja, dann haben Sie Ihre früheren Maßstäbe für Ermittlungen gesenkt. So oder so haben Sie meiner Mandantin äußerste Unannehmlichkeiten bereitet.« Mit einer Handbewegung forderte er Alex zum Aufstehen auf.

»Das war eine nette Rede, Frank, aber wir sind hier noch nicht fertig. Meine Ermittler haben Dr. Ladd noch bei einer zweiten Lüge überrascht, bei der es um die Mordwaffe geht.«

Verärgert und misstrauisch nahm Frank Perkins wieder Platz. »Lassen Sie sich was Gutes einfallen.«

»Mache ich.« Smilow wandte sich wieder zu ihr. »Dr. Ladd, gestern haben Sie uns erklärt, Sie besäßen keine Waffe.«

»Besitze ich auch nicht.«

Er zog aus einem Aktenordner ein Anmeldeformular, das Alex wiedererkannte. Nachdem sie es überflogen hatte, gab sie es Frank zum Lesen weiter. »Ich habe mir zum Schutz eine Waffe gekauft. Aber das ist Jahre her, wie Sie aus dem Datum ersehen können. Ich habe sie nicht mehr.«

»Was ist damit passiert?«

»Alex?« Frank Perkins beugte sich mit fragendem Blick vor.

»Ist schon gut«, versicherte sie ihm. »Außer in ein paar Übungsstunden habe ich sie nie abgefeuert. Sie war in einem Halfter unter dem Fahrersitz meines Autos; ich habe nur noch selten daran gedacht. Als ich den Wagen gegen ein neues Modell eingetauscht habe, habe ich sie völlig vergessen.

Erst Wochen, nachdem ich ihn in Zahlung gegeben hatte, fiel mir ein, dass der Revolver noch immer unter dem Sitz lag. Ich habe den Händler angerufen und dem Geschäftsführer den Vorfall erklärt. Er bot an, sich zu erkundigen. Angeblich wusste niemand etwas davon. Meiner Vermutung nach hat jemand beim Saubermachen den Revolver gefunden und gedacht, wer's findet, dem gehört's, und ihn nie zurückgegeben. Möglicherweise war es sogar der spätere Käufer.«

»Es handelt sich um dasselbe Kaliber, mit dem auch Lute Pettijohn getötet wurde.«

»Eine .38er, ja. Wohl kaum ein exklusives Sammlerstück, Mr. Smilow.«

Er lächelte so kalt, wie sie es inzwischen von ihm gewöhnt war. »Zugegeben.« Er rieb sich über die Augenbraue, als ob ihn etwas beunruhigte. »Aber hier hätten wir den Beweis, dass Sie eine Waffe besitzen, und dazu eine unbestätigte Geschichte, wie Sie sie verloren haben. Sie wurden ungefähr um die Todeszeit am Tatort gesichtet. Wir haben Sie bezüglich Ihres Aufenthalts an diesem Abend bei einer Lüge ertappt. Und außerdem haben Sie kein Alibi.« Er hob die Schultern. »Betrachten Sie es mal aus meinem Blickwinkel. Allmählich summieren sich all diese nebensächlichen Elemente.«

»Wozu?«

»Dazu, dass Sie unser Mörder sind.«

Alex öffnete den Mund, um zu protestieren, musste aber zu ihrem Entsetzen feststellen, dass sie nicht sprechen konnte. Das übernahm Frank Perkins. »Smilow, stehen Sie kurz vor der Verhaftung?«

Er starrte lange auf sie hinab. »Noch nicht.«

»Dann werden wir jetzt gehen.« Diesmal ließ der Anwalt keinen Widerspruch zu. Allerdings war Alex auch nicht danach zu Mute. Sie war verstört, obwohl sie versuchte, sich ihre Angst nicht anmerken zu lassen.

Ein wichtiger Teil ihres Berufes war es, Gesichtsausdruck und Körpersprache ihrer Patienten zu deuten, um ihre wahren Gedanken abschätzen zu können, die oft erheblich von dem abwichen, was sie sagten. Die Art, wie sie standen, saßen oder sich bewegten, stand häufig ihren verbalen Behauptungen diametral entgegen. Außerdem verrieten Phrasierung und Tonfall beim Sprechen manchmal mehr als die Worte selbst.

Diese Erfahrung wandte sie nun auf Smilow an. Sein Gesicht hätte genauso gut aus Marmor sein können. Ohne den geringsten

Hauch von Diplomatie hatte er ihr kerzengerade in die Augen geschaut und sie des Mordes bezichtigt. Nur ein Mensch, der sich seiner Sache absolut sicher ist, konnte so entschlossen und ohne Emotionen sein.

Dagegen wäre Steffi Mundell am liebsten vor Schadenfreude auf und ab gehüpft und hätte in die Hände geklatscht. Auf Grund ihrer Erfahrung konnte Alex haargenau sagen, dass die Ermittler sicher waren, die Situation stünde für sie definitiv günstig.

Aber diese Reaktionen waren für sie nicht so wichtig wie die von Hammond Cross. Mit einer Mischung aus Vorahnung und Furcht wandte sie sich zur Tür und schaute ihn an.

Er lehnte mit einer Schulter an der Wand, hatte die Füße an den Knöcheln übereinander gelegt und die Arme vor der Brust gekreuzt. Die geradere Augenbraue zog nach unten. Es wirkte fast bedrohlich. Einem ungeschulten Auge wäre er vielleicht wie ein Mensch erschienen, der sich wohl, ja fast sorglos fühlt. Aber Alex erkannte sofort die Emotionen, die gefährlich dicht unter der Oberfläche brodelten. Er war bei weitem nicht so entspannt, wie er tat. Die gesenkten Lider, das verspannte Kinn waren untrügliche Kennzeichen. Seine verschränkten Arme und Beine signalisierten keine lässige Pose.

Vlelmehr schienen sie das Einzige zu sein, was ihn noch zusammenhielt.

20

Er wäre die Traumbesetzung für die Rolle des »Schwachkopfs« gewesen. Erstens wegen seines Namens – Harvey Knuckle, das Knöchelchen. Na, du Knochengerüst. Harvey, was hast du denn heute auf dem Pausenbrot? Schweinsknochen? Dann wollen wir mal die Knöchelchen springen lassen. Klassenkameraden und später Kollegen hatten jede Menge dieser Witzchen auf Lager, und alle waren gnadenlos gewesen.

Zusätzlich zu seinem Namen sah Harvey Knuckle auch noch

so aus. Alles an ihm passte zum Klischee. Er hatte dicke Brillengläser, war blass und dürr und mit einem chronischen Nasentröpfchen geschlagen. Tagtäglich trug er eine Fliege. Wenn es in Charleston kalt wurde, trug er handgestrickte Pullover mit V- Ausschnitt unter Tweedjacketts, die im Sommer gegen kurzärmelige Hemden und Seersuckeranzüge ausgetauscht wurden. Sogar sein einziges Talent entsprach ironischerweise einem Klischee: Er war ein Computergenie. Dieselben Leute im Rathaus, die sich am lautesten über ihn lustig machten, waren ihm auf Gedeih und Verderb ausgeliefert, wenn ihre Computer streikten. »Ruft Knuckle. Schafft ihn her«, lautete der allbekannte Refrain.

Am Dienstagabend betrat er die Shady Rest Lounge, schüttelte seinen nassen Regenschirm aus und blinzelte ängstlich in den Tabakqualm.

Loretta Boothe, die nach ihm Ausschau gehalten hatte, verspürte einen Hauch von Mitgefühl. Harvey war ein unsympathischer kleiner Einfaltspinsel, aber im Shady Rest hatte er keine Chance. Obwohl sie sah, dass sie auf ihn zusteuerte, entspannte er sich nur geringfügig.

»Ich dachte schon, ich hätte die falsche Adresse notiert. Was für ein schrecklicher Ort. Selbst der Name klingt wie ein Friedhof.«

»Danke, Harvey, dass du gekommen bist. Schön, dich zu sehen.« Noch ehe er türmen konnte, was er anscheinend gerade tun wollte, packte ihn Loretta am Arm und schleppte ihn zu einer Nische. »Willkommen in meinem Büro.«

Noch immer nervös, verstaute er seinen nassen Schirm unter dem Tisch, richtete seinen Jackettkragen und schob die Brille auf die lange schmale Nase. Inzwischen hatten sich seine Augen ans Zwielicht gewöhnt. Nachdem er die übrigen Besucher näher unter die Lupe genommen hatte, schauderte es ihn. »Hast du keine Angst, allein hierher zu kommen? Offensichtlich handelt es sich bei der Kundschaft um den Abschaum der Gesellschaft.«

»Harvey, ich *gehöre* zu dieser Kundschaft.« Beschämt fing er an, eine Entschuldigung zu stottern.

Loretta lachte. »Ich nehm's nicht übel. Entspann dich. Du brauchst jetzt was zu trinken.« Sie winkte dem Barkeeper.

Harvey faltete seine zierlichen Hände auf dem Tisch. »Das wäre nett, danke schön. Nur einen ganz kleinen. Ich kann nicht lange bleiben. Ich bin gegen Zigarettenrauch allergisch.«

Sie bestellte ihm einen Whiskey Sour und für sich ein Mineralwasser. Angesichts seiner überraschten Miene meinte sie: »Bin auf Entzug.«

»Wirklich? Mir hat man erzählt, du… Mir hat man was anderes erzählt.«

»Ich wurde erst kürzlich bekehrt.«

»Nun, gut für dich.«

»Nicht so gut, Harvey. Entzug tut höllisch weh. Ich hasse es.« Ihre Offenheit brachte ihn zum Lachen. »Loretta, du warst ja schon immer geradeheraus und hast dich nicht geändert. Ich habe dich vermisst. Vermisst du den Polizeidienst?«

»Manchmal. Nicht die Leute, die Arbeit. Die vermisse ich.«

»Arbeitest du immer noch als Privatdetektivin?«

»Ja, ich bin selbstständig.« Sie zögerte. »Deshalb habe ich dich auch angerufen und um ein Treffen gebeten.«

Er stöhnte. »Ich wusste es. Ich habe mir gesagt: ›Harvey, wenn du diese Einladung annimmst, wirst du's noch bedauern.‹«

»Aber dann hat doch deine Neugier gesiegt, stimmt's?«, neckte sie ihn. »Das und die Erinnerung an meinen unglaublichen Grips.«

»Loretta, bitte, verlange keinen Gefallen von mir.«

»Harvey, bitte, sei doch nicht so verdammt scheinheilig.«

Offiziell war er beim Bezirk angestellt, aber sein Zugang zu sämtlichen Rechnern der Verwaltung ermöglichte ihm Einblick in städtische und Staatsdokumente. Er hatte an jedem Finger so viele Informationen, dass Leute auf ihn zukamen, die bereit waren, eine ordentliche Summe zu bezahlen, nur um die Gehälter ihrer Kollegen oder Ähnliches zu erfahren. Aber Harvey weigerte sich, bei irgendeiner unmoralischen oder illegalen Sache mitzumachen. Jeder, der zu ihm kam und ihm einen Gefallen entlocken wollte, erlebte einen Harvey, der sich irritierend hartnäckig weigerte.

Genau deshalb schockierte ihn Lorettas unverblümte Feststellung. Er blinzelte heftig hinter seinen dicken Brillengläsern.

»Du bist nicht der brave kleine Junge, den du allen vorspielst.«

»Also wirklich, wie flegelhaft, mich an meine einzige kleine Indiskretion zu erinnern.«

»Die Einzige, die ich kenne«, sagte sie intuitiv. »Ich glaube noch immer, dass du dem Arschloch, das dich auf der Weihnachtsfete schikaniert hat, buchstäblich den Stecker herausgezogen hast. Na los, Harvey, beichte. Hast du dich nicht dadurch revanchiert, indem du seine sämtlichen Programme verschlüsselt hast?«

Er zog einen Flunsch.

»Na, egal.« Sie kicherte in sich hinein. »Ich mache dir keinen Vorwurf, weil du's mir nicht gestehst. Allerdings wäre dein Geheimnis bei mir sicher. Ehrlich gesagt, mag ich dich sogar noch lieber, weil du eine Schwäche zeigst. Mit menschlichen Schwächen kann ich mich identifizieren.« Sie wackelte mit einem Finger in seine Richtung. »Du genießt den Nervenkitzel, den dir ein gelegentlicher Regelbruch bereitet. Da geht dir doch erst richtig einer ab.«

»Was für ein fürchterlicher Ausdruck! Obendrein ist das nicht wahr.« Entgegen seines öffentlichen Abstinenzbekenntnisses kippte er seinen Drink und hatte keine Einwände, als sie eine neue Runde bestellte.

Einmal hatte sie nachts als Polizistin beim Überprüfen von Bezirkspapieren Überstunden gemacht und dabei Harvey Knuckle im Büro seines Vorgesetzten erwischt, wo er dessen persönliche Gehaltsakte ausspionierte und dabei einen Schluck aus dessen versteckter Brandyflasche nahm.

Am liebsten wäre der kleine Mann im Boden versunken, weil man ihn auf frischer Tat bei etwas ertappt hatte, was er nie und nimmer für jemand anderen hatte tun wollen. Loretta, die vor Lachen innerlich fast geplatzt wäre, hatte ihm versichert, sie hätte keine Lust, ihn zu verpfeifen, und hatte ihm für seine Schatzsuche viel Glück gewünscht.

Als sie das nächste Mal wegen eines Gefallens an ihn herantrat, hatte ihn Harvey ohne Zögern erfüllt. Seit dieser Nacht ging sie stets zu Harvey, wenn sie Informationen brauchte. Noch nie hatte er sie enttäuscht. Diese wertvolle Quelle versiegte nie.

»Harvey, ich weiß, dass ich mich auf dich verlassen kann.«

»Ich mache keine Versprechungen«, meinte er weinerlich. »Du bist nicht mehr bei der Polizei, das ändert die Lage gänzlich.«

»Das hier ist unheimlich wichtig.« Sie rutschte auf ihrer Bank nach vorne und flüsterte vertraulich: »Ich arbeite am Mordfall Pettijohn.«

Er starrte sie mit offenem Mund an, bedankte sich geistesabwesend beim Barkeeper, der seinen Drink an den Tisch brachte, und nahm rasch einen Schluck. »Verkohlst du mich?«

»Das Ganze ist sehr psst-psst. Du darfst keiner Menschenseele auch nur ein Sterbenswörtchen davon verraten.«

»Du weißt, dass ich schweige wie ein Grab«, flüsterte er zurück. »Für wen arbeitest du?«

»Dazu darf ich mich nicht äußern.«

»Sie haben noch keinen verhaftet, oder? Stehen sie dicht davor?«

»Tut mir Leid, Harvey, ich kann darüber nicht sprechen. Würde das Vertrauen meines Klienten verletzen.«

»Ich habe Verständnis für Vertraulichkeit, wirklich.«

Er war gar nicht so enttäuscht. Die Intrige stachelte seinen unbefriedigten Abenteuersinn an. Dass er mit einem Geheimnis betraut war, egal, von welchem Ausmaß, verlieh ihm, der meistens draußen stand, einen Platz im innersten Zirkel. Loretta hatte wegen dieser Manipulation leichte Gewissensbisse, war aber zu fast allem bereit, um Hammond einen Gefallen zu tun und ihren Fehler von damals wieder gutzumachen.

»Was ich benötige, ist jede Information, die du über eine gewisse Dr. Alex Ladd auftreiben kannst. Ihr zweiter Vorname beginnt mit E., ihre Rentenversicherungsnummer, die Führerscheinnummer etc. habe ich bereits. Sie ist Psychologin und praktiziert hier in Charleston.«

»Eine Seelenklempnerin? Ist das ihre Verbindung zu Pettijohn?«

»Kann ich dir nicht sagen.«

»Loretta«, jammerte er.

»Weil ich's nicht weiß. Ich schwör's. Bisher habe ich über sie nur ganz gewöhnliches Zeug. Steuererklärungen, Kontoauszüge, Kreditkarten. Damit ist alles in Ordnung. Ihr Haus gehört ihr, hat keine größeren Schulden. Niemand prozessiert gegen sie. Hat noch nicht mal einen Strafzettel bekommen. Ihre Unterlagen aus der Studienzeit und danach sind eindrucksvoll. War eine exzellente Studentin, der mehrere renommierte Praxen eine Teilhabe angeboten haben. Trotzdem hat sie sich für eine eigene entschieden.«

»Gleich von Anfang an? Muss aus reichem Hause stammen.«

»Sie hat einen Packen von ihren Adoptiveltern geerbt, einem gewissen Dr. Marion Ladd, praktischer Arzt in Nashville. Verheiratet mit Cynthia, Hausfrau und früher Lehrerin. Sie hatten keine anderen Kinder. Sind vor einigen Jahren bei einem Flugzeugabsturz während eines Skiurlaubs in Utah ums Leben gekommen.«

»Bestand Verdacht auf gewaltsamen Tod?«

Loretta verbarg ihr Lächeln hinter einem Schluck Mineralwasser. Allmählich kam Harvey auf den richtigen Dreh. »Nein.«

»Hmm. Klingt für mich, als hättest du schon eine ganze Menge.«

Loretta schüttelte den Kopf. »Ich weiß nichts über ihre Jugend. Sie wurde erst mit fünfzehn adoptiert.«

»In dem Alter?«

»Merkwürdigerweise scheint ihr Leben erst ab diesem Zeitpunkt zu beginnen. Die Umstände, die zu ihrer Adoption führten, und ihr Leben vorher sind ein schwarzes Loch, das keinerlei Informationen preisgibt. Meine Versuche, hier durchzudringen, verliefen im Sand.«

»Hm«, meinte Harvey und nahm rasch noch einen Schluck.

»Sie hat eine private High-School besucht. Die Leute, mit denen ich dort gesprochen habe – und ich habe mich die Rangordnung hochgearbeitet –, waren nett und höflich, aber verschlossen. Sie wollten nicht einmal so weit gehen, mir einen Jahresbericht von ihrer Abschlussklasse zu schicken. Waren höchst bedacht darauf, die Privatsphäre der Ladds zu schützen, und wollten sich mit keinem Wort über sie äußern.

Nach allem, was ich über sie gelesen habe, handelte es sich um hoch geachtete Leute, die über jeden Zweifel erhaben waren. Cynthia Ladd wurde vor ihrem Rückzug aus dem Berufsleben als Lehrerin des Jahres ausgezeichnet. Beim Tod von Dr. Ladd haben seine Patienten um ihn getrauert. Er war Diakon in der Kirchengemeinde. Sie… Egal, du weißt, was ich meine. Keinerlei Skandal, nicht einmal ein Hauch.«

»Was kann ich also tun?«

»Dich in ihre Jugendakte einklinken.«

Wieder stöhnte er theatralisch. »So etwas hatte ich schon befürchtet.«

»Wahrscheinlich ist dort gar nichts. Ich möchte doch nur, dass du mal 'nen Blick hineinwirfst.«

»Schon ein Blick könnte mich meinen Job kosten. Du weißt doch, wie das Jugendamt ist«, jammerte er. »Die hüten diese Akten wie Reliquien. Darin darf keiner rumpfuschen.«

»Höchstens ein Genie, das sich nicht erwischen lässt. Die Dinger, die ich brauche, stecken außerdem in Tennessee.«

»Vergiss es!«

»Ich weiß, dass du's kannst«, sagte sie, wobei sie die Hand über den Tisch streckte und ihn tätschelte.

»Wenn das Jugendamt herausfindet, was ich tue, bekomme ich 'ne Menge Schwierigkeiten.«

»Harvey, ich habe vollstes Vertrauen zu dir.«

Obwohl er heftig auf seiner Lippe herumkaute, konnte sie sehen, dass ihn die Herausforderung reizte. »Ich stimme lediglich einem Versuch zu, das ist alles. Ich werd's versuchen. Außerdem darf man so etwas Delikates nicht überstürzen.«

»Ich verstehe. Lass dir Zeit, aber beeil dich.« Sie kippte ihr Mineralwasser hinunter und rülpste leise. »Ach, Harvey, wenn du schon mal dabei bist…«

Er zog eine Grimasse. »O nein.«

»Ich hätte gerne, dass du für mich noch etwas überprüfst.«

»Hier ist Smilow.«

»Du musst lauter reden«, erklärte ihm Steffi, »ich bin am Handy.«

»Ich auch. Gerade hat ein Kerl vom SLED angerufen.«

»Gute Nachrichten?«

»Für alle, nur nicht für Dr. Ladd.«

»Was? Was? Erzähl schon.«

»Erinnerst du dich an den unidentifizierten Partikel, den John Madison bei Pettijohn entfernt hat?«

»Du hast mir davon erzählt.«

»Nelken.«

»Das Gewürz?«

»Wann hast du das letzte Mal eine Nelke gesehen?«

»An Ostern, auf dem Schinken meiner Mutter.«

»Ich habe gestern Morgen welche gesehen, als ich bei Alex Ladd zu Hause war. Bei ihr stand auf einem Tisch im Eingang eine Kristallschale mit frischen Orangen. Sie waren mit Nelken gespickt.«

»Wir haben sie!«

»Noch nicht, aber wir kommen immer näher.«

»Was ist mit dem Haar?«

»Menschlich, aber nicht von Pettijohn. Wir haben keine Vergleichsmöglichkeit.«

»Noch nicht.«

Er lachte in sich hinein. »Schlaf gut, Steffi.«

»Warte, wirst du jetzt Hammond anrufen und ihm diese Neuigkeiten mitteilen?«

»Du vielleicht?« Nach einer Pause sagte sie: »Bis morgen.«

Hammond erwägte allen Ernstes, nicht ans Telefon zu gehen. Erst Sekunden, bevor sich der Anrufbeantworter einschaltete, änderte er seine Meinung, was er sofort wieder bedauerte.

»Allmählich dachte ich schon, du würdest nicht abheben.« Allein der Tonfall seines Vaters verwandelte die schlichte Feststellung in einen Vorwurf.

»Ich stand unter der Dusche«, log Hammond. »Was gibt's?«

»Ich bin gerade im Auto, auf dem Heimweg. Habe deine Mutter bei ihrem Bridge abgeliefert. Bei diesem Regen wollte ich sie nicht fahren lassen.« Seine Eltern führten eine altmodische Ehe mit traditioneller, klar getrennter Rollenverteilung, deren Grenzen sich nie verwischten. Sein Vater fällte alle größeren Entscheidungen völlig unabhängig. Es wäre Amelia Cross nie eingefallen, dieses Arrangement in Frage zu stellen. Hammond konnte ihre blinde Unterwerfung unter dieses archaische System nicht begreifen, weil es sie ihrer Individualität beraubte; aber sie schien damit völlig zufrieden zu sein. Nie reizte er seinen Vater oder verletzte er seine Mutter mit dem Hinweis auf dieses Ungleichgewicht in ihrer Beziehung. Außerdem war seine Meinung diesbezüglich unwichtig. Für sie funktionierte es so seit über vierzig Jahren.

»Wie läuft's denn mit dem Pettijohn-Fall?«

»Gut«, erwiderte Hammond.

Preston lachte in sich hinein. »Könntest du ein wenig ausführlicher werden?«

»Warum?«

»Ich bin neugierig. Ich habe heute Nachmittag mit deinem Boss neun Löcher gespielt, bevor es zu regnen anfing. Er meinte, Smilow hätte eine Verdächtige zweimal verhört, und du seist beide Male dabei gewesen.«

Sein Vater war mehr als nur neugierig, er wollte wissen, ob sein Sohn kompetent auftrat. »Darüber möchte ich lieber nicht übers Handy sprechen.«

»Sei nicht albern, ich will wissen, wie's läuft.«

Hammond lieferte ihm die Höhepunkte aus dem Verhör und versuchte dabei, nicht allzu defensiv zu klingen. »Ihr Anwalt –«

»Frank Perkins. Guter Mann.«

Preston war über die Details bestens informiert. Hammond wusste, er konnte nichts Vertrauliches ausplaudern, denn das war bereits geschehen. Prestons Freundschaft mit Monroe Mason bestand seit der Grundschule. Wenn die beiden heute schon neun Löcher Golf gespielt hatten, hätte Mason längst die Details ausgeplaudert und Hammond nur noch wenig zu enthüllen übrig gelassen.

»Perkins glaubt, wir hätten nichts gegen sie in der Hand.«

»Was glaubst denn du?«

Hammond wählte seine Worte bedachtsam, da er nicht wusste, wann eine seiner Bemerkungen wieder auf ihn zurückfallen und ihn verfolgen würde. Im Gegensatz zu Alex war er kein raffinierter Lügner. Lügen widersprach seinem Naturell, das selbst die kleinste Notlüge verachtete. Und doch hatte er bereits zwei dicke Unterlassungssünden auf dem Kerbholz. Er merkte, dass er seinen Vater relativ gelassen belügen konnte.

»Sie hat sich in ein paar Lügen verstrickt, die aber in Franks fähigen Händen vermutlich nichts zu bedeuten haben.«

»Warum?«

»Weil wir noch keinen stichhaltigen Beweis liefern können, der sie mit dem Verbrechen in Verbindung bringt.«

»Mason sagt, sie hätte bezüglich ihres Aufenthalts am Abend des Mordes gelogen.«

»Mason hat aber auch gar nichts ausgelassen, stimmt's?«, murmelte Hammond vor sich hin.

»Was war das?«

»Nichts.«

»Warum sollte sie lügen, wenn sie nichts zu verbergen hat?«

Hammond, der sich wie ein Kavalier alter Schule fühlte, meinte: »Vielleicht hatte sie insgeheim ein Stelldichein und lügt, weil sie den Mann, mit dem sie zusammen war, schützen möchte.«

»Vielleicht. Jedenfalls lügt sie, und Smilow hat Oberwasser. Ich weiß, du magst ihn nicht, aber trotzdem musst du zugeben, dass er ein exzellenter Detective ist.«

»Das kann ich nicht bestreiten.«

»Weißt du, er hat ein Jura-Examen.«

Hammond wusste Bescheid. Das war eine jener Feststellungen, die ihm sein Vater wie eine Gerade ständig ins Gesicht schlug. Sie sollte von dem darauf folgenden rechten Aufwärtshaken ablenken.

»Hoffentlich beschließt er nie, vom Polizeidienst zur Staatsanwaltschaft zu wechseln. Schon möglich, dass du dann ohne Job dastehst, mein Sohn.«

Hammond biss die Zähne zusammen, damit ihm nicht die Bemerkung herausrutschte, die ihm durch den Kopf schoss.

»Ich habe deiner Mutter erklärt –«

»Du hast den Fall mit Mom diskutiert?«

»Warum nicht?«

»Weil… weil das unfair ist.«

»Wem gegenüber?«

»Gegenüber allen Betroffenen, der Polizei, meiner Abteilung, den Verdächtigen. Dad, was, wenn diese Frau unschuldig ist? Dann hätte man wegen nichts ihren Ruf ruiniert.«

»Hammond, warum regst du dich so auf?«

»Hoffentlich erheitert nicht auch noch Mom ihren Bridge-Club mit sämtlichen schlüpfrigen Details aus diesem Fall.«

»Du übertreibst.«

Vielleicht stimmte das, aber je länger dieses Telefongespräch dauerte, umso verärgerter reagierte er. Hauptsächlich, weil er nicht wollte, dass sein Vater jeden seiner Schritte in diesem Fall überwachte. Ein Mordprozess dieser Größenordnung forderte einen Anwalt mit Haut und Haaren. Stunden wurden zu Tagen und Tage zu Wochen, manchmal sogar zu Monaten. Damit wurde er fertig. Darauf freute er sich sogar. Aber eines passte ihm ganz und gar nicht: am Ende jedes Tages Kritik ertragen zu müssen. Das würde ihn nach und nach demoralisieren und dazu führen, dass er sich jede Strategie zweimal überlegte.

»Dad, ich weiß, was ich tue.«

»Niemand hat je bezweifelt –«

»Blödsinn. Jedes Mal, wenn du dich mit Mason besprichst und ihn um einen Bericht bittest, stellst du meine Befähigung in Frage. Wenn er mit meiner bisherigen Arbeit nicht zufrieden gewesen wäre, hätte er mir nicht diesen Fall zugeteilt. Außerdem würde er dann sicherlich nicht für mich als seinen Nachfolger werben.«

»Alles richtig, Hammond«, sagte Preston aufreizend kontrolliert. »Umso mehr Gründe habe ich, mir Sorgen zu machen, dass du die Sache verscherzt.«

»Was bringt dich auf diese Vermutung?«

»Meines Wissens handelt es sich bei der Verdächtigen um eine schöne Frau.«

Den Schlag hatte Hammond nicht kommen sehen. Wenn das ein realer Aufwärtshaken gewesen wäre, läge er jetzt k. o. auf der Matte. Er taumelte unter der Wucht. Stets schien sein Vater hundertprozentig zu wissen, wo er ihn treffen musste, wo er es am meisten spüren würde.

»Das ist die größte Beleidigung, die du mir je an den Kopf geworfen hast.«

»Hör zu, Hammond, ich –«

»Nein, jetzt hörst du zu. Ich werde meinen Job machen. Sollte dieser Fall die Todesstrafe rechtfertigen, werde ich dafür plädieren.«

»Wirklich?«

»Absolut. Genauso, wie ich gegen dich Anklage erheben würde, falls meine Ermittlungen das erfordern.«

Nach einer kurzen Pause sagte Preston leise: »Hammond, mir gegenüber solltest du nicht bluffen.«

»Reiz es aus, Dad. Sieh zu, ob ich bluffe.«

»Nur zu. Überprüf du aber vorher deine Motive.«

»Was soll das heißen?«

»Das soll heißen, stell sicher, dass du schlagkräftige Beweise hast und nicht nur deinen kleinlichen Groll. Erspar uns beiden den Aufwand, die Zeit und die Blamage, nur weil du darüber giftest, wenn ich dir gegenüber hart bin. Man würde mich nie verurteilen. Dein Versuch, mir in die Suppe zu spucken, würde deine gründlich versalzen.«

Hammond hielt den Telefonhörer so fest umklammert, dass seine Finger inzwischen weiß vor Schmerz waren. »Dein Akku ist leer. Auf Wiedersehen.«

Trotz des heftigen Regens hatte Alex beschlossen, joggen zu gehen. Gleichmäßig bewegten sich ihre Beine. Gerade jetzt, wo ihr restliches Leben im Chaos versank, schien es lebensnotwendig, an ihrem regelmäßigen Training festzuhalten. Sie hatte außerdem Patiententermine bis in die späten Abendstunden verschoben und konnte durch die körperliche Anstrengung mentale Spannungen abbauen. So bekam sie wieder einen freien Kopf und ließ ihre Gedanken ungehindert schweifen.

Sie machte sich Sorgen um ihre Patienten. Was würde mit ihnen geschehen, falls öffentlich bekannt würde, dass man sie in einem Mordfall verdächtigte? Was würden sie von ihr denken? Würden sie ihre Meinung über sie ändern? Selbstverständlich ja. Es wäre unrealistisch zu hoffen, sie sähen darüber hinweg, dass sie in eine Mordermittlung verwickelt war.

Vielleicht sollte sie schon morgen versuchen, sie zwischenzeitlich bei anderen Therapeuten unterzubringen, damit für den Fall einer Inhaftierung eine kontinuierliche Behandlung gewährleistet blieb.

Andererseits würde sich dieses Problem vielleicht von selbst lösen. Wenn sie angeklagt würde, rannten sie vermutlich scharenweise aus ihrer Praxis.

Beim Vorbeilaufen an einem Auto, das nur einen halben Block von ihrem Haus entfernt in der Parkbucht stand, fielen ihr die beschlagenen Scheiben auf, ein Zeichen, dass jemand im Fahrzeug saß. Der Motor drehte sich im Leerlauf, obwohl Scheinwerfer und Scheibenwischer ausgeschaltet waren.

Erst nach gut zwanzig Metern warf sie einen Blick zurück. Inzwischen waren die Scheinwerfer an, der Wagen bog gerade in eine Seitenstraße ein.

Vermutlich hat es nichts zu bedeuten, redete sie sich ein. Sie lief Gefahr, paranoid zu werden. Aber die dunkle Ahnung wollte nicht weichen. Beobachtete sie *tatsächlich* jemand?

Zum Beispiel die Polizei. Möglicherweise hatte Smilow Überwachung angeordnet. War das nicht die übliche Vorgehensweise? Oder Bobby könnte sie beobachten, um sicherzustellen, dass sie nicht mit »seinem Geld« durchbrannte. Es war zwar nicht sein Cabrio gewesen, aber er war erfinderisch.

Dann gab es noch eine Möglichkeit, eine weitaus bedrohlichere, eine, die sie gar nicht in Erwägung ziehen wollte, obwohl sie genau wusste, wie töricht und naiv gerade diese Haltung war. Sie hatte darüber nachgedacht, dass sich Lute Pettijohns Mörder möglicherweise für sie interessierte. Wenn herauskam, dass man sie am Schauplatz identifiziert hatte, könnte der Killer befürchten, sie hätte den Mord mit eigenen Augen gesehen. Bereits der Gedanke ließ sie erschauern, und das nicht nur aus Angst vor einem Mörder. Ihr Leben war derzeit außer Kontrolle, und das fürchtete sie am meisten: die Kontrolle zu verlieren. In gewisser Weise war dieser Zustand ein realerer Tod als der eigentliche. Leben müssen, ohne Wahlmöglichkeiten oder freien Willen, konnte unter Umständen schlimmer sein als der Tod.

Vor zwanzig Jahren hatte sie ein für alle Mal beschlossen, dass ihr Leben nie wieder fremdbestimmt sein würde. So lange hatte es gedauert, bis sie überzeugt war, die Fesseln abstreifen und ihr Schicksal in die eigenen Hände nehmen zu können.

Dann war Bobby wieder aufgetaucht, und alles hatte sich geändert. Inzwischen kam es ihr vor, als könnte jeder aus ihrer Umgebung in ihr Leben hineinreden, und sie schien machtlos, etwas dagegen zu tun.

Nach einem halbstündigen Lauf betrat sie über eine Seitentür von der Piazza aus ihr Haus, zog in der Waschküche ihre durchnässten Joggingsachen aus und wickelte sich in ein Handtuch, bevor sie durchs Haus ging.

Ihr ganzes Erwachsenenleben lang hatte sie allein gelebt, deshalb hatte sie auch nie Angst, wenn sie allein daheim war. Sie verspürte kein Bedürfnis, sich gegen Einbrecher zu schützen. Das Einsamsein jagte ihr mehr Furcht ein als ein eventueller Eindringling. Nur an Feiertagen, wenn nicht einmal die Gesellschaft guter Freunde die nicht vorhandene Familie ersetzen konnte, musste sie sich gegen die Leere wappnen. Selbst wenn man in einer kalten Nacht vor dem Kaminfeuer saß, wurde aus Einsamkeit nie Behaglichkeit. Wenn sie mitten in der Nacht aus dem Schlaf auffuhr, geschah dies nicht, weil sie sich Geräusche eingebildet hatte, sondern weil die Stille des Alleinlebens allzu greifbar geworden war. Ihre einzige Angst war die, dass sie so vielleicht bis ans Ende ihres Leben existieren müsste.

Trotzdem fühlte sie sich heute Nacht etwas unwohl, als sie die Lichter im unteren Stockwerk löschte und nach oben ging. Die

Treppenstufen knarzten unter ihrem Gewicht. Sie war an die Proteste des alten Holzes gewöhnt. Aber heute Nacht wirkte das sonst so freundliche Geräusch unheilschwanger. Auf dem Treppenabsatz im ersten Stock hielt sie inne und schaute die Treppe hinunter, die im Schatten lag. Alles war leer und still, genau wie vorher, als sie zum Joggen gegangen war.

Während sie zu ihrem Schlafzimmer weiterging, schob sie ihre Nervosität auf den Regen. Obwohl er nach tagelanger drückender Hitze Erleichterung brachte, war es nun fast schon wieder zu viel des Guten. Das Wasser lief in Sturzbächen herunter, die gegen die Fensterscheiben prasselten und aufs Dach trommelten. Kanalschächte quollen über, Dachrinnen fassten die Mengen nicht mehr.

Sie öffnete eine Tür zur Piazza im ersten Stock, trat hinaus und zerrte einen Gardenienkübel unter den schützenden Dachvorsprung. Unten, in der Mitte des umfriedeten Gartens, floss der Steinbrunnen über. Die Wucht des Regens hatte Blüten von ihren Stängeln geschlagen, nackt und verloren ragten die Pflanzen auf. Nachdem sie wieder drinnen war, sicherte sie die Tür, ehe sie von Fenster zu Fenster ging, um die Läden zu schließen. Bei diesem Platzregen musste jeder nervös werden. Heute Abend war die Battery verlassen gewesen. Ohne die üblichen Jogger, Radfahrer und Hundebesitzer hatte sie sich isoliert und verwundbar gefühlt. Die Baumriesen in den Gärten von White Point hatten finster und bedrohlich gewirkt, obwohl sie ihre tiefen dicken Äste normalerweise als beschützend empfand.

Im Bad hängte sie ihr Handtuch über die Messingstange und beugte sich über die Wanne, um die Hähne aufzudrehen. Da es eine Weile dauerte, bis heißes Wasser aus den Rohren kam, nutzte sie die Zeit zum Zähneputzen. Als sie sich vom Waschbecken aufrichtete, bemerkte sie, dass sich im Arzneikasten etwas spiegelte, und fuhr herum.

An einem Haken hinter der Tür hing ihr Bademantel.

Mit wackligen Knien lehnte sie sich gegen das Waschbecken und befahl sich, mit diesem Unsinn aufzuhören. Es war nicht ihre Art, bei jedem Schatten zusammenzuzucken. Was stimmte nicht mit ihr?

Erstens: Bobby. Verdammter Kerl. *Verdammter Kerl!*

Ob Unsinn oder nicht, gestattete sie sich selbst doch dieselben Schwächen, wie sie es einem Patienten angeraten hätte. Wenn deine sorgfältig konstruierte Welt in Stücke zu brechen droht, darfst du dir auch erlauben, einigermaßen natürlich zu reagieren. Unter anderem mit bitterem Zorn, ja sogar Wut, und ganz gewiss mit kindischer Furcht.

Sie konnte sich noch gut an das verängstigte Kind erinnern. Im Vergleich zu Bobby Trimble war der schwarze Mann gar nichts. Im Zerstören von Leben war er äußerst geschickt. Ihres hätte er beinahe einmal zerstört, und nun drohte er, es wieder zu versuchen. Deshalb fürchtete sie ihn, jetzt sogar mehr als früher.

Deshalb ließ sie sich von einem Bademantel erschrecken, log und tat so unverantwortliche Dinge, wie einen braven Menschen wie Hammond Cross in etwas Schmutziges hineinzuziehen.

Aber nur ganz am Anfang, Hammond. Nur dann.

Sie stieg in die Wanne und zog den Vorhang zu. Dann stand sie lange mit gesenktem Kopf unter der Dusche und ließ das heiße Wasser auf ihren Schädel trommeln, während ringsherum Dampfschwaden wirbelten.

Ein Samstagabend in Harbour Town war ihr als sichere Lüge erschienen. Damit befand sie sich in glaubwürdiger Entfernung zu Charleston, an einem viel besuchten Ort, wo sich logischerweise niemand erinnern könnte, sie gesehen zu haben. Verdammtes Pech!

Die Geschichte mit der Waffe, die sie beim Verhör erzählt hatte, entsprach der Wahrheit. Trotzdem bestand inzwischen nur wenig Aussicht, dass man ihr glaubte. Nachdem sie sich schon einmal in eine Lüge verstrickt hatte, klänge alles, was sie anschließend sagte, unwahr.

Steffi Mundell war entschlossen, sie als Schuldige abzustempeln. Die Staatsanwältin hasste andere Frauen, das hatte Alex sofort bei der ersten Begegnung festgestellt. Ihre Studien hatten sich mit Persönlichkeiten vom Typ Mundell beschäftigt. Sie war ehrgeizig, clever und von einem maßlosen Konkurrenzdenken getrieben. Menschen wie Steffi waren selten glücklich, weil sie nie zufrieden waren. Sämtliche Erwartungen blieben unerfüllt, weil die Maßstäbe ständig höher gesetzt wurden. Befriedigung war unerreichbar. Steffi Mundell war ein extrem erfolgsorientierter Mensch, zu ihrem eigenen Schaden.

Rory Smilow war härter zu knacken. Er war kalt, und Alex bezweifelte nicht, dass er grausam sein konnte. Andererseits spürte sie in ihm einen inneren Dämon, mit dem er ständig im Clinch lag. Dieser Mann kannte keinen Augenblick inneren Friedens. Sein Ventil bestand darin, andere zu quälen, damit sie sich genauso elend fühlten wie er. Diese grundlegende Unzufriedenheit machte ihn verwundbar; dagegen kämpfte er mit einer Vehemenz an, die ihn für seine Feinde gefährlich machte – beispielsweise für Mordverdächtige.

Sie hätte kaum sagen können, wen von beiden sie mehr fürchtete.

Und dann war da noch Hammond. Die anderen hielten sie für eine Mörderin. Er musste eine noch miesere Meinung von ihr haben. Aber sie konnte nicht über ihn nachdenken, sonst würde sie vor Mutlosigkeit und Reue zum paralysierten Kaninchen. Sie hatte weder Zeit noch Energie, um den melancholischen Gedanken nachzuhängen, wie es gewesen wäre, wenn sie sich zu einer anderen Zeit und anderswo getroffen hätten.

Wenn je ein Mann die Chance hätte, ihr Innerstes zu erreichen – im Kopf und im Herzen, jenen Platz ihrer Seele, an dem Alex Ladd in Wirklichkeit existierte –, dann vielleicht er. Er hätte vielleicht derjenige sein können, dem es erlaubt gewesen wäre, ihre selbst verordnete Einsamkeit zu lindern, die Leere zu füllen, das Schweigen zu brechen und ihr Leben zu teilen.

Aber romantische Träumereien waren ein Luxus, den sie sich nicht leisten konnte. In erster Linie musste sie sich auf einen Ausweg aus diesem Dilemma konzentrieren, und zwar so, dass weder ihre Praxis noch Ruf und Leben dabei Schaden nahmen. Sie drückte Duschgel auf einen Badeschwamm und seifte sich gründlich ein, rasierte ihre Beine, wusch sich die Haare und blieb lange Zeit unter der Dusche, damit das heiße Wasser wenigstens ihre

Muskeln entspannte, wenn es ihr schon nicht die Beklommenheit nehmen konnte.

Schließlich drehte sie die Hähne zu und wischte das überschüssige Wasser mit den Händen von ihrem Körper ab, ehe sie rasch den Vorhang wegzog.

Sie war keine, die schnell schrie. Jetzt tat sie es.

21

Bobby war wieder flüssig.

Er betrachtete es lediglich als vorübergehenden Rückschlag, dass er von Alex noch kein Geld hatte kassieren können. Sie würde damit herausrücken. Dafür stand für sie viel zu viel auf dem Spiel.

Trotzdem war er zwischenzeitlich nicht ohne Kohle. Dank der beiden Studentinnen, mit denen er die Nacht verbracht hatte, war er mehrere hundert Dollar reicher. Während die zwei schnarchend in seinem Bett lagen, hatte er seine Siebensachen gepackt und war heimlich verduftet. Diese Erfahrung wäre ihnen eine wertvolle Lektion. Er kam sich beinahe altruistisch vor.

Dass er sich eine andere Unterkunft suchen musste, bereitete ihm angesichts der Belohnung nur wenig Unannehmlichkeiten. Kaum hatte er es sich in einem Hotel am anderen Stadtende, in einem Zimmer mit Blick auf den Fluss, bequem gemacht, bestellte er beim Zimmerservice ein riesiges Frühstück: Eier, Schinken, Maisgrütze mit scharfer Soße, ein kleines Steak und eine Extraportion Bratkartoffeln. Letztere hatte er nicht bestellt, weil er sie besonders gerne aß, sondern nur, weil er so gut bei Kasse war.

Als Nächstes stand ein Einkaufsbummel auf seiner Tagesordnung. Neue Kleidung war keine Extravaganz, sondern lief unter Geschäftsausgaben. Wenn er Einkommenssteuer gezahlt hätte, hätte er seine Garderobe als abzugsfähige Werbekosten angegeben. In seinem Job musste man todschick aussehen.

Den restlichen Nachmittag verbrachte er am Hotelpool und frischte seine Sonnenbräune auf.

Jetzt betrat er in seinem neuen cremefarbenen Leinenanzug mit königsblauem Hemd eine Bar, die ihm ein Taxifahrer wärmstens empfohlen hatte. »Wo ist denn wirklich was los?«

»Was los?« Nachdem der Taxifahrer Bobby im Rückspiegel kritisch gemustert hatte, hatte er genuschelt: »Sie wollen Miezen aufreißen, stimmt's, Sportsfreund?«

Geschmeichelt antwortete Bobby mit einem Lächeln.

»Ich kenne den passenden Ort für Sie.«

Schon beim ersten Schritt in die Bar war klar, dass der Fahrer sein Geschäft verstand. Das hier war ein erstklassiges Aufreißerlokal. Pulsierende Lichter, schwitzende Tänzer, Bedienungen, die möglichst rasch die Bestellungen von Leuten aufnahmen, die verzweifelt ihren Spaß haben wollten. Jede Menge Singlefrauen. Leichtes Spiel.

Es dauerte genau zwei verwässerte Drinks, dann hatte er sich auf sein Ziel eingeschossen. Sie saß allein an einem Tisch. Niemand hatte sie zum Tanzen aufgefordert. Sie lächelte jeden an, egal, wer vorbeiging, der Beweis, dass sie sich unsicher und beobachtet fühlte und unbedingt Gesellschaft brauchte. Und sie hatte bereits mehrfach verstohlen zu ihm herübergeschaut, während er so tat, als bemerkte er nichts.

Aber dann schenkte er ihr seinerseits großzügig ein Lächeln.

Nervös schaute sie weg. Ihre Hand flatterte zum Hals, wo sie mit den Silberperlen auf ihrem Blusenkragen spielte.

»Bingo«, sagte sich Bobby im Stillen, während er beim Barkeeper seine Rechnung beglich.

Er trat von hinten an sie heran, sodass sie ihn erst sah, als er sagte: »Entschuldigen Sie bitte, aber sitzt hier schon jemand?« Sie fuhr unvermittelt mit dem Kopf herum und riss die Augen auf, was ihre Begeisterung verriet, obwohl sie sie gleich darauf hinter einer schäkernden Bemerkung zu verbergen suchte.

»Jetzt schon.«

Lächelnd setzte er sich zu ihr an den kleinen Tisch, wobei er absichtlich gegen ihre Knie stieß, wofür er sich dann rasch entschuldigte. Er erkundigte sich, ob er sie auf einen Drink einladen dürfe, und sie meinte, das wäre schrecklich nett von ihm. Sie hieß Ellen Rogers, kam aus Indiana und war zum ersten Mal im Süden. Bis auf die Hitze liebte sie alles, aber selbst die hatte einen gewissen Charme. Das Essen war himmlisch. Sie jammerte, sie hätte in Charleston schon fünf Pfund zugenommen.

Obwohl sie gut und gerne fünfzehn Pfund weniger vertragen hätte, meinte Bobby galant: »Sie müssen doch wirklich nicht auf Ihr Gewicht achten. Ich meine, Sie haben eine hinreißende Figur.«

Mit einem Klaps auf die Hand widersprach sie. »Meine Arbeit ist ein gutes Training.«

»Sind Sie Aerobiclehrerin? Oder Privattrainerin?«

»Ich? Um Himmels willen, nein. Ich bin Realschullehrerin. Für englische Grammatik und Sprachförderkurse. Wahrscheinlich laufe ich täglich fünfzehn Kilometer durchs Klassenzimmer.«

Er kam aus dem Süden, wie sie korrekt beobachtet hatte. Das konnte sie an seiner weichen Aussprache und der melodischen Phrasierung erkennen. Außerdem waren Südstaatenleute ja *sooo* freundlich.

Lächelnd beugte er sich zu ihr. »Wir versuchen's, Ma'am.«

Als Beweis forderte er sie zum Tanzen auf. Nachdem sie mehrere Songs lang herumgewirbelt waren, spielte der DJ einen langsamen Tanz. Bobby zog sie an sich, wobei er sich entschuldigte, weil er so verschwitzt war. Sie meinte, das mache ihr gar nichts aus. Zu Männern gehöre Schweiß. Am Ende des Tanzes wanderten seine Hände über ihren Po, damit Miss Ellen Rogers zweifelsfrei wusste, dass er erregt war.

Als er sie losließ, hatte sie rote Wangen und war ganz aufgeregt.

»Tut mir Leid…«, stotterte er. »Das ist… Herrgott, ist mir das peinlich. Ich habe keine Frau mehr in den Armen gehalten, seit… Wenn Sie möchten, dass ich Sie in Ruhe lasse, werde ich –«

»Sie müssen sich nicht entschuldigen«, sagte Miss Rogers sanft. »Ist doch nur natürlich. Das haben Sie nicht unter Kontrolle.«

»Nein, Ma'am, unmöglich. Nicht, solange ich Sie an mich drücke.«

Sie nahm ihn bei der Hand und führte ihn zum Tisch zurück. Sie war es, die eine neue Runde bestellte. Mittendrin erzählte ihr Bobby von seiner Frau. »Sie ist an Krebs gestorben. Vor zwei Jahren, im Oktober.«

Ihre Augen wurden feucht. »O, wie schrecklich für Sie.«

Erst seit kurzem sei er wieder in der Lage, auszugehen und allmählich das Leben zu genießen, erklärte er ihr. »Anfänglich dachte ich, es sei gut, dass wir keine Kinder hatten. Jetzt wünsche ich mir doch irgendwie welche. Wenn man so ganz allein ist, ist es einsam, wissen Sie. Die Menschen sind nicht zum Alleinsein gemacht. Das geht gegen die Natur.«

Verstohlen wanderte ihre Hand unter den Tisch, tätschelte mitfühlend seinen Oberschenkel und blieb anschließend dort liegen.

Himmel, bin ich gut!, dachte Bobby.

Auf der anderen Seite des Duschvorhangs stand Hammond.

»Du hast mich halb zu Tode erschreckt!«, keuchte Alex. »Was machst du hier? Wie bist du hereingekommen? Wie lange bist du schon hier?«

»Du hast mich auch erschreckt.«

»Ich? Wieso?«

»Ich bin dahinter gekommen, warum du gelogen hast. Du hast Angst vor Pettijohns Killer.«

»Jawohl, es ist mir auch schon aufgegangen, dass ich möglicherweise in Gefahr bin.«

»Ich wollte dich warnen, habe aber dem Telefon nicht getraut.«

Sie warf einen Blick in Richtung Schlafzimmer. »Abgehört?«

»Ich würde es Smilow zutrauen, auch ohne gerichtliche Verfügung.«

»Ich dachte mir schon, dass er mich vielleicht überwachen lässt.«

»Wenn ja, weiß ich nichts davon. Jedenfalls bin ich über deine Hintermauer geklettert. Wäre nicht gut, wenn man mich vor deinem Haus sähe, oder? Fünf Minuten habe ich an deine Küchentür geklopft. Ich konnte hier oben Licht brennen sehen, aber als du nicht reagiert hast, hat meine Phantasie verrückt gespielt. Ich dachte, ich sei vielleicht schon zu spät und etwas Schreckliches wäre passiert...« Er hielt inne. »Du zitterst ja.«

»Mir ist kalt.«

Er griff nach einem Handtuch, legte es ihr um und faltete es vorne zusammen, ohne loszulassen. »Wie kommst du darauf, du würdest überwacht?«

»Ich habe beim Joggen ein verdächtiges Auto gesehen. Mit laufendem Motor, aber ohne Scheinwerfer.«

»Du bist heute Abend joggen gewesen? Bei diesem Wetter? Allein?«

»Ich bin immer allein, bin aber auch vorsichtig.«

Er lächelte matt. »Tut mir Leid, dass ich dich erschreckt habe.«

»Ich hatte sowieso schon Bammel.«

»Ich konnte doch unmöglich an deine Haustür kommen und einfach klingeln, oder?«

»Vermutlich nicht.«

»Hättest du mich reingelassen?«

»Ich weiß nicht.« Dann, ruhiger: »Ja.«

Er starrte auf das Grübchen an ihrer Kehle, wo ein Wassertropfen in der kleinen Kuhle schimmerte. Er ließ das Handtuch los und trat zurück, eine Geste, für die er eine Tapferkeitsmedaille verdient hätte. »Wir müssen reden«, sagte er mit belegter Stimme.

»Ich bin gleich draußen.«

Hölzern stapfte er ins Schlafzimmer, ohne eigentlich etwas zu sehen. Und doch registrierte er auf allem ihre Handschrift. Jeder Gegenstand im Raum trug unverkennbar ihr Siegel. Als sie zu ihm kam, trug sie einen Bademantel von der altmodisch-praktischen Sorte, der von einem Gürtel zusammengehalten wurde. Undurchsichtig wie ein Bleischurz und doch höllisch sexy, denn darunter war sie nackt und nass.

»Deine Hand blutet.«

Er betrachtete die Schnittwunde am Daumen, die ihm bisher nicht aufgefallen war. »Ist vermutlich passiert, als ich dein Schloss geknackt habe.«

»Brauchst du ein Pflaster?«

»Es geht schon.«

Reden war das Letzte, was er wollte. Er sehnte sich danach, sie zu berühren. Am liebsten hätte er den Bademantel geöffnet, sein Gesicht gegen ihren weichen Körper gepresst und den ureigensten Geruch ihrer Haut eingeatmet. Physisches Begehren durchpulste seinen ganzen Körper, aber er gab nicht nach. Für die Nacht zum Sonntag konnte man ihn nicht verantwortlich machen, aber für alles, was danach kam, schon.

»Du hast die ganze Zeit gewusst, wie ich heiße, nicht wahr? Wusstest, wer ich war.«

»Ja.«

Er nickte langsam, während er aufnahm, was er gewusst hatte, ohne es akzeptieren zu wollen. »Eigentlich möchte ich dieses Gespräch nicht führen.«

»Warum?«

»Weil ich weiß, dass du mich anlügen wirst. Und dann werde ich wütend. Ich will aber nicht wütend auf dich sein.«

»Ich möchte auch nicht, dass du wütend auf mich bist. Also sollten wir vielleicht nicht miteinander reden.«

»Aber da gibt es etwas, was ich gerne von dir hören möchte. Auch wenn es eine Lüge ist.«

»Was?«

»Ich würde gerne von dir hören, dass diese Samstagnacht… dass es für dich noch nie so gewesen ist.«

Sie legte den Kopf leicht schief. »Nicht nur im Bett«, fügte er hinzu. »Das… Einfach alles.«

Er sah, wie sie schluckte. Der Wassertropfen, der ihm vorher aufgefallen war, rollte herunter und verschwand im Kragen ihres Bademantels. Ihre Stimme klang vor Emotionen ganz rauchig. »Noch nie ist es für mich so gewesen.«

Obwohl er gehofft hatte, diesen Satz zu hören, wurde seine Miene noch ausdrucksloser. »Wir müssen reden, ob wir wollen oder nicht.«

»Wir müssen nicht.«

»Doch, müssen wir. Es war doch kein Zufall, dass wir beide ungefähr zur selben Zeit in diesem Tanzpavillon aufgetaucht sind, oder?«

Sie zögerte einige Sekunden, ehe sie verneinend den Kopf schüttelte.

»Woher wusstest du, in Gottes Namen, dass ich dort sein würde? Ich hatte doch selbst keine Ahnung.«

»Bitte, stell mir keine weiteren Fragen.«

»Bist du am frühen Nachmittag bei Lute Pettijohn gewesen?«

»Ich kann darüber nicht sprechen.«

»Verdammt noch mal, antworte mir.«

»Ich kann nicht.«

»Es ist eine einfache Frage.«

Unter trockenem Lachen schüttelte sie den Kopf. »Gar nichts ist einfach.«

»Dann antworte mit einer Erklärung.«

»Dann mache ich mich selbst allzu verwundbar, Hammond.«

»Du benützt da ein seltsames Wort. ›Verwundbar‹. Dabei bin ich es doch, der an der Leine zappelt.«

»Du stehst nicht unter Mordverdacht.«

»Nein, aber würdest du nicht auch bestätigen, dass ich mich in einer merkwürdigen Situation befinde? Ich bin der Staatsanwalt im Mordfall des bekanntesten Bürgers unserer Stadt, der obendrein zufällig mit meiner besten Freundin verheiratet war.«

»Mit deiner besten Freundin?«

»Davee Burton, mittlerweile Lute Pettijohns Witwe. Wir sind schon unser ganzes Leben miteinander befreundet. Sie hat dafür plädiert, dass dieser Fall mir zugewiesen wird. Von mir hängen eine Menge Leute ab, Leute, die ich lieber nicht enttäuschen möchte. Kannst du überhaupt ermessen, was mit meinem Ruf, meiner Karriere und meiner Zukunft wäre, wenn irgendjemand davon Wind bekäme, dass ich heute Abend bei dir bin?«

»Genau aus diesem Grund habe ich dich am Sonntagmorgen verlassen.« Sie begann, ruhelos durchs Schlafzimmer zu laufen. »Ich wollte anonym bleiben. Ich wollte nicht, dass du in einen emotionalen Zwiespalt gerätst.«

»Am Sonntagmorgen war es für Sorge und Umsicht etwas zu

spät. Wenn du dir angeblich so viele Gedanken über meinen guten Ruf gemacht hast, hättest du mich erst gar nicht aufgabeln dürfen.«

Sie drehte sich um und starrte ihn völlig ungläubig an. »Verzeihung, aber du verwechselst da was. Du hast mich aufgegabelt.«

»Tja, richtig«, schnaubte er.

»Wer hat versucht zu gehen? Zweimal. Zweimal wollte ich gehen, und beide Male bist du hinter mir her und hast mich gebeten, noch ein bisschen bei dir zu bleiben. Wer ist denn wem vom Jahrmarkt aus gefolgt? Wer hat angehalten und –«

»Okay«, sagte er, wobei er mit beiden Händen die Luft zerschnitt, »aber diese Ich-bin-nicht-leicht-zu-haben-Tour ist die antörnendste Methode, die's gibt; eine, die ihr Frauen seit dem ersten Schöpfungstag beherrscht. Du wusstest ganz genau, was du tatest.«

»Ja, wusste ich«, rief sie mit erhobener Stimme. Dann stemmte sie die Hände in die Seite und musterte mit Tränen in den Augen sein Gesicht. »Ja, ich wusste, was ich tat. Und du hast völlig Recht. Anfänglich wollte ich mit dir… Kontakt aufnehmen.«

»Warum?«

»Als Rückendeckung.«

»Mit anderen Worten, um dir ein Alibi zu sichern.«

Sie schlug die Augen nieder. »Ich konnte nicht ahnen, wie sehr du mir gefallen würdest«, sagte sie leise. »Mit der Chemie zwischen uns hatte ich nicht gerechnet. Mir war schon sehr bald gar nicht wohl dabei, dich zu benutzen. Deshalb wollte ich von dir weg. Ich wollte dich nicht wegen einer Begegnung mit mir kompromittieren, wenn sie auch noch so kurz war.

Aber du bist mir nachgefahren. Du hast mich geküsst. Danach…« Sie hob wieder den Blick und sah ihm in die Augen. »Nach diesem Kuss wurden meine anfänglichen Gründe, dich zu treffen, immer nebensächlicher. Ab diesem Punkt wollte ich einfach nur bei dir sein.« Sie wischte sich die Tränen von den Wangen. »Das ist die Wahrheit. Du kannst es glauben oder nicht.«

»Weshalb brauchst du ein Alibi?«

»Du weißt, dass ich Pettijohn nicht getötet habe. Jedenfalls hast du es im Aufzug gesagt.«

»Richtig, deshalb wiederhole ich: Warum brauchst du ein Alibi?«

»Bitte, frag mich nicht.«

»Sag's doch einfach.«

»Ich kann nicht.«

»Warum nicht?«

»Weil ich nicht möchte, dass du denkst…« Sie hielt inne und holte tief Luft. »Ich kann einfach nicht, das ist alles.«

»Hat es etwas mit diesem Mann zu tun?«

Diese Frage überraschte sie. Sie blinzelte heftig. »Welcher Mann?«

»Ich habe dein Haus am Sonntagabend ausfindig gemacht und dich mit einem Mann in einem Mercedes-Cabrio gesehen, ungefähr zwölf Stunden, nachdem du mein Bett verlassen hast.«

»Ach, Sonntagabend? Das war… ein alter Bekannter. Aus dem College. Er hatte geschäftlich in Charleston zu tun. Rief an und lud mich auf einen Drink ein.«

»Du lügst.«

»Warum glaubst du mir nicht?«

»Weil es zu meinem Beruf gehört, Lügen und Lügner aufzuspüren. Und du lügst, und wie!«

Sie richtete sich kerzengerade auf und kreuzte die Arme über der Taille. »Wir sollten es dabei bewenden lassen. Hier und jetzt. Das Ganze ist eine unmögliche Situation. Deine Karriere steht auf dem Spiel. Ich möchte nicht für ihren Ruin verantwortlich sein. Und außerdem will ich keinesfalls mit jemandem zusammen sein, der mich für eine Lügnerin hält.«

»Wer… war… er?«

»Ist es nicht egal, wer meine Freunde sind, solange deine Freunde, Steffi und Smilow, mich mit Wonne wegen Mordes anklagen wollen?«

»Wundert es dich, dass ich dir nicht glaube, wenn du kontinuierlich eine Antwort auf die einfachsten Fragen verweigerst?«

»Das sind keine einfachen Fragen«, brüllte sie. »Du hast ja keine Ahnung, wie schwierig sie sind. Sie zerren Dinge ans Licht, die ich lieber vergessen möchte, die ich versucht habe zu vergessen, die mich verfolgt haben –« Sie hielt inne. Sie merkte, dass sie kurz davor stand, zu viel zu verraten. »Du kannst mir nicht trauen. Also ein Grund mehr, mich jetzt zu verlassen und nicht mehr zurückzukommen. Nie mehr.«

»Schön.«

»Solange wir im Bett waren –«

»Lief's echt gut.«

»Aber wenn du mir misstraust –«

»Tue ich.«

»Dann –«

»Hast du's mit Pettijohn getrieben?«

Ihr Gesicht sackte zusammen. »*Was?*«

»Seid ihr ein Paar gewesen?«

Hammond trat auf sie zu und drängte sie rücklings gegen die Wand. Das war es, was wirklich an ihm zerrte. Das hatte ihn dazu getrieben, sich so zu benehmen, als ob er den Verstand verloren hätte. Hatte ihn dazu gebracht, wirres Zeug zu reden, aufzubrausen und sich zu benehmen, als sei ihm seine Karriere und alles, was er bisher für wichtig gehalten hatte, restlos egal. Der Wunsch nach einer Antwort auf diese Frage war so dringend, dass der vorsichtige, überlegte und kontrollierte Hammond Cross sich wie ein Verrückter gebärdete. »Bist du jemals Lute Pettijohns Geliebte gewesen?«

»Nein!« Danach sank ihre Stimme zu einem heiseren Flüstern herab. »Ich schwöre es.«

»Hast du ihn umgebracht?« Er presste seine Hände auf ihre Schultern und senkte sein Gesicht dicht an ihres. »Sag mir in diesem Punkt die Wahrheit, dann verzeihe ich dir alle anderen Lügen. Hast du Lute Pettijohn umgebracht?«

Sie schüttelte den Kopf. »Nein, habe ich nicht.«

Er schlug beide Fäuste auf die Wand hinter ihr, ehe er sie dort liegen ließ. Dann senkte er seinen Kopf, bis seine Wange ihre berührte. Sein lautes stoßweises Atmen übertönte sogar den Regen, der immer noch gegen die Fenster klatschte.

»Ich möchte dir glauben.«

»Das kannst du glauben.« Sie drehte den Kopf und sprach zu

seinem Profil: »Frag mich nicht weiter, denn ich kann dir sonst nichts sagen.«

»Warum nicht? Sag warum?«

»Weil mir die Antworten zu wehtun.«

»Wehtun? Weshalb?«

»Bitte, quäl mich nicht. Wenn du's tust, brichst du mir das Herz.«

»Mit deinen Lügen brichst du meines.«

»Ich flehe dich an, wenn dir irgendetwas an mir liegt, dann erspar es mir, dir deine Illusionen zu rauben. Mir wäre es lieber, dich nie wiederzusehen, als dir zu sagen…«

»Was? Sag's mir.«

Sie schüttelte heftig den Kopf. Da begriff er, dass es sinnlos war, sie weiter zu bedrängen. Solange ihre private Seelenqual nichts mit dem Fall Pettijohn zu tun hatte, musste er ihr Schweigen respektieren.

»Das ist nicht alles«, fuhr sie fort. »Über uns braut sich eine Situation zusammen, bei der wir uns diametral gegenüberstehen werden.«

»Also hängt doch alles mit diesem Fall zusammen«, meinte er niedergeschlagen.

»Obwohl ich wusste, dass unser Zusammensein in einem Schlamassel enden würde, habe ich es zugelassen. Ich wollte es so. Selbst an der Tankstelle hätte ich noch Nein sagen können. Ich hab's nicht getan. Ich konnte nicht.«

Er bog den Kopf zurück, um ihr Gesicht besser sehen zu können. »Mal angenommen, du hättest gewusst, was du jetzt weißt. Wenn du es noch einmal erleben würdest…«

»Das ist unfair.«

»Würdest du es wieder tun?«

Als Antwort erwiderte sie lange seinen Blick.

Hammond stöhnte. »Ich auch, so wahr mir Gott helfe.«

Einen Herzschlag später lag sie in seinen Armen, sein Mund presste sich auf ihren. Wasser tropfte aus ihren Haaren auf sein Hemd. Ihre Lippen waren warm, ihre Zunge weich, ihr Mund verführerisch.

292

Als sie sich endlich mühsam voneinander trennten, nannten sie sich zum ersten Mal beim Namen und lachten über sich selbst, dann küssten sie sich wieder, immer noch leidenschaftlicher als zuvor. Er löste ihren Gürtel, schob die Hände unter den Bademantel und berührte sie, streichelte ihren weichen Bauch. Als seine Fingerspitzen federleicht über ihren Venushügel glitten, stöhnte sie leise auf.

Hammonds Blut pochte so heftig gegen sein Trommelfell wie der Regen auf das Dach. Alles andere verstummte darüber. Diesem Ansturm von Gefühlen waren die vorsichtig gemurmelten Ermahnungen seiner Vernunft und seines Gewissens nicht gewachsen.

Er riss sie an sich und trug sie zum Bett. Dann zog er sich voll Ungeduld aus. Als er über ihr lag, seufzte er halb lustvoll, halb verzweifelt. Ihre Schenkel teilten sich, und im nächsten Atemzug umfing ihn ihre Wärme.

Während er immer tiefer versank, fluchte er leise vor sich hin. Seine Erregung ließ seine Stimme brechen.

»Hammond, ich habe nicht mit dir geschlafen, weil ich ein Alibi brauchte.«

Er stützte die Hände neben ihrem Kopf auf, schaute auf ihr Gesicht hinunter und begann, sich zu bewegen. »Warum dann?«

Sie bog den Rücken durch, um seine Stöße tiefer gehen zu lassen. »Dafür.«

Er vergrub das Gesicht an ihrem Hals. Er empfand Unglaubliches. Hitze jagte durch seinen Penis in den Bauch, von wo sie über die Brust kribbelnd bis in Arme und Beine drang. Er ließ alles andere aus seinem Bewusstsein gleiten, um ihre Nähe mit allen Sinnen zu genießen. Aber der Orgasmus drohte viel zu schnell zu kommen. Er blieb ganz still liegen und flüsterte eindringlich: »Ich will noch nicht kommen. Nicht ohne dich.«

»Streichle mich.«

Sie zog seine Hand zwischen ihre Körper und legte sie an die Stelle, an der sie miteinander verschmolzen. Er bewegte seine Finger ganz sachte, während er gleichzeitig in sie hineinglitt und wieder heraus. Sie nahm ihre Brust und drückte sie an seine Lippen. Er umspielte die Brustwarze mit seiner Zunge. Sie stieß einen Laut aus, der fast wie ein Schluchzen klang. Sie kamen gleichzeitig.

Sie schlüpften unter die Bettdecke. Er zog sie an sich, bis sich ihr Po in seinen Schoß kuschelte. Erst jetzt wurde ihm bewusst, dass er kein Kondom benutzt hatte. Aber irgendwie bekümmerte ihn das nicht allzu sehr. Was würde die Aufregung nützen? Inzwischen konnte er nichts mehr dagegen tun. Er wollte sie nur in den Armen halten, sie riechen, sie spüren und ihre Körperwärme teilen.

Er war zufrieden, ihr Gesicht zu betrachten, das in seiner Armbeuge lag. Da sie die Augen geschlossen hatte, dachte er, sie schliefe, aber dann bogen sich ihre Lippen zu einem Lächeln. Er küsste ihr Augenlid. »Einen Penny für deine Gedanken.«

Sie lachte leise, sah ihn an und zeichnete mit dem Fingernagel sachte die Umrisse seines Mundes nach. »Ich musste daran denken, wie es wäre, wenn ich mich fein machen und mit dir ausgehen könnte. Zum Essen, ins Kino. In aller Öffentlichkeit, damit es alle Welt sehen kann.«

»Vielleicht eines Tages.«

»Vielleicht«, flüsterte sie, aber es klang nicht optimistisch.

»Ich würde dich liebend gern durch Charleston begleiten und dich allen meinen Freunden präsentieren.«

»Ehrlich?«

»Du klingst überrascht.«

»Bin ich, ein bisschen. Für eine heimliche Affäre –«

»Alex, das ist es aber nicht.«

»Nicht?«

»Nein.«

»Obwohl ich erst relativ neu hier bin, habe ich schon gelernt, wie die Dinge hier laufen.«

»Welche Dinge?«

»In den besseren Kreisen.«

»Dieser Blödsinn interessiert mich nicht.«

»Aber die meisten Charlestoner schon. Ich habe keinen Stammbaum, während deine Familie diese Urkunde praktisch erfunden hat.«

»Um einen weltberühmten, wenn auch fiktiven Charlestoner zu zitieren: ›Offen gestanden, meine Liebe, es ist mir ganz gleichgültig.‹

Aber auch wenn es anders wäre, würde ich dich jeder anderen Frau in dieser Stadt vorziehen. Ich *habe* dich bereits jeder anderen vorgezogen.«

»Ja, Steffi Mundell.« Seine Miene brachte sie zum Lachen. »Du solltest dein Gesicht sehen.«

»Woher wusstest du das?«

»Weibliche Intuition. Ich habe sie vom ersten Augenblick an nicht gemocht. Ein Gefühl, das auf Gegenseitigkeit beruht und nichts damit zu tun hat, dass ich verdächtig bin und sie Staatsanwältin ist. Das geht weitaus tiefer. Als sie uns heute zusammen im Aufzug überrascht hat, wusste ich es. Ihr beide wart ein Paar, stimmt's?«

»›Wart‹, das ist hier das maßgebende und wichtige Wort. Die Sache hat sich fast ein Jahr hingezogen.«

»Und seit wann seid ihr getrennt?«

»Seit zwei Tagen.«

Jetzt war sie an der Reihe, erstaunt zu sein. »Seit Sonntag?« Er nickte. »Wegen Samstag?«

»Nein. Für mich war es schon lange vorbei. Aber nachdem ich dich getroffen hatte, wusste ich mit absoluter Sicherheit, dass Steffi und ich als Paar auf verlorenem Boden standen.« Er flocht seine Finger in ihr Haar. »Trotz deiner Neigung zum Lügen bist du die begehrenswerteste Frau, der ich je begegnet bin. In jeder Hinsicht. Und das geht weit übers rein Körperliche hinaus.«

Sie lächelte zufrieden. »Zum Beispiel?«

»Du bist klug.«

»Nett zu Tieren und älteren Menschen.«

»Bist lustig.«

»Ausgeglichen. Meistens.«

»Du bist sparsam, tapfer, rein und ehrfürchtig.«

»Ich wusste, dass du mal bei den Pfadfindern warst.«

»Bei den Adlern. Wo war ich? Ach ja, du hast einen perfekten Busen.«

»Wie war das mit allem, was übers rein Körperliche hinausgeht?«

Er ließ das Necken sein und küsste sie liebevoll. Als er sich schließlich wieder von ihr löste, alarmierte ihn ihre besorgte Miene. »Was ist?«

»Sei vorsichtig, Hammond.«

»Niemand wird erfahren, dass ich hier war.«

Sie schüttelte den Kopf. »Nicht deswegen.«

»Was dann?«

»Vielleicht musst du mich wegen eines Verbrechens unter Anklage stellen, auf das die Todesstrafe steht. Bitte, pass auf, dass ich mich nicht vorher noch in dich verliebe.«

MITTWOCH

22

»Danke, dass Sie mich empfangen.«

Staatsanwalt Monroe Mason bot Steffi einen Stuhl in seinem Büro an. »Ich habe nur eine Minute Zeit. Was beschäftigt Sie?«

»Der Pettijohn-Fall.«

»Das hatte ich schon vermutet. Irgendetwas Spezielles?«

Steffis Zögern war beabsichtigt und lange geprobt. Als sei ihr nicht wohl zu Mute, sagte sie: »Ich belästige Sie nur sehr ungern mit Dingen, die wie kleinliche Bürostreitereien wirken.«

»Geht es um Hammond und Detective Smilow? Benehmen sich die beiden wie rivalisierende Zuchtbullen statt wie Profis?«

»Es hat ein paar Wortgefechte gegeben, mit abfälligen Bemerkungen von beiden. Aber damit werde ich schon fertig. Es dreht sich um etwas anderes.«

Er warf einen Blick auf seine Schreibtischuhr. »Steffi, Sie müssen verzeihen, aber in zehn Minuten habe ich einen Termin.«

»Es geht um Hammonds allgemeine Haltung«, platzte sie heraus.

Mason runzelte die Stirn. »Seine Haltung? Zu was?«

»Er wirkt… Ich weiß nicht recht…« So haspelte sie weiter, als ob sie nach dem richtigen Wort suche, bis sie schließlich ein »gleichgültig« ausstieß.

Mason lehnte sich in seinen Sessel zurück und musterte sie über seine gefalteten Hände hinweg. »Es fällt mir schwer, das zu glauben. Dieser Fall ist wie maßgeschneidert für Hammond.«

»Das dachte ich auch«, rief sie. »Normalerweise würde er längst mit den Hufen scharren, würde Smilow auf Beweissuche hetzen, um den Fall vor das große Schwurgericht zu bringen. Er wäre ganz wild darauf, alles für den Prozess vorzubereiten. Dieser Fall hat alle Zutaten, die ihm normalerweise den Mund wässrig machen.

Deshalb verstehe ich ja die Welt nicht mehr«, fuhr sie fort. »Es scheint ihn nicht zu kümmern, ob das Verbrechen aufgeklärt wird. Ich habe ihm über alles berichtet, was ich von Smilow bekomme. Ich habe ihn auf dem Laufenden gehalten, welche Spuren heiß und welche inzwischen kalt sind. Aber Hammond reagiert auf jeden Fetzen Information mit dem gleichen Maß an Desinteresse.«

Mason kratzte sich nachdenklich die Wange. »Was folgern Sie daraus?«

»Ich weiß nicht, was ich davon halten soll«, sagte sie mit der richtigen Mischung aus Verzweiflung und Erstaunen. »Deshalb bin ich ja zu Ihnen gekommen. Für einen Rat. Ich sitze in diesem Fall nur auf dem Beifahrersitz und möchte meine Kompetenzen nicht überschreiten. Bitte, sagen Sie mir, wie ich mich verhalten soll.«

Monroe Mason stand kurz vor seinem siebzigsten Geburtstag. Er war der Kärrnerarbeit in einem öffentlichen Amt müde geworden. Die letzten Jahre hatte er eine Menge Verantwortung an die jüngeren und ehrgeizigen Staatsanwälte delegiert, ihnen nur ausnahmsweise Ratschläge erteilt und ansonsten die Zügel schießen lassen, sodass sie nach eigenem Gutdünken operieren konnten. Er freute sich auf die Pensionierung, damit er nach Herzenslust Golf spielen und angeln konnte und sich nicht einmal mehr mit den politischen Aspekten seiner Stellung herumschlagen musste.

Aber er bekleidete nicht zufällig seit vierundzwanzig Jahren das Amt des Bezirksstaatsanwaltes. Bei seinem Amtsantritt war er ein raffinierter Taktiker gewesen, ein Talent, das er bis heute nicht eingebüßt hatte. Seine Instinkte waren so hellwach wie eh und je. Er witterte noch immer, wenn jemand ihm gegenüber nicht hundertprozentig offen war.

Steffi hatte bei der Planung dieses Gesprächs mit der Intuition ihres Chefs gerechnet.

»Sind Sie sicher, dass Sie nicht wissen, was ihn beschäftigt«, fragte er sie, wobei er seinen Bass auf ein dumpfes Grollen dämpfte.

Mit gespielter Besorgnis zog Steffi die Unterlippe zwischen die Zähne. »Ich habe mich selbst ins Abseits manövriert, nicht wahr?«

»Sie möchten über einen Kollegen nichts Schlechtes reden.«

»So ähnlich.«

»Ich habe für Ihre schwierige Situation Verständnis und bewundere Ihre Loyalität gegenüber Hammond. Aber für Empfindsamkeiten ist dieser Fall viel zu wichtig. Sollte er sich um seine Pflichten drücken —«

»O, das wollte ich damit nicht sagen«, rief sie hastig. »Er würde den Ball nie fallen lassen. Ich meine doch nur, dass er nicht Vollgas gibt. Er ist nicht mit dem Herzen dabei.«

»Wissen Sie warum?«

»Jedes Mal, wenn ich das Thema zur Sprache bringe, reagiert er, als sei ich ihm auf die Zehen getreten. Er ist leicht reizbar und missmutig.« Sie hielt inne, als ob ihr etwas durch den Kopf ginge. »Aber wenn Sie wissen möchten, was ihm meiner Ansicht nach zu schaffen macht…«

»Tue ich.«

Sie tat so, als dächte sie sorgfältig nach, ehe sie schließlich sagte: »Erstens ist unsere Verdächtige eine Frau. Alex Ladd ist eine intelligente, erfolgreiche Frau. Kultiviert und beredt. Auf den einen oder anderen könnte sie sogar attraktiv wirken.«

Mason musste lachen. »Sie glauben, Hammond hätte sich in sie verknallt?«

Steffi lachte mit ihm. »Natürlich nicht.«

»Und doch behaupten Sie, ihr Geschlecht wirkt sich darauf aus, wie er mit diesem Fall umgeht.«

»Ich sage nur, dass es sein kann. Allerdings ergibt das kaum einen Sinn. Sie kennen Hammond besser als ich. Von Geburt an. Sie wissen, wie er erzogen wurde.«

»In einem sehr traditionellen Elternhaus.«

»Mit klar definierten Rollen«, ergänzte sie. »Er ist ein waschechter Charlestoner, ein Südstaatler durch und durch. Er hat Mint

Juleps und ritterliches Verhalten mit der Muttermilch aufgesogen.«

Mason dachte einen Moment darüber nach. »Sie befürchten, er könnte weich werden, falls er für eine Frau wie Dr. Ladd die Todesstrafe fordern müsste.«

»Das ist nur eine Vermutung.« Sie senkte die Augen, als sei sie erleichtert, eine schwere Bürde los zu sein.

Insgeheim beobachtete sie, wie ihr Chef nachdenklich an seiner Unterlippe zupfte. Mehrere Sekunden vergingen. Ihre Theorie und die zögernde Art, wie sie darüber gesprochen hatte, waren perfekt gewesen. Sie hatte ihm nichts davon erzählt, dass Hammond gestern Abend den Tatort besucht hatte. Das könnte Mason als Zeichen für Hammonds Engagement deuten. Steffi war sich über ihre eigene Interpretation nicht im Klaren. Da Hammond normalerweise die Ermittler ihre Arbeit machen ließ, ohne sich einzumischen, kam ihr dieser Sinneswandel seltsam vor. Darüber musste man unbedingt nachdenken, allerdings später.

Momentan wartete sie gespannt darauf, wie ihr Chef auf das reagieren würde, was sie ihm erzählt hatte. Da jedes weitere Wort zu viel war, saß sie ruhig da und gab ihm genügend Zeit zum Nachdenken.

»Einspruch.«

»Was?« Fast hörbar riss sie den Kopf hoch. Sie war völlig überzeugt gewesen, erfolgreich gepunktet zu haben. Sein Widerspruch traf sie völlig unerwartet.

»Alles, was Sie über Hammonds Elternhaus gesagt haben, ist korrekt. Beide Elternteile haben diesem Jungen Manieren beigebracht, darunter sicherlich auch einen Verhaltenskodex gegenüber Frauen – allen Frauen –, der bis in die Zeit der Ritterturniere zurückreicht. Aber seine Eltern, vor allem Preston, haben ihm auch ein unbeirrbares Verantwortungsgefühl eingeimpft, das meiner Ansicht nach den anderen Kodex überwiegen würde.«

»Wie erklären Sie sich dann dieses völlige Desinteresse?«

Mason zuckte mit den Schultern. »Andere Fälle. Ein voller Prozesskalender. Zahnschmerzen. Etwas Privates. Hinter dieser Geistesabwesenheit können alle möglichen Gründe stecken. Außerdem liegt der Mord doch erst wenige Tage zurück. Die Ermittlung befindet sich noch immer im Anfangsstadium. Smilow räumt doch ein, dass er nicht genug Beweise für eine Verhaftung hat.« Er lächelte. Und da war auch wieder seine gewohnte Stimme. »Von einem bin ich felsenfest überzeugt: Sollte Smilow Dr. Ladd – oder wen auch immer – wegen Mordverdachts festnehmen, wird Hammond, wenn mich nicht alles täuscht, mit dem Schläger in der Hand ans Schlagmal treten und einen echten Homerun hinlegen.«

Obwohl Steffi am liebsten mit den Zähnen geknirscht hätte, stieß sie einen Seufzer der Erleichterung aus. »Ich bin ja so froh, dass Sie es von dieser Warte betrachten. Ich war hin und her gerissen, ob ich Ihnen diese Angelegenheit überhaupt unterbreiten sollte.«

»Dafür bin ich doch da.« Damit war sie eindeutig entlassen, denn er stand auf und nahm sein Jackett vom Bügel.

Während sie hinter ihm zur Bürotür ging, bohrte Steffi weiter, denn es gab noch mehr, was er hören musste. »Ich hatte befürchtet, Sie wären mit Hammonds Leistung unzufrieden und würden den Fall jemand anderem übertragen. Damit wäre auch meine Mitarbeit daran beendet gewesen, was mir gar nicht gefiele, weil ich ihn absolut faszinierend finde. Ich warte gespannt darauf, dass uns die Polizei einen Verdächtigen liefert. Ich kann's kaum erwarten, mich in die Prozessvorbereitungen zu vertiefen.«

Mason lachte in sich hinein. Ihr Enthusiasmus amüsierte ihn. »Dann werden Sie ja mit Freuden hören, was Smilow heute Morgen erlebt hat.«

»Meine Zeit ist fast um –«

Protestgemurmel stieg von den Medizinstudenten auf, die Kopf an Kopf im Hörsaal standen, um Alex' Vortrag zu hören. »Ich danke Ihnen«, sagte sie lächelnd. »Ich schätze Ihre Aufmerksamkeit. Ehe wir gezwungenermaßen zum Schluss kommen, möchte ich noch anmerken, wie wichtig es ist, einen Patienten, der unter Panikattacken leidet, nicht als Hypochonder abzustempeln. Leider ist das nur allzu oft der Fall. Verständlicherweise kann es dazu kommen, dass Familienangehörige die chronischen Klagen des Patienten nicht mehr hören können.

Die Symptome sind manchmal so bizarr, dass sie lächerlich wirken und als Einbildung abgetan werden. Selbst wenn der Patient bereits in Behandlung ist und lernt, wie er mit akuten Angstanfällen fertig wird, sollte man auch seiner Familie zeigen, wie sie mit diesem Phänomen umgehen kann.

Jetzt muss ich Sie aber wirklich gehen lassen, sonst werden mir Ihre anderen Dozenten den Kopf abreißen. Danke für Ihre Aufmerksamkeit.«

Nach enthusiastischem Beifall verließen die Studenten nacheinander den Raum. Mehrere kamen zu ihr, um ihre Hand zu schütteln und zu betonen, wie interessant und informativ ihr Vortrag gewesen war. Einer streckte ihr sogar die Kopie eines ihrer Artikel hin und bat sie um ein Autogramm.

Erst als der letzte Student gegangen war, zeigte sich ihr Gastgeber. Dr. Douglas Man lehrte an der Medizinischen Fakultät der Universität von South Carolina. Er hatte Alex im Medizinstudium kennen gelernt, seither waren sie befreundet. Er war groß und schlaksig, kahl wie eine Billardkugel, ein exzellenter Basketballspieler und aus Gründen, die er Alex nie mitgeteilt hatte, ein eingefleischter Junggeselle.

»Vielleicht sollte ich einen Fanclub gründen«, meinte er, als er zu ihr trat.

»Ich bin schon froh, dass sie mir aufmerksam zuhören.«

»Machst du Witze? Die kleben doch buchstäblich an deinen Lippen. Du hast mich zum Helden des Tages gemacht«, erklärte er mit strahlendem Lächeln. »Ich liebe es, berühmte Freunde zu haben.«

Sie lachte über dieses schmeichelhafte Kompliment. »Die waren pflegeleicht. Ein gutes Publikum. Waren wir damals auch so gescheit?«

»Wer weiß? Wir waren zugedröhnt.«

»Du warst zugedröhnt.«

»Ach, na ja.« Er zuckte mit seinen knochigen Schultern.

»Stimmt ja, du warst bierernst. Immer nur Arbeit, kein bisschen Spaß.«

»Entschuldigung. Dr. Ladd?«

Als sich Alex umdrehte, stand ihr Bobby Trimble gegenüber. Ihr Herz zuckte zusammen.

Er packte ihre Hand und schüttelte sie begeistert. »Dr. Robert Trimble aus Montgomery, Alabama. Ich mache gerade Urlaub in Charleston, aber heute Morgen sah ich ein Plakat zu Ihrem Vortrag, da musste ich einfach kommen und Sie kennen lernen.«

Ohne ihr Unbehagen zu bemerken, stellte sich Doug seinerseits vor und schüttelte Bobbys Hand. »Kollegen sind bei unseren Vorlesungen immer willkommen.«

»Danke.« Dann sagte Bobby, wieder zu Alex gewandt: »Ihre Studien über Angstneurosen haben mich ganz besonders interessiert. Ich bin neugierig, was Sie dazu gebracht hat, sich gerade auf dieses Syndrom zu konzentrieren. Vielleicht persönliche Erfahrung?« Er zwinkerte. »Fürchten Sie, die Sünden der Vergangenheit könnten Sie einholen?«

»Dr. Trimble, Sie müssen mich entschuldigen«, sagte sie frostig, »ich habe Patiententermine.«

»O, Verzeihung, ich möchte Sie nicht aufhalten. War mir ein Vergnügen.«

Sie drehte sich abrupt um und steuerte auf den Ausgang zu. Doug nuschelte hastig ein »Auf Wiedersehen«, dann beeilte er sich, sie einzuholen. »Ein glühender Verehrer zu viel, was? Ist alles in Ordnung?«

»Natürlich«, erwiderte sie fröhlich, obwohl sie nicht in Ordnung war. Ganz im Gegenteil. Mit seinem unerwarteten Auftauchen machte ihr Bobby auf seine Art klar, dass er jederzeit in ihr Leben eindringen konnte. Ganz einfach. Wenn er wollte, gab es für ihn keinen unantastbaren Bereich.

»Alex?« Doug wollte wissen, ob sie ihn zu einem Brunch begleiten würde. »Zum Dank kann ich dir wenigstens einen Teller Shrimps mit Maisgrütze spendieren.«

»Klingt köstlich, Doug, aber ich muss passen.« Sie hätte keinen Bissen hinuntergebracht, und wenn ihr Leben davon abhinge.

Nach Bobbys Anblick in einem bisher vermeintlich sicheren Lebensbereich war sie zutiefst erschüttert und empört, so wie er es garantiert beabsichtigt hatte. »Ich habe in fünfzehn Minuten einen Patiententermin. Wie's aussieht, werd ich's nur knapp schaffen.«

»Wir sind schon unterwegs.«

Doug hatte darauf bestanden, sie morgens abzuholen und in die Medizinische Fakultät zu fahren, da es in der Nähe des weit verzweigten Komplexes nur selten Parkplätze gab. Auf dem Weg ins Stadtzentrum bedankte er sich erneut bei ihr.

»Keine Ursache. Ich habe es genossen.« *Bis Bobby alles ruiniert hat*, dachte sie.

»Ich schulde dir einen Gefallen, jederzeit. Ich mein's ernst«, sagte er.

»Ich werd's mir merken.«

Sie versuchte, ihre Erregung zu verbergen, und ließ das Gespräch dahinplätschern. Sie klatschten über gemeinsame Freunde und Kollegen. Sie erkundigte sich nach seiner Aidsstudie, an der er gerade arbeitete. Er wollte wissen, ob es in ihrem Leben etwas Neues und Aufregendes gäbe.

Er hätte es nicht geglaubt, wenn sie es ihm erzählte. *Oder vielleicht doch*, korrigierte sie sich, als sie in ihre Straße einbogen. »Zum Teufel, was ist das?«, rief Doug. »Bei dir muss eingebrochen worden sein.«

Mit bitterer Vorahnung wusste sie sofort, dass der Polizeiwagen vor ihrem Haus nichts mit einem Einbruch zu tun hatte. Links und rechts neben ihrer Haustür hielten zwei uniformierte Polizisten Wache. Ein Zivilbeamter spähte durch die Vorderfenster. Smilow unterhielt sich gerade mit ihrer Patientin, die offensichtlich zu früh zu ihrem Termin gekommen war. Doug hielt sein Auto an und wollte schon aussteigen, als Alex ihm zuvorkam. »Doug, misch dich da nicht ein.«

»Worin? Zum Teufel, was ist hier los?«

»Ich erklär's dir später.«

»Aber –«

»Bitte. Ich ruf dich an.«

Sie drückte seinen Arm, ehe sie ausstieg und hastig durchs Gartentor ging. Unterdessen merkte sie, dass die Szene, die sich vor ihrer Haustür abspielte, die Aufmerksamkeit mehrerer Passanten erregte. Eine Touristin fotografierte bereits ihr Haus – an und für sich nichts Außergewöhnliches. Die Straße stand in allen Reiseführern. Obwohl alle Häuser ähnlich gebaut waren, konnte sich jedes in ihrem Block einer historisch bedeutsamen Besonderheit rühmen. Heute Vormittag unterschied sich ihres von den anderen durch den Polizeiwagen.

»Dr. Ladd!« Ihre Patientin stürzte vor. »Was ist hier los? Ich bin gleichzeitig mit diesen Polizisten hier angekommen.«

Alex warf Smilow einen wütenden Blick über die Schulter der besorgten Frau zu. »Evelyn, es tut mir schrecklich Leid, aber ich muss Ihren Termin verschieben.«

Damit legte sie ihrer Patientin den Arm um die Schultern, drehte sie um und begleitete sie zu ihrem Wagen. Alex benötigte mehrere Minuten, um ihr zu versichern, dass alles in Ordnung sei und ihr Termin auf den nächstmöglichen Zeitpunkt verschoben würde.

»Sind Sie okay?«, erkundigte sich Alex freundlich.

»Und Sie, Dr. Ladd?«

»Mir geht's gut. Versprochen. Ich rufe Sie später an. Noch heute. Machen Sie sich keine Sorgen.«

Erst als sie abfuhr, drehte sich Alex um. Diesmal hatte sie Smilow im Visier.

»Zum Teufel noch mal, was machen Sie hier? Ich hatte eine Patientin und –«

»Und ich habe einen Durchsuchungsbefehl.« Er zog das Dokument aus der Brusttasche seines Jacketts.

Alex schaute zu den drei Beamten hinüber, die sich auf ihrer Veranda herumtrieben, ehe sie sich wieder auf Smilow konzentrierte. »Mein letzter Patient kommt um drei. Kann das nicht bis nach dieser Sitzung warten?«

»Leider nein.«

»Ich rufe Frank Perkins an.«

»Wie Sie wollen. Allerdings benötigen wir nicht seine Erlaubnis dazu. Dazu brauchen wir nicht mal Ihre.«

Ohne weiteren Kommentar gab er seinen Männern das Zeichen anzufangen.

Die größte Beleidigung für Alex waren vielleicht die Plastikhandschuhe, die sie vor Betreten ihres Hauses überstreiften. Als ob das Haus und sie kontaminiert wären und man sich davor schützen müsste.

Zuerst weinte sie.

Als sich Ellen Rogers beim Aufwachen im schlimmsten Albtraum wieder fand, der einer Singlefrau zustoßen konnte – zumindest einer allein stehenden Realschullehrerin aus einem Vorort von Indianapolis –, setzte sie sich im Bett auf, hielt das Betttuch krampfhaft an ihre Kehle und heulte sich die Seele aus dem Leib.

Verkatert. Nackt. Vergewaltigt. Verlassen.

Noch einmal durchlebte sie die Ereignisse der letzten Nacht. Anfänglich schien es, als wäre eine ihrer langjährigen Phantasien wahr geworden: Ein gut aussehender Fremder hatte sie allen jüngeren hübscheren schlankeren Mädchen im Nachtclub vorgezogen. Er hatte den ersten Schritt gemacht. Er hatte sie zum Tanzen aufgefordert und ihr einen Drink spendiert. Die spontane Anziehung war gegenseitig gewesen, so wie sie es sich immer vorgestellt hatte, wenn »es« ihr passieren würde.

Außerdem war er weder geistlos noch plump gewesen. Er hatte eine *Lebensgeschichte*. Eine Geschichte von Liebe und Verlust, die ihr zu Herzen gegangen war. Er hatte seine Frau wahnsinnig geliebt. Als sie krank wurde, hatte er sich bis zu ihrem Hinscheiden aufopfernd um sie gekümmert. Trotz der Belastung für ihn und sein Geschäft hatte er gekocht, geputzt und gewaschen. Er hatte für seine Frau alles getan, auch die unangenehmsten Dinge. Bei den seltenen Anlässen, an denen sie ausgehen konnte, hatte er sie geschminkt.

Was für ein Opfergeist! Das war der Inbegriff von Liebe. Dieser Mann war es wert, ihn kennen zu lernen. Dieser Mann war all der Liebe wert, die Ellen jahrelang aufgespart hatte und die sie sehnlichst zu teilen wünschte.

Außerdem war er ein phantastischer Liebhaber gewesen.

Ihre diesbezüglichen Erfahrungen beschränkten sich zwar auf einen älteren Cousin, der sie einmal zum Zungenkuss gezwungen hatte, einen Jugendfreund, der zweimal in seinem Auto mit ihr geschlafen und dabei von Liebe geredet hatte, ehe er sie sitzen ließ, und auf einen verheirateten Kollegen, mit dem sie aufregend geflirtet hatte, ohne dass es je zu etwas Ernstem gekommen wäre, bis er an eine andere Schule versetzt wurde. Trotzdem hatte sie erkannt, dass Eddie – so hieß er – im Bett eine Ausnahme war. Er hatte Dinge mit ihr getrieben, die sie bisher nur aus den Romanen kannte, die sie in ihrem Keller in beschrifteten Kartons sammelte. Er hatte sie mit seiner Leidenschaft restlos erschöpft.

Aber nun trübten finstere Ängste den rosenroten Schimmer der Romantik, wie sie einmalige Abenteuer mit völlig fremden Männern nun einmal mit sich bringen. Schwangerschaft. (He, so etwas konnte Frauen über vierzig durchaus passieren.) Geschlechtskrankheiten. Aids.

Jede dieser Folgen würde ihren Traum von einer Ehe für immer zerstören. Ihre Aussichten auf ein Eheleben hatten sich von Jahr zu Jahr verringert, aber erst der Fehltritt von letzter Nacht hatte sie für immer ins Traumreich verbannt. Welcher Mann würde sie jetzt noch wollen? Kein anständiger. Jetzt nicht mehr, wo sie eine *Vergangenheit* hatte.

Ihre Situation konnte nicht schlimmer sein. Wurde sie aber.

Man hatte sie obendrein ausgeraubt.

Sie entdeckte es, als sie schließlich doch das Bett verließ und ins Bad ging, um den Schaden zu begutachten. Ihr fiel auf, dass ihre Handtasche nicht mehr auf dem Stuhl lag, auf den sie sie letzte Nacht fallen gelassen hatte. Sie erinnerte sich ganz genau. So etwas konnte sie kaum vergessen, denn zum ersten Mal war ein Mann von hinten an sie herangetreten und hatte seinen… na, Sie wissen schon… an ihr gerieben. Dann hatte er nach vorne gegriffen, ihr die Hand in den Ausschnitt gesteckt und ihren Busen gestreichelt. Mit buchstäblich weichen Knien hatte sie ihre Tasche auf den Stuhl fallen lassen. Dessen war sie sich sicher.

Trotzdem durchsuchte sie aufgeregt das Zimmer, wobei sie sich selbst Vorwürfe machte, die Fernsehwerbung missachtet zu haben, in der eingehend dafür plädiert wurde, nie ohne Reiseschecks das Haus zu verlassen.

Vielleicht waren es diese mörderischen Selbstvorwürfe, vielleicht aber auch die Erinnerung daran, wie leicht sie der schleimige Eddie von seinen Lügen hatte überzeugen können. Jedenfalls unterbrach Ellen Rogers plötzlich die vergebliche Suche nach ihrer Handtasche und stand wie angewurzelt mitten im Hotelzimmer. Splitterfasernackt stemmte sie die Hände in die Hüften, ließ ihre anständige Hülle fallen und fluchte wie ein Marktweib.

Jeder Hauch von Selbstmitleid war dahin. Sie war stocksauer.

23

Als Hammond das Justizgebäude erreichte, war es fast Mittag. Im Vorbeigehen bat er die Empfangsdame, ihm eine Tasse Kaffee zu bringen. Er war nicht erfreut, als er Steffi in seinem Büro auf der Lauer liegen sah.

Noch mehr verstimmte ihn, als sie ihn von oben bis unten musterte und dann meinte: »Harte Nacht gehabt?«

Er war erst kurz vor Sonnenaufgang heimgekommen. Kaum war er eingeschlafen, hatte er wie ein Toter mehrere Stunden dagelegen. Als er endlich aufwachte, fluchte er beim Anblick der Uhr auf seinem Nachttisch. Er konnte auf Steffis Hinweis, wie spät es war, gut verzichten.

»Was ist mit deinem Daumen passiert?«

Er hatte zwei Pflaster gebraucht, um den Riss zu verbinden. »Ich habe mich beim Rasieren geschnitten.«

»Haare auf dem Daumen?«

»Steffi, was ist los?«

»Smilow hat weitere Beweise, die schon ins SLED unterwegs sind. Er hofft auf einen Haarvergleich.«

Er versteckte seine mentale Kurzschlussreaktion hinter einer gelassenen Fassade. Legte seine Aktentasche auf den Schreibtisch, zog sein Jackett aus, hängte es auf und blätterte einen Stapel mit Post und Telefonnachrichten durch. Während er eine las, fragte er geistesabwesend: »In welchem Fall?«

Steffi, die extrem beunruhigt war, verschränkte die Arme vor der Brust. »Im Mordfall Lute Pettijohn, Hammond.«

Er nahm hinter seinem Schreibtisch Platz und dankte der Empfangsdame, als sie den Kaffee brachte. »Möchtest du auch einen, Steffi?«

»Nein, danke.« Ziemlich unsanft schloss Steffi hinter ihr die Tür. »Jetzt sitzt du ja endlich bequem und hast deinen Kaffee. Könnten wir nun, bitte, diese letzte Entwicklung besprechen?«

»Smilow hat in Pettijohns Hotelsuite ein Haar gefunden?«

»Korrekt.«

»Und das lässt er mit einem vergleichen…«

»Das er heute Morgen während der Hausdurchsuchung der Haarbürste von Alex Ladd entnommen hat.«

Bei diesem Satz zuckte er zusammen. »Hausdurchsuchung?«

»Er hat heute in aller Früh einen Durchsuchungsbefehl bekommen. Die Prozedur ist bereits abgeschlossen.«

»Ich wusste nicht einmal, dass er einen Durchsuchungsbefehl beantragt hat. Du etwa?«

»Nicht bis vor kurzem.«

»Warum hast du mich nicht angerufen?«

»Ehe wir nicht etwas Handfestes hatten, sah ich keine Veranlassung dazu.«

»Steffi, das ist mein Fall.«

»Nun, so verhältst du dich aber ganz und gar nicht, verdammt noch mal«, sagte sie und wurde immer lauter.

»Wie verhalte ich mich denn?«

»Das kannst du dir selbst ausmalen. Als Erstes könntest du dich vielleicht fragen, weshalb du dich so spät hierher schleppst. Du musst nicht mich anfauchen, nur weil du nicht da warst, als die Dinge ins Laufen kamen.«

Wütend starrten sie einander über seinen Schreibtisch hinweg an. Er war wütend, weil er nicht dabei gewesen war, als sie gemeinsam mit Smilow diese Schlinge geknüpft hatte. Die beiden agierten in diesem Fall praktisch wie siamesische Zwillinge. Trotzdem waren ihre Argumente treffend, auch wenn es ihm noch so widerstrebte, das zuzugeben. Er war wütend auf sich selbst und auf die Situation, und das ließ er an ihr aus.

»Noch etwas?«, erkundigte er sich weitaus höflicher.

»Er hat auch die Nelken.«

»Nelken? Zum Kuckuck, wovon redest du eigentlich?«

»Erinnerst du dich noch an den Partikel, den man auf Petti-johns Ärmel gefunden hat?«

»Vage.«

Sie erklärte, dass dieses Teilchen als Nelke identifiziert worden war und dass in Alex Ladds Diele eine Schale mit nelkengespickten Orangen stand. »Sie parfümieren Räume wie ein natürliches Potpourri. Obendrein wurde in ihrem Haussafe ein Packen Geld gefunden. Tausende Dollar.«

»Und was soll das beweisen?«

»Hammond, ich weiß nicht, was es bis jetzt beweist, aber du musst zugeben, dass es ungewöhnlich ist, wenn jemand so viel Bargeld daheim in einem Safe hat.«

Mit zugeschnürter Kehle fragte er: »Und wie steht's mit der Waffe?«

»Leider ist die nicht aufgetaucht.«

Sein Telefon klingelte. Die Empfangsdame teilte ihm mit, dass Detective Smilow in der Leitung war.

»Wahrscheinlich ist der Anruf für mich«, meinte Steffi und griff nach dem Hörer. »Ich habe ihm gesagt, ich wäre in deinem Büro.«

Sie hörte einen Augenblick zu und meinte dann fröhlich nach einem Blick auf ihre Armbanduhr: »Sind schon unterwegs.«

»Unterwegs wohin?«, wollte Hammond wissen, als sie auflegte. »Schätzungsweise hat Dr. Ladd begriffen, dass sie bis zum Hals in der Du-weißt-schon-Was steckt. Sie kommt zu einem weiteren Verhör.«

Obwohl sich auf seinem Schreibtisch unerledigte Akten, Notizen, Memos und unbeantwortete Telefonate türmten, dachte er nicht im Traum daran, Steffi an seiner Stelle hinzuschicken. Er

312

musste unbedingt dort sein und hören, was Alex zu sagen hatte, auch wenn es etwas wäre, das er nicht hören wollte.

Sein leibhaftiger Albtraum ging weiter. Der Schrecken eskalierte. Smilow war nicht kleinzukriegen. Allerdings konnte man dem Mann nicht vorwerfen, dass er seinen Job erledigte, und das gut. Alex... Verdammt noch mal, er hatte keine Ahnung, was er von Alex halten sollte. Sie hatte zwar zugegeben, ihn kompromittiert zu haben, indem sie mit ihm schlief, aber nicht, warum. Konnte es außer einer Verbindung zu Pettijohn oder seinem Mörder einen anderen Grund dafür geben?

Beim Verlassen des Gebäudes bewegte sich Hammond aus lauter Furcht vor dem Unbekannten, als ob er durch Treibsand watete. Die Sonne erschien ihm wie ein Grill. Die Luft lastete unbewegt auf ihm. Selbst die Klimaanlage in Steffis Wagen reichte nicht aus. Als sie die Stufen zum Eingang des Polizeipräsidiums hinaufkletterten, schwitzte er aus allen Poren. An diesem Tag nahm er mit Steffi den Aufzug hinauf in Smilows Reich.

Steffi klopfte einmal an die Bürotür, ehe sie hineinplatzte. »Haben wir etwas verpasst?«

Smilow, der ohne sie angefangen hatte, sprach weiter ins Tonbandmikrofon. »Mundell und Cross von der Bezirksstaatsanwaltschaft zu uns gestoßen.« Dazu nannte er Zeit und Datum.

Alex wandte sich Hammond zu, der hinter Steffi eingezwängt stand. Als er sich am frühen Morgen beim Abschied zu ihr heruntergebeugt hatte, hatte sie ihm die Hände um den Nacken gelegt und ihren Mund zu einem innigen tiefen Kuss angeboten. Als er sich endlich unter bedauerndem Stöhnen losriss, lächelte sie ihn aus dem Kissen an. Träumerisch, sexy, mit schlaftrunkenen schweren Lidern.

Jetzt las er darin eine dunkle Vorahnung, die seiner entsprach. Kaum waren die Formalitäten erledigt, sagte Frank Perkins: »Smilow, ehe Sie anfangen, möchte meine Mandantin einige ihrer früheren Aussagen korrigieren.«

Steffi grinste höhnisch. Ohne eine Reaktion zu zeigen, bedeutete Smilow Alex, sie möge fortfahren.

Ihre feste Stimme füllte das erwartungsvolle Schweigen. »Ich habe Sie bezüglich meines Aufenthalts in Mr. Pettijohns Penthouse-Suite angelogen. Ich war vergangenen Samstagnachmittag dort. Während ich darauf wartete, dass er die Tür öffnete, sah ich, wie der Mann aus Macon in sein Zimmer ging, genau wie er es Ihnen gesagt hat.«

»Warum haben Sie diesbezüglich gelogen?«

»Um einen meiner Patienten zu schützen.«

Steffi schnaubte ungläubig, aber Smilow unterbrach sie mit hartem Blick.

»Bitte, fahren Sie fort, Dr. Ladd.«

»Ich bin im Auftrag eines Patienten zu Mr. Pettijohn gegangen.«

»Weswegen?«

»Um eine mündliche Nachricht zu überbringen. Mehr kann ich dazu nicht preisgeben.«

»Das Berufsgeheimnis ist ein höchst praktischer Schutzschild.« Mit einem kleinen Nicken räumte sie diesen Punkt ein. »Trotzdem war es genauso.«

»Warum haben Sie uns das nicht früher erzählt?«

»Ich befürchtete, Sie würden mich unter Druck setzen, damit ich den Namen meines Patienten preisgebe. Das Wohl und Wehe dieses Menschen stand über meinem.«

»Bis jetzt.«

»Die Situation ist prekär geworden, mehr als ich vermutet hatte. Ich war gezwungen, Dinge zu erzählen, die ich im Interesse meines Patienten vertraulich halten wollte.«

»Gehen Sie für Ihre Patienten immer so weit? Dass Sie Nachrichten überbringen oder so?«

»Normalerweise nicht, aber diesen Patienten hätte ein persönliches Treffen mit Mr. Pettijohn entsetzlich aufgewühlt. Es handelte sich um einen kleinen Gefallen.«

»Also haben Sie Mr. Pettijohn gesehen?« Sie nickte. »Wie lange waren Sie bei ihm in der Suite?«

»Ein paar Minuten.«

»Weniger als fünf? Mehr als zehn?«

»Weniger als fünf.«

»Ist eine Hotelsuite nicht ein merkwürdiger Platz für ein solches Treffen?«

»Das dachte ich auch, aber wir haben uns dort auf Mr. Pettijohns Wunsch getroffen. Er meinte, das Hotel wäre für ihn angenehmer, da dort später sowieso jemand anders zu ihm stoßen würde.«

»Wer?«

»Das wusste ich nicht. Jedenfalls hatte ich nichts dagegen, da ich, wie schon gesagt, den restlichen Tag freihatte. Andere Verpflichtungen hatte ich nicht. Also habe ich im Viertel um das Charles Towne noch einen Schaufensterbummel gemacht, ehe ich die Stadt verließ.«

»Und auf den Jahrmarkt fuhren.«

»Das stimmt. Alles andere, was ich Ihnen erzählt habe, bleibt unverändert.«

»Welche Version?«

Frank Perkins runzelte über Steffis vorlaute Bemerkung die Stirn. »Miss Mundell, Sarkasmus ist hier fehl am Platze. Inzwischen ist klar, warum Dr. Ladd gezögert hat, Ihnen von ihrem kurzen Treffen mit Pettijohn zu berichten. Sie schützt die Privatsphäre eines Patienten.«

»Wie nobel von ihr.«

Noch ehe der Anwalt Steffi erneut verwarnen konnte, fuhr Smilow fort: »Dr. Ladd, welchen Eindruck hat Mr. Pettijohn auf Sie gemacht?«

»Welchen Eindruck?«

»In welcher Stimmung war er?«

»Da ich ihn nicht kannte, hatte ich keinen Vergleich; ich kann es nicht sagen.«

»Nun, war er jovial oder griesgrämig? Fröhlich oder traurig? Arrogant oder erregt?«

»Keinesfalls so extrem.«

»Könnten Sie uns den Kern der von Ihnen überbrachten Nachricht mitteilen?«

»Nein.«

»War sie provozierend?«

»Meinen Sie damit, ob er wütend wurde?«

»Wurde er es?«

»Wenn ja, dann hat er es nicht gezeigt.«

»Er regte sich also nicht so darüber auf, dass es zu einem Schlaganfall hätte kommen können?«

»Nein, nicht im Geringsten.«

»Wirkte er nervös?«

Darüber lächelte sie. »Mr. Pettijohn kam mir nicht wie jemand vor, der leicht nervös wird. Nichts, was ich über ihn gelesen habe, legt nahe, dass er ängstlich war.«

»War er grundsätzlich freundlich zu Ihnen?«

»Höflich. Ich würde nicht so weit gehen und es freundlich nennen. Schließlich waren wir Fremde.«

»Höflich.« Smilow dachte darüber nach. »Spielte er den Gastgeber? Hat er Ihnen beispielsweise angeboten, Platz zu nehmen?«

»Ja, aber ich blieb stehen.«

»Warum?«

»Ich wusste, es würde nicht lange dauern, deshalb zog ich das Stehen dem Sitzen vor.«

»Hat er Ihnen etwas zu trinken angeboten?«

»Nein.«

»Sex?«

Alle im Raum reagierten auf diese unvorhergesehene Frage, aber niemand so heftig wie Hammond, der hochschoss, als hätte ihn die Wand gebissen, an der er lehnte. »Zum Teufel, was soll das?«, rief er laut. »Wo kommt das denn her?«

Smilow schaltete das Mikrofon ab, ehe er sich Hammond zuwandte. »Funken Sie nicht dazwischen, das ist mein Verhör.«

»Diese Frage war unangemessen, das wissen Sie verdammt genau.«

»Ich kann nur beipflichten«, sagte Frank Perkins, der fast so wütend war wie Hammond. »Ihre Ermittlung hat nichts ergeben, was darauf hindeutet, dass Pettijohn an diesem Nachmittag Sexualkontakt hatte.«

»Nicht im Bett der Hotelsuite, was aber nicht sämtliche sexuellen Möglichkeiten ausschließt. Zum Beispiel Oralsex.«

»Smilow –«

»Dr. Ladd, hatten Sie mit Mr. Pettijohn Oralsex? Oder er mit Ihnen?«

Mit einem Satz war Hammond durch den vollen Raum und versetzte ihm einen harten Stoß. »Du Scheißkerl.«

»Nimm deine verdammten Pfoten weg«, sagte Smilow, wobei er ihn zurückdrängte.

»Hammond! Smilow!« Steffi versuchte, zwischen die beiden zu treten, wurde aber trotz ihrer Bemühungen beiseite gestoßen.

Frank Perkins war außer sich. »Das ist empörend.«

»Smilow, das war ein Schlag unter die Gürtellinie!«, brüllte Hammond. »So tief sind bisher noch nicht mal Sie gesunken. Wenn Sie schon aufs Geratewohl losballern, dann haben Sie wenigstens den Mut, das Tonband laufen zu lassen.«

»Von Ihnen muss ich mir nicht vorschreiben lassen, wie ich ein Verhör zu führen habe.«

»Das ist kein Verhör. Das ist Rufmord. Und völlig unbegründet.«

»Hammond, sie ist eine Verdächtige«, konterte Steffi.

»Nicht in einem Fall von Sexbetrug«, schoss er zurück.

»Was ist mit dem Haar, Smilow?«, erkundigte sich Steffi.

»Darauf wollte ich gerade kommen.« Er und Hammond starrten einander wie angeleinte Pitbulls an. Smilow gewann als Erster die Fassung wieder, strich sich die Haare zurück und fingerte an seinen Manschetten. Dann begab er sich wieder zu seinem Tisch und schaltete das Tonbandgerät ein. »Dr. Ladd, wir haben in der Hotelsuite ein Haar gefunden. Wie ich soeben vom staatlichen Labor in Columbia erfahren habe, ist es mit den Strähnen aus Ihrer Haarbürste identisch.«

»Und, Detective?« Inzwischen hatte sich ihr scheinbar passives Verhalten auf die Vorgänge geändert. Auf ihren Wangen brannten rote Flecken, ihre grünen Augen funkelten zornig. »Ich habe zugegeben, dass ich in der Suite war, und habe erklärt, warum ich Ihnen nicht schon früher die Wahrheit sagte. Ich habe ein Haar verloren, ein ganz natürlicher Vorgang. Ich bin sicher, mein Haar war nicht das einzige, das Sie in diesem Raum aufgesammelt haben.«

»Nein, war es nicht.«

»Aber ich bin die Einzige, die Sie sich für Ihre Beleidigung ausgesucht haben.«

Bravo, Alex, hätte Hammond am liebsten gerufen. Sie hatte jedes Recht, empört zu sein. Smilows Frage war pure Absicht gewesen. Er wollte sie erschüttern, aus der Fassung bringen und ihre Konzentration zerschlagen, um sie bei einer Lüge zu ertappen. Ein alter Profitrick, der normalerweise funktionierte. Aber diesmal nicht. Smilow hatte es nicht geschafft, sie durcheinander zu bringen, im Gegenteil. Inzwischen war sie stockwütend. »Können Sie erklären, wie ein Stück Nelke auf Mr. Pettijohns Ärmel gekommen ist?«

Ihre wütende Miene entspannte sich etwas, bis sie sogar lachte. »Mr. Smilow, Nelken kann man in fast allen Küchen der Welt finden. Warum kaprizieren Sie sich gerade auf *meine*? Ich bin sicher, in der Küche des Charles Towne Plaza gibt es davon einen ganzen Vorrat. Vielleicht hat Mr. Pettijohn sie bei sich zu Hause aufgenommen und mit ins Hotelzimmer gebracht.«

Frank Perkins lächelte. Hammond wusste genau, was der Verteidiger dachte. Er würde im Kreuzverhör dieselbe Spur verfolgen, bis auch die Geschworenen über die Behauptung lachen mussten, dass es sich bei *dieser* Nelke um die von Dr. Ladd handelte.

»Smilow, meiner Ansicht nach sollten Sie's dabei bewenden lassen«, meinte Perkins. »Dr. Ladd hat sich, entgegen meinem Ratschlag, völlig kooperativ verhalten. Dafür mussten sowohl sie wie ihre Patienten, deren Termine sie verschieben musste, genügend Unannehmlichkeiten erdulden. In ihrem Haus wurde das Unterste nach oben gekehrt, und außerdem wurde sie auf unverzeihliche Weise beleidigt. Sie hat bei Ihnen mehrere Entschuldigungen gut.«

Smilow ließ durch nichts erkennen, dass er den Anwalt gehört hatte. Keine Sekunde wich sein eiskalt-starrer Blick von Alex' Gesicht. »Ich wüsste gerne mehr über das Geld, das wir in Ihrem Safe gefunden haben.«

»Was soll damit sein?«

»Woher haben Sie es?«

»Alex, darauf müssen Sie nicht antworten.« Sie ignorierte den Rat ihres Anwalts. »Überprüfen Sie meine Steuererklärungen, Mr. Smilow.«

»Das haben wir.«

Sie hob die Augenbrauen, als wollte sie sagen: *Was soll dann Ihre Frage?*

»Wäre es, finanziell gesehen, nicht klüger, wenn Sie Ihr Geld auf einem zinsbringenden Konto deponierten statt in einem Wandsafe?«

»Ihre Finanzen und wie sie damit umgeht, spielen hier nicht die geringste Rolle«, sagte Perkins.

»Das bleibt abzuwarten.« Noch ehe der Anwalt weitere Einwände vorbringen konnte, hob Smilow den Zeigefinger. »Noch eine einzige Sache, Frank, dann bin ich fertig.«

»Das führt doch zu nichts.«

»Dr. Ladd, wann wurde bei Ihnen eingebrochen?«

Diese Frage hatte Hammond garantiert nicht kommen sehen, genauso wenig wie Alex. Zum ersten Mal zeigte sie eine deutliche Reaktion.

»An der Küchentüre?«

Smilow, der sie scharf beobachtete, sagte: »Ja, die von der Piazza aus.«

»Das weiß ich nicht mehr genau. Ich denke, vor ein paar Monaten.«

»Wurde etwas gestohlen?«

»Nein, vermutlich hatten nur ein paar Nachbarskinder Unsinn im Kopf.«

»Hmm. Okay, danke.« Er schaltete das Tonband ab.

Perkins zog ihr beim Aufstehen den Stuhl zurück. »Smilow, die Geschichte hier bekommt inzwischen einen ganz langen Bart, und das ziemlich schnell.«

»Keine Entschuldigungen, Frank. Ich muss einen Mordfall klären.«

»Sie bellen den falschen Baum an. Während Sie Dr. Ladd schikanieren, wird die Spur des Schuldigen immer kälter.«

Er schob seine Mandantin Richtung Tür. Hammond versuchte, sie nicht anzuschauen, schaffte es aber nicht. Sie musste seinen intensiven Blick gespürt haben, denn im Vorübergehen schaute sie zu ihm hinüber. Folglich sahen sie einander gerade an, als Smilow sagte: »Wer ist Ihr Freund?«

Rasch drehte sie sich zu dem Kommissar um. »Mein Freund?«
»Ihr Liebhaber.«

Diesmal saß der Stachel. Alex' Selbstkontrolle geriet ins Wanken. Diesmal ließ sie nicht ihre übliche Vorsicht walten oder hörte auf die Ermahnung ihres Anwalts, nichts zu sagen. Ihre Reaktion war ein reiner Reflex. »Ich habe keinen Liebhaber.«

»Wie erklären Sie sich dann die Bettlaken mit den Blut- und Samenflecken, die wir in Ihrem Wäschekorb gefunden haben?«

»Diese Geschichte mit dem Schutz eines Patienten war reine Erfindung«, schnaubte Steffi. »Ich plädiere dafür, dass du sie ohne weiteren Aufschub verhaftest.«

Sie war mit Smilow und Hammond zurückgeblieben, nachdem ein wütender Frank Perkins seine Mandantin hastig hinausbefördert hatte. Aber die beiden Männer hörten nichts von dem, was Steffi sagte. Wie zwei Gladiatoren vor der Entscheidungsschlacht hatten sie Kampfstellung bezogen. Wer zuletzt stirbt, gewinnt.

Hammond holte zum ersten Schlag aus. »Zum Teufel, was nehmen Sie sich heraus –«

»Es ist mir scheißegal, was Sie von meiner Taktik halten. Ich werde das auf meine Art erledigen.«

»Wollen Sie, dass sie abhaut?«, feuerte Hammond zurück. »Wenn Sie mit diesem Bockmist aus ihrem Privatleben weitermachen, wird Sie Frank Perkins gründlich an die Kandare nehmen. Ein Bettlaken in ihrem Wäschekorb? Lieber Himmel«, höhnte er verächtlich.

»Vergesst den Bademantel nicht«, warf Steffi ein, die gerade diesen Teil höchst amüsant fand. »Miss Kann-kein-Wässerlein-Trüben vögelt im Bademantel.«

Hammond warf ihr einen sengenden Blick zu, aber Smilow forderte seine Aufmerksamkeit. »Warum hat sie so getan, als ob sie keinen Freund hat?«

»Verdammt noch mal, woher soll ich das wissen?«, tobte Hammond. »Woher wissen Sie es denn, verdammt? Sie hat erklärt, sie habe derzeit keine Beziehung. Das reicht doch.«

»Wohl kaum«, warf Steffi ein. »Die Samenflecken –«

»Haben nichts damit zu tun, dass sie sich letztes Wochenende mit Pettijohn getroffen hat!«

»Vielleicht nicht«, sagte sie kurz angebunden. »Ihre Erklärung, sie habe sich beim Rasieren der Beine geschnitten, klingt plausibel. Okay, das würde das Blut erklären, obwohl ich immer noch dafür bin, es untersuchen zu lassen. Aber Sperma ist Sperma. Warum sollte sie eine persönliche Beziehung zu einem Mann abstreiten, wenn sie nicht irgendwie mit Pettijohn zu tun hat?«

»Dafür könnte es tausend Gründe geben.«

»Nenne einen.«

Hammond schob sein Gesicht dicht an ihres. »Okay, hier ist einer. Es geht dich einen feuchten Dreck an, mit wem sie schläft.« Seine Nackensehnen waren zum Zerreißen gespannt. Er hatte ein rotes Gesicht, und auf seiner Stirn pulsierte eine Vene. Schon oft hatte sie ihn wütend erlebt. Wütend auf Polizisten, Richter, Geschworene, sie, sich selbst. Aber so zornig noch nie. Sein Verhalten löste Fragen in ihr aus, Fragen, denen sie nachgehen würde, sobald sie allein war und Zeit für intensives Nachdenken hatte. Für jetzt sagte sie: »Ich begreife nicht, warum du dich so aufregst.«

»Weil ich weiß, wozu er fähig ist.« Er deutete auf Smilow. »Der würde Beweise erfinden, falls es seinem Fall dienlich ist.«

»Wir haben diesen Beweis während einer legalen Durchsuchung gefunden«, stieß Smilow zwischen den Zähnen hervor.

Hammond kicherte höhnisch. »Ich würde es Ihnen zutrauen, dass Sie sich auf diesen Laken selbst einen runterholen.«

Smilow sah aus, als wollte er jeden Moment auf Hammond losgehen. Mit äußerster Mühe atmete er durch die Nase ein. Seine Nasenlöcher hatten sich vor Wut zu Schlitzen verengt.

Steffi hielt es für klüger einzugreifen. »Wie oft wäscht sich eurer Meinung nach eine Miss Etepetete wie Alex Ladd?«

»Mindestens alle drei bis vier Tage«, meinte Smilow steif, wobei er Hammond noch immer mit Blicken durchbohrte.

»Das glaube ich nicht.« Hammond zog sich an die Wand zurück, als versuche er, sich von dieser Diskussion zu distanzieren.

Steffi meinte: »Das heißt, Alex Ladd hat in den letzten Tagen mit jemandem geschlafen und es dann abgestritten. Als die Rede auf ihren Liebhaber kam, hat sie es weder abgelehnt, ihn zu identifizieren, oder gefragt, was ihr Liebesleben mit den Ermittlungen in unserem Mordfall zu tun hat, oder uns allen erklärt, wir sollten uns zum Teufel scheren. Sie wurde blass und log, und als man sie beim Lügen ertappte, versuchte sie, es zu relativieren: ›Damit wollte ich doch nur ausdrücken, dass ich derzeit mit niemandem eine Beziehung habe.‹«

Beide Männer hörten zu, zumindest taten sie so. Aber da keiner etwas dazu sagte, fuhr sie fort: »Möglicherweise ist das Wortklauberei. Vielleicht hält sie sich, wie die Politiker, ein Hintertürchen offen, indem sie nicht direkt lügt, aber auch nicht direkt die Wahrheit sagt. Vielleicht hat sie keinen Dauerliebhaber, sondern genießt in ihrer Freizeit gelegentlich ein Schäferstündchen.«

Smilow zog die Brauen zusammen. »Das denke ich nicht. Wir haben in ihrem Arzneischrank keine Antibabypille gefunden. Auch kein Pessar, nicht einmal Kondome. Nichts, was auf ein mehr oder weniger regelmäßiges Sexualleben hindeutet. Logischerweise war ich deswegen ja auch restlos erstaunt, als wir die fleckigen Sachen im Wäschekorb gefunden haben.«

»Und doch musst du sie irgendwie mit Sex in Verbindung bringen, Smilow. Worauf hätte deine Frage, ob sie mit Pettijohn Sex gehabt hat, sonst abgezielt?«

»Auf nichts Spezielles«, gestand er. »Das sollte mehr über Lute aussagen als über sie.«

»Es war ein fieser Versuch, sie aufs Glatteis zu führen«, schnaubte Hammond.

Steffi ignorierte seine mürrische Bemerkung. »Also bist du nicht ernsthaft überzeugt, dass sie in der Hotelsuite auf die Knie gegangen ist und Pettijohn einen geblasen hat?«

Smilow grinste. »Vielleicht war das der Grund für seinen Schlaganfall.«

Hammond stemmte sich buchstäblich von der Wand ab. »Entwickelt sich die Erörterung von Dr. Ladds Sexleben zum Kernpunkt dieser Konferenz? Wenn ja, dann hätte ich Wichtigeres zu tun.«

Smilow deutete mit dem Kinn zur Tür. »Sie können gern gehen.«

»Was gibt es sonst noch zu besprechen?«

»Den Einbruch an ihrer Hintertür.«

»Den hat sie erklärt.«

Steffi wurde zunehmend ungeduldig mit Hammonds Begriffsstutzigkeit. »Diese Erklärung hast du doch nicht geglaubt, oder? Auch in dieser Hinsicht hat sie klar gelogen, genauso wie sie bisher über alles und jedes gelogen hat. Was ist mit dir los? Normalerweise kannst du doch eine Lüge zehn Meilen gegen den Wind riechen.«

»Sie behauptet, der Einbruch sei Monate her«, meinte Smilow, »aber das gesplitterte Holz war noch nicht verwittert, sondern ganz frisch. Auch die Kratzer am Metallschloss sahen neu aus. Aber lassen wir mal die Anzeichen für einen frischen Einbruch beiseite. Bei einer derart gepflegten Frau und einem so makellosen Haus kann ich mir nicht vorstellen, dass sie bis zur Reparatur Monate vergehen lässt.«

»Es bleibt immer noch eine Mutmaßung«, sagte Hammond. »Alles. Jeder Punkt.«

»Aber es deswegen zu negieren, wäre absurd«, argumentierte Steffi.

»Nicht absurder, als ein Bündel zusammenhangloser unbegründeter Behauptungen zusammenzufassen und für Tatsachen zu erklären.«

»Einige davon *sind* Tatsachen.«

»Warum willst du unbedingt, dass sie schuldig ist?«

»Warum willst du unbedingt, dass sie unschuldig ist?«

Urplötzlich herrschte Schweigen. In die aufgeladene Stille dröhnte das Klopfen an der Tür wie ein Kanonenschlag.

Monroe Mason öffnete und steckte den Kopf herein. »Als ich erfuhr, dass Dr. Ladd erneut verhört wird, dachte ich, ich komme mal rüber und schaue, wie's so läuft. Schätzungsweise nicht allzu gut. Ich hab das Gebrüll schon an der Sicherheitstür gehört.«

Sie nuschelten eine Begrüßung; dann sagte keiner ein Wort.

Schließlich wandte sich Mason an Steffi: »Sie sind doch normalerweise so geradeheraus. Was stimmt hier nicht? Hat euch der Fuchs die Zungen geklaut? Wobei habe ich gestört?«

Erst nach einem verstohlenen Blick auf Hammond und Smilow sah sie Mason an. »Bei der Durchsuchung von Dr. Ladds Haus wurden einige interessante Dinge gefunden. Hammond und ich waren gerade dabei abzuwägen, inwieweit sie für den Fall relevant sind. Nach Smilows Ansicht – und ich neige dazu, ihm beizupflichten – liefern sie stichhaltige Beweise gegen sie.«

Er wandte sich an Hammond. »Du teilst die Ansicht der beiden offensichtlich nicht.«

»Meiner Meinung nach haben wir bisher null in der Hand. Die beiden heizen sich daran auf, aber sie müssen den Fall ja auch nicht vor dem großen Schwurgericht vertreten.«

Steffi begriff, dass die nächsten Augenblicke über ihre Zukunft entscheiden könnten. Hammond war Monroe Masons Schützling. Erst heute Morgen, als sie ihrer Besorgnis bezüglich seiner offensichtlichen Gleichgültigkeit gegenüber dem Fall Ausdruck verliehen hatte, hatte Mason ihn sofort in Schutz genommen. Vielleicht wäre es nicht sehr weise, seinem ungekrönten Nachfolger zu widersprechen.

Andererseits konnte sie nicht einfach nur deshalb eine perfekte Verdächtige laufen lassen, weil Hammond zimperlich geworden war. Wenn sie es richtig anstellte, würde Mason bei seinem Erben vielleicht eine eindeutige Schwäche entdecken, die er vorher nicht gesehen hatte. Einen Charakterfehler vielleicht, der die Effizienz eines unbeirrbaren Staatsanwalts einschränkte.

»Meiner Ansicht nach reicht das, was wir über Dr. Ladd zusammengetragen haben, völlig für eine Verhaftung aus«, erklärte sie. »Ich verstehe nicht, worauf wir noch warten.«

»Auf einen Beweis«, meinte Hammond knapp. »Wie wär's denn damit?«

»Wir haben Beweise.«

»Dürftige Indizien, milde ausgedrückt. Der schlechteste Verteidiger von ganz South Carolina könnte mühelos alles aushebeln, worauf wir uns bisher verständigt haben. Aber Frank Perkins trennen nicht nur Meilen vom Schlechtesten, er ist der Beste. Ich bezweifle, ob das große Schwurgericht sie überhaupt unter Anklage stellt, wenn ich mit einem Büschel Haare und einem Gewürz ankomme.«

»Gewürz?«, fragte Mason.

»Nelken sind ein Gewürz«, konterte Steffi gereizt.

»Ist doch egal«, schrie Hammond.

»Er hat Recht.« Smilows leiser Zwischenruf ließ alle verstummen.

Steffi konnte nicht glauben, dass er Hammonds Meinung teilte, und Hammond wirkte genauso überrascht wie sie.

Mason interessierte sich für das, was Smilow zu sagen hatte. »Sie pflichten Hammond bei?«

»Nicht ganz. Meiner Ansicht nach ist Dr. Ladd in die Sache verwickelt. Wie und in welchem Ausmaß, weiß ich noch nicht. Sie war am Samstag bei Pettijohn. Ich hege den leisen Verdacht, dass dies nicht in der besten Absicht geschah. Warum sollte sie sonst zum Vertuschen Lügen über Lügen auftürmen? Trotzdem hat Hammond, von einem legalen Standpunkt aus Recht. Wir haben keine Waffe. Und kein –«

»Motiv«, ergänzte Hammond.

»Genau.« Smilow lächelte säuerlich. »Falls sie nicht mit Pettijohn intim war, ist es eigentlich wirklich egal, ob sie mit jedem Mann in Charleston schläft. Was schert es uns, ob jemand bei ihr ohne ersichtlichen Grund eingebrochen hat? Es ist merkwürdig, aber nicht illegal, Tausende Dollar in einem Privatsafe zu horten, wo es doch, nur wenige Schritte von ihrem Haus entfernt, mehrere Bankfilialen gibt.

Soweit ich bisher ihren Charakter einschätzen kann, würde sie sich lieber zum Tode verurteilen lassen, als das Vertrauen eines Patienten zu verraten, selbst wenn dieser Patient ihre einzige Verteidigung wäre. Nicht dass ich die Geschichte glaube, sie hätte im Namen eines Patienten eine Nachricht überbracht. Das tue ich nicht. Genauso wenig, wie ich ihr den Unsinn mit dem Besuch auf dem Jahrmarkt und alles Übrige abnehme.

Ich habe jemanden in ihrer Heimat Tennessee herumschnüffeln lassen, aber bisher hat er, außer ihren Schulzeugnissen, noch nicht viel ausgegraben. Sollte Pettijohn je im Staate Tennessee gewesen sein, dann hat er dort keinerlei Spuren hinterlassen.«

»Also«, meinte Mason, »sagt sie entweder die Wahrheit, oder sie hat ihre Spuren gut verwischt.«

»Ich tendiere zu Letzterem«, sagte der Detective. »Irgendetwas verbirgt sie, ich weiß nur nicht, was.«

Steffi sagte: »Aber wenn du –«

»Hat er nicht.«

»Wenn du ein Motiv hättest –«

»*Hat* er aber nicht.«

»Hammond, halt die Klappe und lass mich reden«, fuhr sie ihn an.

»Bitte.« Mit einer Handbewegung überließ er ihr das Feld. Sie wandte sich an Smilow. »Falls du eine Verbindung herstellen könntest und ein Motiv fändest, könntest du dann mit unserem bisherigen Beweismaterial weitermachen?«

Smilow schaute zu Hammond hinüber. »Das liegt an ihm.«

Nach einem bösen Blick auf Smilow schaute Hammond verstohlen zu ihr hinüber. Anschließend wanderte sein Blick zu Mason weiter, der offensichtlich gespannt auf seine Antwort wartete. Schließlich sagte er: »Tja, mit dem, was wir haben, könnte ich schon weitermachen, aber es würde mich verdammt viel Überwindung kosten.«

24

»Weißt du, Davee, dass du damit sehr schlechten Geschmack verrätst?«

»Sehr.« Am liebsten hätte Davee Pettijohn vor Selbstzufriedenheit geschnurrt, während sie ihr leeres Longdrinkglas gegen ein volles eintauschte, das ihr der Kellner vorbeibrachte. »Wie gesagt, Hammond, ich weigere mich, die Scheinheilige zu mimen.«

»Dein verstorbener Ehemann wurde erst gestern beerdigt.«

»Liebe Güte, erinnere mich nicht daran. Was für ein irrwitzig tristes Ereignis. Hast du dich nicht zu Tode gelangweilt?«

Wider Willen lächelte Hammond und bedankte sich beim Kellner für seinen frisch gemixten Drink. »Darüber wird man noch nach Jahren reden.«

»Das sollen sie auch, mein Schatz«, meinte Davee. »Mit dieser kleinen Soiree wollte ich sämtliche bissigen Weiber treffen, die über mich herziehen werden, egal, was ich mache. Warum dann nicht gleich ganz offensiv?«

Diese Party als kleine Soiree zu bezeichnen, war schlicht untertrieben. Im Erdgeschoss des Pettijohnschen Anwesens wimmelte es von Freunden, Bekannten und Wichtigtuern, die mit ihrem extravaganten Lebensstil bewusst aneckten. Ihnen war es restlos egal, ob die Witwe am Tag nach der Beerdigung ihres Mannes eine Party gab. Als Totenwache ließ sich die Veranstaltung jedenfalls gewiss nicht deuten. Es war ein Bacchanal, höchst ungebührlich und zur falschen Zeit, aber so war es ja schließlich geplant.

»Lute wäre darüber stocksauer, oder? Ihn würde der Schlag treffen.«

»Hat ihn doch«, entfuhr es Hammond. »Ach ja, habe ich fast vergessen.«

»Gab's denn Warnsignale für einen möglichen Schlaganfall?«

»Sein Blutdruck war jenseits von gut und böse.«

»Hat er denn nichts dagegen genommen?«

»Sollte er schon, aber davon bekam er einen schlappen Schwanz, also hat er wieder aufgehört.«

»Und du hast das gewusst?«

Sie lachte. »Hammond, was glaubst denn du? Dass ich seinen Schlaganfall verursacht habe? Schau, daran war er ganz allein schuld, er und seine gottverdammte Sturheit. Er meinte, wenn Bumsen und Abtreten eins wäre, würde er das Abtreten in Kauf nehmen.«

»Davee, nicht der Schlaganfall hat ihn umgebracht.«

»Nein, der Mistkerl wurde erschossen. Rücklings. Einen Toast auf den, der's getan hat.« Sie hob ihr Glas.

Darauf konnte Hammond nicht trinken. Ihm war schon unwohl dabei, dass sie es konnte. Er wandte seine Aufmerksamkeit wieder der Party zu. Sie standen auf der Galerie im ersten Stock, von wo aus man einen exzellenten Überblick über die Feier hatte. »Ich kann hier keinen von der alten Garde entdecken.«

»Sie sind nicht eingeladen.« Mit einem boshaften Lächeln nippte sie an ihrem Drink. »Warum sollte ich ihnen das Vergnügen rauben, über all die Sünden und Verruchtheiten zu spekulieren, die sich hier abspielen?«

Diese Party würde den Klatschmäulern reichlich Material liefern. Die Verstärker der Rockband arbeiteten mit maximaler Lautstärke. Eine Cateringfirma lieferte reichlich Essen, und der Alkohol floss in Strömen. Sogar Drogen standen zur Verfügung. Kurz vorher hatte Hammond einen stadtbekannten Drogendealer wiedererkannt, der schon oft an einer Gefängnisstrafe vorbeigeschrammt war.

Er entdeckte einen Bestsellerautor, der sich erst jüngst geoutet hatte. Zur Feier seines befreienden Entschlusses knutschte er ungeniert mit seinem abendlichen Begleiter. Vielleicht hätte ihr öffentliches Schauspiel Aufsehen erregt, wenn nicht ganz in der Nähe eine bildschöne junge Frau einer Gruppe eifriger Bewunderer ihren frisch vergrößerten Busen zum Berührungstest angeboten hätte.

»Dafür hat sie zu viel bezahlt«, bemerkte Davee gehässig. »Kennst du denn einen Tittenarzt mit Diskontpreisen?«

»Nein, aber ich kenne einen, der es besser gemacht hätte.« Als Hammond sie entsetzt anschaute, lachte sie ihr typisches kehligaufreizendes Lachen. »Nein, mein Lieber, meine sind Marke Eigenbau. Aber ich habe mit ihm geschlafen. Als Liebhaber ist er lausig, aber wenn's um seine Arbeit geht, ein absoluter Perfektionist.«

Hammond musterte sie von Kopf bis Fuß. »Seit ich hier bin, wollte ich dich etwas fragen.«

»Und was?«

»Hast du mit Bauchtanz angefangen?«

»Ist es nicht himmlisch?«

Davee breitete die Arme aus und drehte sich im Kreis, um ihr Outfit aus roter Rohseide zu präsentieren. Es bestand aus einer knallengen Hüfthose und einem Top, das gerade noch den Busen bedeckte. Die Hose saß gefährlich tief auf ihrem Bauch. Um die Taille trug sie ein Goldkettchen und an jedem Arm mindestens ein Dutzend goldene Armreifen.

Sie beendete ihre Pirouette mit einem anzüglichen Hüftschwung. Hammond lachte. »Himmlisch.«

Sie senkte die Arme und musterte ihn stirnrunzelnd. »Und was habe ich von deiner Meinung? Zero. Hammond, warum sind wir beide kein Paar?«

»Da müsste ich erst eine Nummer ziehen.«

»Scheißkerl.« Er lachte, aber sie legte die Stirn nur noch tiefer in Falten. »Wie kannst du etwas so Fieses sagen, wo ich noch nicht einmal auf meiner eigenen Party vergeben bin?«

»Wo ist denn der Masseur?«

»Sandro? Den musste ich gehen lassen.«

»Seit Sonntag? Das ging aber schnell.«

»Du weißt doch, wie ich bin, wenn ich mir mal etwas in den Kopf gesetzt habe.«

»Hat er dich falsch massiert?«

Sie reagierte mit einem sarkastischen »haha« auf seinen billigen Witz.

»Ein wunder Punkt?«

»Liebe Güte, nein. Der war nichts fürs Herz, sondern nur fürs Bett. Sein Penis ist bedeutend größer als sein Gehirn.«

»Der Held jeder Frauenphantasie.«

»Eine Zeit lang vielleicht. Mir wurde langweilig.«

»Und Langeweile wirkt auf dich wie ein rotes Tuch.«

»Definitiv.« Seufzend betrachtete sie die Menge. »Und jetzt bin ich hier.« Sie ergriff seine Hand. »Komm mit, ich möchte dir etwas zeigen.«

Sie führte ihn über den Flur in ihr Schlafzimmer. Hinter der verschlossenen Tür konnten sie sich von der Musik erholen. Sie lehnte sich dagegen und schloss die Augen. »Das reicht. Allmählich bekomme ich elende Kopfschmerzen.«

»Davee, du kannst doch nicht deine eigene Party verlassen.«

»Nur eine Hand voll Leute kennt mich. Die haben nach einer Party gesucht und eine gefunden. Ob ich dabei bin oder nicht, ist egal. Außerdem sind alle auf dem besten Weg, sich völlig zu betrinken.« Während sie durchs Zimmer ging, schlüpfte sie aus ihren hochhackigen Sandalen und stellte ihren Drink auf einem Tischchen neben der Chaiselongue ab. »Möchtest du noch einen?«

»Nein, danke.«

Sie nahm ihm das feuchte Glas ab und stellte es neben ihres. Was dann geschah, kam für ihn restlos überraschend. Sie nahm seine Hände und legte sie auf ihre Hüften, dann stellte sie sich auf die Zehenspitzen und küsste ihn, wobei sie wieder einen Bauchschwung vollführte, der diesmal nicht so übertrieben ausfiel wie der erste, aber dafür noch verführerischer.

Als Reaktion zuckte er zusammen und riss ruckartig den Kopf nach hinten. »Was machst du da?«

»Musst du noch fragen?«

Sie verschränkte die Arme hinter seinem Nacken und versuchte, ihn ein zweites Mal zu küssen, aber als er nicht reagierte, senkte sie die Fersen und schaute ihn offensichtlich enttäuscht an. »Nein?«

»Nein, Davee.«

»Nur so zum Spaß? Wenn du schon keine alte Freundin vögeln kannst, wer dann?«

»*Wen* dann.«

Grinsend versuchte sie erneut, Lippenkontakt zu bekommen, aber er drehte den Kopf weg.

»Davee, wir sind keine Kids mehr. Aus dem Versuchsalter sind wir raus.«

»Wäre aber gut«, lockte sie verführerisch, »viel besser als beim ersten Mal.«

»Bezweifle ich nicht.« Lächelnd drückte er ihr liebevoll die Taille, ehe er seine Hände sinken ließ. »Aber ich kann nicht.«

»Du meinst, du willst nicht.«

»Ich meine, ich will nicht.«

»Ach, du lieber Himmel«, stöhnte sie. Während sie die Arme senkte, ließ sie ihre Hände über seine Brust bis zum Gürtel wandern, ehe sie sie endgültig wegzog. »Sag, dass es nicht so ist.«

»Was?«

»Sie hat es dir angetan.«

Ihm wäre fast das Herz stehen geblieben. »Wie hast du das herausgefunden?«

»Ach, Hammond, bitte. Seit Monaten geht das Gerücht um, dass ihr beide eure Arbeit mit nach Hause nehmt.«

»Steffi!«, rief er höchst erleichtert aus. »Du redest von Steffi.« Verdutzt legte Davee den Kopf schief. »Von wem sollte ich sonst reden?«

Es war wesentlich ungefährlicher, wenn er seine Affäre mit Steffi gestand, als ihre Frage zu beantworten. »Ich hatte mit Steffi eine Beziehung, aber das ist vorbei.«

»Schwörst du?«

»Pfadfinderehrenwort.«

»Na, ich kann dir gar nicht sagen, wie froh ich darüber bin. Als du am Sonntagabend hier warst, habe ich dir reichlich Gelegenheit gegeben, über Miss Mundell herzuziehen. Da du's nicht getan hast, war ich sicher, dass die Gerüchte stimmen. Erstaunlich. Ich meine, Hammond, wo liegt bei ihr der Reiz? Sie hat weder Stil noch Humor noch Klasse.«

Hammond lächelte. »Du Heuchlerin. Du bist nicht annähernd so unkonventionell, wie du alle glauben lässt.«

Sie nahm eine hochmütige Pose ein. »Ein paar Dinge tut man einfach nicht.«

»Und die Sache mit den weißen Schuhen ist strikt tabu.«

»Aber du interessierst dich doch für jemanden, nicht wahr?«, fragte sie plötzlich. »Und wage ja nicht, mir ein ›Wer, ich?‹ ins Gesicht zu sagen, denn ich weiß, dass ich Recht habe.«

Er gab es weder zu, noch leugnete er.

Frustriert stützte sie die Hände in die Hüften. »Das habe ich dir hingeworfen«, meinte sie mit Blick auf ihren wohlgeformten Körper. »Ich habe dir mein Bett angeboten. Ohne Hintergedanken, ohne weitere Verpflichtung. Aber du hast mich abgewiesen. Demnach bist du entweder schwul geworden, oder eine andere Frau hat dir den Kopf verdreht, oder ich habe meinen ganzen Sexappeal verloren, dann kann ich mich heute Nacht genauso gut umbringen. Also, was ist es?«

»Nun, schwul bin ich nicht, und deinen Sexappeal hast du auch nicht verloren.«

Sie stieß keinen Triumphschrei aus, kein »Ich wusste es doch!« oder: »Hammond Cross, mich hältst du nicht zum Narren!« Nichts dergleichen.

Stattdessen griff sie seinen ernsten Ton auf und sagte leise: »Das dachte ich schon. Wann bist du ihr begegnet?«

»Vor kurzem.«

»Eine weitere Trophäe? Oder ist sie etwas Besonderes?«

Einen Augenblick starrte Hammond sie an, während er mit sich rang, ob er lügen sollte oder nicht. Vor seiner Affäre mit Steffi war er mit vielen Frauen ausgegangen, aber nie lange bei einer geblieben. In Charleston und Umgebung kannte man ihn als begehrenswerten Junggesellen aus reichem Hause mit einer viel versprechenden Zukunft. Scharenweise suchten Singlefrauen seine Gesellschaft. Potenzielle Schwiegermütter betrachteten ihn als exzellenten Fang.

Seine eigene Mutter arrangierte ständig Bekanntschaften mit den Töchtern und Nichten ihrer Freundinnen. »Sie ist eine reizende junge Frau aus einer wunderbaren Familie.« – »Ihre Leute stammen aus Georgia. Machen in Holz, vielleicht ist es auch Gummi. Irgend so etwas.« – »Sie ist einfach ein ganz besonderes Mädchen. Ich könnte mir vorstellen, dass ihr beide viel gemeinsam habt.« Eine flapsige Antwort würde Davee vermutlich davon überzeugen, dass es auch diesmal nichts Ernsteres war.

Aber Davee war seine älteste Freundin, und er hatte das Lügen satt. Langsam setzte er sich auf die Kante der Chaiselongue und verschränkte die Hände zwischen den gespreizten Beinen. Seine Schultern sackten leicht nach vorne.

»Lieber Himmel«, sagte sie, wobei sie ihren Drink aufnahm, »ist es tatsächlich so schlimm?«

»Sie ist keine Trophäe. Und was das andere betrifft: Ob sie etwas Besonderes sein könnte oder nicht, das weiß ich nicht.«

»Ist's noch zu früh dazu?«

»Zu kompliziert.«

»Ist sie verheiratet?«

»Nein.«

»Wieso ist es dann kompliziert?«

»Mehr als das. Unmöglich.«

»Ich verstehe kein Wort.«

»Davee, ich kann darüber nicht reden.« Es klang schärfer als beabsichtigt. Irgendwie musste sein Tonfall ihr klar gemacht haben, wie heikel dieses Thema war.

Jedenfalls gab sie klein bei. »Okay, aber wenn du einen Freund brauchst…«

»Danke.« Er griff nach ihrer Hand, schob die Armreifen zurück und küsste sie innen aufs Handgelenk. Während er mit den Fingern geistesabwesend das Muster in einem ihrer Armreifen nachzog, fragte er: »Womit habe ich mich verraten?«

»Mit deinem Benehmen.«

Er ließ ihre Hand fallen. »Mit meinem Benehmen?«

»Als ob ihr zur Zwangskastrierung anstündet und du als Nächster an der Reihe wärst.« Sie ging zum Barwagen am Ende des Zimmers und mixte sich einen neuen Drink. »Als ich dich gestern auf dem Begräbnis sah, wusste ich sofort, dass etwas nicht in Ordnung ist. Bezüglich deiner Karriere läuft alles großartig, was teilweise mir zu verdanken ist. Deshalb dachte ich mir, dass du Herzschmerzen hast.«

»Es ist beunruhigend, wie leicht man mich durchschauen kann.«

»Entspann dich. Wahrscheinlich ist es außer mir keinem aufgefallen. Einerseits kenne ich dich gut, und außerdem sind mir die Symptome vertraut. Diese besondere Art von Gram lässt sich wie folgt buchstabieren: L-i-e-b-e.«

Er zog die Augenbrauen hoch. »Das glaube ich nicht.«

»Hmm.«

»Davon hast du mir nie etwas erzählt.«

»Ging schlecht aus. Als wir damals im Sommer gemeinsam auf der Hochzeit waren, hatte ich es gerade hinter mir. Eine Hochzeit«, schnaubte sie, »genau die Umgebung, die ich brauchte, um mich so richtig elend zu fühlen. Deshalb habe ich mich auch auf sämtlichen Polterabenden so oberfies benommen. Genau deshalb brauchte ich auch in jener Nacht einen Freund. Einen sehr intimen Freund«, meinte sie mit einem weichen Lächeln, das er erwiderte. »Unsere kleine Eskapade im Swimmingpool hat mir mein Selbstvertrauen zurückgegeben.«

»Stets zu Diensten.«

»Und wie du das warst.«

Allmählich schwand Hammonds Lächeln. »Davee, das hätte ich nie vermutet. Du hast es gut verborgen. Was ist passiert?«

»Wir haben uns auf der Universität getroffen. Er war ein Pfarrerssohn. Kannst du dir das vorstellen? Ich und ein Pfarrerssohn. Ein echter Gentleman. Schlau, sensibel. Hat mich nicht wie eine Schlampe behandelt, und bei ihm hab ich mich auch nicht so aufgeführt, auch wenn du's vielleicht kaum glaubst.« Sie trank ihr Glas aus und goss sich einen frischen Drink ein. »Aber natürlich war ich früher eine. Als ich ihm begegnet bin, hatte ich mich schon quer durch den Campus geschlafen, sämtliche Verbindungshäuser rauf und runter. Selbst einen meiner Dozenten hatte ich vernascht.

Wie durch ein Wunder hatte er von meinem Ruf nicht die geringste Ahnung. Einige meiner Ex-Freunde hielten es für einen tollen Scherz, ihm die Wahrheit zu stecken.« Sie ging zum Fenster und starrte durch die Schlitze der Fensterläden.

»Er war ein exzellenter Student. Stipendiat. Ganz konzentriert. Ging nicht oft auf Partys. Aus all diesen Gründen war er nicht sonderlich beliebt. Die Jungs machten sich einen Spaß daraus, dachten, das sei die Revanche für seine Überlegenheit. Sie gingen bis ins kleinste Detail. Sie hatten sogar ein paar Fotos von einer Party, bei der ich eine der Liebestrophäen war.

Als er mich mit allem, was sie ihm erzählt hatten, konfrontierte, war ich am Boden zerstört, weil er die Wahrheit über mich wusste. Ich flehte ihn an, mir zu vergeben. Er solle doch versuchen, es zu verstehen, und glauben, dass ich mich nach unserer Begegnung geändert hätte. Aber er weigerte sich sogar, mir zuzuhören.« Sie beugte sich vor und lehnte die Stirn gegen den Fensterladen. »Um mich zu demütigen, schlief er noch in derselben Nacht mit einem anderen Mädchen. Und sie wurde schwanger.«

Sie verhielt sich so still, dass nicht einmal ihre Armreifen klirrten. »Eine Abtreibung kam nicht in Frage, aus moralischen und religiösen Gründen. Genauso wenig, wie ihm etwas anderes in den Sinn gekommen wäre als das Richtige. Also hat er sie geheiratet. Hammond, in dem Moment habe ich ihn am meisten geliebt, auch wenn das noch so befremdlich klingt. Ich hätte so gern seine Kinder gehabt.«

Er wartete, bis er sicher war, dass sie ausgesprochen hatte. Bis sie sich wieder bewegte. Sie hob ihr Glas an die Lippen. »Hast du ihn im Auge behalten?«

»Ja.«

»Ist er immer noch verheiratet?«

»Nein.«

»Hast du ihn jemals wieder gesehen?«

Sie drehte dem Fenster den Rücken zu und schaute ihn an. »Gestern, auf Lutes Beerdigung. Er saß ganz hinten neben Steffi Mundell. Er ist immer noch nicht sehr beliebt.«

Nachdem Hammond sämtliche Andeutungen miteinander kombiniert hatte, kippte ihm der Unterkiefer herunter. Stumm formten seine Lippen den Namen. »Rory Smilow.«

Sie lachte trocken auf. »Über Geschmack lässt sich nicht streiten, oder?«

Hammond schob die Finger durchs Haar. »Kein Wunder, dass er Lute so sehr gehasst hat. Erstens wegen seiner Schwester und dann deinetwegen.«

»Nun, eigentlich war es genau umgekehrt. Lute hat Margaret erst viele Jahre später geheiratet. Ich weiß noch genau, wie Rory nach Charleston gezogen ist, um den Job im Polizeipräsidium anzutreten. Ich habe es in der Zeitung gelesen. Damals hätte ich liebend gern Kontakt mit ihm aufgenommen, aber mein Stolz war stärker.

Die Frau, die er geheiratet hat, ist bei der Geburt gestorben; das Kind war eine Totgeburt.« Sie hielt inne und dachte über die Ironie des Schicksals nach. »Da seine Eltern tot waren, oblag ihm die Verantwortung für Margaret. Er hat sie mitgenommen. Sie bekam einen Bürojob beim Gericht. Bezirksakten, Fahrzeugkennzeichen und so weiter. Dabei hat sie Lute getroffen. Es würde mich nicht überraschen, wenn sich die Liebesgeschichte erst entwickelt hat, nachdem sie ihm einen Gefallen getan hat, zum Beispiel eine Grundstücksgrenze versetzen oder Ähnliches.«

»Würde mich auch nicht überraschen«, bemerkte Hammond. »Meines Wissens war die Ehe ein Albtraum.«

»Margaret war emotional fragil. Einem Mistkerl wie Lute war sie gewiss nicht gewachsen.« Sie trank ihr Glas aus. »Gelegentlich habe ich mich rausgeputzt und meinen Stolz hinuntergeschluckt und bin mit ziemlich viel Alkohol im Blut Rory absichtlich-unabsichtlich über den Weg gelaufen. Aber er hat immer durch mich hindurchgesehen, als wären wir uns nie begegnet. Hammond, das tat weh. Außerdem hat es mich wütend gemacht.

Deshalb bin ich nach Margarets Selbstmord Lute nachgestiegen und habe die Jagd erst abgeblasen, als er mich geheiratet hat. Rory hat mir das Herz gebrochen. Und so habe ich versucht, seines zu brechen, indem ich den Mann heiratete, den er am meisten verachtet hat.« Reumütig fügte sie hinzu: »Manchmal tritt die Rache dem Rächer ganz schön in den Arsch, stimmt's?«

»Das tut mir Leid, Davee.«

»Ach, na ja, lass gut sein«, sagte sie so leichthin, dass Hammond wusste, wie falsch ihr Gebaren war. »Ich sehe noch immer gut aus. Das da«, sagte sie und hielt dabei ihr Longdrinkglas in die Höhe, »hat nicht einmal meine schöne Mama zerstört. Sie sieht so hinreißend aus wie eh und je. Deshalb baue ich auf meine guten Gene. Sie werden die schlimmen Folgen des Dämons Alkohol schon bannen. Ich schwimme im Geld. Und sobald das Nachlassgericht Lutes Testament freigibt, werde ich noch mehr haben. Wo wir gerade davon reden…«

Sie ging zu einem antiken Sekretär und öffnete die zierliche Klappe. »Über diesem doofen Ausflug in die Vergangenheit hätte ich es fast vergessen. Das habe ich gefunden, während ich einige Papiere auf Lutes Schreibtisch durchgegangen bin. Ist seine Handschrift.« Sie reichte ihm einen blassgrünen Merkzettel. »Das ist doch das Datum von letztem Samstag, oder?«

Hammond verschwamm die Notiz vor Augen.

»Lute hat deinen Namen und dazu fünf Uhr notiert. Sieht für mich wie eine Verabredung aus, von der ich sicher bin, dass es dir lieber wäre, wenn niemand davon weiß.«

Er schaute zu ihr hinüber. »Es ist nicht das, was du denkst.«

Sie lachte. »Hammond, Schätzchen, bevor ich glaube, dass du zu einem Mord fähig bist, glaube ich an die Wirkung von Anti-Cellulite-Cremes. Was es bedeutet, weiß ich nicht und will's auch gar nicht wissen. Ich dachte nur, du solltest es haben.«

Er starrte die zweite Notiz auf dem kleinen quadratischen Zettel an. »Er hat noch eine andere Zeit aufgeschrieben. Sechs Uhr. Keinen Namen. Weißt du was davon?«

»Keine Ahnung. In seinem offiziellen Terminkalender stehen für Samstag keine Verabredungen, weder mit dir noch mit sonst jemandem.«

Offensichtlich hatte Lute an jenem Nachmittag nach dem Treffen mit ihm noch eine weitere Verabredung geplant. Mit wem? Er grübelte. Nachdenklich faltete er das kleine Stück Papier zusammen und steckte es in die Tasche. »Von Rechts wegen hättest du es Smilow aushändigen müssen.«

»Hast du je erlebt, dass ich das Richtige tue?« Ihr schelmisches Lächeln wurde wehmütig. »Ich habe schmerzhaft gelernt, dass jeder Versuch, Rory wehzutun, Zeitverschwendung ist. Ich glaube nicht, dass man ihn verletzen kann.« Jetzt verschwand ihr Lächeln vollends. »Allerdings verspüre ich auch nicht die geringste Neigung, ihm einen Gefallen zu tun.«

25

»Er war gestern Abend mit mir hier.« Ellen Rogers musste schreien, um die Musik zu übertönen. »Wir haben stundenlang an diesem Tisch gesessen und mehrmals Getränke bestellt. Sie müssen sich doch erinnern.«

Der Barkeeper, ein junger Hüne mit gegeltem Pferdeschwanz und einem Silberring in der Augenbraue musterte sie von Kopf bis Fuß, als wollte er sagen, dass man sie sehr wohl vergessen könne. »Ich seh 'ne Menge Leute. Jede Nacht. Ich kann mich nicht an alle Gesichter erinnern. Die verschmelzen irgendwie in meinem Kopf, verstehst du?«

Eine Blondine mit ellenlangen Beinen und einem engen schwarzen Kleid schlängelte sich auf den nächsten Barhocker. Der Barkeeper reichte ihr an Ellen vorbei Feuer für ihre Zigarette. »Was soll's denn sein?«

»Was ist denn gut?«

Er stützte die Ellbogen auf den Tresen und beugte sich näher zu ihr. »Kommt ganz darauf an, was Sie wollen.«

»Entschuldigung«, unterbrach ihn Ellen, die sich darüber aufregte, dass sie den Barkeeper auf die Schulter tippen musste, um ihn erneut auf sich aufmerksam zu machen. »Falls er wiederkommt – der Kerl, mit dem ich gestern Abend beisammen war –, rufen Sie mich an. Okay?«

Mit nur wenig Hoffnung auf Erfolg schob sie ihm ein Stück Papier zu. »Hier ist die Nummer meines Hotels.«

»Okay.«

Noch während sie zusah, wie er die Telefonnummer einsteckte, wusste sie, dass vermutlich in ein paar Tagen seine Reinigung den Zettel finden würde. Wie ein stolzer Kreuzritter hatte sie den Club energischen Schritts betreten. Sie war eine Frau mit einer Mission.

Heute Morgen, nachdem sich der anfängliche Schock gelegt und sie Zeit gefunden hatte, sich zusammenzureißen, hatte sie beschlossen, diesen verdammten Lügenbold aufzuspüren und ihn der Polizei zu übergeben.

Bei Einbruch der Dunkelheit hatte sie sich mit der Absicht auf den Weg gemacht, nötigenfalls jeden Nachtclub in Charleston so lange zu durchforsten, bis sie ihn gefunden und entlarvt hatte. Dieser miese Typ hatte das Aufreißen zur Kunst entwickelt. Im Rückblick wurde ihr klar, dass sie nicht sein erstes und gewiss nicht sein letztes Opfer gewesen war, dazu war er viel zu gerissen. Auch heute Abend würde ihr Verführer im berauschenden Hochgefühl des gestrigen Erfolgs wieder auf die Jagd gehen. Aber als sie nun den Club verließ, drohte ihr Feuereifer schnell zu erlöschen. Sie gestand sich ein, wie töricht es war, auf der Suche nach einem Schwindler und Dieb, den sie nur als Eddie kannte, ganz Charleston abzugrasen. Denn vermutlich war selbst dieser Name falsch.

Die neuen Lacklederpumps, die sie sich extra für diesen Urlaubstrip gekauft hatte, drückten auf ihre Zehen und reduzierten ihr Marschtempo auf ein klägliches Humpeln. Sie hatte Hunger, aber jedes Mal, wenn sie im Laufe des Tages versucht hatte, etwas zu essen, hatte sich ihr Magen dagegen aufgelehnt. Er hatte den Alkoholkonsum von gestern Abend und die morgendliche Selbstverachtung nicht verdaut.

Außerdem hätte sie sich ein Essen in einem ordentlichen Restaurant nicht einmal leisten können, rief sie sich verdrossen ins Gedächtnis. Denn obwohl sie die Kreditkartenfirmen über den Diebstahl informiert hatte, würde es Tage dauern, bevor sie Ersatzkarten erhielt. Zum Glück war ihr wieder eingefallen, dass sie sich etwas Bargeld in die Jackentasche gesteckt hatte. Es war zwar nur ein Bruchteil jenes Betrags, den Eddie gestohlen hatte, aber wenn sie sich einschränkte, würde sie damit bis nach Hause kommen.

Warum also nicht die Sache ein für alle Mal abschreiben und abreisen?

Charleston war ihr für immer verdorben. Die schwüle Hitze, die gestern das romantische Flair der Stadt noch gesteigert hatte, machte sie inzwischen gereizt und verursachte Kopfweh. Falls sie bis zum geplanten Termin blieb, würde sie sich keinerlei Ausflüge oder Attraktionen leisten können. Nur mit weniger Übernachtungen ließe sich ihre Hotelrechnung verringern.

Der gesunde Menschenverstand riet ihr, am folgenden Tag nach Indianapolis zurückzukehren. Die Fluggesellschaft würde ihr zwar einen Ticketumtausch extra berechnen, aber dieses Geld wäre es wert. Dann könnte sie sich in ihr sicheres Häuschen mit den beiden Katzen und der vertrauten Einrichtung zurückziehen und bis zum Schulbeginn im Herbst ihre Wunden lecken. Allmählich würden dann Arbeit und Routine den hässlichen Vorfall aus ihrem Gedächtnis drängen.

So oder so war es Zeit- und Energieverschwendung, sich auf der Suche nach Eddie durch Charleston zu schleppen.

Andererseits zöge er vermutlich gerade jetzt seine Schwindelarie bei einer anderen einsamen Dame ab, die morgen früh ohne Geldbörse und Selbstrespekt aufwachen würde, während sie in ihren unbequemen Lacklederschuhen daherhumpelte und sich mit Blasen an den Füßen abquälte. Niemand würde je etwas über dieses Verbrechen erfahren, da das Opfer sich viel zu sehr schämte, um bei der Polizei Anzeige zu erstatten. Deshalb konnte Eddie auch mit derartiger Arroganz auftreten. Er wusste, dass er damit durchkam.

Nun, diesmal würde er nicht durchkommen. »Nicht, wenn ich's verhindern kann«, sagte Ellen Rogers laut.

Ihr Entschluss stand erneut fest, und so betrat sie den nächsten Nachtclub.

Hammond rutschte gegenüber von Loretta in die Nische. »Was hast du für mich?«

»Kein ›Hallo‹ oder ein ›Wie geht's‹?«

»Mir ist für heute jede Höflichkeit vergangen.«

»Du siehst beschissen aus.«

»Du aber auch«, lächelte Hammond grimmig. »Eigentlich fällt heute schon zum zweiten Mal jemandem mein mieses Aussehen auf. Damit hat mein Tag angefangen.«

»Was stimmt denn nicht?«

»So viel Zeit hast du nicht. Und mir geht allmählich selbst die Zeit aus. Also, hast du nun etwas für mich?«

»Ich habe dich doch angerufen, nicht wahr?«, gab sie zurück.

Er nahm es ihr nicht übel, dass sie beleidigt reagierte. Er benahm sich wirklich wie ein Vollidiot. Nach seinem Besuch bei Davee war er noch unruhiger als zuvor. Nachdem er ins Auto gestiegen war und übers Handy seinen Anrufbeantworter abgehört hatte, war er über Lorettas Stimme nicht wirklich froh gewesen. Sie beschwor ihn, er solle sich, so schnell wie möglich, mit ihr in der Shady Rest Lounge treffen. Ein Treffen mit ihr bedeutete, einen Tag zu verlängern, den er am liebsten beendet hätte. Merkwürdigerweise hatte er vor dem Ergebnis ihrer Suche Angst.

Mit einem tiefen Seufzer entschuldigte er sich kopfschüttelnd. »Loretta, ich habe zwar eine beschissene Laune, aber die sollte ich nicht an dir auslassen.«

»Du brauchst was zu trinken.«

»Deine Lösung für alles.«

»Nicht für alles. Nicht auf lange Sicht, aber gegen schlechte Stimmung kann es wie ein Heftpflaster wirken.« Sie bestellte ihm einen Bourbon mit Wasser.

In weniger als einer Minute hielt er den Drink in den Händen und nahm einen kleinen Schluck. »Du siehst gut aus.«

Sie lachte mit einem Schluck Mineralwasser im Mund. »Vielleicht wenn man mich durch den Boden eines Longdrinkglases betrachtet.«

Seit Montagnacht hatte sich an ihr einiges bemerkenswert verbessert. Sie war weit besser gepflegt, ihre Kleidung sauber und frisch gebügelt. Korrekt aufgetragenes Make-up hatte ihre Gesichtsfalten gemildert. Ihre Augen waren hell und klar. Trotz ihres Versuchs, sein Kompliment mit einem Lachen abzutun, wusste er ganz genau, dass sie sich geschmeichelt fühlte.

»Hab ein bisschen Hausputz gemacht, das ist alles.«

»Hast du deine Haare getönt?«

»War Bevs Idee.«

»Eine gute.«

»Danke.« Selbstbewusst hob sie die Hand und befühlte ihre verjüngte Frisur. »Als sie hörte, dass ich einen Job hätte, war sie ganz glücklich. Ich habe ihr gesagt, es sei nur vorübergehend, aber froh war sie trotzdem. Sie hat mich wieder in die Wohnung einziehen lassen. Unter einer Bedingung, und Bedingungen stellt sie genauso gut wie du: dass ich ganz regelmäßig zu den Treffen der Anonymen Alkoholiker gehe.«

»Und wie läuft es so?«

»Jeden Morgen kommt das große Zittern, aber damit werde ich fertig.«

»Das ist gut, Loretta, das ist wirklich gut«, sagte er ehrlich. Eine kleine Pause signalisierte, dass dieses Thema erschöpft war, dann kam er zum eigentlichen Grund ihres Treffens. »Was hast du für mich?«

Sie zwinkerte. »Einen Volltreffer. Vermutlich wirst du mich für eine Stabsstelle bei der Staatsanwaltschaft empfehlen. Vielleicht bittest du mich sogar, deine Kinder auszutragen.«

»So gut?«

Er stellte seinen Drink zur Seite. Er vertrug sich nicht gut mit dem, den er auf Davees Party getrunken hatte. Außerdem hatte er das dumpfe Gefühl, dass ihm in Kürze eine unangenehme Information bevorstünde, die er mit klarem Kopf besser verdauen würde.

»Ich habe einen Maulwurf, der hier besser namenlos bleibt, einen echten Computerfreak –«

»Knuckle.«

»Du kennst ihn?«

»Harvey ist auch mein Maulwurf. Er ist jedermanns Maulwurf.«

»Willst du mich verarschen?«, fragte sie erstaunt und ebenso beschämt wie wütend.

»Du hast ihn beschwatzt, richtig?«

»Verdammt!«, sagte sie und klatschte auf die Tischplatte. »Ich kann's nicht glauben, dass mir dieser aufgeblasene kleine Wichser ein schlechtes Gewissen eingejagt hat, nur weil ich ihm den Arm verdreht und versucht habe, seine Integrität zu untergraben.«

»Er ist durch und durch bestechlich. Deshalb bin ich ja nicht direkt zu ihm gegangen. Man kann ihm nicht trauen.«

Hammond hatte keine Bedenken, es könnte auf ihn zurückfallen, dass Harvey in Alex' Daten geschnüffelt hatte. Er vertraute Lorettas Schwur, man müsse ihr die Zunge abschneiden, ehe sie sein Vertrauen missbrauchte. Trotzdem kam er ins Grübeln. Hatte sonst noch jemand versucht, Harvey zum selben Zweck unter Druck zu setzen? »Wusste Harvey irgendetwas über den Fall, als du ihn angesprochen hast?«

»Nach außen hin nicht, aber inzwischen traue ich ihm so wenig wie meinem eigenen Instinkt. Warum?«

Hammond hob eine Schulter. »Ich bin nur neugierig, ob ihn sonst noch jemand auf Dr. Ladd angesetzt hat.«

»Zum Beispiel Steffi Mundell?«

»Oder Smilow.«

»Sollte Harvey tatsächlich jedermanns Maulwurf sein, wäre das womöglich drin. Andererseits, Hammond, hat er ehrlich überrascht und hocherfreut getan, dass ich ihn in meine Ermittlung einbezogen habe.«

Mit einem Kopfnicken deutete er auf den Briefumschlag neben ihrer rechten Hand. »Lass die Katze aus dem Sack.«

Sie öffnete den Umschlag und zog mehrere gefaltete Blätter heraus, vermutlich mit der Schreibmaschine geschriebene Notizen. Mittlerweile hatte Loretta die Information so oft gelesen, dass sie sie praktisch auswendig kannte und die Abschrift nur noch zum Überprüfen exakter Daten heranziehen musste.

»Beeindruckend«, murmelte er, als sie Alex Ladds Studienerfolge aufzählte, von denen ihm die meisten bereits bekannt waren. Dennoch war jede Erleichterung, die er empfand, nur von kurzer Dauer.

»Mal langsam, zu den guten Sachen bin ich noch nicht gekommen.«

»Mit gut meinst du das Gegenteil?«

»Aus Tennessee gibt's keine so beeindruckende Akte.«

»Was ist dort passiert?«

»Was nicht?«

Anschließend berichtete sie ihm, was Harvey Knuckle aus den unauffindbaren Jugendakten ausgegraben hatte. Es war alles andere, als leicht zu verdauen. Als Loretta fertig war, war eine halbe

Stunde vergangen, und Hammond wünschte sich, er hätte an diesem Abend keinen Tropfen Whisky getrunken. Er war ziemlich sicher, dass er ihn noch einmal zu Gesicht bekäme. Jetzt wusste er, was Alex gestern Nacht mit ihrer Bemerkung über zerstörte Illusionen und schmerzhafte Erklärungen gemeint hatte. Sie hatte ihr Wissen für sich behalten wollen, und nun kannte er auch den Grund dafür.

Loretta steckte die Blätter wieder in den Umschlag und händigte ihn ihm triumphierend aus. »Die Verbindung zwischen ihr und Pettijohn habe ich nicht gefunden, die bleibt ein Geheimnis.«

»Ich denke – dachte«, korrigierte er sich, »für eine Verbindung mit Lute hätte sie viel zu viel Klasse. Offensichtlich habe ich mich geirrt.«

Er schob den Umschlag samt seinem belastenden Inhalt in seine innere Jacketttasche. Seine Niedergeschlagenheit entging ihr nicht. »Du wirkst nicht sonderlich begeistert.«

»Ich könnte mir keine gründlichere Berichterstattung wünschen. Du kannst wirklich mit dir zufrieden sein, so wie du dich meinetwegen zusammengenommen und alles überstanden hast. Du hast deine Fehler mehr als wettgemacht. Danke.«

Er schob sich ans Nischenende, aber Loretta streckte die Hand über den Tisch und ergriff seine. »Hammond, was ist mit dir los?«

»Ich weiß nicht, was du meinst.«

»Ich dachte, du würdest einen Purzelbaum schlagen.«

»Gute Arbeit, keine Frage.«

»Und ich habe nur zwei Tage dafür gebraucht.«

»Kann mich auch nicht über die rasche Kehrtwendung beklagen.«

»Damit kannst du doch definitiv weiterarbeiten, oder?«

»Definitiv.«

»Warum siehst du dann so verdammt bedrückt aus?«

»Vermutlich bin ich verlegen.«

»Weshalb?«

»Deswegen«, sagte er, wobei er von außen auf seine Brusttasche tippte. »Es beweist, dass ich ein lausiger Menschenkenner bin. Ich hatte ehrlich nicht geglaubt, dass sie dazu fähig ist…«

Seine Stimme erstarb. Der restliche Gedanke blieb unausgesprochen.

»Du meinst Alex Ladd?« Er nickte. »Du hältst sie für unschuldig? Glaubst, Smilow bellt den falschen Baum an? Hat sie denn ein Alibi?«

»Ein schwaches. Sie sagt, sie sei auf einem Jahrmarkt in Beaufort gewesen. Keine Zeugen.« Offensichtlich fiel ihm das Lügen inzwischen leicht, selbst gegenüber vertrauten Freunden. »Jedenfalls erscheint ein unbestätigtes Alibi, angesichts dieser Information, eine rein akademische Frage.«

»Ich könnte –«

»Entschuldige, Loretta, aber wie gesagt, es war ein harter Tag, und ich bin erschöpft.«

Er versuchte ein Lächeln, wusste aber, dass es ihm nicht gelang. Das düstere Innere der Bar drohte ihn zu ersticken. Der Rauch wirkte noch dicker, der Gestank der Verzweiflung noch durchdringender. Sein Schädel dröhnte, sein Magen revoltierte. Loretta hatte rasiermesserscharfe Augen. Aus Angst, sie würde zu viel entdecken, vermied er es, sie gerade anzuschauen.

»Ich bringe dir morgen dein Geld.«

»Hammond, ich habe jeden Stein umgedreht, so gut es ging.«

»Du hast deine Sache glänzend gemacht.«

»Aber du hattest dir mehr erhofft.«

Eigentlich hatte er sich gar nichts erhofft, ganz gewiss aber weniger, als er bekommen hatte. »Nein, nein. Damit werde ich den Fall weiter vorantreiben können.«

In ihrem pathetischen Bedürfnis, ihm einen Gefallen zu erweisen, packte Loretta seine Hand noch fester. »Ich könnte versuchen, noch tiefer zu bohren.«

»Gib mir Zeit, zuerst das hier zu integrieren. Ich bin überzeugt, dass es genügt. Wenn nicht, melde ich mich wieder.«

Ohne frische Luft würde er in Kürze sterben. Er entzog seine Hand Lorettas feuchtem Griff, riet ihr, nüchtern zu bleiben, bedankte sich noch einmal für die gute Arbeit und sagte ihr über die Schulter hastig auf Wiedersehen.

Draußen vor dem Shady Rest war die Luft weder frisch noch

belebend. Sie war zum Schneiden und stand förmlich und schien sich beim Einatmen in Watte zu verwandeln.

Selbst Stunden nach Sonnenuntergang strahlte der Gehsteig eine Temperatur ab, die ihm durch die Schuhsohlen die Füße erhitzte. Seine Haut war klamm, wie damals während seiner Kinderkrankheiten. Nach einem Fieberschub hatte ihm seine Mutter den feuchten Schlafanzug ausgezogen, sein Bett frisch bezogen und ihm versichert, dass Schwitzen ein gutes Zeichen sei. Er sei jetzt auf dem Weg der Besserung. Aber er hatte sich nicht besser gefühlt. Ihm war das trockene Fieber lieber als diese erstickend nasse Haut.

Menschen verstopften den Gehsteig, schoben sich zwischen den Hauseingängen hin und her, ohne ein richtiges Ziel zu haben. Sie waren auf der Suche nach etwas Interessantem, wozu vieles gehören konnte, nicht nur, sich in einer der Kneipen voll laufen zu lassen. Vielleicht etwas stehlen, das sie brauchten, oder aus purem Mutwillen fremdes Eigentum zerstören oder verunstalten, eine Blutrache durch noch mehr Blutvergießen stillen.

Normalerweise hätte sich Hammond auf die potenzielle Gefahr eingestellt, die jedem, der offensichtlich nicht hierher gehörte, in diesem Viertel drohte. Schwarze und Weiße grinsten ihn gleichermaßen an – voll spürbarer Vorurteile und offenem Hass. In einer Ansammlung von Habenichtsen war er definitiv einer der Besitzenden, was die Ablehnung hochschnellen ließ. Zu jeder anderen Zeit hätte er sich auf dem Rückweg zu seinem Wagen ständig nach hinten umgesehen und fast erwartet, dass man ihn aufgebrochen hatte. Heute Nacht war er so in Gedanken versunken, dass er die feindseligen Blicke, die man ihm zuwarf, gleichgültig und sorglos negierte.

Lorettas Bericht über Alex hatte ihn in einen moralischen Sumpf gestürzt. Die belastende Information wirkte lähmend und hatte seinen Emotionen einen schweren Schlag versetzt.

Das Ergebnis war so niederschmetternd, dass er nicht in der Lage war, Einzelaspekte herauszugreifen.

Wenn Smilow von ihrer Vergangenheit Wind bekam – und es war nur eine Frage der Zeit, bis einer seiner Detectives darauf stieß –, würde er feuchte Träume bekommen und Steffi eine Flasche Champagner köpfen. Aber für ihn und Alex wäre diese Entdeckung eine Katastrophe, beruflich wie persönlich.

Die Enthüllung hing wie ein Bleigewicht an einem immer dünner werdenden Faden direkt über seinem Kopf. Wann würde es fallen? Heute Nacht? Morgen? Übermorgen? Wie lange könnte er den Druck ertragen? Wie lange konnte er mit seinem eigenen Gewissen ringen? Auch wenn sie auf Grund des Todeszeitpunkts als eigentliche Mörderin nicht in Frage kam, musste sie bis zu einem gewissen Umfang darin verstrickt gewesen sein.

Diese Gedanken waren so trübe und dominierend, dass sie ihn fast bis zur Unbeweglichkeit lähmten. Er hatte jedes Gefühl für Ort und Zeit verloren. Er dachte an Lizenzentzug und nicht an tätlichen Übergriff. Als er die enge Gasse erreichte, in der er sein Auto geparkt hatte, öffnete er die Fahrertür mit der Fernbedienung, ohne auch nur einen Blick daran zu verschwenden, ob er das sicher tun konnte.

Eine plötzliche Bewegung hinter ihm ließ ihn zusammenfahren, er reagierte schnell. In Windeseile wirbelte er mit erhobenem Arm zur Deckung oder zum Angriff herum.

Beinahe hätte er zugeschlagen, ehe er im letzten Moment innehielt. Alex.

»Verdammt noch mal!« Automatisch suchte er die unmittelbare Umgebung ab, wobei er sich erst jetzt des dunklen, bedrohlichen Viertels bewusst wurde. »Verdammt noch mal, was machst du in dieser Gegend?«

»Ich bin ihr hierher gefolgt.«

»Wem?«

Grüne Augen funkelten wütend. »Wem glaubst denn du, Hammond? Der Frau, die du engagiert hast, um mich zu beschatten.«

»Scheiße!«

»Ganz meine Meinung«, sagte sie hitzig. »Ich fand es merkwürdig, dass dieselbe Touristin gleich zweimal am Tag durch meine Straße läuft und mein Haus fotografiert. Zuerst heute Morgen, dann wieder kurz nach dem Abzug von Smilows Meute. Ich war gerade auf dem Heimweg von diesem demütigenden Verhör. Da stand sie wieder und versuchte so zu tun, als würde sie sich für Wassermelonen interessieren. Schließlich dämmerte mir, dass ich überwacht werde.«

»Keine Überwachung.«

»Wohl wahr, denn das würde Professionalität erfordern, während es sich hier um geschmackloses, feiges und hundsordinäres Nachspionieren handelt.«

»Alex –«

»Also bin ich ihr ausgewichen und zurückgelaufen. Ich habe den Spieß umgedreht und bin ihr von da an gefolgt. Ich dachte, Detective Smilow müsste dahinter stecken. Stell dir mal meine Überraschung vor, als du zu einem Treffen mit ihr hier aufgetaucht bist.«

»Wirf mich nicht mit Smilow in einen Topf.«

»O, du stehst weit unter Mr. Smilow«, sagte sie, wobei ihre Stimme vor unterdrückter Wut brach. »Du bist heimtückischer und noch hinterhältiger. Du schläfst vorher noch mit mir.«

»So ist es aber nicht.«

»Wirklich? Und wie ist es dann? Welcher Teil stimmt denn nicht? Ist sie Polizistin?«

»Privatdetektivin.«

»Noch schlimmer. Du hast sie bezahlt, damit sie hinter mir herschnüffelt.«

»Okay, du hast mich erwischt«, sagte er, inzwischen zornig. Allmählich war er genauso wütend wie sie. »Du bist eine ganz schlaue Dame, Dr. Ladd.«

»Habt ihr zwei nett über mich geplaudert?«

»Es war zwar ganz und gar nicht nett, aber was sie über dich ausgegraben hat, war verdammt interessant. Besonders die Akten aus Tennessee.«

Sie schloss die Augen und taumelte etwas, erholte sich aber rasch, machte die Augen wieder auf und riet ihm, sich zu verpissen.

Dann machte sie auf dem Absatz kehrt, aber Hammond erwischte sie am Arm und drehte sie wieder herum. »Alex, ich bin nicht schuld an dem, was sie ans Licht gezerrt hat. Als ich sie engagiert habe, dachte ich, ich könnte uns beiden einen Gefallen tun.«

»Wieso, in Gottes Namen?«

»Ich hatte dummerweise gehofft, sie würde etwas Entlastendes finden. Aber das war, bevor du angefangen hast, die Polizei mit jedem Atemzug zu belügen und dich in unentrinnbare Sackgassen zu manövrieren.«

»Wäre es dir lieber, wenn ich ihnen die Wahrheit erzählt hätte?« Dieselbe Frage hatte sie ihm schon einmal gestellt, damals, als sie sich zufällig im Aufzug begegnet waren. Er hatte ihr nicht antworten können. Aber seither hatte er viel darüber nachgedacht. »Es ist nicht wichtig, dass wir in dieser Nacht zusammen waren.«

»Warum hast du's ihnen dann nicht erzählt? Warum hast du einfach nur dagestanden, als ich ein demütigendes Verhör über meine buchstäblich dreckige Wäsche erdulden musste? Warum hast du ihnen nicht alles erzählt? Einschließlich der Information, wer gestern Abend bei mir eingebrochen ist und meine Bettwäsche befleckt hat?«

»Weil es irrelevant ist.«

Sie lachte freudlos. »Herr Staatsanwalt Cross, Sie unterliegen einem Irrglauben. Meiner Meinung nach hätten auch Sie sich trotz Ihrer brillanten Begabung schwer getan, irgendeinen von der Irrelevanz dieser Tatsachen zu überzeugen. Aber wenn wir schon mal beim Thema sind: Die Blutflecken konnte ich erklären, aber für Samenflecken gibt's nur eine Erklärung. Und die wären nicht da, wenn Sie sich geschützt hätten.«

»Daran habe ich nicht gedacht.« Er beugte sein Gesicht ganz nah zu ihr und flüsterte zornig: »Und du auch nicht.« Als sie ihr Gesicht abwandte, wusste er, dass diese Runde an ihn gegangen war. »Außerdem hat das eine mit dem anderen nichts zu tun.«

Sie schaute ihn wieder an. »Ich habe Mühe, dieser Logik zu folgen.«

»Es hat keine Auswirkung auf den Fall, ob wir miteinander geschlafen haben.« Wenn es ihm gelänge, sie zu überzeugen, könnte er es auch schaffen, jemand anderen zu überzeugen. Vielleicht käme es sogar so weit, dass er selbst daran glaubte. »Ich habe nachgedacht. Du hättest am vergangenen Samstag Pettijohn ermorden können, bevor du Charleston verlassen hast.«

Sie atmete hastig ein und verschränkte die Arme über dem Bauch, als ob sie plötzlich Magenkrämpfe hätte. »Darüber hast du nachgedacht? Du hast gesagt, der Todeszeitpunkt passt nicht.«

»Weil ich's nicht wollte.«

»Aber jetzt willst du's?«

»Du hast ihn getötet und anschließend unser Rendezvous manipuliert, um dir ein Alibi zu verschaffen.«

»Ich habe dir gestern Nacht erklärt, dass ich Pettijohn nicht getötet habe.«

»Richtig, richtig. Genauso wenig, wie du mit ihm gevögelt hast.«

Erneut fuhr sie herum und wollte gehen. Hammonds Arm schoss vor. Diesmal wehrte sie sich heftiger. »Verdammt! Lass mich los!«

Er drehte sie um und klemmte sie zwischen der offenen Wagentür und dem Auto ein. Um jetzt zu fliehen, müsste sie entweder um ihn herum- oder durch ihn hindurchgehen. Aber vorher musste sie ihn anhören, dazu war er wild entschlossen. »Alex, ich will das alles nicht glauben.«

»Na, danke schön. Was bin ich froh, dass du mich nicht als Hure und Mörderin in Betracht ziehen möchtest.«

»Aber was bleibt mir übrig?«

»Glaub, was du willst, aber lass mich in Ruhe.«

»Trotzdem habe ich die ganze Zeit zu deinen Gunsten gezweifelt, über die Grenzen der Glaubwürdigkeit hinaus. Bis heute Abend.« Er öffnete sein Jackett so weit, dass sie den Umschlag in seiner Brusttasche sehen konnte.

Plötzlich wehrte sie sich nicht mehr. Einen Augenblick starrte sie das Papier an. Er sah ihre Lippen zucken. Es wirkte reumütig. Aber als sie ihn ansah, musste er anerkennend gestehen, dass ihr Blick eine einzige stolze Herausforderung war. »Schlüpfrige Lektüre?«

»Schädigend, sehr schädigend. Mit dieser Munition können sie dich festnageln.«

»Warum stehst du dann hier herum und redest mit mir?«

»Smilow wird sie sich schnappen und losrennen.«

»Dann ruf ihn doch an. Gib sie ihm. Du hast, was du wolltest und wofür du bezahlt hast.«

»Ich gebe dir eine Chance, es zu erklären.«

»Ich nehme stark an, dass es sich selbst erklärt.«

»Soll ich's also nehmen, wie es scheint?«

»Es ist mir scheißegal, wie du's nimmst.«

»Okay, dann werde ich es auf die mir einzig mögliche Art interpretieren.« Er presste seinen Unterleib an sie. »Du bist schon ganz schön herumgekommen, Baby. Das bedeutet es.«

Sie ließ alle Zurückhaltung fahren und versetzte ihm mit beiden Händen einen kräftigen Hieb vor die Brust. »Lass mich los.«

Er gab nicht nach. »Das beweist nur, dass die Geschichte vom letzten Samstag mehr war als nur eine schlichte Verführung.«

»Ich habe dich nicht verführt.«

»Und wie, aber das hatten wir schon mal. Du bist in ein Schwerverbrechen verwickelt und hast mich bewusst mit hineingezogen. Alex, warum? Du hast mich als Staatsanwalt absichtlich in einen Interessenkonflikt gestürzt. Du hast mich zum Teil des Ganzen gemacht, was immer dieses Ganze sein mag.«

»Es gibt kein Ganzes, gab es nie. Nicht, bis Lute Pettijohn tot aufgefunden wurde.«

»War er daran beteiligt?«

»Hörst du denn nicht zu?«, schrie sie.

»War ich das Ziel seiner letzten Intrige? Hat er gerade meinen Sturz geplant, bevor er ermordet wurde?«

»Ich weiß es nicht. Seine Ermordung hat mit mir nichts zu tun.«

»Ich wünschte, das könnte ich glauben. Wir sind uns nicht zufällig begegnet, Alex. So viel hast du zugegeben.«

Sie versuchte, seitlich an ihm vorbeizukommen, aber er blockierte ihren Weg und legte ihr die Hände auf die Schultern. »Du gehst nicht eher, als bis ich die Wahrheit erfahren habe. Woher wusstest du, dass ich auf dem Jahrmarkt sein würde?«

Sie schüttelte den Kopf.

»Woher hast du das gewusst?«

Sie war störrisch und blieb stumm.

»Alex, sag's mir. Woher wusstest du, dass ich dorthin gehe? Das konntest du nicht wissen. Höchstens, wenn –« Plötzlich brach er ab, warf ihr einen durchdringenden Blick zu und packte sie fester an den Schultern.

Ihr Blick sprach Bände.

»Du bist mir dorthin gefolgt«, sagte er leise.

Sie zögerte eine schier endlose Zeit, ehe sie langsam nickte. »Ja, ich bin dir vom Charles Towne Plaza aus gefolgt.«

26

»Du hast die ganze Zeit über gewusst, dass ich dort gewesen bin?«

»Ja!«

»Bei Pettijohn?«

»Wieder getroffen.«

»Und du hast nichts gesagt? Warum?« Unverwandt schaute sie auf sein Jackett. Sie starrte es an, als könne sie durch den Stoff hindurch den Umschlag in der Brusttasche sehen. Sie war wütend, wirkte aber gleichzeitig zutiefst traurig.

»Der Bericht ist scheußlich, kann aber nicht annähernd wiedergeben, wie schlimm es wirklich war. Das kann sich keiner ausmalen, nicht einmal in den kühnsten Träumen.« Ihre Augen trafen seine wieder. »Ich werde auf Grund eines verdammten Berichts verurteilt und nicht auf der Basis dessen, was ich heute bin.«

»Ich möchte nicht –«

»Das hast du bereits«, sagte sie erregt. »Ich erkenne es an der Art, wie du mich anschaust, und höre es aus deinen hässlichen Andeutungen. Nicht wahr, es ist einfach, von deiner erhabenen Position aus ein Urteil zu fällen? Du aus der reichen Familie samt Stammbaum. Hammond, bist du je endlose Tage hungrig gewesen? Hast du gefroren, weil die Rechnung der Stadtwerke nicht bezahlt wurde? Musstest du schmutzig herumlaufen, weil es keine Seife zum Waschen gab?«

Er versuchte, sie in die Arme zu nehmen, aber sie stieß ihn weg. »Nein, bemitleide mich nicht. Manchmal bin ich dafür dankbar, denn es hat mich stark gemacht. Es hat mich zu dem gemacht, was ich bin, hat es mir ermöglicht, Menschen besser zu helfen. Denn mich schockiert nichts von dem, was sie mir erzählen. Ich akzeptiere Menschen und ihre Irrwege voll und ganz. Niemand hat ein Recht, ihr Verhalten abzuurteilen, es sei denn, er wäre in genau derselben Situation gewesen.

Nur wer gehungert und Demütigung ertragen hat und sich selbst für seine Taten gehasst hat. Nur wer so tief gesunken ist, dass er sich selbst für Abschaum hält, für ein Wesen, das keinen Funken Liebe wert ist, besonders nicht die eines Mannes –«

Sie hielt inne und atmete so rasch ein, dass ihre Brust bebte. Dann schnaubte sie durch die Nase und warf trotz der Tränen, die über ihre Wangen liefen, den Kopf zurück. »Angenehme Lektüre, Hammond.«

Damit schob sie ihn beiseite und stolzierte weg, um die Ecke, aus der Gasse. Hammond sah ihr in dem Bewusstsein nach, dass momentan keines seiner Worte sie in ihrem Zorn erreichen würde. Fluchend stützte er den Ellbogen aufs Autodach und legte die Stirn auf den Unterarm. Aber ihm blieben nur wenige Sekunden Erholung. Auf einen unterdrückten Schrei hin riss er den Kopf hoch und herum.

Alex kam in die Gasse zurückgerannt. Ein Mann hinter ihr her. »Er hat ein Messer!«, schrie sie aus Leibeskräften.

Der Angreifer packte sie bei den Haaren und brachte sie abrupt zum Stehen. Als er den Arm hob, sah Hammond Metall aufblitzen. Ohne nachzudenken stürzte er sich auf den Angreifer, rammte ihm die Schulter unter den Brustkorb und brachte ihn aus dem Gleichgewicht.

Um nicht zu fallen, ließ der Mann Alex los, die sofort von ihm weg strebte. Hammond hatte kaum erkannt, dass sie für den Moment außer Reichweite war, da sah er schon einen silbrigen Blitz auf seinen Bauch zielen. Aus reinem Reflex schützte er sich mit dem Arm, den das Schnappmesser vom Ellbogen bis zum Handgelenkknochen aufschlitzte. Unbewaffnet würde er bei einem Messerkampf verlieren. Die einzige Selbstverteidigung, die er kannte, hatte er beim Football gelernt, in dem er sich seinem Vater zuliebe mit blutrünstigem Kampfgeist engagiert hatte.

Instinktiv griff er auf eine Blocktechnik zurück, die fast immer wirkte, solange man sich nicht erwischen ließ und ein Foul dafür kassierte. Er stieß den Kopf nach vorne, als wolle er ihn seinem Angreifer an die Brust rammen, hielt aber kurz vor Körperkontakt inne. Der Straßenräuber reagierte wie erhofft. Er riss den Kopf nach hinten, wodurch Hammond ihm den Vorderarm an den ungeschützten Adamsapfel rammen konnte. Er wusste, das tat höllisch weh und würde den Kerl ein paar kostbare Sekunden lang bewegungsunfähig machen.

»Lauf ins Auto!«, brüllte er Alex zu.

Hammond stieß dem Mann seinen Fuß in den Unterleib, verfehlte aber und traf ihn am Oberschenkel. Obwohl der Tritt keinen echten Schaden anrichtete, erkaufte er sich damit eine weitere halbe Sekunde, in der er rückwärts zum Auto laufen konnte, während er vorne den Messerhieben auswich. Alex war auf der Fahrerseite durch die offene Tür gestiegen und über die Mittelkonsole geklettert. Er fiel buchstäblich auf den Fahrersitz, beugte sich rücklings über die Konsole und stieß dem Kerl seinen Absatz ins Gedärm. Der taumelte rückwärts, konnte aber noch einmal mit der Klinge zustoßen. Hammond hörte, wie der Stoff seiner Hose zerriss.

Mit voller Wucht stürzte er sich auf den Türgriff, zog die Tür zu und drückte den Sperrriegel herunter. Erstaunlich schnell hatte sein Angreifer das Gleichgewicht wieder gefunden und hämmerte unter obszönen Flüchen und Todesdrohungen gegen Fenster und Tür.

Obwohl Hammonds Rechte vor Blut ganz glitschig war, schaffte er es, den Zündschlüssel ins Schloss zu stecken und den Motor anzulassen. Dann drückte er den Schaltknüppel seiner Automatik auf »Fahren« und trat das Gaspedal bis zum Anschlag durch. Mit quietschenden Reifen schoss der Wagen die Gasse entlang und schlitterte, einen breiten Gummiabrieb hinterlassend, auf die Straße hinaus.

»Hammond, du bist verletzt!«

»Und was ist mit dir?« Er nahm den Blick gerade lange genug von der Straße, um kurz zu Alex hinüberzuschauen, die auf dem Beifahrersitz kniete und die Hand ausstreckte, um seinen Arm zu untersuchen.

»Ich bin in Ordnung, aber du nicht.«

Die kläglichen Reste seines rechten Hemdärmels waren blutgetränkt. Es tropfte von seiner Hand aufs Lenkrad, das davon so rutschig wurde, dass er es kaum halten konnte und gezwungen war, mit der Linken zu steuern. Trotzdem verringerte er sein Tempo nicht, sondern überfuhr sogar eine rote Ampel. »Wahrscheinlich hat er Freunde, die uns ausrauben und dann das Auto stehlen. Deshalb muss ich uns so rasch wie möglich aus diesem Viertel bringen.«

»Er wollte nichts stehlen«, sagte sie bemerkenswert gefasst. »Er war hinter mir her, rief mich sogar beim Namen.«

Hammond starrte sie mit offenem Mund an. Kaum hatte er das Fahrzeug wieder unter Kontrolle, sagte sie: »Fahr in die Notaufnahme. Du musst genäht werden.«

Er ließ das Lenkrad gerade so lange los, um sich mit dem linken Ärmel die Stirn abzuwischen. Er schwitzte aus allen Poren. Überall Schweiß: auf dem Gesicht, in den Haaren, Schweißrinnsale auf den Rippen, die sich im Lendenbereich zu kleinen Seen sammelten. Inzwischen war der Adrenalinschub aufgebraucht. Erst jetzt wurde ihm mit voller Wucht bewusst, was geschehen war und was hätte passieren können. Er und Alex hatten Glück, dass sie noch am Leben waren. *Himmel, sie hätte getötet werden können.* Schon der bloße Gedanke daran, wie knapp sie dem Tode entronnen war, machte ihn schwach und zittrig.

Als sie sich der ersten größeren Straßenkreuzung näherten, musste er gezwungenermaßen an einer Ampel anhalten. Durch tiefes Einatmen versuchte er, das Geräusch zu verdrängen, das in seinem Kopf wie ein Bienenschwarm summte.

»Auch dein Bein blutet, aber wirklich Sorgen macht mir dein Arm«, sagte Alex. »Glaubst du, er hat den Muskel getroffen?« Grün. Hammond stieg aufs Gaspedal. Wie ein junger Hengst, der aus dem Korral schießt, machte der Wagen einen Satz vorwärts und war binnen Sekunden schneller als die erlaubten Kilometer. Nur wenige Straßenblöcke voraus konnte er schon den Krankenhauskomplex sehen.

»Hammond, bist du in Ordnung?«

Alex' Stimme schien wie aus weiter Ferne in Wellen zu ihm zu dringen. »Mir geht's gut.«

»Kannst du den restlichen Weg noch fahren?«

»Hmm.«

»Ich glaube nicht. Halt hier an, lass mich fahren.«

Er versuchte, ihr zu sagen, dass mit ihm alles in Ordnung sei, konnte aber die Wörter nicht voneinander trennen. Es hörte sich wirr und unverständlich an.

»Hammond? Hammond? Du musst hier abbiegen. Die Notaufnahme –«

»Nein.«

»Du verlierst viel Blut.«

»Du bist Ärztin.« Lieber Gott, war seine Zunge dick geworden.

»Du brauchst eine andere«, rief sie. »Du brauchst ein Krankenhaus. Eine Tetanusspritze. Vielleicht sogar Blutkonserven.« Er schüttelte den Kopf und nuschelte: »Zu mir.«

»Bitte, sei vernünftig.«

»Wir zwei…« Er schaute zu ihr hinüber und schüttelte den Kopf. »Sitz'n in'er Patsche.«

Einige Sekunden kämpfte sie unentschlossen mit sich, ehe sie offensichtlich zum selben Schluss kam, denn sie streckte den Arm hinüber und übernahm das Steuer, das von seinem Blut triefte.

»In Ordnung, aber ich fahre.«

Sie schaffte es, das Auto in die Parkbucht zu lenken und abzustellen. Mit einiger Mühe und sachtem, aber nachdrücklichem Drängen gelang es ihr, Hammond dazu zu bringen, die Plätze zu tauschen. Sie stieg aus, ging ums Auto herum, öffnete seine Tür und half ihm heraus. Wacklig stand er auf den Beinen. Sie verstaute ihn auf dem Beifahrersitz und steckte den Sicherheitsgurt fest. Kaum saß er, lehnte er den Kopf zurück und schloss die Augen.

Sie konnte es nicht zulassen, dass er ohnmächtig wurde. »Hammond, wo wohnst du?« Sie griff nach seinem Handy und begann zu wählen. »Hammond!«

Er nuschelte eine Adresse. »Gegenüber vom Jachthafen. Gerade…«

Er drehte das Kinn in die richtige Richtung. Gott sei Dank kannte Alex die Straße, die nur wenige Blöcke entfernt lag. Binnen Minuten könnte sie ihn dort haben.

Dr. Douglas Man zu einem Hausbesuch zu überreden, war eine andere Sache.

Wie ein Wunder hatte sie sich seine Privatnummer gemerkt. Beim zweiten Läuten hob er ab. »Doug, hier ist Alex. Gott sei Dank erreiche ich dich.« Während sie fuhr, erklärte sie ihm die Situation, allerdings ohne ihm zu erzählen, dass der Überfall kein Zufall gewesen war.

»Klingt, als bräuchte er ein Krankenhaus.«

»Doug, bitte, du wolltest mir doch einen Gefallen tun.«

Widerwillig erkundigte er sich nach der Adresse, die sie ihm gab, während sie gerade in Hammonds Straße einbog. »Wir sind inzwischen hier. Komm, so schnell du kannst.« Die Fernbedienung zum Öffnen von Hammonds Garage steckte an der Sonnenblende. Sie öffnete das Garagentor, schloss es aber sofort nach dem Abstellen des Motors wieder hinter ihnen.

Sie stieg aus und lief um die Motorhaube herum zur Beifahrerseite. Hammonds Augen waren noch immer geschlossen. Er war blass. Als sie ihn zu wecken versuchte, stöhnte er. »Es wird nicht einfach, aber ich muss dich reinschaffen. Kannst du deine Beine herausschwenken?«

Er bewegte sich, als wöge er tausend Kilo, aber er schaffte es. Sie schob ihm die Hände unter die Achseln. »Liebling, steh auf und lehn dich gegen mich.«

Er tat es, aber von der Bewegung schmerzte sein rechter Arm. Er jaulte auf. »Tut mir Leid.« Sie meinte es ehrlich.

Es war, als müsste sie eine dreiundachtzig Kilo schwere Stoffpuppe bewegen. Seine Koordinationsfähigkeit war im Eimer. Trotzdem folgte er ihren Anweisungen, bis es ihr gelang, ihn aus dem Auto zu bugsieren und auf die Füße zu stellen. Sie stützte ihn, während sie auf die Hintertür zuschlurften. »Ist die Tür versperrt? Werden wir Alarm auslösen?«

Er schüttelte den Kopf.

Sie verfrachtete ihn in die Küche. »Wo ist das nächste Badezimmer?«

Er deutete mit der linken Hand darauf. Das kleine Bad lag, soweit sie sah, in einem kurzen Gang zwischen Küche und Wohnzimmer. Behutsam setzte sie ihn auf den Toilettendeckel und schaltete das Licht ein. Zum ersten Mal konnte sie seine Wunden klar erkennen.

»O mein Gott.«

»Alles in Ordnung.«

»Nein, ist es nicht.« Am Arm war die Haut aufgeschlitzt. Da über die gesamte Schnittlänge Blut herausquoll, konnte man kaum feststellen, wie tief die klaffende Wunde war. Sie machte sich sofort an die Arbeit. Zuerst zog sie sein Jackett aus, dann riss sie seinen Hemdsärmel bis zur Schulternaht auf, zerrte Handtücher und Waschlappen von den Zierhaken, wickelte sie um seinen Vorderarm und zog sie so fest, dass sie Kompressen bildeten, die hoffentlich die Blutung stoppen würden.

Anschließend kniete sie sich vor ihn hin und versuchte, auch das Hosenbein einzureißen, aber der Stoff war zu kräftig. Ungeduldig schob sie es hoch bis übers Knie. Der Schnitt im Schienbein war zwar nicht so tief wie der am Arm, blutete aber genauso. Einen Großteil hatte seine Socke aufgesogen. Sie drehte den leeren Abfalleimer um und legte seinen Fuß darauf, dann umwickelte sie das Schienbein wie zuvor den Arm mit Handtüchern.

Sie stand auf, schob sich mit blutiger Hand die Haare zurück und schaute auf ihre Armbanduhr. »Wo bleibt er denn? Inzwischen sollte er längst hier sein.«

Hammond griff nach ihrer Hand. »Alex?«

Sie bezähmte ihre Unruhe und schaute zu ihm hinunter. »Er hätte dich töten können«, rasselte er.

»Hat er aber nicht. Ich bin hier.« Sie drückte seine Hand.

»Warum hast du's ihnen nicht gesagt?«

»Dass du bei Pettijohn warst?«

Er nickte.

»Weil ich beim ersten Verhör dachte, du hättest ihn getötet.« Er wurde noch eine Spur blasser im Gesicht. »Du dachtest –«

»Hammond, ich kann das jetzt nicht alles erklären. Die Sache ist viel zu verwickelt. Außerdem ist zweifelhaft, ob du dich, angesichts deines jetzigen Zustands, später überhaupt daran erinnern würdest. Es genügt, wenn ich dir sage, dass ich zuerst zu meinem Selbstschutz gelogen habe. Aber als ich erfuhr, dass Pettijohn durch Schüsse gestorben ist, habe ich weitergelogen, um…«

Er blinzelte und schaute sie fragend an.

»…dich zu schützen.«

Es klingelte. Sie löste ihre Hand. »Der Arzt ist da.«

Verwirrt erwachte er mit ihrem Namen auf den Lippen. Da war etwas, was er ihr sagen musste, etwas ganz Wichtiges. Darüber mussten sie reden. »Alex.« Seine krächzende Stimme alarmierte ihn. Er wollte schon aufstehen, als ihm sein steifer Arm alles wieder in Erinnerung rief.

Er öffnete die Augen. Er lag auf seinem eigenen Bett. Im Zimmer war es bis auf eine kleine Tischlampe aus dem Flur, die nun im Schlafzimmer eingesteckt war, dunkel.

»Hier bin ich.«

Sie tauchte neben dem Bett auf, beugte sich über ihn und legte ihm die Hand auf die Schulter. Während er geschlafen hatte, hatte sie geduscht und sich die Haare gewaschen. Nun war sie nicht mehr voll Blut und hatte ihre Kleidung mit einem seiner ältesten und weichsten T-Shirts vertauscht. Genau wie in der Waldhütte.

»Wenn du willst, kannst du jetzt wieder eine Schmerztablette nehmen.«

»Alles in Ordnung.«

»Möchtest du einen Schluck Wasser?« Er verneinte.

»Dann schlaf weiter.«

Sie zog das Betttuch über seiner nackten Brust zurecht, aber als sie sich entfernen wollte, legte er seine Hand auf ihre und drückte sie an seine Brust. »Wie viel Uhr ist es?«

»Kurz nach zwei. Du hast mehrere Stunden geschlafen.«

»Wer war dieser Arzt?«

»Ein Freund von mir, ein guter Freund. Wir können ihm trauen.«

»Bist du sicher?«

»Drücken wir's mal so aus: Wir haben uns gegenseitig berufliche Gefallen erwiesen. Er hat mir schwer zugeredet, dich in die Notaufnahme zu bringen, aber ich habe mich gegen ihn durchgesetzt.«

»Mit welcher Behauptung?«

»Dass du dir das Getue beim Ausfüllen eines Polizeiberichts ersparen möchtest.«

»Und damit hat er sich zufrieden gegeben?«

»Nein. Er hat heute Morgen vor meinem Haus Smilow und seine Truppe gesehen. Er weiß, dass irgendetwas nicht stimmt. Aber ich habe ihm keinen Spielraum für Argumente gelassen. Wenn es deine Wunden erfordert hätten, hätte ich selbst auf dem Krankenhaus bestanden, ohne Rücksicht auf die Situation. Aber nach dem Reinigen war ich sicher, dass er sie auch hier behandeln konnte. Vermutlich bist du hier besser verarztet worden als im Krankenhaus. Jedenfalls wesentlich zügiger.«

»Ich kann mich nur ganz verschwommen an ihn erinnern.«

»Er hat dir eine Spritze gegeben, die dich mehr oder weniger flachgelegt hat, deshalb überrascht es mich nicht, dass du nicht mehr viel weißt. Du hast ziemlich unter Schock gestanden. Das hat dich erschöpft. Außerdem hat dich der Blutverlust geschwächt.« Lächelnd strich sie ihm über die Stirn. »Wir hatten ganz schön Mühe, dich die Treppe hochzubringen. Ich wünschte, wir hätten ein Video davon. Wir könnten es bei *Verstehen Sie Spaß?* einreichen.«

»Werde ich meinen Arm behalten?«

Sie ging auf seinen Scherz ein und erwiderte mit ernster Miene:

»Zuerst wollte er ihn abnehmen, was ich aber nicht zuließ. Ich habe mich mit vollem Körpereinsatz dazwischen geworfen.«

»Danke.«

»Gern geschehen. In Wahrheit ging die Wunde nur bis knapp unter die Haut. Mehrere Hautschichten waren verletzt, aber weder Muskel noch Nerven, Gott sei Dank. Dein Bein musste gar nicht genäht werden. Er meinte, das würde von selbst innerhalb weniger Tage heilen. Er hat dir eine Tetanusspritze gegeben und eine riesige Menge Antibiotika gespritzt. Dein Po wird ganz schön wund werden. Er hat ein paar Antibiotika zum Einnehmen und Schmerztabletten dagelassen, von denen du alle vier Stunden eine nehmen kannst.«

Sein verbundener rechter Arm lag auf einem Kissen. »Er fühlt sich zwar wie Blei an, tut aber nicht weh.«

»Da stecken jede Menge lokale Betäubungsmittel drin. Sobald die abklingen, setzt der Wundschmerz ein. Morgen wirst du über die Schmerztabletten noch froh sein. Nächste Woche kannst du die Fäden ziehen lassen. Bis dahin solltest du den Arm in der Schlinge lassen, möglichst hoch lagern und vermeiden, dass er nass wird.«

»Ich war doch ganz voll Blut.«

»Ich habe dich im Bett gewaschen.«

»Schade, dass ich das verpasst habe.« Er grinste, obwohl er Mühe hatte, die Augen offen zu halten.

»Ich habe auch dein Auto und das Bad geputzt. Kein Fleck mehr zu sehen.«

»Du bist ein gütiger Engel.«

»Nur bis zu einem bestimmten Punkt. Eigentlich sollte ich jetzt unten die Handtücher waschen.«

»Wirf sie einfach weg.«

»Ich dachte mir schon, dass du so etwas sagen würdest, deshalb habe ich genau das getan. Außerdem bin ich lieber hier oben, um auf dich aufzupassen.« Zärtlich kämmte sie mit den Fingern seine Haare.

Auf der Suche nach einer bequemeren Position veränderte er leicht seine Lage. Aber selbst bei dieser winzigen Bewegung zuckte er zusammen.

»Ich werde dir noch eine Tablette holen.«

Diesmal widersprach er nicht. Er war fast schon wieder eingeschlafen, als sie ihm eine Tablette in den Mund drückte. Anschließend bettete sie seinen Kopf in ihre Armbeuge, richtete ihn leicht auf und setzte ihm ein Glas Wasser an die Lippen. Er schluckte die Tablette.

Als sie seinen Kopf wieder aufs Kissen senken wollte, wehrte er sich und schmiegte sich stattdessen an ihren Busen, der sich unter dem weichen T-Shirt voll und einladend anfühlte. Seine Lippen schlossen sich um eine Brustwarze.

»Du musst schlafen«, flüsterte sie, wobei sie ihn sachte wieder aufs Kissen schob.

Obwohl er protestierend seufzte, fielen ihm automatisch die Augen zu. Er spürte ihren leichten Kuss auf seiner Augenbraue. Und noch etwas anderes. Als er die Augen wieder öffnete, sah er ihre Tränen. Während er sie ansah, fiel eine auf sein Gesicht.

Reumütig sagte er: »Weinst du wegen dieses gottverdammten Berichts? Und wegen meines Benehmens? Himmel, Alex, es tut mir Leid.« Und das tat es ihm auch. Alles. Ihre schreckliche Kindheit und Jugend und seine frömmlerische Reaktion darauf. »Ich habe mich wie ein Arschloch benommen.«

Sie schüttelte den Kopf. »Du hast mir das Leben gerettet. Du wurdest meinetwegen verletzt. Wenn ich nicht gewesen wäre –«

»Schsch.« Er streckte die linke Hand über seinen Körper und berührte ihre Wange. Sie hielt seine Hand fest, drückte sie an ihre Brust, beugte sich darüber und küsste immer wieder die vorstehenden Knöchel.

»Hammond, ich hatte solche Angst.« Ihre Lippen bewegten sich an seiner Hand. Sie drückte die Rückseite gegen ihre tränenfeuchte Wange. »Du bist meinetwegen verletzt worden. Und so wird es auch weitergehen.«

Mit letzter Kraft kämpfte er darum, wach zu bleiben, denn dies war wichtig. »Alex… Ich liebe dich.«

Sie ließ seine Hand los, als ob sie sich verbrannt hätte. »Was?«

»Ich liebe –«

362

»Nein, Hammond, tust du nicht«, rief sie leise und doch bestimmt. »Sag so etwas nicht. Du kennst mich nicht einmal.«

»Ich kenne dich.« Für ein paar kostbare Sekunden machte er die Augen zu, um sich zu erholen, und versuchte, Energie für das zu sammeln, was er sagen wollte. »Ich habe dich geliebt. Von…« *…von der ersten Nacht an, in der ich dir begegnet bin. Als ich dich auf der anderen Seite der Tanzfläche sah, warst du mir sofort vertraut.*

Diese Worte dachte er, ohne sicher zu sein, ob er sie auch tatsächlich laut ausgesprochen hatte. Mit einem traurigen Lächeln schlug er die Augen auf und richtete den Blick auf ihr Gesicht. »Warum musste alles so ein Scheißdurcheinander sein?«

Sie leckte sich eine Träne aus dem Mundwinkel, öffnete den Mund zum Sprechen, konnte aber die Worte nicht finden. Für sie musste es genauso verwirrend sein wie für ihn. Obwohl er zum ersten Mal in seinem Leben wirklich verliebt war, konnte es falscher nicht sein.

Er klopfte links neben sich aufs Bett.

Sie schüttelte verneinend den Kopf. »Ich könnte dir wehtun.«

»Leg dich hin.«

Sie zögerte nur noch einen winzigen Augenblick, dann ging sie auf die andere Seite des Betts und schlüpfte zu ihm. Die einzige Berührung war ihre Hand auf seiner Brust. »Näher kann ich nicht kommen, sonst stoße ich vielleicht gegen dein Bein.«

Es gab noch viel mehr, was er sagen wollte, und vieles, worüber sie sprechen mussten, aber inzwischen zeigte die Tablette ihre Wirkung. Dass er sie in der Nähe hatte, war schon ein kleiner Trost, den er genießen wollte. Aber dann glitt er gegen seinen Willen ins Vergessen hinüber.

Einige Zeit später wachte er auf. Teilweise. Nicht ganz. Er wollte nicht ganz aufwachen. Er hatte keine Schmerzen. Eigentlich fühlte er sich ganz unglaublich. Gutes Zeug, diese Schmerztabletten.

Neben ihm bewegte sich Alex. Er spürte, wie sie sich aufsetzte. »Hammond, bist du wach?«

»Hmm.«

»Kann ich dir etwas bringen?«

Er nuschelte etwas, das sie wohl als »nein« verstanden hatte, denn sie legte sich wieder hin. Trotzdem stieß er wenige Sekunden später etwas hervor, das er nicht einmal selbst verstand.

»Pardon?« Ihr Kopf kam hoch. Wenigstens bildete er es sich ein. Er hatte immer noch die Augen geschlossen. »Hammond?« Besorgt legte sie ihm die Hand auf die Brust. »Hast du Schmerzen? Möchtest du einen Schluck Wasser?«

Er legte seine Hand über ihre und schob sie unter die Bettdecke.

Danach schwebte er wieder in einen Zustand zwischen Traum und Wirklichkeit zurück, der seine besten schmutzigen Träume übertraf. Wie in einem erotischen Märchen brauchte er selbst nichts zu tun. Er musste lediglich die Kontrolle fahren lassen und sich seinen Sinnen hingeben. Lass es geschehen. Geh mit der Flut. Lass dich auf sachte anschwellenden Gefühlswogen treiben.

Alles steigerte sich köstlich langsam. Sie unterlagen keinem Zeitplan, keiner Frist. Es gab kein Drängen und keine Konsequenzen. Träume blieben so herrlich folgenlos.

Er bemerkte, wie sie eine neue Position einnahm, aber trotz einiger zarter Küsse war er nicht so recht auf die feuchte Hitze vorbereitet, die ihn umfing. Ein so sinnliches Streicheln hatte er noch nie erlebt. Er hielt den Atem an und sog die Erregung in sich ein. Sein ganzer Körper ruhte schwer in der Matratze und aalte sich in sexueller Trägheit wie in einem warmen Bad. Instinktiv bewegte er die Hand, streckte sie aus, suchte, fand. Weichheit. Seidig, geheimnisvoll. Zentrum des Universums. Herzschlag der Menschheit. Weg zum Leben.

Er musste die Finger nur leicht bewegen, um kleine erregende Feuerwerke auszulösen. In seinem Daumenballen saß uraltes Wissen, das Geschenk einer einzigartigen Berührung, die ihr leises Stöhnen entlockte. Keine hörbaren Laute, eher Schwingungen in ihrem Mund, die sich wieder auf ihn übertrugen.

Dieser lebendige Traum, dieses Vergessen, war so zauberhaft, dass er nicht daraus auftauchte, nicht einmal nach einem langsam aufsteigenden Orgasmus, der ihn in dem Gefühl zurückließ, er habe sich aufgelöst.

An den Rändern seines Bewusstseins lauerte etwas Bedrohliches und Hässliches, aber er weigerte sich, es zur Kenntnis zu nehmen. Nicht jetzt. Nicht heute Nacht. Morgen.

Hammonds Morgen begann drei Stunden später mit einem Aufschrei. »Lieber Himmel!«

DONNERSTAG

27

Steffi schrie noch immer, während sie die Treppe hinaufraste und in Hammonds Schlafzimmer platzte, wo sie ihn kerzengerade im Bett sitzend fand. Er hielt den Kopf zwischen den Händen und sah aus, als wäre er einem Herzinfarkt nahe.

»Ich dachte, man hätte dich ermordet. Beim Anblick der blutigen Handtücher –«

»Verdammt noch mal, Steffi, deinetwegen hätte ich fast einen Herzanfall bekommen.«

»Du? Ich! Bist du in Ordnung?«

Ängstlich wanderten seine Blicke durchs Zimmer, als suche er etwas. »Wie spät ist es? Was machst du hier? Wie bist du hereingekommen?«

»Ich habe noch immer einen Schlüssel, aber das ist nicht wichtig. Was ist mit dir passiert?«

»Ähm…« Er warf seinem verbundenen Arm einen Blick zu, als sähe er ihn zum ersten Mal. »Ich, äh, bin gestern Abend überfallen worden.« Er deutete auf die Kommode. »Bring mir eine Unterhose, ja?«

»Überfallen? Wo?« Seine Boxershorts lagen in der zweiten Schublade von oben. Sie reichte ihm eine. Er schwang die Beine über die Bettkante.

»Dein Bein ist auch verletzt?«

»Ja, aber nicht so schlimm wie der Arm.« Er bückte sich, stieg in die Shorts und zog sie bis zur Hüfte. Vor dem Aufstehen warf er ihr einen bedeutsamen Blick zu.

»Ach, Hammond, um Himmels willen, ich kenne das Ding.«

Er warf die Decke zurück, stand auf und zog die Hose ganz

hoch, dann griff er nach der Wasserflasche auf dem Nachttisch und leerte sie in einem Zug.

»Wirst du mir jetzt erzählen, was passiert ist?«

»Wie gesagt, ich wurde –«

»Überfallen. Das habe ich schon kapiert. Was ist mit deinem Arm?«

»Aufgeschlitzt. Mein Bein auch.«

»Mein Gott, der hätte dich töten können. Wo bist du denn gewesen?« Als er es ihr sagte, meinte sie: »Nun, kein Wunder. Was hast du denn da gemacht?«

»Erinnerst du dich noch an Loretta Boothe?«

»Die Säuferin?«

Stirnrunzelnd nickte er. »Sie ist nüchtern und möchte wieder als Privatdetektivin arbeiten. Sie hat mich um ein Treffen in einem ihrer Stammlokale gebeten. Auf dem Rückweg zum Auto hat mich dieser Kerl angesprungen. Ich habe mich gewehrt. Da hat er mit seiner Klinge unbekümmert losgelegt. Ich konnte ihn mir so lange vom Leib halten, bis ich wieder im Auto saß. Dann bin ich heimgefahren und habe einen Arzt angerufen. Er hat den Arm genäht.«

»Hast du die Polizei benachrichtigt?«

»Ich hatte keine Lust auf eine Standpauke. Aber die werde ich jetzt sowieso bekommen, von dir.«

»Warum bist du nicht ins Krankenhaus?«

»Aus demselben Grund.« Er humpelte Richtung Bad, wobei er sich auf sein linkes Bein stützte. »So schlimm war's ja nicht.«

»Nicht so schlimm! Hammond, unten liegt ein ganzer Müllsack voll blutgetränkter Handtücher.«

»Sieht viel schlimmer aus, als es ist. Ich habe die ganze Nacht nur zwei Schmerztabletten gebraucht. Würdest du, bitte…?« Sie war ihm ins Bad gefolgt.

Sie ging hinaus, und er machte die Tür zu, aber sie brüllte hindurch: »Ich hab dich auch schon mal pinkeln gesehen.«

Dann begab sie sich wieder zum Bett und setzte sich auf die Stelle, an der er vorher gesessen hatte. Außer der inzwischen leeren Mineralwasserflasche und einem Glas lagen auf dem

Nachttisch eine Standardarmbinde und ein Plastikröhrchen mit Tabletten, ein Ärztemuster. Der Name des Arztes stand nicht darauf.

Hammond kam aus dem Bad, hinkte zu ihr hinüber und drängelte sie vom Bett, dann zog er die Daunendecke über die Laken. »Seit wann bist du so pingelig?«, fragte sie.

»Seit wann bist du so neugierig?«

»Findest du nicht, dass ich ein Recht darauf habe? Hammond, das Erste, was ich beim Hereinkommen sehe, ist ein Sack blutiger Handtücher. Schimpf mich sentimental, aber ich habe mich tatsächlich gefragt, ob mein Kollege – ganz zu schweigen von meinem Ex-Freund, für den ich immer noch liebevolle Gefühle hege – einem Axtmörder zum Opfer gefallen ist.«

Skeptisch zog er eine Augenbraue hoch. »Der anschließend sauber macht?«

»Einige dieser Jungs leiden unter Putzzwang. Aber du umgehst den springenden Punkt.«

»Nein, Steffi, tu ich nicht. Du warst um mein Wohlbefinden besorgt. Im umgekehrten Fall hätte ich ähnlich reagiert. Aber wie du siehst, bin ich noch am Leben. Kreuzlahm, mit blauen Flecken und zerschunden, aber am Leben. Nach einer heißen Dusche und ein paar Tassen noch heißeren Kaffees werde ich mich noch viel besser fühlen.«

»Mein Stichwort zum Abtreten?«

»Du hast es kapiert!«

Ihr Blick wanderte zu dem Verband an seinem rechten Unterarm. »Wer war der Arzt?«

»Kennst du nicht. Ein alter Collegefreund. War mir einen Gefallen schuldig.«

»Wie heißt er?«

»Welchen Unterschied macht das? Du kennst ihn nicht.«

»Hmm.«

»*Was?*«

»Nichts.«

»Schieß los.«

»Warum willst du nicht Anzeige erstatten?«

»Weil's der Mühe nicht wert wäre. Der Kerl hat nichts mitgenommen.«

»Er hat dich mit einer tödlichen Waffe überfallen.«

Mit äußerst beunruhigter Miene erklärte er ihr, als ob sie begriffsstutzig sei: »Eine Meldung hätte nichts bewirkt. Ich konnte den Typen nicht identifizieren, ehrlich, ich weiß nicht mal, ob er weiß oder schwarz oder ein Südamerikaner war, ob groß oder klein, dünn oder fett, mit Haaren oder mit Glatze. Es war dunkel. Es ging alles blitzschnell, und das Einzige, was ich wirklich gesehen habe, war dieses Schnappmesser, das auf mich losging. Das hat wirklich Eindruck auf mich gemacht, und deshalb bin ich so schnell wie möglich abgehauen.

Es wäre Zeitverschwendung, der Polizei diese Episode noch einmal vorzukauen. Sie legen eine Akte an, und das war's dann schon. Die haben Besseres zu tun, und ich auch.« Mit einer Grimasse bettete er den rechten Arm auf dem linken. »Würdest du jetzt bitte gehen, damit ich duschen und mich anziehen kann?«

»Brauchst du Hilfe?«

»Danke, aber ich schaffe das schon.«

»Warum nimmst du nicht den Tag frei? Ich könnte gegen Mittag herüberkommen, dir etwas zu essen kochen und dann erzählen, was wir aus diesem Kerl herausbekommen haben.«

Hammond zog die Schublade mit den T-Shirts heraus. Sie hatte ihn oft wegen seiner Sammlung halb verschlissener T-Shirts geneckt, die er daheim am liebsten trug. Er nahm das oberste vom Stapel. Muss ein echtes Lieblingsstück sein, dachte sie, denn er drückte es lächelnd ans Gesicht und atmete seinen Geruch ein. »Welcher Kerl?«

»Hab ich dir ja noch gar nicht erzählt!« Sie schlug sich gegen die Stirn. »Bei deinem Anblick habe ich glatt vergessen, warum ich eigentlich gekommen bin. Ich war gerade auf dem Weg zur Arbeit, da rief mich Smilow auf meinem Handy an. Im Stadtgefängnis sitzt ein Kerl.«

Dabei entging ihr, wie sehr ihn das T-Shirt faszinierte. Er drückte es noch immer an sich und meinte geistesabwesend: »Im Stadtgefängnis sitzen jede Menge Kerle.«

»Aber nur einer behauptet, Alex Ladds Bruder zu sein.«

Hammond fuhr herum, sein Gesicht kalkweiß. Steffi vermutete hinter dem plötzlichen Erbleichen eine Schmerzattacke. Beim abrupten Umdrehen war er mit dem Ellbogen seines verletzten rechten Arms gegen die offene Schublade angestoßen. Um nicht zu fallen, streckte er den linken Arm aus.

»Hammond, schon den Gedanken, dass du heute ins Büro gehst, halte ich für Wahnsinn. Sieh dich doch an, du kannst dich kaum auf den Beinen halten und bist weiß wie ein Laken. Dein Arm –«

»Vergiss meinen gottverdammten Arm.«

»Brüll mich nicht an.«

»Dann hör auf, mich zu bemuttern.«

»Du bist verletzt.«

»Mir geht's gut. Was ist mit diesem Kerl?«

»Er heißt Bobby Turnbull. Nein, so heißt er nicht. So ähnlich.«

»Weswegen sitzt er?«

»Soweit kam Smilow gar nicht, da hatte ich schon aufgelegt und bin sofort hierher.«

»Was hat er –«

»Hammond, ehrlich! Du redest von Standpauke. Ich weiß nur, dass dieser Trimble – so heißt er, Bobby Trimble. Er wurde gestern Nacht verhaftet. Sein einziger erlaubter Telefonanruf galt Alex Ladd. Sie war nicht zu Hause. Einer der Polizisten drüben in der Anstalt hat aufgepasst und wurde bei diesem Namen hellhörig. Da er wusste, dass sie mit dem Pettijohn-Mord in Verbindung stand, hat er Smilow benachrichtigt.«

Hammond legte das T-Shirt wieder in die Schublade und drückte sie mit einem Knall zu. »Wenn ich's recht überlege, warte ich doch noch einen Moment. Mit dem Arm in der Schlinge kann ich schlecht fahren, also spiele ich bei dir Anhalter. Gib mir fünf Minuten.«

Während er sich fertig machte, ging Steffi hinunter, um Smilow anzurufen und ihm zu erzählen, weshalb sie spät dran war.

»Überfallen?«

»Das behauptet er.«

Nach kurzer Pause fragte Smilow: »Hast du Grund, an ihm zu zweifeln?«

»Nicht wirklich. Es ist nur…« Nachdenklich starrte sie auf den Eingang zur Gästetoilette, den ein prall gefüllter Sack mit blutdurchtränkten Handtüchern versperrte. »Es ist nur ganz und gar untypisch, dass unser Meister für Recht und Ordnung einen Überfall mit einem Messer so mir nichts, dir nichts abtut. Er hat versucht, seine Verletzungen herunterzuspielen, obwohl er aussieht, als hätte er fünfzehn Runden mit einem Grisli im Ring verbracht.«

»Vielleicht geniert er sich nur für seinen Leichtsinn.«

»Vielleicht. Jedenfalls sind wir in fünfzehn Minuten da.«

Hammonds lahme Entschuldigung, warum er sich nicht im Krankenhaus hatte behandeln lassen, erwähnte sie nicht. Der »alte Collegefreund« war eine fadenscheinige Lüge. Und im Lügen war Hammond noch nie gut gewesen. Diesbezüglich sollte er bei Alex Ladd Nachhilfe nehmen. Offensichtlich bewunderte er die Vorliebe der Dame für…

Steffis Gehirn stieg ruckartig auf die Bremse.

Während sie mit blinden Augen ins Leere starrte, bombardierten undenkbare Gedanken ihr Bewusstsein, die mit Lichtgeschwindigkeit darin umhersausten. Jeder Versuch, sie dingfest zu machen, glich einer Jagd auf Kometen.

Hammond kam die Treppe heruntergepoltert.

Sie stieß an der Wohnungstür zu ihm. Vorher hatte sie noch heimlich eines der blutigen Handtücher aus dem Müllsack gerissen und in ihre Umhängetasche gesteckt.

Bobby Trimble hatte eine Heidenangst. Aber lieber würde er sich die Zunge abbeißen, als denen seine Furcht zu zeigen. Scheißbullen.

Diese verdammte Situation verdankte er einer mausgrauen übergewichtigen alten Jungfer, einer Lehrerin! Dass ein derart leichtes Opfer ihn hatte zu Fall bringen können, beleidigte seinen Stolz. Sie war nicht die geringste Herausforderung für ihn gewesen. Ihre Verführung bestand aus langweiliger Routine. Die ganze

Zeit über hatte er sich nur mit Mühe wach halten können. Er musste sich zwingen, nicht einzuschlafen.

Wer hätte gedacht, dass sich diese Vogelscheuche im wahrsten Sinne des Wortes als Femme fatale entpuppen würde?

Gestern Abend war er auf dem besten Weg gewesen, bei einer verwitweten Lady aus Denver mit scheinwerfergroßen Diamanten an Ohren und Händen einen Volltreffer zu landen. Damit hätte er sich für lange Zeit einen luxuriösen Lebensstil leisten können. Vom ersten Moment an hatte sie einen geilen Sinn für Humor und Abenteuer erkennen lassen, auf den er sofort eingegangen war. Er hatte gerade die Hände unter ihren Rock geschoben und ihr sämtliche anatomischen Details des steifen Schwanzes geschildert, den sie bei ihm auslöste, als ihn von hinten zwei Bullen unter den Armen packten und aus dem Nachtclub zerrten.

Draußen hatten sie ihn mit gespreizten Beinen gegen die Motorhaube des Streifenwagens gelehnt, durchsucht und ihm wie einem gewöhnlichen Kriminellen nach Verlesen seiner Rechte Handschellen angelegt. Aus dem Augenwinkel hatte er ganz in der Nähe die Lehrerin aus Indiana stehen sehen, die in der einen Hand ein Paar Lacklederschuhe hielt.

»Verdammtes Miststück«, stieß er in dem Moment hervor, als die Tür aufschwang.

»Was soll das, Bobby? Haben Sie was gesagt?«

Der Kerl kam ihm irgendwie bekannt vor, obwohl ihn Bobby nicht einordnen konnte. Wie er so mit langen Schritten den Raum betrat, wirkte er groß, ohne es wirklich zu sein. Er trug einen Dreiteiler, den Bobby sofort als erstklassig einstufte. Auch sein Aftershave roch teuer.

Er schüttelte Bobbys Pflichtverteidiger die Hand, einem Kerl namens »Heinz, wie das Ketschup«, einem typischen Verlierer. Bislang war sein einziger Rat an Bobby gewesen, er solle die Schnauze halten, bis man wüsste, was hier gespielt würde. Anschließend hatte er sich ans andere Ende des Tischchens gesetzt und sein Gähnen höflich hinter vorgehaltener Hand versteckt. Beim Eintreten dieses Mannes setzte er sich auf und versuchte, schlau aus der Wäsche zu gucken.

Nachdem er Bobby gegenüber Platz genommen hatte, stellte er sich als Detective Rory Smilow vor. Bobby traute seinem Lächeln genauso weit, wie ein Maulwurf sehen kann. Er sagte: »Bobby, ich bin hier, um Ihnen das Leben gewaltig zu erleichtern.«

Auch diesem Versprechen misstraute Bobby. »Tatsächlich? Dann können Sie sich ja zuerst mal meine Version der Geschichte anhören. Dieses Miststück lügt.«

»Sie haben sie nicht vergewaltigt?«

Bobbys Gesichtszüge sackten zusammen, während sich sein Schließmuskel verkrampfte. »Vergewaltigt?«

»Mr. Smilow, mein Mandant und ich hatten den Eindruck, hier ginge es um Handtaschendiebstahl. In Miss Rogers' Anzeige steht nichts von Vergewaltigung«, merkte Heinz nervös an.

»Sie bespricht das gerade mit einer Polizistin«, erläuterte Smilow. »Es war ihr zu peinlich, das Delikt in allen Details mit den männlichen Beamten zu besprechen, die die Verhaftung vorgenommen haben.«

»Sollte sie auf Vergewaltigung plädieren, müsste ich mich mit meinem Mandanten eingehend beraten.«

Bobby, der sich von seinem anfänglichen Schock wieder erholt hatte, musterte seinen Anwalt verächtlich. »Da gibt es nichts zu beraten. Ich habe sie nicht vergewaltigt. Alles geschah im gegenseitigen Einverständnis.«

Smilow öffnete eine Akte und überflog den schriftlichen Bericht. »Sie haben sie in einem Nachtclub aufgelesen. Nach Miss Rogers' Aussage haben Sie sie abgefüllt und absichtlich betrunken gemacht.«

»Wir haben ein bisschen was getrunken, ja, und beschwipst war sie auch, aber ich habe sie nie zum Trinken gezwungen.«

»Sie haben sie zu ihrem Hotelzimmer begleitet und mit ihr geschlafen.« Rasch warf er Bobby einen Blick zu. »Ist das wahr?«

Bobby konnte der stummen Herausforderung in den Augen des anderen Mannes nicht widerstehen. »Ja, das ist wahr. Außerdem hat sie jede Minute genossen.«

Heinz räusperte sich unbehaglich. »Mr. Trimble, ich rate Ihnen, nichts weiter zu sagen. Alles, was Sie sagen, kann gegen Sie verwendet werden. Denken Sie daran.«

»Glauben Sie, ich lasse mich, ohne mich zu verteidigen, von irgendeiner pummeligen Mieze der Vergewaltigung bezichtigen?«

»Dafür gibt es ja Gerichtsverhandlungen.«

»Scheiß auf die Verhandlung. Und auf dich auch.« Bobby wandte sich wieder an Smilow. »Die lügt, dass sich die Balken biegen.«

»Sie haben also nicht mit ihr geschlafen, während sie alkoholisiert war?«

»Natürlich habe ich. Und sie hat mich noch dazu ermutigt.«

Smilow seufzte mit schmerzhafter Miene und rieb sich die Augenbraue. »Ich glaube Ihnen, Mr. Trimble, wirklich, aber vom Standpunkt des Gesetzes aus wandeln Sie auf Messers Schneide. Die Gesetze haben sich geändert. Die Formulierungen sind inzwischen messerscharf. Es gibt eine erhöhte öffentliche Sensibilität für Vergewaltigungsopfer; deshalb vertreten Staatsanwälte und Richter diesbezüglich eine harte Linie. Sie wollen nicht dafür verantwortlich sein, dass ein Vergewaltiger straffrei –«

»Ich habe noch nie eine Frau vergewaltigen müssen«, rief Bobby aus, »ganz im Gegenteil.«

»Ich verstehe«, erwiderte Smilow gelassen. »Sollte aber Miss Rogers darauf plädieren, sie sei auf Grund des von Ihnen aufgezwungenen Alkohols nicht zurechnungsfähig gewesen, dann könnte daraus in den Händen eines guten Staatsanwalts durchaus ein Prozess wegen Vergewaltigung entstehen.«

Bobby kreuzte die Arme vor der Brust, erstens, weil diese Pose nonchalant wirkte, aber hauptsächlich deswegen, weil er am Rand der Panik stand. Mit achtzehn war er zu einer Gefängnisstrafe verurteilt worden, die ihm gar nicht geschmeckt hatte. Kein bisschen. Er hatte sich geschworen, dass er dort nie wieder hinginge. Da er befürchtete, man könnte ihm die Angst an der Stimme ablesen, sagte er gar nichts.

Smilow fuhr fort: »Bei Ihrer Verhaftung waren Sie im Besitz von Drogen.«

»Ein paar Joints. Dieser, wie hieß sie noch, habe ich keinen einzigen gegeben.«

Smilow musterte ihn hart. »Nein?«

»An die hätte ich doch nie guten Stoff verschwendet. Dazu war's mit ihr viel zu einfach.«

»Trotzdem bleibt es dabei: Sie haben ein Problem. Wem würden die Geschworenen Ihrer Meinung nach glauben? Einer einfachen lieben Dame wie ihr? Oder einem weltgewandten Zuchthengst Ihres Formats?«

Noch während sich Bobby eine passende Antwort überlegte, ging die Tür auf und eine Frau kam herein. Sie war zierlich, hatte kurze dunkle Haare und strahlend schwarze Augen. Schöne Beine. Kleine spitze Titten. Wenn Bobby nicht irrte, eine Zuchtmeisterin, wie sie im Buche stand.

Sie sagte: »Hoffentlich hat dieser Drecksack noch nicht gestanden.«

Smilow stellte sie als Steffi Mundell von der Bezirksstaatsanwaltschaft vor. Heinz war um die Kiemen ein wenig grün angelaufen und schluckte unaufhörlich. Es war kein gutes Zeichen, dass sein eigener Anwalt angesichts dieses Biests zitterte und aussah, als müsste er sich jeden Moment übergeben.

Smilow bot ihr einen Stuhl an, aber sie wollte lieber stehen. »So lange werde ich nicht bleiben. Ich wollte Mr. Trimble lediglich klar machen, dass ich auf Vergewaltigungsprozesse spezialisiert bin und bei erstmaligem Vergehen für Kastration plädiere. Und damit meine ich nicht die chemische Variante.« Dabei legte sie die Hände flach auf den Tisch und beugte sich vor, bis ihre Nase dicht vor seiner war. »Für das, was du der armen Ellen Rogers angetan hast, kann ich's kaum erwarten, bis ich deine Eier auf dem Block liegen habe.«

»Ich habe sie nicht vergewaltigt.«

Sein ehrlicher Einspruch ließ Miss Mundell ungerührt. Sie grinste ihn nur zynisch an und meinte: »Auf Wiedersehen im Gerichtssaal, Bobby.« Damit drehte sie sich auf ihren hohen Absätzen um, rauschte hinaus und warf die Tür hinter sich ins Schloss.

Smilow massierte sein Kinn und schüttelte sorgenvoll den Kopf. »Bobby, ich fühle mit dir. Mit Steffi Mundell als Staatsanwältin steht dir 'ne Menge Schmerz bevor.«

»Vielleicht möchte Mr. Trimble in Erwägung ziehen, bei einem weniger schweren Anklagepunkt auf schuldig zu plädieren.«

Bobby funkelte Heinz für diesen zögerlich vorgebrachten Vorschlag wütend an. »Wer hat denn dich gefragt? Ich plädiere für gar nichts auf schuldig, kapiert?«

»Aber Diebstahl –«

»Meine Herren«, warf Smilow ein, »soeben ist mir, angesichts von Miss Mundells Engagement, ein eventueller Ausweg eingefallen.«

Betont gelassen fragte Bobby: »Und woran hätten Sie dabei gedacht?«

»Sie vertritt auch im Mordfall Pettijohn die Anklage.«

Alarmstufe rot!

Plötzlich fiel ihm wieder ein, wo er Smilow schon mal gesehen hatte. Im Fernsehen, in der Nacht nach Pettijohns Ermordung. Er war als Detective der Mordkommission für die Ermittlungen zuständig. Bobby lehnte sich in seinen Stuhl zurück und versuchte zu vertuschen, dass ihm plötzlich, wie einem Maisbauern auf dem Feld, der Schweiß ausbrach. »Im Mordfall Pettijohn?« Smilow starrte ihn an, lange, unverwandt und vernichtend, dann seufzte er und klappte die Akte zu. »Bobby, ich dachte, wir könnten einander vielleicht helfen, aber wenn du dich dumm stellst, lässt du mir keine andere Wahl, als dich Miss Mundell zu überlassen.«

Damit schob er lautstark seinen Stuhl zurück und verließ ohne ein weiteres Wort den Raum, wobei er die Tür nachdrücklich hinter sich schloss.

Bobby schaute zu Heinz-wie-das-Ketschup hinüber und zog die Schultern hoch. »Was hab ich denn getan?«

»Du hast versucht, Rory Smilow auszutricksen. Schlechte Idee.«

28

Eine halbe Stunde hatten sich nun Smilow und Steffi gegenseitig auf die Schultern geklopft, wie toll sie Bobby Trimble manipuliert hätten. Ihre Selbstbeweihräucherung war mehr, als Hammond ertragen konnte.

»Ich habe ihm über eine Stunde Zeit zum Nachdenken gelassen«, erzählte ihm Smilow inzwischen wenigstens zum zehnten Mal.

»Hatten Sie erwähnt.«

»Kaum waren wir wieder drinnen«, schaltete sich Steffi ein, »fing er auch schon zu reden an.«

»Du musst den Advocatus Diaboli ja exzellent gespielt haben.«

»Würde ich auch so sehen«, prahlte sie. »Bobby war überzeugt, er müsste sich einer Anklage wegen Vergewaltigung stellen.«

Ellen Rogers hatte nie auf Vergewaltigung plädiert, im Gegenteil. Sie hatte eine Mitschuld am Diebstahl ihrer Kreditkarten und des Geldes eingestanden. Ihr einziger Wunsch war gewesen, Bobby solle verhaftet und aus dem Verkehr gezogen werden, damit anderen Frauen eine ähnlich demütigende Erfahrung erspart bliebe.

Ihre sofortige Rückkehr nach Indianapolis hatte sie schon vorbereitet, nicht ohne vorher betont zu haben, dass sie im Falle eines Prozesses jederzeit zu einer Aussage gegen Trimble bereit sei. Sie verließ die Stadt, ohne je zu erfahren, welches Geschenk sie der Charlestoner Polizei gemacht hatte.

»Ich kann es nicht erwarten, Alex Ladds Gesichtsausdruck zu sehen, wenn sie diese Tonbandaufnahme hört. Hammond, du wirst es nicht glauben«, schwärmte Steffi. »Du hast nach einem Motiv gefragt, und nun hast du's, mein lieber Schwan. Aber knüppeldick.«

Er atmete durch den Mund, um die Übelkeit zu unterdrücken, die ihn seit der Mitteilung plagte, dass sich Alex' Halbbruder in Polizeigewahrsam befand. Steffi und Smilow waren ja so stolz auf ihre gottverdammte Tonbandaufzeichnung. Schon der Gedanke, was er zu hören bekäme, machte ihnen den Mund wässrig, während er die Quintessenz längst kannte. Loretta Boothe hatte ihm gestern Abend die belastende Geschichte erzählt.

Die nackten Fakten zeichneten ein wenig schmeichelhaftes Bild von Alex. Aus dem Munde von Bobby Trimble, der die Geschichte zu seinen eigenen Gunsten schönen würde, würde daraus ein erstklassiger Rufmord. Steffi hatte richtig bemerkt: Hier war das Motiv, das dem Fall bisher gefehlt hatte. Knüppeldick.

Hammond hatte gehofft, Smilows Ermittler wären nicht so einfallsreich oder gründlich wie Loretta gewesen, um den Fall so lange weiter hinauszuzögern, bis er die wahre Verbindung zwischen Alex und Pettijohn gefunden hatte und ihr sein eigenes Treffen mit Lute erklären konnte.

Dann hätte er ihr vorgeschlagen, getrennt bei Smilow reinen Tisch zu machen. Er hätte dem Detective sofort von seinem Treffen mit Pettijohn berichten sollen, aber das war ein heikles Thema. Er hatte gehofft, vermeiden zu können, dass irgendjemand davon Kenntnis bekam. Außerdem hatte er Alex raten wollen, sie solle Smilow über ihre Vergangenheit informieren, ehe er selbst dazu Gelegenheit hätte und seine eigenen Schlüsse daraus ziehen könnte, inwieweit sie die Pettijohn-Ermittlungen beträfen.

Leider hatte man ihm diese Möglichkeit geraubt. Alex war schon fort gewesen, als Steffi hereinplatzte. Er war ihr dankbar, weil sie so früh gegangen war und Steffi sie nicht zusammen im Bett überrascht hatte. Das hätte ihre Beichte bei Smilow unglaubwürdig gemacht.

Und jetzt das.

Bobby Trimble war aus dem Nichts aufgetaucht, zum schlimmstmöglichen Zeitpunkt. Alex hatte keine Ahnung von der Falle, die sie erwartete. Hammond war machtlos dagegen und konnte sie nicht warnen.

Ein Pager piepste. Alle drei schauten nach. »Meiner«, sagte Hammond.

Smilow schob das Telefon über seinen Schreibtisch näher zu Hammond hinüber.

Hammond überprüfte die Nummer auf der Leuchtanzeige. »Danke, ich nehme mein Handy.«

Damit entschuldigte er sich, verließ das Büro und trat auf den Flur hinaus, der ein Minimum an Privatsphäre bot. »Loretta, was gibt's?«

»Der gestrige Abend hat ganz verstimmt geendet.«

»Was meinst du damit?«

»Du bist so enttäuscht gegangen.«

»Mach dir deswegen keine Sorgen.«

»Habe ich aber. Ich wollte etwas für dich tun, deshalb bin ich heute Morgen ins Bezirksarchiv und habe Harvey erwischt, wie er sich gerade einen Honigkuchen aus einem Automaten zog.«

»Loretta, ich habe nur eine Minute Zeit.«

»Ich komme ja schon zum Punkt. Ich habe ihn gefragt, ob ihn im Zusammenhang mit dem Fall Pettijohn sonst noch jemand um Informationen bekniet hätte.«

»Speziell über Alex Ladd?«

»Nein, ich wollte doch nur sehen, ob er anbeißt.«

»Und?«

»Dem ist der kalte Schweiß ausgebrochen. Ich konnte buchstäblich hören, wie ihm die Knochen klapperten.«

»Wer ist ihn um Informationen angegangen?«

»Der kleine Scheißer wollt's nicht sagen.«

»Loretta –«

»Hammond, glaub mir, ich habe alles versucht. Hab mit Entlarvung, Folter und Prügel gedroht. Hab ihm geschmeichelt und gut zugeredet und Gegengeschäfte angeboten. Alkohol in rauen Mengen, Drogen, Sex mit einer Nutte seiner Wahl. Nichts hat gefruchtet. Er hat eine Heidenangst vor dem Unbekannten, der an ihn herangetreten ist. Macht den Mund nicht auf. Keinen Ton.«

»Okay, danke.« Da er hörte, wie sich hinter ihm etwas bewegte, warf er vorsichtig einen Blick über die Schulter. Soeben geleitete Frank Perkins Alex um die Ecke.

»Soll ich noch etwas anderes tun?«, fragte Loretta.

»Momentan nicht. Danke. Muss Schluss machen.« Er schaltete aus und drehte sich um. In dem Moment hatten Perkins und Alex die Tür zu Smilows Büro erreicht. Bei Hammonds Anblick riss der Anwalt die Augen auf. »Was ist denn mit dir passiert?«

»Bin überfallen worden.«

»Grundgütiger. Sieht aber schlimmer aus als ein normaler Überfall.«

»Ich komm schon klar.« Sein Blick wanderte zu Alex. »Man hat mich gut versorgt.«

Ihr Augenkontakt dauerte höchstens eine Millisekunde. Hammond versuchte, eine Warnung in den Blick zu legen, aber ihr Anwalt schob sie weiter ins Büro hinein. »Nun, Detective, was gibt's jetzt wieder?«

»Wir haben eine Tonbandaufzeichnung, die wir Ihrer Mandantin vorspielen möchten.«

»Eine Aufzeichnung wovon?«

»Von einem Verhör, das wir heute früh mit einem Mann im örtlichen Gefängnis durchgeführt haben. Glauben Sie mir, seine Aussagen sind für den Fall Pettijohn relevant.«

Perkins hielt Alex den einzigen Stuhl hin, während die anderen verschiedene Positionen in dem kleinen Zimmer einnahmen. Beim Hinsetzen gelang es Alex, ihm heimlich einen fragenden Blick zuzuwerfen, aber er hatte keine Möglichkeit, sie auf das vorzubereiten, was sie erwartete.

Smilow fasste Ellen Rogers' Erlebnis für Alex und ihren Anwalt kurz zusammen. »Zum Glück für uns hat sich Miss Rogers nicht wie ein Blümchen Rührmichnichtan verhalten. Sie hat den Mann persönlich aufgespürt und der Polizei gemeldet.«

»Ich kann nicht erkennen –«

»Er heißt Bobby Trimble.«

Hammond hatte Alex' Gesicht nicht aus den Augen gelassen. Schon bei Smilows ersten Worten war ihr klar geworden, was nun kam. Sie schloss kurz die Augen und holte tief Luft. Als der Name Trimble fiel, zeigte sie keinerlei Reaktion.

Smilow sagte: »Nicht wahr, Dr. Ladd, Ihnen ist ein Mr. Trimble bekannt?«

Frank Perkins meinte: »Ich würde mich gerne mit meiner Mandantin unterhalten.«

»Ist schon gut, Frank«, sagte sie leise. »Leider kann ich nicht leugnen, dass ich Bobby Trimble kenne.«

Noch ehe Perkins ein weiteres Wort verlieren konnte, sagte Smilow: »Frank, das Band erklärt sich von selbst.«

Smilows Stimme hielt die während des Verhörs anwesenden Personen samt Ort, Zeit und Datum fest. Außerdem wurden die Voraussetzungen genannt, unter denen Trimble seine Aussage gemacht hatte. Er hatte gestanden, Miss Ellen Rogers verführt zu haben, um sie anschließend auszurauben. Obwohl man ihm keine Straffreiheit garantieren konnte, hatte ihm Stefanie Mundell versichert, die Bezirksstaatsanwaltschaft würde jeden, der im Zusammenhang mit dem Mordfall Lute Pettijohn freiwillig Informationen lieferte, wohlwollend behandeln.

Nach dieser Vorrede stellte Smilow seine erste Frage. »Bobby – darf ich Sie Bobby nennen?«

»Ich schäme mich nicht für meinen Namen.«

»Bobby, kennen Sie Dr. Ladd?«

»Alex ist meine Halbschwester. Gleiche Mutter, verschiedene Väter. Hab aber keinen davon je kennen gelernt.«

»Trimble war der Name Ihrer Mutter?«

»Richtig.«

»Sind Sie mit Ihrer Halbschwester zusammen aufgewachsen? Im selben Haus?«

»Wenn Sie es so nennen möchten. Mit einem Zuhause hat's nicht viel zu tun gehabt. Unsere Mutter war keine Martha Stuart, obwohl sie viel Besuch hatte.«

»Welchen Besuch?«

»Männer, Detective Smilow. Sie hatte ständig Männer da. Dann wurden Alex und ich nach draußen geschickt. Hart, wenn's draußen heiß war. Bei Kälte, auch hart. Wenn wir Hunger hatten, Pech gehabt. Manchmal konnten wir 'ner schwarzen Dame, die im Dairy Queen arbeitete, 'nen Hamburger abschwatzen. Mich mochte sie nicht besonders, aber für Alex hatte sie ein Herz. Aber wenn ihr Boss in der Nähe war, dann war's Essig. Dann blieben wir eben hungrig.«

»Lebt Ihre Mutter noch?«

»Wer weiß? Wen kümmert's? Sie ist abgehauen, als ich ungefähr… hmmm, vierzehn war. Alex war dann schätzungsweise zwölf. Hatte sich in einen Kerl verknallt, und als der nach Reno ging, ist sie einfach hinterher. Keine Ahnung, ob sie ihn je erwischt hat. Das war das Letzte, was wir je wieder von ihr gesehen oder gehört haben.«

»Hat sich denn anschließend nicht das Jugendamt um euch gekümmert?«

»Lieber geh ich in den Knast, als dass ich mir von 'ner Bande aufgeblasener Bürohengste ständig auf die Finger klopfen lasse. Also habe ich Alex erklärt, sie soll niemandem erzählen, dass unsere Mutter weg ist. Wir haben Theater gespielt. Sind zur Schule gegangen und haben so getan, als sei alles stinknormal. Außerdem« – er kicherte in sich hinein – »war's das ja auch. Ich glaube nicht, dass unsere Mutter je 'nen Schatten auf die Schulhaustür geworfen hat. Unter EMV verstand sie höchstens Erektion, Möse und Vögeln.«

»Das wäre nicht nötig gewesen«, meinte Smilow scharf. »'tschuldigung, Ma'am. War nicht respektlos gemeint.«

Hammond nahm an, dass sich Bobby bei Steffi entschuldigt hatte. Seine Entschuldigung klang unaufrichtig. Dasselbe musste auch Alex gedacht haben, denn sie starrte das Tonbandgerät angewidert an.

Smilow fragte: »Haben die Nachbarn denn nicht bemerkt, dass Ihre Mutter nicht mehr da war?«

»Alex und ich hatten schon so lange für uns selbst gesorgt. Die fanden nichts Ungewöhnliches daran, dass sie die Wäsche zum Waschsalon schleppte und ich um Gelegenheitsjobs bettelte.«

»Sie haben sich und Ihre Schwester mit Gelegenheitsjobs über Wasser gehalten?«

Er räusperte sich. »Eine Zeit lang.« Pause. »Bevor ich weitermache… nur damit wir uns verstehen… Ich habe bereits für meine Schuld an dem Vorfall gebüßt. Das wird doch nicht wieder auf mich zurückfallen, oder? Das alles ist vor ellenlanger Zeit passiert. In Tennessee. Wir sind hier in South Carolina. In diesem Staat kann man mir nichts vorwerfen.«

»Bobby, sagen Sie uns, was Sie über den Mord an Lute Pettijohn wissen, und schon können Sie gehen.«

»Klingt gut.«

Bis zu dieser Stelle hatte sich Alex nicht bewegt, jetzt wandte sie sich an Perkins: »Müssen wir uns das wirklich anhören?«

Der Anwalt bat Smilow, das Band anzuhalten, um sich mit Alex zu beraten. Höflich erfüllte Smilow die Bitte. Perkins flüsterte ihr eine Frage zu. Sie antwortete ruhig. Es folgte eine leise Besprechung, knapp sechzig Sekunden lang.

Schließlich meinte Perkins: »Sie können doch nicht allen Ernstes die Aussagen dieses Mannes für rechtsgültig erklären. Er feilscht darum, dass die Anklage gegen ihn fallen gelassen wird, und hat Ihnen offensichtlich genau das gesagt, was Sie hören wollten.«

Smilow sagte: »Falls er lügt, tangiert es doch Dr. Ladd nicht, was er sagt, oder?«

»Es tangiert sie insoweit, dass es sich als peinlich entpuppen könnte.«

»Ich entschuldige mich für jede Peinlichkeit. Trotzdem meine ich, Dr. Ladd würde gerne hören, was gegen sie vorgetragen wird. Es steht ihr frei, jederzeit auf jede seiner Äußerungen einzugehen und sie zu widerlegen.«

Perkins wandte sich zu ihr. »Es liegt bei dir.« Sie nickte dem Anwalt kurz zu.

»Na schön, Smilow«, sagte er, »aber das sind billige Taschenspielertricks, und das wissen Sie genau.«

Der Tadel prallte an Smilow ab, der das Band an der Stelle weiterlaufen ließ, an der er Trimble fragte, wie er für sich und seine Schwester gesorgt hatte.

»Eine Zeit lang haben wir uns durchgemogelt, hab mal dies, mal jenes gemacht«, erwiderte er. »Hab mir ordentlich den Arsch aufgerissen, damit wir was zu essen und Alex was zum Anziehen hatten. Sie war am Wachsen, Sie wissen schon, so wie's junge Mädel tun. Erblühte.«

Trimble senkte die Stimme zu einem vertraulichen Tonfall. »Als ich sah, wie sie immer voller wurde, hat mich das auf die Idee gebracht.«

»Welche Idee?«

»Immer langsam«, sagte er, da ihn Smilows Ungeduld wurmte. »Zuerst sind mir die Blicke aufgefallen, die meine Kumpel meiner Schwester zuwarfen. Da hab ich alles in einem völlig neuen Licht gesehen, könnte man sagen. Hab ein paar Bemerkungen aufgeschnappt, und dabei bin ich dann auf diese Idee gekommen.«

Hammond stützte den linken Ellbogen auf die Faust des Arms in der Schlinge und legte die Hand über den Mund. Am liebsten hätte er sich die Ohren zugehalten und das Tonbandgerät gegen die Wand geworfen. Wie gerne hätte er Steffi windelweich geprügelt, die Alex gerade süffisant anlächelte. Er war hilflos und konnte, genau wie sie, nichts weiter tun, als gezwungenermaßen zuzuhören.

Der Unterschied in Trimbles Diktion und Syntax war auffallend. Das Gespräch über die Vergangenheit ließ ihn in die Sprechmuster seiner Jugend zurückfallen. Es klang derber, ordinärer, anzüglicher.

»Das erste Mal war zufällig. Ich meine, ich hab's nicht geplant. Alex und ich waren bei diesem Freund von mir. Er hatte 'nen Sechserpack Bier geklaut. Wir haben uns zum Trinken in einer herrenlosen Garage getroffen. Da hat er angefangen, Alex zu necken und ...« Ein Stuhl quietschte, als er sein Gewicht verlagerte. »Schließlich hat er sie gereizt, sollte doch ihr Hemd hochziehen und ihm 'nen Blick gönnen.

Alex hat gesagt, nie und nimmer, José. Aber so hat sie's nicht gemeint. Hat gekichert und ihn hingehalten, Sie wissen schon. Bis sie's schließlich dann doch getan hat. Verdammt. Da hab ich ihm gesagt, er müsste mir schon 'nen Bier extra geben, zum Ausgleich dafür, dass er die Titten – 'tschuldigung, Brüste – meines Schwesterleins sehen durfte. Er meinte, ich könnte ihn mal, er hätte doch nur ihren BH gesehen. Aber beim nächsten Mal –«

Hammonds Linke schoss vor und hielt das Tonband an. »Smilow, wir haben alle verstanden, worauf das hinausläuft. Dr. Ladd wurde von ihrem Halbbruder ausgenützt. Ob sie freiwillig mitgemacht hat, ist sehr zweifelhaft. Aber auf alle Fälle liegt es lange zurück.«

»So lange nicht.«

»Zwanzig, fünfundzwanzig Jahre! In Gottes Namen, was hat das mit Lute Pettijohn zu tun?«

»Dazu kommen wir noch«, sagte Steffi. »Passt alles zusammen.«

»Ihr könnt ja hier sitzen bleiben und diesen Quatsch anhören«, sagte Frank Perkins, der ebenfalls aufgestanden war, »aber ich werde nicht zulassen, dass meine Mandantin sich so etwas anhören muss.«

»Leider kann ich nicht gestatten, dass Dr. Ladd geht«, sagte Smilow.

»Haben Sie die Absicht, sie offiziell eines Verbrechens zu beschuldigen?« Dann fügte Perkins noch sarkastisch hinzu: »Eines Verbrechens, das mutmaßlich in den letzten zehn Jahren begangen wurde?«

Smilow vermied es, ihm eine direkte Antwort zu geben. »Wenn Sie sich das restliche Band nicht anhören möchten, muss ich Sie bitten, im Nebenraum zu warten, bis Mr. Cross alles gehört hat.«

»In Ordnung.«

»Nein.« Alex klang leise, aber entschlossen. Alle Augen richteten sich auf sie. »Bobby Trimble ist Abschaum. Obwohl er in den letzten zwanzig Jahren etwas Schliff bekommen hat, ist er noch immer Pack. Ich möchte alles hören, was er zu sagen hat. Ich habe ein Recht zu erfahren, was er über mich erzählt. Frank, ich muss mir das anhören, auch wenn für mich schon der Klang seiner Stimme entsetzlich ist.«

Steffi fragte: »Bestreiten Sie etwas von dem, was er bisher gesagt hat?«

»Alex, du musst darauf nicht antworten.«

Ohne den Rat ihres Anwalts zu beachten, erwiderte sie unverwandt Steffis erwartungsvollen Blick. »Miss Mundell, das alles ist lange Zeit her. Damals war ich ein Kind.«

»Sie waren bereits strafmündig.«

»Ich habe mich einige Male schlecht entschieden, als die Alternativen noch schlechter waren. Das sind hässliche Erinnerungen, die ich schon vor Jahren aus meinem Gedächtnis gelöscht und vergessen habe. Ich habe mir ein neues Leben aufgebaut.«

»Eine sehr gute Antwort, Dr. Ladd«, sagte Steffi. »Mit anderen Worten: nein. Sie streiten nichts von dem ab, was er bisher gesagt hat.«

Wenn sich nicht Frank Perkins in diesem Moment mit einer Warnung an Alex eingeschaltet hätte, sie solle keinen Kommentar mehr abgeben, hätte Hammond von sich aus dasselbe getan. Sie befolgte den Rat ihres Anwalts. Perkins, dem man ansah, wie sehr ihn die ganze Prozedur anwiderte, sagte: »Bringen wir's endlich hinter uns.«

Smilow schaltete das Tonband wieder ein. Hammond verlagerte abwechselnd das Gewicht vom einen auf den anderen Fuß. Es sah aus, als wolle er den Schmerz in seinem linken Bein verringern, während er sich in Wirklichkeit vor einer großen Dummheit zu bewahren versuchte. Denn am liebsten hätte er Alex bei der Hand genommen und sie dort herausgezerrt. Der gestrige Abend hatte bewiesen, dass sie Schutz brauchte. Er würde persönlich über sie wachen. Er war fast so weit, alles zu gestehen und endlich an die Öffentlichkeit zu treten, egal, wie viele verdammte Torpedos ihn erwarteten.

Fast. In diesem Augenblick bildete das kleine Adverb den entscheidenden Unterschied.

Das Schlimmste sollte erst noch kommen, der Teil, der eine beunruhigende Ähnlichkeit mit der Gegenwart hatte. In Lorettas Bericht war Bobby Trimble nach einem Haftbefehl wegen Diebstahls, einen Kredithai dicht auf den Fersen, aus Florida getürmt und untergetaucht. Dass er hier in Charleston genau zum Zeitpunkt eines Mordes, in den seine Halbschwester verwickelt war, wieder auftauchte, war ein verdammt ungemütlicher Zufall.

Einer, der mehr als genügte, um Steffis und Smilows Argwohn weiterzuschüren. Obwohl Hammond wusste, dass Alex Pettijohn praktisch unmöglich getötet haben und trotzdem noch zu der Zeit auf dem Jahrmarkt hätte auftauchen können, zu der sie dort angekommen war, blieben noch Ungereimtheiten und unbeantwortete Fragen, die ihn quälten. Insbesondere im Hinblick auf ihre problematische Vergangenheit.

Eines ließ sich nicht leugnen: Irgendjemand sah in ihr eine Bedrohung, die es zum Schweigen zu bringen galt. Aber welche Bedrohung stellte sie dar? Als Augenzeugin? Oder als Mitverschworene, die kalte Füße bekommen hatte? Bis er mit Sicherheit wusste, ob Alex völlig schuldig oder genau das Gegenteil war, saß er in der Falle zwischen Staatsanwalt und Beschützer fest.

Auf dem Band erkundigte sich Smilow bei Trimble gerade nach dem faulen Trick, den er sich ausgedacht hatte, um seine Freunde um Geld zu prellen.

»Das ging so: Ich suchte mir ein Opfer und fing an, ihm zu erzählen, dass Alex allmählich erwachsen würde. Ich sagte, sie sei ganz wild darauf, ihre neue Ausrüstung auszuprobieren, sie sei schon richtig hitzig, und solche Sachen. Mit diesen Andeutungen hab ich ihn aufgeheizt, sodass er immer mehr an sie dachte und verschiedene Möglichkeiten in Betracht zog. Manchmal dauerte es ein paar Tage, dann wieder nur ein paar Stunden, bis er so richtig in Fahrt war.

Ich hatte es im Gefühl, hatte 'nen sechsten Sinn, wann die Zeit für den Geschäftsabschluss reif war. Wissen Sie was? Nie hat einer dieser Blödmänner versucht, den Preis herunterzuhandeln«, sagte er lachend. »Dann habe ich Zeit und Ort festgesetzt, bekam mein Geld, und danach war Alex an der Reihe.«

»Womit?«

»Na alles, damit sie… Sie wissen schon, wehrlos waren.«

»Erregt?«

»Nette Umschreibung. Sobald sie hübsch erregt waren, bin ich reingeplatzt und hab ihnen ihr ganzes Geld oder sonst was abverlangt.«

»Oder was sonst?«

»Ich hab denen irgendeinen legal klingenden Bockmist über die Belästigung von Minderjährigen vorgeschwätzt. Wenn sie zickten oder uns mit der Polente drohten, habe ich gesagt, unser Wort stünde gegen ihres. Und wer würde einer zwölfjährigen Unschuld nicht glauben? Also haben sie die Klappe gehalten. Deshalb sind wir auch so lange im Geschäft gewesen. Keiner wollte vor seinen Freunden als Esel dastehen, also hat auch keiner je zugegeben, dass wir ihn hereingelegt haben.«

»Hat Ihre Schwester freiwillig mitgemacht?«

»Was glauben Sie denn? Dass ich sie gezwungen habe? Eine Frau liebt doch das Spiel mit dem Feuer. War nicht despektierlich gemeint, Miss Mundell. Aber ich wette, dass Mr. Smilow mir zustimmt, auch wenn er's nicht zugibt. Alle Frauen sind im Herzen Exhibitionistinnen. Die wissen, was sie haben, und sie wissen ganz genau, wo die Männer hinterher sind. Die lieben es, uns zappeln zu lassen.«

»Danke für diese tief schürfende psychologische Erkenntnis.« Steffi Mundells Sarkasmus war ihm nicht entgangen. »Ich habe die Regeln nicht gemacht, Miss Mundell. Ich sag nur, wie's ist, und das wissen Sie genau.«

Smilow fuhr mit seinen Fragen fort. »Und die Blödmänner sind Ihnen nie ausgegangen?«

»Wir haben unser Geschäft auf Nachbarviertel ausgedehnt. Alex sah so frisch und unschuldig aus, dass jeder Schmutzfink dachte, er sei der Erste. Deshalb wusste ich ganz genau, dass es auch bei älteren Männern klappen würde.«

»Erzählen Sie mal davon.«

»Alex war der perfekte Lockvogel. Sie wusste genau, wie man auch die kirre macht. Das ist ihre Spezialität. Hat immer die nervöse Unschuld gespielt. Und eines steht fest: Wir Männer können keiner koketten Frau widerstehen. Bis sich Alex herumkriegen lässt, leistet sie länger Widerstand als alle anderen Frauen, die ich vor oder nach ihr gekannt habe.«

Hammond wischte sich mit dem Ärmel den Schweiß von der Stirn, ehe er den Kopf gegen die Wand lehnte und die Augen schloss.

Er hörte es klicken. Die Stopptaste am Tonbandgerät wurde gedrückt. »Alles in Ordnung?«

Als er begriff, dass Smilows Frage ihm galt, machte er die Augen auf. Alle schauten ihn an, nur Alex nicht. Sie hatte die Augen niedergeschlagen und blickte ganz konzentriert auf ihre gefalteten Hände im Schoß. »Sicher. Warum?«

»Hammond, Sie sind schrecklich blass. Warum lassen Sie sich nicht von uns einen zweiten Stuhl bringen?«

»Mr. Cross, Sie können meinen haben.« Alex stand auf und machte einen Schritt auf ihn zu.

»Nein«, sagte er brüsk, »mir geht's gut.«

»Möchtest du etwas zum Trinken?«

»Danke, Steffi, ich bin okay.«

Alex stand noch immer und sah ihn immer noch an. Eines war ihm klar: Sie wusste ganz genau, dass es ihm alles andere als gut ging. Er hatte sich in seinem ganzen Leben noch nie so miserabel gefühlt.

»Wie viel noch?«, fragte er. »Nicht viel«, erwiderte Smilow. »Dr. Ladd?«

Sie nahm wieder Platz, und er startete das Tonband. Im ganzen Raum war es still. Nur die Maschine surrte leise, während Bobby mit einschmeichelnder Stimme beschrieb, wie sie sich auf ältere wohlhabendere Männer verlegt hatten, die er aus Hotelhallen und Bars lockte. Mit einem Wort, Bobby spielte für Alex den Zuhälter. Das Geschäft lief gut.

»Kaum waren sie bei ihr, habe ich sie um ihre Brieftaschen erleichtert. Die waren deutlich fetter als bei den Jungs aus der Nachbarschaft. Viel fetter.«

»Klingt, als wären Sie beide ein gutes Team gewesen.«

»Waren wir. Das beste.« Bobbys Stimme wurde fast melancholisch. »Und dann hat uns dieser eine Kerl die Sache ruiniert.«

»Bobby, Sie haben versucht, ihn umzubringen.«

»Es war Notwehr! Dieser Mistkerl kam mit einem Messer hinter mir her.«

»Weil Sie ihn bestohlen haben. Er hat nur sein Eigentum geschützt.«

»Und ich mich. Es war nicht meine Schuld, dass sich während der Rauferei das Messer umgedreht hat und bei ihm im Bauch gelandet ist.«

»Der Richter befand aber, dass Sie sehr wohl daran schuld waren.«

»Dieser Scheißrichter hat mich in dieses Höllenloch geschickt.«

»Sie hatten Glück, dass der Mann überlebt hat. Wenn nicht, hätte es für Sie weitaus schlimmer kommen können.«

Den Rest der Geschichte hatte Hammond von Loretta gehört. Trimble kam ins Gefängnis, Alex wurde auf Bewährung verurteilt, einschließlich Sozialtherapie und Pflegeeltern.

Sie wurde bei den Ladds untergebracht. Das Ehepaar liebte sie. Zum ersten Mal in ihrem Leben wurde sie gut behandelt und gemocht und lernte am guten Vorbild, wie gesunde Beziehungen funktionierten. Unter deren Fürsorge und positivem Einfluss blühte sie förmlich auf. Sie wurde offiziell adoptiert und nahm ihren Namen an. Ihr Leben nahm eine Hundertachtziggradwendung. Ob dies dem verstorbenen Dr. Ladd und seiner Frau zu verdanken war oder Alex selbst, blieb offen.

Bobby Trimble gestand selbst ein, dass er ihr ihr Glück nicht gönnte.

»Ich musste ins Gefängnis, aber Alex kam ungeschoren davon. Das war nicht fair. Ich hab doch nicht all die Kerle angemacht, verstehen Sie?«

»Ist das alles, was sie gemacht hat? Anmachen?«

»Also, was denken denn Sie?«, spottete Trimble. »Zuerst, klar, aber später? Teufel noch mal, herumgehurt hat sie, ganz schlicht und einfach. Das hat sie gern getan. Einige Frauen sind eben dazu geboren, und Alex ist eine davon. Deswegen vermisst sie's ja jetzt; ihr ganzes Psycho-Gesumse hin oder her.«

»Bobby, was meinen Sie damit?«

»Pettijohn. Wenn ihr die Hurerei nicht abgegangen ist, warum hat sie dann mit Pettijohn wieder angefangen?«

Alex schoss hoch und schrie: »Er lügt!«

29

»So etwas Groteskes habe ich in meinem ganzen Leben noch nicht gehört«, sagte Frank Perkins und bedeutete Alex, sie solle aufstehen. »Bobby Trimble ist ein Lügner und amoralischer Dieb, der seine Schwester in ihrer Jugend schamlos ausgebeutet hat und sie heute benützt, um sich vor einem Vergewaltigungsprozess zu drücken. Nennen wir's doch gleich beim Namen: vor einem angeblichen Vergewaltigungsprozess, den Sie erfunden haben, um dieses Lügengespinst zu fördern. Smilow, eine derartige Manipulation ist selbst unter Ihrem Niveau. Ich bringe meine Mandantin nach Hause.«

Smilow sagte: »Bitte verlassen Sie das Gebäude nicht.«

»Sind Sie tatsächlich willens, Dr. Ladd auf der Stelle zu verhaften?«

Fragend schaute Smilow zu Steffi und Hammond hinüber. Als keiner von beiden einen Kommentar abgab, meinte er: »Wir müssen noch einige Punkte diskutieren. Bitte warten Sie draußen.«

Hammond wählte den feigen Weg und warf Alex nicht einmal heimlich einen Blick zu, ehe ihr Anwalt sie aus dem Raum begleitete. Seine Miene hätte ihre prekäre Situation noch bestätigt. Allmählich standen die Chancen definitiv gegen sie. Es war kein gutes Zeichen, dass sie schon einmal mit Trimble in ein Verbrechen verwickelt gewesen war, und zwar in kein geringes. Nur ein medizinisches Wunder hatte das Opfer nicht an seiner Stichverletzung sterben lassen.

Nach jahrelanger Trennung war sie nur wenige Wochen vor Lute Pettijohns Ermordung wieder mit Trimble zusammengetroffen. Mit der jungen Alex als Lockvogel hatte Trimble ihre Opfer rupfen können. Alex hatte zu Hause einen prall gefüllten Safe. Daraus ergaben sich brutale Implikationen.

Hammonds Schmerzmittel wirkten schon seit Stunden nicht mehr. Weitere hatte er nicht genommen, um einen klareren Kopf zu behalten. Man sah ihm seine Schmerzen offenbar an, denn kaum hatte Perkins Alex hinausbegleitet, wandte sich Steffi an ihn: »Du siehst aus, als würdest du jeden Moment zusammenbrechen. Hast du Schmerzen?«

»Es geht so.«

»Ich hole dir gern irgendwas.«

»Mir geht's gut.«

Es ging ihm gar nicht gut. Er fürchtete sich davor, wie Smilow Bobby Trimbles Aussage für ihren gemeinsamen Fall gegen Alex interpretierte. Leider blieb ihm nichts anderes übrig, als dem Detective das Terrain zu überlassen und seine Zusammenfassung anzuhören.

»Und so ging es weiter: Letztes Frühjahr wurde Bobby Trimble in irgendeiner Provinzbar in eine Schlägerei verwickelt. Er ist aus dem Tumult als Sieger hervorgegangen. Einer von Pettijohns Talentsuchern, bezeichnen wir ihn mal so, hat die Schlägerei mit angesehen und Trimble für den Job auf Speckle Island empfohlen, wo sie einen schweren Jungen gut gebrauchen konnten.«

»Um die Landbesitzer unter Druck zu setzen, die nicht verkaufen wollten.«

»Richtig, Steffi. Pettijohn versuchte, die gesamte Insel aufzukaufen, stieß aber dabei auf unerwarteten Widerstand. Die Landbesitzer hatten ihre Grundstücke von Vorfahren geerbt, die Sklaven gewesen waren und den Grund von ihren früheren Besitzern überschrieben bekommen hatten. Generationenlang wurde dieses Land bebaut, denn nur davon verstehen sie etwas. Dies ist ihr Vermächtnis, ihr Erbe, das ihnen mehr bedeutet als Geld. Eine Einstellung, die Lute nicht begreifen konnte. Jedenfalls wollten sie nicht, dass ihre Insel ›erschlossen‹ wird.«

»Vielleicht wollte Pettijohn sie gar nicht erschließen«, mutmaßte Steffi. »Wahrscheinlich wollte er sie nur aufkaufen, um sie dann nach einigen Jahren Wertsteigerung für einen flotten Profit wieder abzustoßen.« Steffi drehte sich zu Hammond. »Hast du irgendetwas beizutragen?«

»Ihr beide macht das doch prima. Bisher habe ich noch nichts gehört, dem ich nicht zustimme. Ein Drecksack wie Trimble ist sich sicher nicht zu schade, kreuzbrave Leutchen unter Druck zu setzen, die lediglich in Ruhe ihr Leben leben möchten. Wahrscheinlich ist er noch übler vorgegangen, als er vorgibt.«

»Ist er«, meinte Smilow. »Mein Ermittler berichtet von brennenden Kreuzen, Prügelorgien und anderen typischen Ku-Klux-Klan-Aktionen. Trimble war der Organisator der Schlägerbande.«

»Lieber Himmel«, sagte Hammond angewidert.

Wäre es denkbar, dass sein eigener Vater in derartige Gräueltaten verwickelt gewesen war? Preston hatte behauptet, er wisse nichts von Pettijohns Terroraktionen, und außerdem habe er seinen Anteil verkauft, als er davon Wind bekam. Hammond hoffte inständigst, dass es stimmte.

Er kam noch einmal auf Bobby Trimble zurück und meinte höhnisch: »Und das ist unser zuverlässiger Kronzeuge?«

Ohne auf diesen Kommentar einzugehen, meinte Steffi: »Trimble behauptet, er hätte seine Irrwege eingesehen und sich geweigert, weiter für Pettijohn die Drecksarbeit zu machen. Höchstwahrscheinlich hatte er einfach die Nase voll. Besagte Insel bietet nicht viel Unterhaltung. Die Sache kann nicht annähernd so aufregend gewesen sein wie sein Geschäftsführerjob im Strip-Club.«

»Lute war ein mistiger Geizhals«, sagte Smilow. »Sicher hat er Trimble nicht allzu viel bezahlt. Außerdem konnte Bobby auf Speckle seine hübschen Sachen kaum ausführen.«

Mit einem Blick auf ihre handschriftlichen Notizen fuhr Steffi fort: »Hat er nicht erwähnt, dass die Inselbewohner störrisch waren? Vielleicht waren seine Einschüchterungsversuche doch nicht so erfolgreich. Möglicherweise war Pettijohn mit dem Ergebnis unzufrieden und hat gedroht, ihn zu feuern.«

»Jedenfalls war Trimble ein missgelaunter Angestellter, dessen Boss das Gesetz beugte und zufällig eine Menge Geld besaß.«

»Mit anderen Worten: Erpressung hing buchstäblich in der Luft.«

»Ganz genau. Ein Erpressungsplan macht, ökonomisch gesehen, voll Sinn«, merkte Smilow mit einem ironischen Lächeln an. »Trimble kam dahinter, dass er eigentlich viel zu hart arbeitete, während er aus Pettijohn mit der Drohung, die Vorgänge drüben auf Speckle zu enthüllen, wesentlich mehr Geld herausholen konnte.«

»Glaubst du, Bobby hat diese Schweinereien auf Pettijohns Befehl gemacht? Leute verprügeln? Feuer legen? Oder hat er übertrieben?«

»Ich bin sicher, dass einiges übertrieben war«, sagte Smilow. »Aber wenn du mich fragst, ob Lute zu derart ruchlosen Taktiken im Stande war, lautet die Antwort: Ja. Er hätte alles getan, um zu bekommen, was er wollte.«

»Jedenfalls muss er ein ziemlich krummes Ding gedreht haben, egal, was es war, denn immerhin war er einverstanden, Bobby hunderttausend Dollar auf die Hand zu bezahlen, damit er den Mund hält.«

Smilow nahm den Faden wieder auf. »Um es mit Bobbys eigenen Worten auszudrücken: Er sei doch nicht ›von gestern‹. Lute hat vor seinen Forderungen fast zu schnell kapituliert. Bobby misstraute dieser Eile. Das Geld einzusammeln, war riskant. Selbst Bobby war schlau genug, sich auszurechnen, dass er möglicherweise in eine Falle lief.«

»Auftritt der Schwester.«

»Halbschwester«, korrigierte Hammond. »Außerdem war's kein ›Auftritt‹.«

»Okay, er hat sie aufgegabelt und angeworben.«

»Er hat sie nur zufällig gefunden, weil er ihr Bild im *Post and Courier* gesehen hat.«

Zweifelsohne bereute Alex den Tag, als sie sich freiwillig erboten hatte, bei der Organisation des Weltfests zu helfen, ein zehntägiges Filmfestival, das jeden November in Charleston stattfand. Ein scheinbar harmloser Zeitungsartikel samt begleitendem Gruppenfoto hatte sie ihrem finsteren Schicksal in die Arme getrieben.

Auf dem Band hatte Trimble gesagt: »*Ich wollte meinen Augen nicht trauen, als ich Alex' Foto in der Zeitung sah. Ich habe den Namen zweimal gelesen, bis mir klar wurde, dass sie ihren geändert haben muss. Ich habe ihre Adresse im Telefonbuch nachgeschlagen, ihr Haus überwacht, und dann stand fest: Dr. Ladd war meine lang vermisste Halbschwester.*«

Hammond sagte: »Bis er diesen Artikel sah, wusste er nicht einmal, dass sie in Charleston lebte. Nachdem sie sich jahrelang hinter ihrer neuen Identität vor ihm versteckt hat, war sie nicht erfreut, ihn zu sehen.«

»Behauptet sie jedenfalls«, meinte Steffi.

»Wenn er dein Bruder wäre, wärst du dann glücklich, wenn er wieder in deinem Leben auftauchen würde?«

»Vielleicht. Wenn wir früher erfolgreiche Partner waren.«

»Partner, meine Güte. Steffi, er hat sie sexuell auf unvorstellbare Weise missbraucht.«

»Glaubst du, dass sie unschuldig war?«

»Ja, tue ich.«

»Hammond, sie war eine Hure.«

»Sie war *zwölf*.«

»Okay, sie war eine junge Hure.«

»War sie nicht.«

»Sie hat ihre Gunst für Geld verkauft. Ist das nicht die Definition für eine Hure?«

»Kinder.« Smilows leiser Tadel beendete ihre lautstarke Auseinandersetzung. Er schob einen Stapel schriftlichen Materials in die Fallakte und reichte sie an Hammond weiter. »Hier ist alles, was Sie für den Auftritt vor dem Schwurgericht brauchen. Nächsten Donnerstag tritt es wieder zusammen.«

»Ich weiß, wann es wieder zusammentritt«, fauchte Hammond. »Ich habe noch ein paar andere Fälle anhängig. Kann das nicht noch einen Monat warten, bis sie wieder zusammentreten? Was soll die Eile?«

»Das fragen Sie noch?«, sagte Smilow sarkastisch. »Muss ich Ihnen klar machen, wie wichtig dieser Fall ist?«

»Umso mehr Grund sicherzustellen, dass alles vor der Anhörung unter Dach und Fach ist.« Er rang um ein neues Argument. »Sie haben Trimble ein nettes Gegengeschäft angeboten. Ein magerer Handtaschendiebstahl, das heißt maximal eine Nacht im Gefängnis. Vermutlich lacht er sich derzeit krumm und schief.«

»Worauf wollen Sie hinaus?«

»Möglicherweise hat Trimble Pettijohn ermordet und benützt seine Schwester als Sündenbock.«

Smilow dachte eine Sekunde darüber nach, dann schüttelte er den Kopf. »Es gibt keinen Hinweis, dass er am Tatort gewesen ist, während feststeht, dass Alex Ladd persönlich mit Pettijohn im Hotelzimmer war. Laut Aussage von Daniels war sie zur geschätzten Todeszeit dort.«

»Diesen Zeitrahmen könnte Frank Perkins ohne weiteres entkräften. Und außerdem haben Sie keine Waffe.«

»Wenn wir die Waffe hätten, würde ich sie noch heute festnehmen«, sagte Smilow. »Übrigens, erinnern Sie das Gericht daran,
dass Charleston von Wasser umgeben ist. Sie konnte die Waffe jederzeit am Samstagabend wegwerfen.«

»Denke ich auch«, meinte Steffi. »Wir könnten bis zum jüngsten Tag suchen, ohne sie zu finden. Hammond, die brauchst du
wirklich nicht«, sagte sie zuversichtlich.

Er fuhr sich mit der Hand übers Gesicht, wobei er zum ersten
Mal merkte, dass er sich an diesem Morgen keine Zeit zum Rasieren genommen hatte. »Ich werde Mühe haben, denen ihr Motiv schmackhaft zu machen.«

»Das wird kinderleicht«, widersprach Steffi. »Du hast doch
Trimbles Aussage über ihre Vergangenheit.«

»Steffi, du träumst«, sagte er. »Das Ganze ist über zwanzig
Jahre her. Aber selbst wenn es erst gestern passiert wäre, würde
Frank nie zulassen, dass es während des Prozesses bekannt wird.
Er wird damit argumentieren, dass ihre Jugendakte irrelevant ist,
und dann wird sie jeder faire Richter als unzulässiges Material abweisen. Diesen Mist werden die Geschworenen nie zu hören bekommen. *Falls* durch irgendein legales Manöver meinerseits die
Entscheidung doch für eine Zulassung fallen sollte, bin ich mir
nicht sicher, ob ich es verwenden würde. Es könnte den gegentei-
ligen Effekt haben und uns schaden.«

Smilow musterte Hammond aus zusammengekniffenen Augen.
»Nun, Herr Ankläger, vielleicht repräsentieren Sie die falsche
Seite. Sie sind bereit, auch noch das kleinste Hindernis in diesem
Fall herauszuzerren, nicht wahr?«

»Smilow, ich weiß, was im Gerichtssaal passieren kann. Ich bin
nur realistisch.«

»Oder feige. Vielleicht sollte Steffi Mason warnen, weil Sie
kalte Füße bekommen haben.«

Hammond verkniff sich eine obszöne Bemerkung. Smilow pro-
vozierte ihn bewusst. Jeder Wutausbruch würde ihm genau das
liefern, worauf er hoffte. Stattdessen sagte er sehr leise: »Ich habe
eine Idee. Warum verzichten Sie für einen Schuldspruch nicht auf
alle legalen Mittel? Mal sehen, welche hinterhältigen Methoden

könnten Sie denn einsetzen? Ich weiß es.« Er schnippte mit den Fingern. »Sie könnten Beweismaterial zurückhalten, das Sie selbst belastet. Tja, das könnten Sie tun. Wäre ja auch nicht das erste Mal, oder?«

Smilows sorgfältig rasiertes Kinn bebte vor Wut. »Wovon redet ihr denn?«, fragte Steffi.

»Frag ihn«, sagte Hammond, ohne Smilow aus den Augen zu lassen. »Frag ihn über den Fall Barlow.«

»Wenn man Sie nicht schon zusammengeschlagen hätte –«

»Lassen Sie sich nicht aufhalten, Smilow.«

»Jungs, Schluss mit diesem Blödsinn«, sagte Steffi ungeduldig. »Haben wir nicht schon genug um die Ohren, ohne dass ihr euch den Fehdehandschuh hinwerfen müsst?« Sie wandte sich wieder an Hammond. »Was hast du vorhin über Ladds Jugendakte gesagt? Sie könnte gegen uns arbeiten?«

Mehrere Sekunden vergingen, ehe Hammond den Blick von Smilow wandte und sich auf Steffi konzentrierte. »Während Dr. Ladd dem Trimble-Band zugehört hat, brauchte man nur ihr Gesicht zu beobachten, um zu sehen, wie sehr sie ihn verabscheut. Auch die Geschworenen werden sie beobachten.«

»Vielleicht aber nicht so intensiv wie du.«

Seine Reaktion hätte nicht heftiger ausfallen können, wenn sie mit einem heißen Schürhaken auf ihn losgegangen wäre. »Was soll dieser Scheiß?«

»Nichts.«

»Doch«, beharrte er wütend.

»Nur eine Beobachtung, Hammond«, erwiderte sie mit einer Ruhe, die ihn zum Wahnsinn trieb. »Du konntest heute von unserer Verdächtigen kein Auge lassen.«

»Eifersüchtig, Steffi?«

»Auf sie? Kaum.«

»Dann behalt deine bissigen Bemerkungen für dich.« Er verwarnte sich innerlich, diese Spur nicht allzu weit zu verfolgen, sonst käme er vielleicht nicht wieder heil zurück. Er griff den Faden dort wieder auf, wo sie stehen geblieben waren. »Trimble ist ein Schleimscheißer. Er hat selbst dich beleidigt, was nicht gerade einfach ist. Seine Aussage wird sämtliche weiblichen Geschworenen abstoßen.«

»Wir werden ihm einbläuen, was und wie er etwas sagen soll.«

»Hast du je Frank Perkins beim Kreuzverhör erlebt? Er wird Trimble so lange schmeicheln, bis er einige seiner chauvinistischen Theorien zum Besten gibt. In seiner übergroßen Eitelkeit wird Trimble die Falle nicht sehen und sich um Kopf und Kragen reden. Und das ist unser Untergang. Ich hätte einen schweren Stand, die Geschworenen von der Idee zu überzeugen, dass Dr. Ladd – und Frank Perkins wird ganze Legionen von Zeugen für sie aufbieten, darauf kannst du wetten – mit einem Kerl wie ihm unter einer Decke gesteckt hat.«

Steffi dachte einen Augenblick darüber nach. »Okay, nehmen wir mal an, nur um des Argumentes willen, sie sei so rein wie frisch gefallener Schnee. Warum hat sie ihren kriminellen Halbbruder dann nicht sofort der Polizei übergeben, als dieser mit seinem Erpressungsplan aufgetaucht ist?«

»Aus Angst, mit ihm in Verbindung gebracht zu werden«, erwiderte Hammond. »Sie wollte ihre Praxis und ihren guten Ruf schützen. Sie hatte keine Lust, dass dieser ganze Mist aus der Vergangenheit wieder hochkocht.«

»Vielleicht, trotzdem hätte sie's darauf ankommen lassen und ihm drohen können, sie würde die Bullen auf ihn hetzen. Oder sie hätte ihn so lange links liegen lassen können, bis er aufgibt und sich trollt.«

»Irgendwie kann ich mir nicht vorstellen, dass man den so leicht links liegen lassen kann. Er hätte weiter auf sie eingeprügelt und gedroht, sie vor ihren Patienten und Freunden und der ganzen Stadt bloßzustellen. Und das waren keine leeren Drohungen. Menschen sind immer bereit, das Schlechteste über andere anzunehmen. Patienten vertrauen ihr ihre Probleme an. Würden sie das weiterhin tun, wenn sie Bobbys Geschichten gehört hätten? Nein, Steffi, er hätte ernsten Schaden anrichten können, und das wusste sie.

Sie hat sich einen exzellenten Ruf als Psychologin erarbeitet, hat sich als Expertin für akute Angstzustände etabliert. Sie wird bewundert und respektiert. Nach all den Jahren, die sie gebraucht hat, um Gott weiß wie viele Komplexe aus ihrer Kindheit aufzuarbeiten und ihr Leben aufzubauen, würde sie alles tun, um es zu schützen.«

»Das ist unser Fall!«, rief Steffi begeistert. »Hammond, du hast ihn soeben festgenagelt. Bobby hat ihr mit Enthüllung gedroht, wenn sie bei seinem Plan nicht mitmacht. Um ihn loszuwerden, war sie einverstanden, das Erpressungsgeld einzusammeln. Aber dann lief irgendetwas in der Hotelsuite schief und ihr blieb keine andere Wahl, als Pettijohn zu erschießen.«

Zu spät wurde Hammond klar, wie schlecht er seine Worte gewählt hatte. Steffi hatte Recht. Er hatte soeben seinen Fall gelöst. »Es könnte funktionieren«, murmelte er.

»Welche andere Erklärung könnte es sonst für ihre Anwesenheit in Lute Pettijohns Hotelsuite geben? Jedenfalls hat sie uns keine andere geliefert.«

Genau hier lag der Hase im Pfeffer. Hammond konnte darum herumtanzen, so viel er wollte, auch seine extravagantesten Schrittkombinationen brachten ihn immer wieder zu diesem Punkt zurück. Wenn Alex tatsächlich in jeder Hinsicht unschuldig war, warum war sie dann an jenem Nachmittag zu einem Treffen mit Pettijohn gegangen?

Smilow steuerte auf die Tür zu. »Ich werde Perkins mitteilen, dass wir unseren Fall nächsten Donnerstag zur Anhörung vorbringen werden.«

»Warum verhaftest du sie nicht einfach?«, fragte Steffi.

Schon beim Gedanken, Alex müsste einige Zeit im Gefängnis verbringen, wurde Hammond übel. Trotzdem hielt er es für klug, keine weiteren Proteste mehr zu erheben.

Gott sei Dank erledigte Smilow das für ihn. »Weil Perkins faules Spiel schreien und uns zu einer offiziellen Anklage zwingen würde, ehe wir sie hinter Schloss und Riegel bringen können. Außerdem hätte er sie gegen Kaution sowieso innerhalb von Stunden wieder draußen.«

»Steffi, er hat Recht«, sagte Hammond, der sich fühlte, als hätte man ihm eine Gnadenfrist gewährt. »Falls man sie anklagt, hätte ich gerne als Rückendeckung eine Klageerhebung vor dem großen Schwurgericht.«

Smilow ging hinaus und überließ ihnen sein Büro.

Mitfühlend schaute Steffi Hammond an. »Bist du auch ganz sicher in der Lage, diesen Fall vorzubereiten? Dieser Überfall hat seinen Tribut gefordert, ob du's nun zugibst oder nicht. Wahrscheinlich wirst du dich in den nächsten Tagen sogar noch schlimmer fühlen, wenn erst der richtige Wundschmerz einsetzt. Ich würde dir diese Verpflichtung gerne abnehmen.«

Rein oberflächlich betrachtet klang das, als ob sich eine besorgte Kollegin erböte, einem anderen Kollegen einen Gefallen zu tun. Und doch war sich Hammond nicht sicher, ob diese Geste gänzlich unegoistisch war. Sie hatte diesen Fall haben wollen und ärgerte sich vermutlich, weil er ihn bekommen hatte.

Außerdem konnte sich hinter ihrem Angebot eine sorgfältig getarnte Falle verbergen. Nach ihrer Andeutung, er könne Alex nicht aus den Augen lassen, war er auf der Hut. Sollte Steffi auch nur den leisesten Verdacht hegen, dass er sich für Alex interessierte, würde sie ihn mit Adleraugen beobachten. Jedes seiner Worte, jede Handlung müsste den Filter ihres Argwohns passieren. Sollte sie entdecken, dass diese Anziehung sogar ihren Verdacht bei weitem übertraf, käme dies einer Katastrophe gleich, für ihn wie für Alex. Er durfte sich auf keinen Fall anmerken lassen, dass er ihre Verdächtige favorisierte.

Andererseits konnte Steffis Angebot auch völlig unegoistisch sein und ihre Sorge ehrlich. Wegen der Trennung hatte sie jedes Recht, auf ihn wütend und böse zu sein, dennoch hatte das ihre berufliche Zusammenarbeit bisher nicht getrübt. Er war derjenige, der verborgene Motive hegte.

Verdrossen dankte er ihr für das freundliche Angebot. »Ich weiß das zu schätzen, aber noch bleibt mir eine Woche zum Erholen. Nächsten Donnerstag bin ich sicher wieder der Alte und sitze in den Startlöchern.«

»Solltest du's dir noch anders überlegen…«

30

»Draußen steht die Presse?«, fragte Frank Perkins wütend und ungläubig zugleich.

»Wurde mir so gesagt«, erwiderte Smilow verbindlich. »Meiner Ansicht nach hätte man Sie warnen sollen.«

»Wer hat da nicht dichtgehalten?«

»Keine Ahnung.«

Der Anwalt schnaubte: »Na klar, Sie doch nicht.« Dann wandte er sich ab, nahm Alex beim Arm und geleitete sie Richtung Aufzug.

Steffi schlich sich mit der Bemerkung an Smilow heran: »Ich kann kaum bis Donnerstag warten.«

»Wird nicht einfach.«

Sie schaute den Detective an, sein entmutigter Tonfall überraschte sie. »Sag ja nicht, dass Hammonds Pessimismus ansteckend wirkt? Ich dachte schon, du würdest deine Detectives mit Zigarren belohnen.«

»Hammonds Argumente haben etwas für sich«, meinte er nachdenklich. »Erstens muss er das Gericht davon überzeugen, dass Alex Ladd eine strafbare Tat begangen hat. Für den Fall einer Anklageerhebung muss er vor einem Schwurgericht beweisen, dass sie ohne jeden vernünftigen Zweifel schuldig ist. Wir haben lediglich einen Indizienbeweis. Trimbles Aussage bekommt auf Grund seines Charakters Flecken. Damit kann ein Staatsanwalt nicht gerade viel anfangen.«

»Noch vor Prozessbeginn werden mehr Beweise auftauchen.«

»Falls es mehr gibt.«

»Es muss einfach mehr geben.«

»Nicht, wenn sie's nicht getan hat.« Sie musterte ihn schärfer, aber er tat so, als hätte er nichts bemerkt, und wandte sich ab. »Auf mich wartet ein Haufen Arbeit.«

Niedergeschlagen über seine Bemerkungen trödelte sie im Flur herum, bis Hammond aus der Herrentoilette auftauchte. Zusammen stiegen sie in den Fahrstuhl. »Draußen steht die Presse.«

»Hab's gehört.«

»Bist du dazu im Stande?«, wollte sie wissen, wobei sie besorgt die Schulter seines verletzten Arms tätschelte.

Unten im Erdgeschoss konnten sie schon durch die Glastüren die Reportermeute erwartungsvoll auf der Vordertreppe lauern sehen. »Ist denen doch egal. Ich muss es hinter mich bringen.« Später musste Steffi gestehen, dass er seine Sache gut gemacht hatte. Seine Verletzungen verliehen ihm einen schneidigen und couragierten Eindruck. Ein verletzter Soldat, der sich zum Kampfe wappnet.

Während der Fahrt zum Justizgebäude im Norden der Stadt wurde nur wenig gesprochen. Kaum waren sie drinnen, entschuldigte sich Hammond und zog seine private Bürotür hinter sich zu. Gedankenverloren stieß Steffi buchstäblich mit Monroe Mason zusammen, als dieser unvermutet mit einem Smoking über dem Arm um die Ecke schoss.

»Der Boss räumt aber früh das Feld«, meinte sie neckend.

Mason runzelte die Stirn. »Meine Frau hat uns heute Abend für eine dieser langweiligen karitativen Veranstaltungen verpflichtet. Ein Bankett, bei dem jeder Anwesende einen Preis erhält. Abgesehen davon, wer braucht mich hier schon? Ihr macht doch alle eure Sache auch ohne meine Hilfe prima. Dr. Ladds Stiefbruder hat Hammond das fehlende Glied geliefert, was? Jetzt hat er also ihr Motiv. Klingt solide.«

»Trimbles Aussage hat die Entscheidung gebracht.«

»Ich würde immer auf unser Team setzen.«

»Danke schön.«

»Jetzt aber genug der Floskeln«, meinte er mit einem gutmütigen Lächeln. »Steffi, was sagt Ihr Gefühl? Was für einen Fall haben wir da?«

Während sie sich erneut Smilows Bedenken ins Gedächtnis rief, meinte sie: »Wir hätten gerne noch mehr handfeste Beweise.«

»Welcher Staatsanwalt hätte die nicht gerne. Wir erwischen doch nur selten einen Schuldigen mit rauchendem Colt in der Hand. Manchmal – eher öfter als selten – müssen wir aus einer Kleinigkeit oder aus gar nichts etwas machen. Hammond wird seine Anklageerhebung bekommen. Und wenn der Fall vors Gericht kommt, wird er auf schuldig plädieren. Ich habe bezüglich seiner Fähigkeiten keine Bedenken.«

Steffi lächelte, auch wenn ihre Gesichtsmuskeln dabei schmerzten. »Ich auch nicht. Falls er sich nicht Hals über Kopf verliebt.«

Mit einem Blick auf seine Armbanduhr meinte Mason: »Ich muss los. Ich treffe mich noch rasch mit meinem Trainer für ein paar Übungen und eine Massage, bevor ich in diesen Affenfrack steige. Um fünf gibt's Cocktails. Mrs. Mason hat mich schwören lassen, dass ich nicht zu spät komme.«

»Viel Spaß.«

Er runzelte die Stirn. »Das war ein Scherz, ja?«

»Ja, Sir, das war ein Scherz.« Lachend wünschte sie ihm einen angenehmen Abend.

Er war schon fast am Flurende, da blieb er stehen und drehte sich um. »Steffi?«

Da sie ihm den Rücken zukehrte, konnte er das triumphierende Lächeln nicht sehen, das sich über ihr Gesicht breitete. »Ja?«

»Was wollten Sie mit dieser Bemerkung andeuten?«

»Bemerkung?«

»Über Hammond und dass er sich Hals über Kopf verliebt.«

»Ach.« Sie lachte. »Hab nur Spaß gemacht. Sollte nichts bedeuten.«

Er kam wieder zu ihr zurück. »Jetzt spielen Sie bereits zum zweiten Mal darauf an, dass Hammond in Dr. Ladd verknallt ist. Für mich ist das alles andere als nichts. Meiner Ansicht nach ist das ganz gewiss kein Thema für Witze.«

Steffi kaute an der Innenseite ihrer Wange herum. »Wenn ich ihn nicht besser kennen würde…«, sagte sie und brach ab, dann schüttelte sie heftig den Kopf. »Aber ich kenne ihn, wie wir alle. Hammond würde nie seinen objektiven Standpunkt verlieren.«

»Unter keinen Umständen.«

»Natürlich nicht.«

»Also dann… Schönen Abend.«

Der Bezirksstaatsanwalt drehte sich um und ging wieder den Gang entlang. Kaum war er außer Sichtweite, hüpfte Steffi buchstäblich in ihr Büro. Anfang der Woche hatte sie die Saat gelegt und heute gut gedüngt. »Mal sehen, wie fruchtbar sein Gehirn ist«, lobte sie sich selbst, während sie hinter ihrem Schreibtisch Platz nahm und den Stapel Telefonnachrichten durchblätterte. Die Einzige, auf die sie gehofft hatte, war nicht darunter. Gereizt griff sie zum Hörer.

»Labor. Anderson am Apparat.«

»Hier ist Steffi Mundell.«

»Ja, und?«

Jim Anderson arbeitete im Krankenhauslabor und litt unter einem Komplex, so groß wie der Mount Everest. Er fühlte sich ständig angegriffen. Da Steffi schon früher mit ihm kollidiert war, wusste sie Bescheid. Die von ihr verlangte Genauigkeit, kombiniert mit Tempo, schien er nicht liefern zu können. »Haben Sie diesen Test schon gemacht?«

»Ich habe Ihnen doch gesagt, dass ich Sie anrufe, sobald ich dazu gekommen bin.«

»Sie haben ihn noch nicht gemacht?«

»Habe ich angerufen?«

Er besaß nicht einmal die Höflichkeit, sich zu entschuldigen oder eine Erklärung abzugeben. Sie sagte: »Ich benötige dieses Testergebnis für einen sehr wichtigen Fall. Davon hängt alles ab. Vielleicht habe ich mich heute Morgen nicht klar genug ausgedrückt.«

»Haben Sie, sicher. Genauso, wie ich klar gemacht habe, dass ich fürs Krankenhaus arbeite und nicht für die Polizei oder die Staatsanwaltschaft. Vor mir liegen Berge unerledigter Arbeiten, die Vorrang haben und genauso wichtig sind wie Ihre.«

»Nichts ist so dringend wie das.«

»Stellen Sie sich hinten an, Miss Mundell. So läuft das.«

»Schauen Sie, ich brauche keinen DNA-Test, keinen HIV. Momentan gar nichts Ausgefallenes, nur eine Blutgruppenbestimmung.«

»Ich verstehe.«

»Ich muss lediglich wissen, ob das Blut auf diesem Waschlappen dasselbe ist wie auf dem Laken, das Smilow vor ein paar Tagen zu Ihnen gebracht hat.«

»Ich hab's schon beim ersten Mal kapiert.«

»Nun, wie schwer kann das sein?«, sagte sie, wobei sie immer lauter wurde. »Genügt dazu denn nicht nur ein Blick durchs Mikroskop oder Ähnliches?«

»Sie kriegen's, sobald ich dazu komme.«

Anderson legte auf. »Mistkerl«, zischte sie und knallte den Hörer aufs Telefon. Nur eines regte sie mehr auf als Inkompetenz: Inkompetenz in Verbindung mit unberechtigter Arroganz.

Verdammt, sie brauchte diesen Bluttest! Sie hegte einen heftigen Verdacht, und bei so etwas irrte sie sich selten. Seit ihr heute Morgen zum ersten Mal diese Idee gekommen war, hatte sie an nichts anderes mehr gedacht und war inzwischen buchstäblich davon besessen.

Es schien unmöglich und ergab doch einen verrückten Sinn: dass zwischen Alex Ladd und Hammond irgendetwas lief und dass dieses »etwas« mit Sex zu tun hatte. Oder wenigstens mit romantischen Gefühlen.

Sie hatte es nicht gewagt, ihren Verdacht mit Smilow zu besprechen. Wahrscheinlich würde er ihn als absurd abtun. Damit stünde sie im besten Fall als Närrin da, im schlechtesten als eifersüchtige Ex-Geliebte.

Er würde ihre Theorie seinem Ermittlungsteam mitteilen und sie so zum allgemeinen Gespött machen. Detective Mike Collins und andere, die sowieso Mühe hatten, Frauen in verantwortlichen Positionen anzuerkennen, würden sie nie wieder ernst nehmen. Alles, was sie sagte oder tat, würden sie spöttisch unterminieren. Und das wäre unerträglich. Sie hatte viel zu hart um ihren Ruf als Staatsanwältin mit Durchsetzungsvermögen und Köpfchen kämpfen müssen, als ihn jetzt durch ein so lächerlich weibliches Phantasiegespinst über eine in Wahrheit nicht existierende Romanze aufs Spiel zu setzen.

Sollte Smilow aber ihrem Verdacht Glauben schenken, wäre das fast genauso schlimm. Dann würde er ihn benutzen. Im Gegensatz zu ihr standen ihm sämtliche Möglichkeiten für ernsthafte Detektivarbeit zur Verfügung. Er würde Arschlöchern wie Jim Anderson befehlen zu springen, und das Krankenhauslabor würde höchstens noch fragen, wie hoch. Smilow hätte das Ergebnis dieses Bluttests im Handumdrehen. Sollten die Blutproben einander entsprechen, würde Smilow das Lob einheimsen, weil er eine Verbindung zwischen Hammond und ihrer Verdächtigen gewittert hatte.

Sollte sie *tatsächlich* Recht haben, wollte sie die Anerkennung dafür weder mit Smilow noch mit einem anderen teilen. Die wollte sie für sich allein haben. Sollte Hammond tatsächlich wegen Behinderung einer Mordermittlung in Ungnade fallen – hoffte sie vielleicht insgeheim sogar auf Lizenzentzug? –, wollte sie diejenige sein, die ihn bloßstellte. Ganz allein. Schluss mit der zweiten Geige, keine Gruppenprojekte mehr für Steffi Mundell, vielen herzlichen Dank.

Es wäre ihr ein diebisches Vergnügen, Hammond von seinem Piedestal zu stürzen. Und noch befriedigender wäre es, diejenige zu sein, die ihn stürzte.

Sein heutiges Verhalten, während das Trimble-Band lief, hatte ihren Verdacht noch bestärkt. Er hatte wie ein eifersüchtiger Liebhaber reagiert. Er betrachtete Alex Ladd eindeutig als Opfer ihres ausbeuterischen Halbbruders. Bei jeder möglichen Gelegenheit war er zu ihrer Verteidigung angetreten und hatte Aspekte entdeckt, die auf ihre Unschuld hindeuteten. Keine gute Geisteshaltung für einen Staatsanwalt, der versuchen muss, andere von der Schuld des Angeklagten zu überzeugen.

Vielleicht empfand er lediglich Mitleid für die verlorene Unschuld eines jungen Mädchens oder Sympathie für eine Fachfrau, die jegliche Glaubwürdigkeit und Respekt zu verlieren drohte. Aber egal, was dahinter steckte, *irgendetwas* war da. Definitiv.

Sie besaß von Natur aus eine scharfe Beobachtungsgabe, mit deren Hilfe sie Lügen und Schattenstellen erahnte, die in der ganzen Staatsanwaltschaft sonst keinem auffielen. Diese Begabung hatte ihr heute gute Dienste geleistet. Jedes Mal, wenn sich Hammond und Alex Ladd auch nur in die Nähe kamen, waren ihre Instinkte angesprungen und hatten sich lautstark bemerkbar gemacht.

Aber ihre sichere Überzeugung ging weit über die Instinkte

einer Staatsanwältin hinaus. Dahinter steckte weibliche Intuition. Während sich die beiden unter ihren Augen beobachteten, waren die Anzeichen grell hervorgetreten. Sie vermieden zwar jeden direkten Blickkontakt, aber wenn es dann doch einmal dazu kam, machte es fast hörbar klick.

Alex Ladd hatte mitgenommen gewirkt, als Trimble die anzüglicheren Details aus ihrer Vergangenheit preisgab. Das meiste von dem, was sie verbal bestritt, war direkt an Hammond gerichtet gewesen. Er hingegen, der für seine erstaunliche Konzentrationsfähigkeit bekannt war, war nicht im Stande gewesen, Ruhe zu bewahren. Er zappelte herum. Seine Hände waren ständig in Bewegung. Er hatte sich benommen, als juckte es ihn, ohne sich kratzen zu können.

Steffi erkannte diese Zeichen wieder. So hatte er sich am Anfang ihrer Affäre benommen. Er hatte ein ungutes Gefühl gehabt, weil er mit einer Kollegin schlief, und sich wegen dieses ungebührlichen Verhaltens den Kopf zerbrochen. Sie hatte ihn mit der Bemerkung geneckt, falls er sich bei ihren gemeinsamen öffentlichen Auftritten nicht entspannen könne, würde sein Gezappel sie beide verraten.

Aber eifersüchtig bin ich nicht, redete sich Steffi nun ein. *Ich bin nicht eifersüchtig auf ihn und schon gar nicht auf sie. Bin ich nicht.*

Rein oberflächlich hätte man sie für den klassischen Fall einer verschmähten Frau halten können. Aber hinter ihrem unbedingten Willen, der Sache auf den Grund zu gehen, steckte nicht Eifersucht, sondern etwas viel Größeres. Das ging viel tiefer. Denn davon hing ihre Zukunft ab.

Sie würde so lange graben, bis sie eine Antwort hatte, auch wenn sich ihr Verdacht als falsch erweisen sollte. Vielleicht würde sie Hammond eines schönen Tages, während Dr. Ladd im Gefängnis schmachtete, ihren verrückten Einfall von früher erzählen. Und dann würden sie sich darüber gemeinsam schieflachen.

Vielleicht entdeckte sie aber auch ein skandalöses Geheimnis, das den guten Ruf von Hammond Cross unwiederbringlich zerstören und seine Chance auf das Amt des Bezirksstaatsanwaltes für immer zunichte machen würde.

Der hochrangigste Detective der Mordkommission war bereit, Alex Ladd wegen Mordes an Lute Pettijohn anzuklagen. Hammonds Aufgabe war es, die Argumente der Anklage vor Gericht vorzutragen und sie zu beweisen. Allerdings stand die Frau unter Anklage, in die er sich verliebt hatte. Darüber hinaus war er in besagtem Fall ein wesentlicher Zeuge. Zwei schwerwiegende Gründe für ihn, die vermeintliche Anklage zu widerlegen.

Und da gab es noch einen Grund, einen noch viel schwerwiegenderen, zwingenderen und dringlicheren. Alex' Leben stand auf dem Spiel. Die Medien hatten die Story von der Hausdurchsuchung aufgegriffen. Gestern Abend war es zu einem Mordanschlag auf sie gekommen. Das konnte unmöglich Zufall sein. Vermutlich hatte man den Kerl in der Gasse gedungen, um Alex zum Schweigen zu bringen. Da dieser Versuch fehlgeschlagen war, würde sicher ein weiterer folgen.

Smilow und Konsorten hatten sich so auf Alex eingeschossen, dass es ihm überlassen blieb, einen weiteren verlässlichen Verdächtigen zu finden.

Zu diesem Zweck hatte er sich mit der Fallakte, die ihm Smilow gegeben hatte, in seinem Büro eingeigelt. Anschließend versuchte er, sich mental aus dem Fall auszuklinken, indem er seine persönliche Beziehung dazu ignorierte und sich ausschließlich auf die legalen Aspekte konzentrierte.

Wer hatte ein Interesse an Lute Pettijohns Tod gehabt?

Konkurrenten? Sicher. Aber laut Smilows Unterlagen hatten alle in Frage Kommenden sichere Alibis. Sogar sein eigener Vater. Hammond hatte persönlich Prestons Alibi verifiziert.

Davee? Ganz gewiss. Allerdings war er überzeugt, dass sie kein Geheimnis daraus gemacht hätte, falls sie ihn getötet hätte. Eine bühnenreife Inszenierung hätte mehr ihrem Stil entsprochen.

Er verließ sich auf seine Konzentrationsfähigkeit und seine kognitive Begabung und prägte sich alle Daten aus der Fallakte der Reihenfolge nach ein. Zu dieser Information fügte er Tatsachen hinzu, die nur er kannte, von denen Smilow aber keine Ahnung hatte:

1. Hammond war selbst mit Lute Pettijohn zusammen gewesen, kurz vor dessen Ermordung.
2. Die handschriftliche Notiz, die ihm Davee gegeben hatte, wies darauf hin, dass Hammond nicht der einzige Besucher gewesen war, den Lute für vergangenen Samstagnachmittag eingeplant hatte.
3. Die Staatsanwaltschaft hatte insgeheim gegen Lute Pettijohn ermittelt.

Für sich gesehen wirkte keiner dieser Fakten relevant, aber alle zusammen reizten seine Neugier als Staatsanwalt und veranlassten ihn, Fragen zu stellen… Aus Gründen, die über seinen Wunsch, Alex unschuldig zu sehen, hinausgingen. Auch ohne eine emotionale Bindung zu ihr hätte er nie und nimmer einen unschuldigen Menschen fälschlich verurteilen wollen. Diesen Fragen musste man genauer nachgehen, egal, wer verdächtigt wurde.

Mit diesen geheim gehaltenen Fakten vor Augen ging er in Gedanken erneut jedes Gespräch durch, das er wegen dieses Falls geführt hatte: mit Smilow, Steffi, seinem Vater, Monroe Mason, Loretta. Er strich Alex aus dieser Gleichung und tat so, als würde sie nicht existieren, als wäre der Verdächtige noch immer ein mysteriöser Unbekannter. Das gestattete ihm, jede Frage, Erklärung und beiläufige Bemerkung mit völlig neuen Ohren zu hören.

Merkwürdigerweise war es gerade eine seiner eigenen Feststellungen, die sich bei ihm verhakte und ihn aus seinem trägen Bewusstseinsstrom riss. »*Ganz gewöhnliche Kugeln aus ganz gewöhnlichen Waffen. Allein in dieser Stadt gibt es hunderte .38er, selbst in Ihrem Beweisfundus, Smilow.*«

Plötzlich erfüllte ihn neue Energie, und er war wild entschlossen, eine Rechtfertigung für sein eigenes irrationales Verhalten der letzten Tage zu finden. Alles – seine Karriere, sein Leben, sein Seelenfriede – hing davon ab, Alex zu entlasten und zu beweisen, dass er Recht hatte.

Rasch warf er einen Blick auf seine Schreibtischuhr. Wenn er sich beeilte, könnte er noch heute Nachmittag mit seinen eigenen Ermittlungen beginnen. Hastig sammelte er die Fallakte ein und stopfte sie in seine Aktentasche, dann verließ er sein Büro. Kaum hatte er den Haupteingang des Gebäudes hinter sich gelassen und war in die Gluthitze getreten, hörte er, wie jemand seinen Namen rief.

»Hammond.«

Diesen Befehlston hatte nur eine Stimme. Hammond stöhnte innerlich auf, während er sich umdrehte. »Hallo, Dad.«

»Können wir in dein Büro zurückgehen und uns unterhalten?«

»Wie du siehst, bin ich im Gehen begriffen und in Eile. Ich möchte noch vor Büroschluss ins Zentrum. Der Fall Pettijohn kommt am Donnerstag vor Gericht.«

»Genau darüber wollte ich mit dir reden.«

Preston Cross akzeptierte nie ein Nein. Er lotste Hammond zu einem winzigen Schattenstreifen an der flachen Gebäudefassade hinüber. »Was ist mit deinem Arm passiert?«

»Ist okay; das dauert jetzt zu lange«, erwiderte er ungeduldig. »Was gibt es denn so Dringendes, das nicht warten kann?«

»Monroe Mason hat mich heute auf dem Weg zum Fitnessclub von seinem Handy aus angerufen. Er ist tief beunruhigt.«

»Wo liegt das Problem?«

»Falls Monroes Spekulation korrekt ist, graut mir schon beim Gedanken an die Konsequenzen.«

»Spekulation?«

»Dass du eine ungebührliche Zuneigung zu dieser Dr. Ladd entwickelt hast.«

Diese Dr. Ladd. Immer wenn sich sein Vater über jemanden abschätzig äußerte, setzte er das Demonstrativpronomen vor dessen Namen. Diese Entpersonalisierung drückte auf subtile Weise seine geringe Meinung von der betreffenden Person aus. Hammond platzte der Kragen. »Weißt du, allmählich stinkt es mir richtig, dass Mason jedes Mal dich anruft, wenn er an mir etwas auszusetzen hat. Warum kommt er nicht direkt zu mir?«

»Weil er ein alter Freund ist. Er hat so viel Respekt vor mir, mich zu warnen, wenn er sieht, dass mein Sohn drauf und dran ist, seine Zukunft zu verspielen. Er hofft bestimmt, ich würde mich einschalten.«

»Was du liebend gerne tust.«

»Das tue ich, da hast du verdammt Recht!«

Das Gesicht seines Vater war bis zu den weißen Haarwurzeln knallrot angelaufen. In seinen Mundwinkeln hing Speichel. Er verlor nur selten die Geduld und betrachtete jedwede Gefühlsausbrüche als Schwäche, die für Frauen und Kinder reserviert war. Er holte ein Taschentuch aus seiner Gesäßtasche und tupfte sich mit einem sauber gefalteten Stück irischen Leinens die Schweißtropfen von der Stirn. Dann meinte er deutlich ruhiger: »Versichere mir, dass Monroes Vermutung völlig haltlos ist.«

»Woher hat er denn diese Idee?«

»In erster Linie aus der laschen Art, mit der du an diesen Fall herangegangen bist.«

»So würde ich es nun ganz und gar nicht nennen. Ich habe mir den Arsch aufgerissen. Zugegeben, ich habe Vorsicht walten lassen –«

»Übermäßige.«

»Das meinst du.«

»Mason offensichtlich auch.«

»Dann liegt es bei ihm, mich in die Mangel zu nehmen, und nicht bei dir.«

»Du hast von Anfang an die Zügel schleifen lassen. Dein Mentor und ich wüssten gerne, warum. Hat dich die Verdächtige pferdescheu gemacht? Hast du zu dieser Frau eine gewisse Zuneigung entwickelt?«

Obwohl Hammond seinem Vater weiterhin unverwandt in die Augen blickte, schwieg er störrisch.

Prestons Gesicht verzerrte sich vor Zorn. »Himmelherrgott noch mal, Hammond. Ich kann das nicht glauben. Bist du denn verrückt?«

»Nein.«

»Eine *Frau*? Du würdest all deine ehrgeizigen Pläne –«

»Meinst du nicht vielleicht all *deine* ehrgeizigen Pläne?«

»– für eine Frau opfern? Nachdem du so weit gekommen bist, wie kannst du dich nur so benehmen –«

»Benehmen?« Hammond lachte verächtlich auf. »Du hast

wirklich Nerven, mir einen Vortrag über richtiges Benehmen zu halten. Wie steht's denn mit deinem Verhalten, Vater? Welchen moralischen Maßstab hast du mir als Vorbild mitgegeben? Vielleicht habe ich meinen nur dem deinen angepasst. Allerdings würde ich beim Verbrennen von Kreuzen definitiv einen Schlussstrich ziehen.«

Sein Vater blinzelte heftig. Da wusste Hammond, dass er ins Schwarze getroffen hatte. »Gehörst du zum Klan?«

»Nein! Zum Teufel, nein.«

»Aber du hast alles darüber gewusst, nicht wahr? Du wusstest verdammt gut, was auf Speckle Island ablief. Außerdem hast du es noch abgesegnet.«

»Ich bin ausgestiegen.«

»Nicht ganz. Das hat nur Lute getan. Er hat sich umbringen lassen, also ist er aus dem Schneider. Aber du bist noch verwundbar. Dad, du wirst allmählich leichtsinnig. Dein Name steht auf diesen Dokumenten.«

»Ich habe bereits Abbitte für die Vorfälle auf Speckle Island geleistet.«

Aha, die berühmte kurze Gerade samt Aufwärtshaken. Wie immer hatte Hammond sie nicht kommen sehen.

»Ich war gestern auf Speckle Island«, erklärte ihm Preston gelassen. »Ich habe mich mit den Opfern von Lutes schändlichem Terror getroffen und ihnen erklärt, wie beschämt ich war, als ich von seinen Taten erfuhr, und dass ich mich sofort als Geschäftspartner von ihm getrennt habe. Ich habe jeder Familie tausend Dollar als Ersatz für alle Schäden an ihrem Eigentum gegeben und gleichzeitig, zusammen mit meiner ehrlichen Entschuldigung, ihrer Gemeindekirche eine nicht unbeträchtliche Summe gespendet. Außerdem habe ich an ihrer Schule einen Stipendienfonds eingerichtet.« Er hielt inne und lächelte Hammond gewinnend an. »Glaubst du wirklich, dass es angesichts dieser philanthropischen Geste zu einem Prozess gegen mich kommt? Versuch es, mein Sohn, dann wirst du sehen, wie abgrundtief du scheiterst.«

Hammond fühlte sich benommen. Ihm war speiübel. Und beides hatte weder mit der Hitze noch mit seinen Verletzungen zu tun. »Du hast sie gekauft.«

Wieder dieses himmlische Lächeln. »Mit Geld aus der Portokasse.«

Hammond konnte sich nicht erinnern, dass er irgendjemanden schon einmal lieber geschlagen hätte. Mit Wonne hätte er seinem Vater die Fäuste auf die Lippen gedroschen, bis sie blutend aufplatzten und dieses herablassende Grinsen verschwand. Mit äußerster Mühe unterdrückte er diesen Impuls, dämpfte stattdessen seine Stimme und schob sein Gesicht dicht an das seines Vaters heran.

»Vater, sei nicht so süffisant. Diese Spur lässt sich nicht so leicht abwaschen, das wird dich mehr als nur ein bisschen was aus der Portokasse kosten. Noch bist du nicht aus dem Schneider. Du bist ein einziger korrupter Mistkerl. Du *verkörperst* das Wort Korruption. Also, komm du mir nicht mit Vorträgen über richtiges Verhalten. Nie wieder.« Kaum hatte er ausgesprochen, drehte er sich um und steuerte auf den Parkplatz zu. Preston packte seinen linken Arm und zog ihn unsanft herum. »Weißt du, eigentlich hoffe ich sogar, dass die Sache ans Licht kommt. Hoffentlich hat dich jemand zwischen ihren Beinen fotografiert. Hoffentlich werden diese Bilder in der Zeitung abgedruckt und im Fernsehen gezeigt. Ich bin froh, dass du in dieser Klemme sitzt. Das geschähe dir gerade recht, du verdammter kleiner Heuchler. Schon seit Jahren hängst du mir mit deiner selbstgerechten altruistischen Pfadfinderattitüde zum Hals heraus«, sagte er. Seine Worte troffen vor Verachtung.

Er stieß Hammond seinen spitzen Zeigefinger heftig in die Brust. »Du bist genauso korrumpierbar wie alle anderen auch. Bis jetzt wurdest du nur noch nie getestet. War es Habgier, die dich vom schmalen Pfad der Tugend abweichen ließ? Nein. Die Aussicht auf Macht? Nein.« Er wieherte höhnisch.

»Nur eine Schlampe. Darin liegt meines Erachtens die wahre Schande. Wenn du dich wenigstens durch etwas korrumpieren ließest, was schwerer zu beschaffen ist.«

Wütend starrten beide Männer einander an. Ihre feindselige

Haltung drang mit Macht an die Oberfläche, nachdem sie jahrelang unter einer dicken Schicht von Groll gebrodelt hatte. Keines seiner Worte würde den eisernen Willen seines Vaters auch nur ankratzen, das wusste Hammond, aber plötzlich wurde ihm auch klar, wie wenig es ihm bedeutete. Warum sollte er sich und Alex vor einem Mann verteidigen, für den er keinen Funken Respekt übrig hatte? Er erkannte Preston als das, was er war, und er konnte ihn nicht ausstehen. Von nun an zählte die Meinung seines Vaters über ihn und über sonst etwas nicht mehr, da sie weder auf Integrität noch auf Ehre basierte.

Hammond wandte sich ab und ging weg.

Smilow musste eine halbe Stunde in der Halle des Charles Towne Plaza warten, ehe ein Schuhputzsessel frei wurde. »Glänzen aber noch recht schön, Mr. Smilow.«

»Dann eben nur polieren, Smitty.«

Der ältere Mann ging zu einem Gespräch über den derzeitigen Absturz der Atlanta Braves über.

Smilow schnitt ihm den Faden ab. »Smitty, hast du an dem Nachmittag, als Mr. Pettijohn umgebracht wurde, diese Frau hier im Hotel gesehen?« Er zeigte ihm ein Foto von Alex Ladd, das in der Nachmittagsausgabe der Zeitung erschienen war. Er hatte es vergrößert, damit man ihre Gesichtszüge besser erkennen konnte.

»Ja, Sir, habe ich, Mr. Smilow. Ich habe sie auch heute Nachmittag im Fernsehen gesehen. Sie ist doch diejenige, von der ihr alle glaubt, dass sie ihn ermordet hat.«

»Ob das Gericht sie nächste Woche unter Anklage stellt, wird von der Schlagkraft unserer Beweise abhängen. Als du sie gesehen hast, war da jemand bei ihr?«

»Nein, Sir.«

»Hast du den je gesehen?« Er zeigte ihm Bobby Trimbles Verbrecherfoto.

»Nur im Fernsehen, bei der gleichen Story, neben dem anderen Foto.«

»Nie hier im Hotel?«

»Nein, Sir.«

»Bist du sicher?«

»Mr. Smilow, Sie kennen doch mich und Gesichter. Ich vergesse nur selten eines.«

Geistesabwesend nickte der Detective, während er die Fotos wieder in seine Brusttasche steckte. »Hat Dr. Ladd wütend oder erregt gewirkt, als du sie gesehen hast?«

»Eigentlich nicht, aber so lange habe ich sie nicht angeschaut. Sie ist mir aufgefallen, als sie hereinkam, weil sie echt hübsche Haare hat, Sie wissen ja. Auch wenn ich ein alter Kerl bin, schau ich mir noch immer gerne hübsche Mädchen an.«

»Davon siehst du ja 'ne Menge hier durchkommen.«

»Auch 'ne Menge hässliche«, lachte er in sich hinein. »Egal, die hier war allein und kümmerte sich sonst um nichts. Ist gleich durch die Halle zu den Aufzügen gegangen. Nach 'ner Weile kam sie wieder runter. Ging in die Bar dort drüben. Ein bisschen später hab ich sie noch mal zu den Aufzügen rübergehen gesehen.«

»Warte.« Smilow beugte sich tiefer zu dem Mann hinunter, der seine Schuhe polierte. »Sagtest du gerade, dass sie zweimal hinaufging?«

»Schätze schon.«

»Wie lange ist sie beim ersten Mal geblieben?«

»Vielleicht fünf Minuten.«

»Und das zweite Mal?«

»Keine Ahnung. Ich habe sie nicht wieder runterkommen sehen.«

Er wischte zum letzten Mal über Smilows Schuhe. Smilow stieg vom Podest herunter und breitete die Arme aus, um sich von Smitty mit einer Fusselbürste den Mantel abbürsten zu lassen. »Smitty, hast du irgendjemandem gegenüber erwähnt, dass ich mir an diesem Tag die Schuhe habe putzen lassen?«

»Kam nie zur Sprache, Mr. Smilow.«

»Mir wär's lieber, wenn wir das für uns behalten könnten, okay?« Beim Umdrehen steckte er Smitty ein dickes Trinkgeld zu.

»Geht klar, Mr. Smilow. Ganz klar. Tut mir Leid wegen der anderen.«

»Welche andere?«

»Die Dame. Tut mir Leid, dass ich sie nicht wieder runterkommen sah.«

»Du warst sicher beschäftigt.«

Der Schuhputzer lächelte. »Jawohl, Sir. Letzten Samstag ging's hier zu wie am Hauptbahnhof. Ständig kamen und gingen Leute.« Er kratzte sich am Kopf. »Ist schon komisch, nicht? Dass ihr alle am selben Tag hier wart.«

»Wir alle?«

»Sie, diese Frau Doktor und der Anwalt.«

Smilows Gehirn arbeitete wie eine Eisenfalle, in die soeben jemand getreten war. »Anwalt?«

»Von der Bezirksstaatsanwaltschaft. Der aus dem Fernsehen.«

31

Hammond wartete im Korridor, bis er sah, wie Harvey Knuckle Punkt fünf sein Büro verließ. Gewissenhaft sperrte das Computergenie die Türe zu. Als er sich umdrehte, fand er sich von Hammond in die Ecke gedrängt. »He, Harvey.«

»Mr. Cross!«, rief er und drückte sich gegen die Tür. »Was machen Sie denn hier?«

»Ich denke, das wissen Sie.«

Knuckles hervorstehender Adamsapfel rutschte die magere Halssäule zuerst hinauf und dann wieder hinunter. Er schluckte heftig und hörbar. »Tut mir Leid, aber ich habe keinen blassen Schimmer.«

»Sie haben Loretta Boothe angelogen«, sagte Hammond unter Anspielung auf seinen Verdacht. »Stimmt's?«

Harvey versuchte, seine nervösen Schuldgefühle hinter einer bockigen Haltung zu verstecken. »Ich habe keine Ahnung, wovon Sie reden.«

»Wovon ich rede? Von fünf bis zehn Jahren für Datendiebstahl.«

»Hä?«

»Harvey, ich könnte Sie mühelos in mehreren Punkten unter Anklage stellen. Es sei denn, Sie wären jetzt zu einer Kooperation mit mir bereit. Wer hat Sie gebeten, Dr. Alex Ladd zu überprüfen?«

»Pardon?«

Hammonds Augen nagelten ihn buchstäblich an der Bürotür fest. »Okay, schön. Suchen Sie sich schon mal einen guten Verteidiger.« Er drehte sich um.

»Nur Loretta«, platzte Harvey heraus.

Hammond drehte sich wieder um. »Wer noch?«

»Niemand.«

»Har-veee?«

»*Niemand!*«

»Okay.«

Entspannt fuhr sich Harvey rasch mit der Zunge über die Lippen, aber sein falsches Lächeln verschwand, als Hammond fragte: »Und wie steht's mit Pettijohn?«

»Ich habe keine Ahnung –«

»Harvey, sagen Sie mir, was ich wissen will.«

»Sie wissen doch, Mr. Cross, dass ich Ihnen immer gerne helfe, aber diesmal habe ich keine Ahnung, wovon Sie reden.«

»Akten, Harvey«, sagte er mit schwindender Geduld. »Wer hat dich gebeten, Pettijohns Akten auszugraben? Geschäftsabschlüsse. Baupläne. Dokumente über Beteiligungen et cetera.«

»Sie«, quiekte Harvey.

»Ich habe dazu den legalen Weg benutzt. Ich möchte wissen, wer sich sonst noch für seine Geschäfte interessiert hat. Wer hat Sie gebeten, sich still und heimlich in diese Akten einzuklinken?«

»Wie kommen Sie darauf –«

Hammond trat einen Schritt näher und senkte die Stimme. »Wer Informationen haben wollte, musste zu Ihnen kommen, egal, wer's war, also weichen Sie nicht aus und versuchen Sie nicht, mich mit dieser scheinheiligen Unschuldsmiene hinters Licht zu führen, sonst werde ich ganz schnell böse. Sie wissen ja, für einen Kerl wie Sie kann's im Gefängnis ganz schön ungemütlich werden.« Er wartete einen Moment, um die Drohung einsickern zu lassen. »Nun, wer war's?«

»Z-zwei verschiedene Leute. Und zu verschiedenen Zeiten.«

»Vor kurzem?«

Harvey nickte so schnell, dass seine Zähne klapperten. »Ungefähr in den letzten Monaten.«

»Wer waren die beiden?«

»Detective Smilow.« Hammonds Miene blieb undurchschaubar. »Und wer noch?«

»Das sollten Sie wirklich wissen, Mr. Cross. Sie sagte, sie würde in Ihrem Auftrag fragen.«

Als gewohnheitsmäßiger Nachrichtenfreak schaute sich Loretta Boothe die frühen Abendnachrichten an, wobei sie zwischen den Kanälen hin und her zappte, um die einzelnen Varianten der Alex-Ladd-Story miteinander zu vergleichen.

Zu ihrer Bestürzung sah sie Hammond übel zugerichtet und mit einem Arm in der Schlinge vor den Kameras. Wann hatte er sich verletzt? Und wie? Sie hatte ihn doch noch gestern Abend gesehen.

Kurz nach Ende der Nachrichten – das *Glücksrad* fing gerade an – kam ihre Tochter Bev in Arbeitskleidung durchs Wohnzimmer. »Mom, ich hab mir zum Mittagessen einen Makkaroniauflauf gemacht. Im Kühlschrank steht noch eine Menge davon für dich zum Abendessen. Auch Salat ist noch da.«

»Danke, Schatz, aber ich habe noch keinen Hunger. Vielleicht später.«

Zögernd blieb Bev an der Wohnungstür stehen. »Ist alles in Ordnung?«

Loretta sah die Sorge in den Augen ihrer Tochter, den Argwohn. Die Harmonie zwischen ihnen war immer noch zerbrechlich. Beide wünschten sich verzweifelt, dass diesmal alles gut ging. Und beide fürchteten, es könnte anders kommen. Keine von beiden traute Lorettas jüngsten Zusicherungen, dazu waren schon allzu oft Versprechen gebrochen worden. Alles hing davon ab, dass sie nüchtern blieb. Das war das Einzige, was sie tun musste, aber es war viel.

»Mir geht's gut.« Sie lächelte Bev aufmunternd zu. »Erinnerst du dich noch an den Fall, an dem ich gearbeitet habe? Er kommt nächste Woche vors große Schwurgericht.«

»Dank deiner Informationen?«

»Teilweise.«

»Also, Mom, das ist ja toll. Du hast immer noch den Dreh raus.«

Bei Bevs Kompliment wurde ihr warm ums Herz. »Danke, aber vermutlich heißt das, dass ich jetzt wieder arbeitslos bin.«

»Ich bin sicher, dass du nach dem Erfolg noch mehr Arbeit bekommst.« Bev zog die Tür auf. »Mach dir 'nen netten Abend. Wir sehen uns dann morgen früh.«

Nachdem Bev fort war, schaute Loretta weiter die Spielshow an, allerdings nur, weil sie nichts Besseres zu tun hatte. Heute Abend verursachte die Wohnung Klaustrophobie, obwohl die Zimmer nicht kleiner als gestern oder vorgestern waren. Die Rastlosigkeit hatte nichts mit der Umgebung zu tun, sie kam von innen.

Sie überlegte, ob sie ausgehen sollte, aber das wäre riskant. Ihre Freunde waren Alkoholiker. In ihren Stammlokalen lockte die Versuchung, wenigstens einen Drink zu bestellen. Aber schon ein einziger bedeutete das Ende ihrer nüchternen Periode, und sie wäre wieder genau da, wo sie gewesen war, bevor Hammond sie zur Mitarbeit am Pettijohn-Fall angeheuert hatte.

Sie wünschte, diese Aufgabe wäre noch nicht vorbei. Nicht nur wegen des Geldes. Obwohl Bev für sie beide genug verdiente, wollte Loretta ihren Beitrag zum Haushaltsgeld leisten. Erstens wäre das gut für ihr Selbstwertgefühl, und außerdem brauchte sie die Unabhängigkeit, die mit einem eigenen Einkommen verbunden war.

Außerdem würde sie nicht auf ihren Durst achten, solange sie arbeitete. Nichtstun war eine Gefahr, der sie unbedingt aus dem Weg gehen musste. Immer wenn sie nichts Sinnvolles zu tun hatte, sehnte sie sich nach etwas, das ihr verboten war. Mit Zeit im Überfluss kamen die Gedanken: wie trivial ihr Leben in Wirklichkeit war. Dass es eigentlich egal war, ob sie sich zu Tode soff. Dass sie es sich selbst und allen, die mit ihr etwas zu tun hatten, viel leichter machen könnte. Eine gefährliche Gedankenkette.

Wenn sie es sich richtig überlegte, hatte ihr Hammond gar nicht eindeutig erklärt, dass er ihrer Dienste nicht mehr bedurfte. Nachdem sie ihm den Knüller über Dr. Alex Ladd gegeben hatte, war er aus der Bar gestürmt, als ob ihm der Hosenboden brannte. Obwohl er irgendwie bedrückt gewirkt hatte, hatte er es nicht erwarten können, ihre Informationen sofort zu verwenden. Das musste sich inzwischen ausgezahlt haben, denn nun sollte er seinen Mordfall dem Gericht vortragen.

Wahrscheinlich war es überflüssig gewesen, dass sie heute mit Harvey Knuckle Kontakt aufgenommen hatte. Hammond hatte gehetzt und gar nicht sonderlich interessiert gewirkt, als sie ihm von ihrem Verdacht erzählte, Harvey könnte sie angelogen haben. Zum Kuckuck, was sollte es? Diese kleine zusätzliche Mühe hatte sie doch nichts gekostet.

Trotz Hammonds undefinierbaren Verletzungen hatte seine Stimme kräftig und voll Überzeugung geklungen, als er sich auf den Stufen des Polizeipräsidiums an die Reporter gewandt hatte. Er erklärte, das Auftauchen von Bobby Trimble sei der Wendepunkt in diesem Fall gewesen.

»Auf Grund seiner stichhaltigen Aussage bin ich zuversichtlich, dass gegen Dr. Ladd Anklage erhoben wird.«

Im Gegensatz dazu hatte Dr. Ladds Anwalt, den Loretta nur von seinem guten Ruf her kannte, den Medien erklärt, dies sei der ungeheuerlichste Fehler, den die Charlestoner Polizei und Staatsanwalt Cross je begangen hätten. Er sei überzeugt, dass Dr. Ladd rehabilitiert würde, sobald alle Fakten ans Licht kämen, und sich Die-da-Oben in aller Öffentlichkeit bei ihr entschuldigen müssten. Er erwäge bereits, Verleumdungsklage zu erheben.

Loretta erkannte die typische Anwaltssprache sofort. Allerdings hatten Frank Perkins' Aussagen besonders gefühlsbetont geklungen. Entweder war er ein exzellenter Redner oder ehrlich von der Unschuld seiner Mandantin überzeugt. Vielleicht hatte Hammond die falsche Verdächtige.

Wenn ja, würde er sich im bisher wichtigsten Fall seiner Karriere zum Narren stempeln.

Trotz seiner Anspielung auf Alex Ladds unbestätigtes Alibi

hatte er nichts Konkretes gesagt. Irgendwas über… was war das doch gleich?

»Little Bo Peepshow«, sagte Loretta mechanisch und löste damit das Wortpuzzle im *Glücksrad*, obwohl noch alle Ts, Ps und das W fehlten.

Ein Jahrmarkt am Rande von Beaufort. Das war es gewesen.

Plötzlich schoss sie hoch und ging in die Küche, wo Bev die Zeitungen stapelte, bevor sie sie ganz umweltbewusst fürs Recycling bündelte. Zum Glück war erst morgen wieder Sammeltag, und die Zeitungen der ganzen Woche lagen noch da. Loretta wühlte sich durch den Stapel, bis sie die Ausgabe vom letzten Samstag fand.

Sie zog den Veranstaltungskalender heraus und blätterte ihn rasch durch, bis sie das Erhoffte fand. Auf der viertelseitigen Anzeige für den Jahrmarkt war alles angegeben: Zeit, Ort, Lageplan, Eintritt, Attraktionen und – warte mal!

»Jeden Donnerstag-, Freitag- und Samstagabend im August«, las sie laut.

Binnen Minuten saß sie in ihrem Auto und war schon auf dem Weg zur Stadt hinaus, Richtung Beaufort. Sie hatte keine Ahnung, was sie tun würde, sobald sie dort war. Vermutlich ihrer Nase nachgehen. Sollte es ihr aber – durch einen glücklichen Zufall oder ein echtes Wunder – gelingen, ein Loch in Alex Ladds Alibi zu schießen, stünde Hammond für immer in ihrer Schuld. Sollte das Alibi der Psychologin tatsächlich halten, wäre er wenigstens vorgewarnt. Dann gäbe es für ihn im Gerichtssaal keine unliebsamen Überraschungen. So oder so wäre er ihr etwas schuldig. Sogar 'nen ordentlichen Brocken.

Bis er sie nicht offiziell entließ, arbeitete sie, rein technisch gesehen, immer noch auf Vorschuss. Sollte sie für ihn in dieser Sache einen Durchbruch erzielen, wäre er ihr ewig dankbar und würde sich fragen, was er ohne sie getan hätte. Vielleicht würde er sie sogar für eine Daueranstellung bei der Staatsanwaltschaft empfehlen.

Zumindest würde er es zu schätzen wissen, dass sie die Initiative ergriffen und ihrem eigenen messerscharfen Instinkt gefolgt war, den nicht einmal ein ganzes Meer von Alkohol hatte trüben können. Er wäre ja so stolz auf sie!

»Sergeant Basset?«

Der uniformierte Polizist bog eine Ecke der Zeitung um, die er gerade las. Als er Hammond auf der anderen Seite seines Schreibtisches stehen sah, schoss er hoch. »Hallo, Herr Staatsanwalt, Ihren Ausdruck habe ich schon da.«

Der Beweisfundus des Charlestoner Polizeipräsidiums war Sergeant Glenn Bassets Reich. Er war klein, rundlich und zurückhaltend. Ein dichter Schnauzbart kompensierte seine Glatze.

Da es ihm an Aggressivität fehlte, war er auf Streife kläglich gescheitert, aber seinen jetzigen Schreibtischjob erledigte er perfekt. Er war ein netter Kerl, der nie klagte und mit seinem Rang zufrieden war, ein umgänglicher Kumpel, der zu jedem freundlich war und keine Feinde hatte.

Hammond hatte für seine Bitte schon vorher angerufen, und der Sergeant hatte sie gerne erfüllt. »Sie haben mir ja nicht viel Zeit gegeben, aber es ging ja auch nur darum, die Listen vom letzten Monat anzuklicken und auszudrucken. Ich könnte noch weiter zurückgehen –«

»Noch nicht.« Hammond überflog das Blatt in der Hoffnung, ihm würde ein Name auffallen, was aber nicht geschah. »Hätten Sie eine Minute Zeit, Sergeant?«

Er verstand, dass Hammond unter vier Augen mit ihm sprechen wollte, und wandte sich deshalb an die Sachbearbeiterin am Schreibtisch nebenan: »Diane, könntest du die Sachen mal 'ne Minute im Auge behalten?«

Ohne die Augen von ihrem Bildschirm zu nehmen, nickte sie: »Lass dir Zeit.«

Der korpulente Polizist schob Hammond auf einen kleinen Pausenraum fürs Personal zu und bot ihm einen Becher trüben Kaffees aus der Kaffeemaschine an.

Hammond lehnte dankend ab und sagte dann: »Sergeant Basset, es handelt sich hier um eine höchst delikate Angelegenheit, die ich bedauerlicherweise erkunden muss.«

Er musterte Hammond fragend. »Was müssen Sie erkunden?«

»Liegt es im Bereich des Möglichen – nicht des Wahrscheinlichen, sondern nur des Möglichen –, dass ein Polizist sich… ohne Ihr Wissen eine Waffe aus dem Fundus… borgen… könnte?«

»Nein, Sir.«

»Das ist nicht *möglich*?«

»Mr. Cross, ich führe strikt Buch.«

»Ja, das sehe ich«, sagte er, wobei er nochmals rasch den Computerausdruck überflog.

Allmählich wurde Basset nervös. »Worum geht's denn?«

»War nur so ein Einfall von mir«, meinte Hammond verärgert. »Bisher ist die Waffe, mit der Lute Pettijohn getötet wurde, noch nicht aufgetaucht.«

»Zwei .38er-Schüsse in den Rücken.«

»Richtig.«

»Wir haben hier Hunderte von Waffen mit Kaliber .38.«

»Sehen Sie, da liegt mein Problem.«

»Mr. Cross, ich bin stolz darauf, dass hier Zucht und Ordnung herrschen. Meine Personalakte –«

»Ist makellos. Das weiß ich, Sergeant. Ich unterstelle Ihnen doch auch keine Komplizenschaft. Wie schon gesagt, handelt es sich um eine delikate Angelegenheit, bei der mir schon allein die Frage zuwider war. Ich habe mir nur überlegt, ob ein Polizist einen Grund erfunden haben könnte, um eine Waffe herauszunehmen.«

Nachdenklich zupfte Basset an seinem Ohrläppchen. »Schätzungsweise könnte er das, aber er müsste trotzdem dafür unterschreiben.«

Nie und nimmer. »Entschuldigung, dass ich Sie belästigt habe. Danke.«

Hammond nahm die Liste mit, obwohl er nicht annahm, noch die Art Hinweis zu finden, auf den er gehofft hatte. Er hatte Harvey Knuckle in Hochstimmung verlassen, nachdem er ihm das Geständnis abgerungen hatte, dass Smilow und Steffi ihn genötigt hatten, Informationen über Pettijohn zu besorgen.

Aber was bewies das jetzt im Nachhinein? Dass sie, genau wie er, daran interessiert waren, Lute seiner verdienten Strafe zuzuführen. Wohl kaum ein Durchbruch, nicht einmal eine Überraschung.

Er wünschte sich so verzweifelt, Alex' Unschuld zu beweisen, dass er bereit war, alles und jeden in Zweifel zu ziehen, sogar Kollegen, die derzeit mehr als er dafür taten, Recht und Gesetz aufrechtzuerhalten.

Niedergeschlagen schloss er seine Wohnung auf, ging direkt ins Wohnzimmer und schaltete den Fernseher ein. Soeben kündigte die Nachrichtensprecherin mit den smaragdgrünen Kontaktlinsen die Aufmacherstory an. In einem Anflug von Masochismus schaute er zu.

Mit Ausnahme der Armschlinge war sein Verband durch die Kleidung abgedeckt. Trotzdem hatte er im gleißenden Scheinwerferlicht, das sich wie Blutegel festsaugte, eine wächsernblasse Gesichtsfarbe, von der sein Eintagesbart noch dunkler abstach. Als man ihn zu seiner Verletzung befragte, hatte er den Überfall als unwichtig abgetan und war zum eigentlichen Fall übergegangen.

Er hatte sich politisch korrekt verhalten und der Polizei zu ihrer exzellenten Ermittlungsarbeit gratuliert. Speziellen Fragen zu Alex Ladd war er ausgewichen und hatte lediglich gesagt, Trimbles Aussage sei ein Wendepunkt in der Ermittlung gewesen, der Fall stünde auf sicheren Füßen und eine Anklageerhebung sei praktisch sicher.

Gleich hinter seiner linken Schulter hatte Steffi unterstützend genickt und zustimmend gelächelt. Ihm fiel auf, dass sie fotogen war. In ihren dunklen Augen spiegelten sich die Lichter. Die Kamera hatte ihre lebhafte Art eingefangen.

Die Medien hatten auch Smilow umschwärmt und ihm dieselbe Sendezeit eingeräumt. Im Gegensatz zu Steffi und seiner sonstigen Art hatte er sich zurückgehalten. Seine Aussagen klangen diplomatisch verwässert und spiegelten, mehr oder weniger, die von Hammond wider. Auf Alex' Verbindung zu Bobby Trimble ging er nur ganz allgemein ein, indem er sagte, der Festgenommene habe wesentlich dazu beigetragen, überzeugende Argumente gegen sie zu finden. Er lehnte es ab, ihre konkrete Beziehung zu Lute Pettijohn zu enthüllen.

Obwohl er mit keinem Wort auf ihre Jugendakte einging, mutmaßte Hammond, dass er dies bewusst unterlassen hatte. Smilow wollte nicht vorab die möglichen Geschworenen belasten und Frank Perkins einen Anlass liefern, den Verhandlungsort zu ändern oder eine Aufhebung des Urteils auf Grund von Verfahrensmängeln zu erwirken. Falls es überhaupt zum Prozess kommen sollte.

Videokameras hielten einen Frank Perkins fest, der Alex mit versteinerter Miene hinausgeleitete. Dieser Teil war für Hammond der schwierigste. Es musste unendlich demütigend für sie gewesen sein, als Hauptverdächtige im berühmtesten Mordfall aus Charlestons jüngster Geschichte im Rampenlicht zu stehen.

Sie wurde als fünfunddreißigjährige angesehene Psychologin mit beeindruckenden Referenzen geschildert. Neben ihren beruflichen Auszeichnungen wurden ihre Teilnahme an öffentlichen Veranstaltungen und ihre großzügigen Spenden für mehrere wohltätige Organisationen gerühmt. Nachbarn und Kollegen, die man um Kommentare gebeten hatte, zeigten sich schockiert, einige sogar empört, und wiesen Spekulationen über ihre Beteiligung als »haarsträubend«, »lächerlich« und Ähnliches zurück.

Als die Nachrichtensprecherin ohne Pause zum nächsten Beitrag überging, schaltete Hammond das Gerät aus, ging nach oben und ließ sich ein heißes Bad ein, in das er bis zum Hals eintauchte. Nur sein rechter Arm hing über den Wannenrand. Das Bad vertrieb zwar ein wenig den Wundschmerz, aber danach fühlte er sich benommen und matt.

Er brauchte dringend etwas zu essen, deshalb ging er hinunter und begann, sich Rühreier zu machen.

Da er nur mit der Linken arbeiten konnte, ging alles sehr zäh. Außerdem behinderte ihn eine ungute Vorahnung. Er hatte keine Lust, als Held schlüpfriger Witze erinnert zu werden. Er wollte nicht, dass es hieß: »Ach, wisst ihr noch, Hammond Cross. Ein viel versprechender junger Staatsanwalt. Dann hat er 'ne Möse gerochen, und schon war alles beim Teufel.«

Und genau das würden sie sagen. Oder Ähnliches.

Kollegen und Bekannte würden im Umkleideraum, zwischen

nassen Handtüchern und verschwitzten Socken, oder bei einem Glas Bourbon in einem beliebten Szenelokal die Köpfe schütteln und kaum verhehlen, wie sehr sie sich über seine Hinfälligkeit amüsierten. Ihn würde man für einen Narren halten und Alex für die Schlampe, die seinen Sturz herbeigeführt hatte.

Am liebsten wäre er auf diese Klatschmäuler aus seiner Phantasie losgegangen und hätte sie für ihre unfairen Bemerkungen über sie und ihre gemeinsame Beziehung fertig gemacht. Es war ganz anders, als sie es sich dachten. Er hatte sich verliebt. Er wusste noch genau, was er ihr letzte Nacht gesagt hatte, so sehr hatten ihn die Schmerztabletten nicht betäubt. Dass er es ehrlich meine und dass es von Anfang an so gewesen sei. Erst vor knapp einer Woche war er ihr begegnet – *vor knapp einer Woche* –, und doch hatte er in seinem ganzen Leben noch nie etwas so sicher gewusst. Noch nie zuvor hatte ihn eine Frau körperlich so angezogen. Noch nie hatte er sich zu einem anderen Menschen geistig, seelisch und emotional so hingezogen gefühlt. Stundenlang hatten sie miteinander geredet, zuerst auf diesem albernen Jahrmarkt und später dann in seinem Bett in der Hütte. Über Musik, Essen, Bücher, Reisen und über die Orte, die sie besuchen wollten, falls es die Zeit erlaubte. Über Filme, Fitnesspläne, den alten Süden, den neuen, die Witze der drei Stooges und warum Männer sie lieben, während Frauen sie hassen. Über wichtige und unwichtige Dinge. Endlose Gespräche über alles und jedes, nur nicht über sich selbst.

Er hatte ihr nichts Wesentliches über sich erzählt. Sie hatte gewiss nichts von ihrem Leben preisgegeben, weder aus dem gegenwärtigen noch aus der Vergangenheit.

War sie eine Hure gewesen? War sie's noch immer? Wenn ja, konnte er seine Liebe zu ihr so schnell unterdrücken, wie sie aufgeflammt war? Er befürchtete, dass er dazu nicht fähig war. Vielleicht war er doch ein Narr.

Aber Närrischsein war keine Entschuldigung für Unrecht. Allmählich kamen er und sein schlechtes Gewissen nicht mehr miteinander klar. Er fand es zunehmend schwieriger, mit sich auszukommen. Obwohl er es hasste, seinem Vater auch nur das geringste Verdienst anzurechnen, musste er gestehen, dass ihm Preston heute die Augen geöffnet und ihn zu einer Auseinandersetzung gezwungen hatte, um die er sich bisher gedrückt hatte: Hammond Cross war genauso korrumpierbar wie jeder andere Mensch auch. Er war nicht ehrenwerter als sein Vater. Da ihm diese Erkenntnis genauso schwer im Magen lag wie die Rühreier, übergab er sich in den Abfalleimer.

Er wollte etwas trinken, aber Alkohol hätte nur die Benommenheit in seinem Kopf verstärkt, und anschließend hätte er sich noch mieser gefühlt.

Er wünschte, sein Arm würde aufhören, so verflucht heftig zu pochen.

Er wünschte sich eine Lösung für dieses gottverdammte Durcheinander, das die strahlende Zukunft bedrohte, die er für sich entworfen hatte.

Am meisten aber wünschte er sich, dass Alex in Sicherheit wäre. Abgeschottet. Im Tresor.

Ein Tresor.

Ein Tresor voller Bargeld in Alex' Haus.

Ein leerer Tresor in Pettijohns Hotelsuite. Ein Tresor im Wandschrank.

Der Wandschrank. Der Tresor. Kleiderbügel. Bademantel. Hausschuhe. Immer noch in Zellophan gewickelt.

Hammond zuckte zusammen, als ob er einen Elektroschock bekommen hätte, ehe er wieder stocksteif erstarrte und sich zur Ruhe zwang, zu gründlichem, klarem Nachdenken.

Mach langsam. Lass dir Zeit.

Aber auch nachdem er mehrere Minuten lang alle möglichen Szenarien durchgespielt hatte, konnte er keine Unstimmigkeit entdecken. Alles passte zusammen.

Diese Schlussfolgerung machte ihn nicht glücklich, aber momentan konnte er sich diesbezüglich keine weiteren Grübeleien mehr erlauben. Er musste handeln.

Er rappelte sich vom Stuhl hoch und packte das Telefon. Nachdem er sich von der Auskunft die Nummer hatte bestätigen lassen, drückte er die Zahlen.

»Charles Towne Plaza. Wohin kann ich Sie weiterverbinden?«

»Zum Spa, bitte.«

»Tut mir Leid, Sir, aber das Spa ist für heute Abend schon geschlossen. Falls Sie einen Termin vereinbaren möchten –«

Er unterbrach die Telefonistin, stellte sich vor und erklärte ihr, wen er unbedingt sprechen müsse. »Und ich muss sofort mit ihm reden. Während Sie ihn aufspüren, stellen Sie mich zur Hausdame durch.«

Es dauerte nicht lange, bis Loretta zu der Einsicht gelangte, dass es keine gute Idee gewesen war, auf diesen Jahrmarkt zu fahren.

Bereits fünfzehn Minuten nachdem sie ihren Wagen auf einer staubigen Weide geparkt hatte und nun den restlichen Weg zu Fuß zurücklegte, schwitzte sie am ganzen Körper. Überall waren Kinder – lärmende Krachmacher mit klebrigen Fingern, die es darauf angelegt hatten, besonders ihr auf die Nerven zu gehen. Die Schausteller waren mürrisch. Nicht dass sie ihnen ihre schlechte Laune vorwarf. Wer konnte bei dieser Hitze schon arbeiten?

Sie hätte ihre Seele verkauft, um in einer angenehm dunklen, kühlen Bar sitzen zu können. Der Mief aus abgestandenem Tabakqualm und Bier wäre eine willkommene Abwechslung zu der Duftwolke aus Zuckerwatte und Kuhdung gewesen, die über dem Rummelplatz hing.

Das Einzige, was sie noch hier hielt, war die ständige Mahnung, sie könnte Hammond damit etwas Gutes tun. Das war sie ihm schuldig, nicht nur als Wiedergutmachung für den Fall, den sie vermasselt hatte, sondern auch, weil er ihr eine zweite Chance gegeben hatte, als sie niemandem sonst auch nur einen Pfifferling wert gewesen war.

Vielleicht würde diese nüchterne Periode nicht anhalten, aber momentan war sie trocken, hatte Arbeit, und in den Augen ihrer Tochter lag etwas anderes als bloße Verachtung für sie. Diese Segnungen hatte sie Hammond zu verdanken.

Beharrlich trabte sie von einer Attraktion zur nächsten. »Ich dachte, Sie könnten sich vielleicht erinnern –«

»Lady, biste gaga? Hier sin'n paar tausend Leutchens durchjelatscht. Wie soll ma sich 'n da an eene Tussi erinnern?« Der Schausteller spuckte einen zähen Batzen Tabaksaft knapp an ihrer Schulter vorbei.

»Danke für deine Mühe. Du kannst mich mal.«

»Ja, ja, jetzt beweg mal deinen Hintern. Du hältst die janze Reihe auf.«

Jedes Mal, wenn sie Ausstellern, Fahrpersonal und Essenverkäufern Alex Ladds Foto zeigte, bekam sie eine mehr oder weniger ähnliche Antwort. Entweder reagierten sie von vornherein so rüde wie der Letzte, oder sie waren viel zu müde, um sich noch voll auf sie konzentrieren zu können. Ein Kopfschütteln und ein knappes »Tut mir Leid« war die übliche Antwort auf ihre Nachfrage.

Noch lange nach Sonnenuntergang, als schon die Schnaken schwadronweise anrückten, lief sie fragend herum. Nach mehreren Stunden hatte sie zu ihrem Kummer lediglich ein Paar Beine vorzuweisen, die in der Hitze zu Sofakissenformat aufgequollen waren. Bei einem kritischen Blick auf das geschwollene aufgeblähte Fleisch, das sich durch die Riemen ihrer Sandalen drückte, kam ihr der Gedanke, wie schade es sei, dass dieser Jahrmarkt keine Monstrositätenschau anbot. »Diese Schätzchen hätten mich dafür qualifiziert«, stieß sie hervor.

Schließlich gestand sie sich mehrere Dinge ein: Dieses Unternehmen war totaler Blödsinn. Wahrscheinlich hatte Dr. Ladd mit ihrer Aussage gelogen. Und drittens tendierte die Wahrscheinlichkeit, zufällig auf jemanden zu stoßen, der auch letzten Samstag hier gewesen war und sich obendrein noch erinnerte, sie gesehen zu haben, gegen null.

Sie zerquetschte eine Schnake auf ihrem Arm. Das Insekt zerplatzte wie ein Ballon und hinterließ einen Blutklecks. »Jetzt bin ich mindestens 'nen Viertelliter leichter.« Damit beschloss sie, es gut sein zu lassen und nach Charleston zurückzufahren. Während sie am Tanzpavillon mit seinen Weihnachtsketten unter dem Kegeldach vorbeiging, träumte sie genüsslich von einem eiskalten Fußbad. Eine vergammelte Band stimmte gerade die Instrumente.

Der Fiedler hatte einen geflochtenen Bart, damit er noch lauter plärren konnte. Tänzer fächelten sich mit Flugblättern Luft zu und warteten lachend und plaudernd, bis die Band wieder zu spielen begann.

Am Tanzbodenrand trieben sich Singles herum, prüften ihre Aussichten, musterten die Konkurrenz und versuchten, möglichst unauffällig und gelassen mit jemandem zusammenzukommen.

Loretta fiel auf, dass sich jede Menge Militär darunter befand. Frisch rasierte, junge Soldaten mit kurz geschorenen Köpfen schwitzten ihr billiges Rasierwasser aus, verschlangen die Mädchen mit den Augen und kippten ihre Bierchen.

Ein Bier würde ihr sicher gut tun. Ein einziges Bier? Was konnte das schon anrichten? Nicht, um sich voll laufen zu lassen, nur um einen brennenden Durst zu löschen, was eine Zuckerlimonade nie schaffte. Solange sie hier war, konnte sie auch noch Dr. Ladds Foto herumreichen. Vielleicht erinnerte sich einer der Soldaten noch vom letzten Wochenende an sie. Diese Jungs hatten immer ein Auge für attraktive Frauen. Vielleicht hatte sich einer in Alex Ladd verknallt.

Während sie sich einredete, dass sie nur ganz vernünftige Gründe suchte, um sich der Bier trinkenden Meute zu nähern, humpelte Loretta die Pavillonstufen hinauf und zuckte bei jedem Schritt vor Schmerz zusammen.

32

Als Frank Perkins seine Haustür öffnete, verschwand sein Begrüßungslächeln so schlagartig, als hätte sich die Pointe eines viel versprechenden Witzes als Rohrkrepierer erwiesen. »Hammond.«

»Darf ich reinkommen?«

Vorsichtig wählte Frank seine Worte und meinte: »Dabei wäre mir gar nicht wohl zu Mute.«

»Wir müssen uns unterhalten.«

»Ich habe ganz normale Bürozeiten.«

»Frank, das duldet keinen Aufschub, nicht einmal bis morgen. Das musst du sofort sehen.« Hammond zog einen Umschlag aus seiner Brusttasche und reichte ihn dem Anwalt. Frank nahm ihn und schaute vorsichtig hinein. Im Umschlag lag eine Eindollarnote. »Ach, Hm…«

»Frank, hiermit beauftrage ich dich als meinen Anwalt. Das ist eine Anzahlung auf deine Gebühren.«

»Zum Teufel, was hast du vor?«

»In der Nacht, als Lute Pettijohn getötet wurde, war ich mit Alex zusammen. Wir haben die Nacht gemeinsam im Bett verbracht. Kann ich jetzt reinkommen?« Wie erwartet verschlug es Frank Perkins bei dieser Erklärung die Sprache. Hammond nutzte seine Sprachlosigkeit und drängelte sich an ihm vorbei. Frank schloss die Tür zu seinem gemütlichen Vorstadthaus. Kaum hatte er sich wieder gefangen, ging er mit Vollgas auf Hammond los. »Ist dir klar, gegen wie viele ethische Regeln du soeben verstoßen hast? Und wie viele *ich* auf dem besten Wege bin, durch dein arglistiges Täuschungsmanöver zu verletzen?«

»Du hast völlig Recht.« Hammond nahm die Dollarnote wieder an sich. »Du kannst gar nicht mein Anwalt sein. Wegen des Interessenkonfliktes. Aber während der kurzen Zeit, in der du den Vorschuss in Händen hattest, habe ich dir etwas gestanden, das der Schweigepflicht unterliegt.«

»Du Mistkerl«, sagte Frank wütend. »Ich habe keine Ahnung, was du im Schilde führst. Und ich will es auch gar nicht wissen. Ich will nur eines: dass du mein Haus verlässt. Auf der Stelle!«

»Hast du nicht gehört, was ich gesagt habe? Ich sagte, ich hätte –«

Er brach ab. Hinter Frank füllte sich der offene Flur mit neugierigen Gesichtern, die wissen wollten, was dieser Lärm bedeutete. Alex' Gesicht war das Einzige, das Hammond registrierte.

Frank schaute ebenfalls in die Richtung und nuschelte: »Maggie, du erinnerst dich doch an Hammond Cross.«

»Natürlich«, sagte Franks Frau. »Hallo, Hammond.«

»Maggie. Es tut mir Leid, dass ich so bei Ihnen hereinplatze. Hoffentlich habe ich nicht gestört.«

»Eigentlich wollten wir gerade zu Abend essen«, sagte Frank. Einer seiner neunjährigen Zwillinge hatte einen verschmierten Mund. Es sah nach Spagettisoße aus. Maggie war eine liebenswürdige Südstaatenlady mit einem Stammbaum aus tapferen Ehefrauen und Witwen von Konföderierten. Die merkwürdige Situation, die sich in ihrer Diele abspielte, brachte sie nicht aus der Ruhe. »Wir haben uns eben erst hingesetzt, Hammond. Bitte essen Sie doch mit.«

Rasch warf er zuerst Frank einen Blick zu, dann Alex. »Danke, nein, trotzdem weiß ich Ihr Angebot zu schätzen. Ich werde Franks Zeit nur ein paar Minuten in Anspruch nehmen.«

»Nett, Sie wiederzusehen. Jungs.«

Damit packte Maggie Perkins ihre beiden Zwillinge an der Schulter, drehte sie um und scheuchte sie dorthin zurück, wo sie vermutlich hergekommen waren: in eine familiäre Essecke in der Küche.

Hammond sagte zu Alex: »Ich hatte keine Ahnung, dass du hier bist.«

»Frank war so liebenswürdig, mich zum Abendessen mit seiner Familie einzuladen.«

»Nett von ihm. Nach diesem Tag hattest du wahrscheinlich wenig Lust, allein zu sein.«

»Nein, wollte ich nicht.«

»Außerdem ist es gut, dass du da bist. Du musst das auch hören.«

Schließlich platzte Frank dazwischen: »Da man mir wegen dieser Sache sowieso die Lizenz entziehen wird, denke ich, ich gehe jetzt voraus und hole mir den Drink, den ich jetzt dringend brauche. Möchte sich einer von euch anschließen?«

Er bedeutete ihnen, ihm in den rückwärtigen Teil des Hauses zu folgen, wo sein Privatbüro lag. Plaketten und gerahmte Auszeichnungen zierten in eindrucksvollen Arrangements die getäfelten Wände und zeugten von dem ehrenwerten Mann, der Frank Perkins war, persönlich wie beruflich.

Hammond und Alex lehnten sein Angebot, etwas zu trinken, ab, aber Frank goss sich einen unverdünnten Scotch ein und nahm hinter einem ausladenden Schreibtisch Platz. Die Blicke des Anwalts wanderten zwischen beiden hin und her, bis sie schließlich bei seiner Mandantin Halt machten. »Ist das wahr? Hast du mit unserem geschätzten Bezirksstaatsanwalt in spe geschlafen?«

»Es ist nicht erforderlich –«

»Hammond«, unterbrach ihn Frank brüsk, »du bist nicht in der Position, mich zu korrigieren, geschweige denn, mir Vorhaltungen zu machen. Eigentlich sollte ich dich mit einem Fußtritt hinausbefördern und anschließend dein Geständnis Monroe Mason mitteilen. Es sei denn, er weiß es bereits.«

»Tut er nicht.«

»Der einzige Grund, warum du dich noch immer unter meinem Dach befindest, ist mein Respekt vor der Privatsphäre meiner Mandantin. Bis ich nicht alle Fakten kenne, möchte ich nichts überstürzen und sie damit eventuell noch mehr in Verlegenheit bringen, als es diese Farce bereits getan hat.«

»Frank, sei nicht wütend auf Hammond«, sagte Alex. In ihrer Stimme schwang eine tiefe Müdigkeit mit, die Hammond bisher noch nicht wahrgenommen hatte. Vielleicht war es auch Resignation oder sogar Erleichterung, weil ihr Geheimnis endlich gelüftet war. »Ich trage daran ebenso viel Schuld wie er. Ich hätte dir von vornherein sagen sollen, dass ich ihn kenne.«

»Intim?«

»Ja.«

»Wie lange wolltest du das denn laufen lassen? Wolltest du dich von ihm anklagen, ins Gefängnis bringen, dir den Prozess machen, dich verurteilen und in die Todeszelle schaffen lassen?«

»Ich weiß es nicht!« Plötzlich stand Alex auf, drehte ihnen den Rücken zu und presste die Ellbogen dicht an ihren Körper. Einen Augenblick rang sie um Fassung, dann schaute sie ihnen wieder ins Gesicht. »Eigentlich trifft mich mehr Schuld als Hammond. Er kannte mich nicht, während ich ihn kannte und ihm nachgegangen bin. Absichtlich. Ich habe so getan, als wären wir uns rein zufällig begegnet, aber so war es nicht. Nichts, was zwischen uns vorgefallen ist, war zufällig.«

»Wann fand dieses manipulierte Treffen statt?«

»Letzten Samstagabend. Gegen Sonnenuntergang. Nach dem ersten Kontakt habe ich jede mir bekannte, weibliche List angewandt, um Hammond so zu verführen, dass er die Nacht mit mir verbrachte. Was ich auch machte«, sagte sie, wobei sie eine belegte Stimme bekam, »hat funktioniert. Weil er funktionierte.«

Frank trank sein Glas in einem Schluck aus. Der Alkohol trieb ihm Tränen in die Augen, und er musste hinter vorgehaltener Faust husten. Nachdem er sich geräuspert hatte, wollte er wissen, wo das alles stattgefunden hatte. Alex berichtete ihm die Ereignisse der Reihe nach, angefangen mit ihrer Begegnung im Tanzpavillon bis zum Ende in Hammonds Hütte. »Am nächsten Morgen habe ich mich noch vor Sonnenaufgang heimlich davongestohlen und war fest entschlossen, ihn nie wiederzusehen.«

Frank schüttelte den Kopf. Er wirkte benommen, entweder wegen des plötzlichen Alkohols oder der widersprüchlichen Fakten, die er nur mühsam auseinander dividieren konnte.

»Das begreife ich nicht. Du hast mit ihm geschlafen, aber es war nicht… du hast nicht…«

»Ich war ihre Rückversicherung«, sagte Hammond, dem es immer noch schwer fiel, ihr Geständnis mit anzuhören, dass sie ihn hereingelegt hatte, dass ihre Begegnung, entgegen seiner Hoffnung, weder dem Schicksal noch einem romantischen Zufall zu verdanken war. Aber damit musste er fertig werden. Die Umstände erforderten es, sich auf wesentlich Wichtigeres zu konzentrieren. »Für den Fall, dass Alex unbedingt ein Alibi brauchte, sollte ich es sein. Eigentlich war ich sogar das perfekte Alibi, weil ich sie nicht bloßstellen konnte, ohne selbst mit hineingezogen zu werden.«

Frank schaute ihn fragend an. »Würdest du dir die Mühe machen, das zu erklären?«

»Alex ist mir vom Charles Towne Plaza, wo ich mich mit Lute Pettijohn getroffen habe, bis aufs Volksfest gefolgt.«

Frank starrte ihn noch mehrere Herzschläge lang an, ehe er zur Bestätigung Alex anschaute. Sie nickte leicht. Frank stand auf, um sich noch ein Glas einzuschenken.

Während er dies tat, nützte Hammond die Gelegenheit, Alex anzuschauen. Ihre Augen waren feucht, aber sie weinte nicht. Er hätte sie so gerne in die Arme genommen. Und gleichzeitig hätte er sie am liebsten geschüttelt, bis die ganze Wahrheit herausfiel.

Vielleicht aber auch nicht. Vielleicht wollte er gar nicht wissen, dass er genauso leichtgläubig gewesen war wie die geilen Jungs und die schmutzigen alten Männer, die bei ihrem Halbbruder Bobby für Gefälligkeiten bezahlt hatten.

Sollte seine Liebeserklärung der Wahrheit entsprechen, musste er auch damit fertig werden.

Frank begab sich wieder zu seinem Sessel. Während er das frisch gefüllte Glas auf der Lederplatte herumdrehte, fragte er: »Wer fängt an?«

»Ich hatte am Samstagnachmittag mit Pettijohn eine Verabredung«, konstatierte Hammond. »Auf seinen Wunsch. Ich wollte nicht hingehen, aber er bestand auf unserem Treffen und hat garantiert, es sei in meinem ureigensten Interesse.«

»Zu welchem Zweck?«

»Der Oberstaatsanwalt hatte mich beauftragt, gegen Pettijohn zu ermitteln. Davon hat er Wind bekommen.«

»Wie?«

»Darüber später mehr. Momentan genügt die Aussage, dass ich dicht davor stand, meine Ergebnisse dem großen Schwurgericht zu präsentieren.«

»Ich nehme an, dass Pettijohn ein Abkommen treffen wollte.«

»Richtig.«

»Was hat er im Gegenzug dafür angeboten?«

»Für den Fall, dass ich in meinem Bericht an den Oberstaatsanwalt keinen Anlass für eine Anklage sähe und Lute weiterhin wie gewohnt seinen Geschäften nachgehen ließe, versprach er, mich als Nachfolger von Monroe Mason zu unterstützen, womit auch eine erhebliche Geldspende für meinen Wahlkampf verbunden sein sollte. Außerdem schlug er vor, wir sollten uns auch nach meiner Amtserhebung weiterhin zum gegenseitigen Nutzen arrangieren. Eine höchst bequeme Allianz, auf Grund derer er weiterhin gegen die Gesetze hätte verstoßen können, während ich wegschaute.«

»Ich nehme an, dass du abgelehnt hast.«

»Rundheraus. Ab dann fuhr er schwere Geschütze auf. Mein eigener Vater war beim Speckle-Island-Projekt einer seiner Geschäftspartner. Lute zeigte mir zum Beweis eindeutige Dokumente.«

»Wo befinden sich diese Dokumente jetzt?«

»Ich habe sie mitgenommen, als ich ging.«

»Sind sie echt?«

»Leider.«

Frank war kein Dummkopf, sondern zählte zwei und zwei zusammen. »Wenn du weiter gegen Lute ermittelt hättest, wärst du gezwungen gewesen, auch deinen Vater wegen krimineller Machenschaften anzuklagen.«

»Ja, so lautete die Quintessenz von Lutes Warnung.«

Alex' Gesicht wurde weich vor Mitgefühl. Frank sagte leise: »Hammond, das tut mir Leid.«

Obwohl er wusste, dass dieses Mitleid ernst gemeint war, wischte er es beiseite. »Ich habe Lute erklärt, er solle sich zum Teufel scheren. Ich sei entschlossen, meine Pflicht zu tun. Als ich ihm den Rücken zukehrte, schrie er mir unter Drohungen beleidigende Dinge nach. Möglicherweise hat dieser Wutausbruch den Schlaganfall ausgelöst. Ich weiß es nicht. Ich habe mich nicht umgesehen. Ich war nicht mehr als fünf Minuten drinnen. Maximal.«

»Um wie viel Uhr war das?«

»Wir hatten uns um fünf verabredet.«

»Hast du Alex gesehen?«

Beide schüttelten gleichzeitig den Kopf. »Erst auf dem Volksfest. Ich war so sauer auf Pettijohn, dass ich beim Verlassen des Hotels äußerst übel gelaunt war. Mir ist gar nichts aufgefallen.«

Er hielt inne, um tief Luft zu holen. »Eigentlich hatte ich geplant, sofort zum Übernachten in meine Hütte zu fahren. Aus einer Laune heraus entschied ich mich dann für eine kurze Unterbrechung auf dem Jahrmarkt. Dann sah ich Alex im Tanzpavillon und ...« Sein Blick wanderte von Frank zu ihr hinüber. Sie saß in einem Ohrensessel und hörte aufmerksam zu. »Dort hat alles angefangen.«

Es wurde so still im Raum, dass sich das Ticken der Uhr auf Franks Schreibtisch in lautes Pochen verwandelte. Nach einiger Zeit meinte der Anwalt: »Was erhoffst du dir davon, dass du hierher kommst und mir dies alles erzählst?«

»Es lag mir schwer auf dem Gewissen.«

»Nun, ein Priester bin ich nicht«, sagte Frank unwirsch.

»Nein, bist du nicht.«

»Außerdem vertreten wir in einem Mordprozess die jeweils entgegengesetzte Seite.«

»Auch dieser Tatsache bin ich mir bewusst.«

»Dann komme ich zu meiner Ausgangsfrage zurück: Weshalb bist du hierher gekommen?«

Hammond sagte: »Weil ich weiß, wer Lute ermordet hat.«

33

Davee nahm gelangweilt den Hörer ab. »Davee, du weißt, wer am Apparat ist.« Es war keine Frage.

In Ermangelung einer Alternative hatte sie es sich in ihrem Schlafzimmer auf der Chaiselongue bequem gemacht, Wodka auf Eis getrunken und nebenbei auf einem Kanal mit Filmklassikern einen Schwarzweißfilm mit Joan Crawford angeschaut. Unter dem beschwörenden Tonfall des Anrufers setzte sie sich auf, worauf ihr schwindlig wurde. Sie schaltete den Fernsehton ab.

»Was –«

»Sag kein Wort. Kannst du dich mit mir treffen?«

Sie schaute auf die Uhr, die auf dem antiken Teetischchen neben der Chaiselongue stand. »Jetzt?«

In ihren wilden Teenagerjahren hätte ein Anruf mitten in der Nacht Abenteuer bedeutet. Damals wäre sie heimlich aus dem

Haus geschlichen, um sich mit einem Freund oder einer Gruppe Mädchen zu treffen, wäre bis zum Morgengrauen herumkutschiert, hätte splitternackt im Meer gebadet, Bier getrunken oder Marihuana geraucht. Solche Eskapaden trieben ihre Eltern jedes Mal auf die Palme. Erwischt zu werden und einer Bestrafung zu trotzen, war schon der halbe Spaß gewesen.

Selbst nach ihrer Heirat mit Lute war es nichts Ungewöhnliches, dass sie solche Verabredungen hatte, die in nächtlichen Ausflügen mündeten. Trotzdem hatte das die häuslichen Abläufe nie gestört. Entweder war Lute ihr Kommen und Gehen egal, oder er war zum eigenen Amüsement unterwegs. Diese Exkursionen waren deshalb nicht halb so lustig gewesen.

Obwohl dieser Ausflug kein Spaß zu werden versprach, reizte er ihre Neugier. »Was ist los?«

»Ich kann am Telefon nicht darüber reden, aber es ist wichtig. Kennst du den McDonald's auf der Rivers Avenue?«

»Kann ich finden.«

»In der Nähe der Kreuzung Dorchester. Komm so schnell du kannst.«

»Aber –« Nur wenige Augenblicke starrte Davee den toten Hörer in ihrer Hand an, dann ließ sie ihn auf die Chaiselongue fallen, statt ihn zurück auf den Akku zu legen, und stand auf. Sie schwankte leicht und stützte sich auf das Tischchen, um die Balance zu halten. Allmählich kehrte ihr Gleichgewichtssinn zurück und mit ihm ihr Verstand.

Das war gaga. Sie hatte eine ganze Menge getrunken. Sie sollte nicht fahren. Außerdem, zum Teufel noch mal, was bildete er sich eigentlich ein, wer er sei? Kommandierte sie zur finstersten Mitternacht zu einem McDonald's. Kein »bitte« oder »danke schön«. Kein Hauch von Zweifel, sie könnte nicht einverstanden sein. Warum konnte er damit nicht zu ihr kommen, egal, was hier so verdammt wichtig war? Irgendwie musste es ganz sicher mit den Ermittlungen zum Mord an Lute zusammenhängen. Hatte sie nicht deutlich gemacht, dass sie damit nur zu tun haben wollte, wenn es absolut unumgänglich war? Trotzdem ging sie ins Bad, spritzte sich kaltes Wasser ins Gesicht, gurgelte mit Mundwasser und ließ ihr Nachthemd fallen. Dann schlüpfte sie, ohne sich mit Unterwäsche zu plagen, in eine weiße Hose und ein passendes T-Shirt aus irgendeinem hautengen Mikrofasergewebe, das tiefe Einblicke gewährte. Geschah ihm recht. Schuhe waren ebenfalls überflüssig. Ihre Frisur war ein einziges ungebürstetes Lockenge-wirr. Sollte sie jemand zusammen sehen, würde allein ihr halb an-gezogener Zustand für hochgezogene Augenbrauen sorgen. Ihr war das selbstverständlich egal, aber für ihn war dieser Leicht-sinn untypisch.

Sarah Birch saß in ihrem Apartment, gleich hinter der Küche, vor dem Fernseher. »Ich gehe noch aus«, teilte ihr Davee mit.

»Um diese Zeit?«

»Ich habe Lust auf Eis.«

»Der ganze Kühlschrank ist voll.«

»Aber nicht mit der Sorte, auf die ich Appetit habe.«

Die getreue Haushälterin wusste immer, wann sie log, stellte aber nie Fragen. Das war nur einer der Gründe, weshalb Davee sie vergötterte. »Ich passe auf. Bin gleich wieder da.«

»Wenn mich jemand später fragen sollte…?«

»War ich um neun im Bett und habe tief und fest geschlafen.« In dem Bewusstsein, dass all ihre Geheimnisse bei Sarah in Si-cherheit waren, ging sie in die Garage und stieg in ihren BMW. Die bewohnten Straßen waren dunkel, alle schon im Bett. Auch auf der Stadtautobahn und den Einkaufsboulevards herrschte we-nig Verkehr. Obwohl es gegen ihr eigenes Naturell und das des BMWs ging, hielt sie sich an die Höchstgeschwindigkeit. Ein Richter, der Lute einen Gefallen schuldete, hatte bereits zwei Strafmandate wegen alkoholisierten Fahrens unter den Tisch fal-len lassen. Ein drittes hieße, ihr Glück übermäßig zu strapazie-ren.

Der McDonald's war angestrahlt wie ein Spielcasino in Las Ve-gas. Selbst zu dieser späten Stunde stand noch ein Dutzend Au-tos auf dem Parkplatz. Sie gehörten Teenagern, die sich drinnen um die Tische drängten.

Davee bog auf einen Parkplatz ein, der am hintersten Ende im Schatten lag, kurbelte auf der Fahrerseite das Fenster herunter und schaltete dann den Motor aus. Vor ihr stand eine Reihe struppiger Büsche, die als Hecke zwischen dem Parkplatz des McDonald's und dem eines anderen, längst Pleite gegangenen Fastfoodrestaurants dienten. Das Gebäude war mit Brettern vernagelt. Hinter ihr lag die leere Durchfahrtsstraße. Links und rechts nichts als Dunkelheit.

Zu ihrem Verdruss war er noch nicht da. Als Reaktion auf sein Drängen hatte sie alles liegen und stehen lassen – einschließlich eines guten Highballs – und war angerannt gekommen. Sie klappte die Sonnenblende herunter, schob die Abdeckung des beleuchteten Spiegels zurück und überprüfte ihr Konterfei.

Er öffnete auf der Beifahrerseite und stieg ein. »Du siehst gut aus, Davee. Wie immer.«

Rory Smilow zog rasch die Tür zu, um die Innenraumbeleuchtung auszuschalten. Dann streckte er den Arm übers Lenkrad, schob die Abdeckung wieder vor den Make-up-Spiegel und löschte damit auch dieses Licht.

Sein Kompliment ging Davee durch und durch wie ein Schluck warmen, sehr teuren Alkohols. Trotzdem versuchte sie, sich die berauschende Wirkung nicht anmerken zu lassen, und sagte stattdessen verärgert: »Was soll dieser Mantel-und-Degen-Mist, Rory? Gehen dir neuerdings die Ideen aus?«

»Ganz im Gegenteil. Ich habe zu viele, aber keine ergibt einen Sinn.«

Ihre Bemerkung war witzig gemeint gewesen, aber er hatte sie selbstverständlich ernst aufgefasst. Zu ihrer großen Enttäuschung kam er sofort zum geschäftlichen Teil, genau wie in jener Nacht, als er kam, um ihr mitzuteilen, dass ihr Mann tot war. Sein Benehmen hatte exakt dem Protokoll entsprochen: professionell, höflich, distanziert.

Nicht in tausend Jahren würde Steffi Mundell je vermuten, dass sie beide einmal ein Paar gewesen waren, das bei einem seiner Liebesspiele die Glastür der Dusche aus dem Rahmen gesprengt hatte. Dass ein Picknick in einem öffentlichen Park damit geendet hatte, dass er mit dem Rücken an einem Baum lehnte, während sie auf ihm ritt. Dass sie ein ganzes Wochenende lang von

Erdnussbutter und Sex gelebt hatten, vom Seminarende am Freitagnachmittag bis Montag früh, als der Unterricht wieder begann.

Sein Verhalten an dem Tag, als Lute starb, hatte mit keiner Geste die verrückte Romanze verraten, in die sie einmal verstrickt gewesen waren. Es hatte Davee das Herz gebrochen, dass er eine derart gottverdammte Distanz wahren konnte, während sie ihn buchstäblich mit den Augen vernaschen wollte. Seine Selbstkontrolle war zu bewundern – oder zu bemitleiden. Ein derart geringes Maß an Leidenschaft ließ auf ein sehr einsames und steriles Leben schließen.

So versuchte sie, sich innerlich vor ihm zu verschließen, und sagte: »Betrachte es als kurzen Ausrutscher trotz meines ansonsten guten Urteilsvermögens, aber hier bin ich. Also, was willst du?«

»Dir ein paar Fragen über den Mord an Lute stellen.«

»Ich dachte, du hättest den Fall unter Dach und Fach. Ich habe doch in den Nachrichten gesehen –«

»Richtig, richtig. Hammond trägt ihn nächste Woche dem Gericht vor.«

»Wo liegt dann das Problem?«

»Hast du vor dem heutigen Tag, also vor der Nachrichtensendung, schon einmal von Dr. Alex Ladd gehört?«

»Nein, aber Lute hatte jede Menge Freundinnen. Viele kannte ich, aber sicher nicht alle.«

»Meiner Meinung nach gehörte sie nicht zu den Freundinnen.«

»Ehrlich?«

Sie drehte sich zu ihm, schob einen Fuß unter ihren Po und legte das Kinn aufs Knie. Diese provozierende, wenig damenhafte Pose zog seinen Blick magisch nach unten, wo er mehrere Sekunden ruhte, ehe er wieder zu ihrem Gesicht zurückkehrte.

»Rory, wenn du zu mir um Antworten kommst, musst du wirklich verzweifelt sein.«

»Du bist meine letzte Rettung.«

»Umso schlechter für dich, weil ich dir schon alles erzählt habe, was ich weiß.«

»Davee, das bezweifle ich ernsthaft.«

»Ich lüge dich wegen dieser Dr. Ladd nicht an. Ich würde nie –«

»Darum geht's doch gar nicht«, sagte er und schüttelte ungeduldig den Kopf. »Es geht um etwas… um etwas anderes.«

»Denkst du, du bist hinter der Falschen her?« Er gab keine Antwort, aber seine Miene verkrampfte sich.

»Aha, das ist es, stimmt's? Und für dich ist Unsicherheit eine schlimmere Strafe als der Tod, nicht wahr? Du mit dem kalten Herzen und dem eisernen Willen.« Sie lächelte. »Nun, mein Schatz, ich enttäusche dich ja nur ungern, aber dieses kleine Tete-a-Tete war Zeitverschwendung, für uns beide. Ich weiß nicht, wer Lute getötet hat. Ehrenwort.«

»Hast du mit ihm am Samstag gesprochen?«

»Als er morgens das Haus verließ, hat er mir erklärt, er ginge jetzt Golf spielen. Das nächste Mal habe ich erst wieder einen Gedanken an ihn verschwendet, als du mit dieser Mundell-Zicke aufgetaucht bist, um mir mitzuteilen, dass er tot ist. Offensichtlich waren seine letzten Worte an mich eine Lüge und damit, mehr oder weniger, ein passender Epilog für unsere Ehe. Er war ein fürchterlicher Ehemann, ein durchschnittlicher Liebhaber und ein verachtenswerter Mensch. Offen gestanden ist es mir scheißegal, wer's getan hat.«

»Wir haben deine Haushälterin beim Lügen ertappt.«

»Zu meinem Schutz.«

»Wenn du unschuldig bist, warum brauchst du dann Schutz?«

»Gutes Argument, aber Sarah hätte auch bejaht, wenn ich behauptet hätte, den Samstagnachmittag damit zugebracht zu haben, splitterfasernackt über die Broad Street zu reiten. Und das weißt du genau.«

»Du warst also nicht den ganzen Tag mit Migräne an dein Schlafzimmer gefesselt?«

Lachend fuhr sie sich mit den Fingern durch die Haare und kämmte einige zerzauste Locken glatt. »So könnte man es auch ausdrücken. Ich bin den ganzen Tag mit meinem Masseur im Bett gewesen. Leider hat er sich nicht nur als Migräne fördernd entpuppt, sondern als ausgesprochener Langweiler. Sarah wollte nicht meinen guten Ruf besudeln, indem sie dir die Wahrheit sagte.«

Ihr Sarkasmus war ihm nicht entgangen. Er wandte den Kopf ab und starrte durch die Windschutzscheibe auf die kümmerliche Buschreihe. Seine Kinnmuskeln waren völlig verkrampft. Davee wusste nicht, ob das ein gutes Zeichen war oder nicht.

»Rory, bin ich nun wieder verdächtig?«

»Nein, du hättest Lute nie umgebracht.«

»Wie kommst du darauf?«

Er sah sie durchdringend an. »Weil du es genossen hast, mich durch deine Ehe mit ihm zu quälen.«

Also wusste er genau, weshalb sie Lute geheiratet hatte. Er hatte es bemerkt, und es machte ihm obendrein etwas aus. Also floss doch noch Blut in seinen Adern, trotz seiner scheinbaren Gleichgültigkeit, und mindestens ein Teil davon brannte vor Eifersucht.

Obwohl sie vor Aufregung Herzflattern bekam, hielt sie ihre Gesichtszüge im Zaum und beherrschte ihre Stimme. »Und außerdem… ?«

»Und außerdem hättest du dir nie und nimmer solche Umstände gemacht. Warum solltest du auch, wenn du weißt, dass du trotz eines Mordes ungeschoren davongekommen wärest?«

»Mit anderen Worten«, sagte sie, »ich bin zu reich, um verurteilt zu werden.«

»Genau.«

»Und eine Scheidung macht nur marginal weniger Probleme als ein Mordprozess.«

»In deinem Fall bereitet eine Scheidung vermutlich mehr Probleme.«

Mit diebischer Schadenfreude sagte sie: »Außerdem ist es so, wie ich zu Hammond gesagt habe. Die Gefängnisanzüge –«

»Wann hast du mit Hammond gesprochen?«, fiel er ihr ins Wort.

»Ich unterhalte mich oft mit ihm. Wir sind alte Freunde.«

»Das weiß ich nur allzu gut. Wusstest du, dass er am Tag, als Lute getötet wurde, bei ihm war? Ungefähr um die Tatzeit?«

Mittlerweile war Davee nicht mehr entspannt, sondern sehr auf der Hut und überlegte, wie weit Rory wohl gehen würde, um ihr die Seelenqual heimzuzahlen, die sie ihm bereitet hatte. Würde er sie wegen Justizbehinderung anzeigen, weil sie ein Beweisstück zurückgehalten hatte? Sie hatte Lutes handschriftliche Notiz mit den Terminen vom Samstag an Hammond weitergereicht. Diese Information war möglicherweise völlig unwichtig oder aber auch der Schlüssel zur Lösung von Rorys Fall.

Egal, es war Sache des Ermittlers, die Bedeutung dieses Zettels für den Fall zu klären. Auch wenn Hammonds Treffen mit Lute für den Mord an sich keine Rolle spielte, könnte es ihn als Staatsanwalt kompromittieren. Der zweite Termin hatte nie stattgefunden, falls diese zweite Notiz überhaupt auf einen späteren Termin hinwies. Es hatte kein Name danebengestanden, und außerdem war Lute zum angegebenen Zeitpunkt bereits tot gewesen.

Davee saß in der Falle. Einerseits hatte man sie bei einer strafbaren Handlung ertappt, andererseits stand sie unverbrüchlich loyal zu einem alten Freund. »Hat dir das Hammond erzählt?«

»Er wurde im Hotel gesehen.«

Sie lachte, allerdings nicht recht überzeugend. »Das ist alles? Darauf gründet sich deine Annahme, dass er bei Lute war? Nur weil man ihn im selben Gebäude gesehen hat? Rory, vielleicht solltest du Urlaub nehmen. Du hast keinen Biss mehr.«

»Beleidigungen, Davee?«

»Die Schlussfolgerung, zu der du gekommen bist, ist eine Beleidigung für meine und für deine Intelligenz. Zwei Männer haben sich ungefähr zur selben Zeit im selben, öffentlich zugänglichen Gebäude aufgehalten. Was bringt dich darauf, dass es eine Verbindung gibt?«

»Weil Hammond nie erwähnt hat, dass er im Hotel gewesen ist, obwohl wir so oft über diesen Nachmittag gesprochen haben.«

»Warum sollte er? Warum sollte er einen Zufall großmächtig aufbauschen?«

»Wenn es ein Zufall war, hatte er keinen Grund, es nicht zu erwähnen.«

»Vielleicht hatte er ein nachmittägliches Rendezvous. Vielleicht schmeckt ihm die Krabbenpastete im Restaurant. Vielleicht wollte er in der Hitze auch nur den Weg abkürzen und ist deshalb durch die Halle gegangen. Es könnte hunderte Gründe geben, warum er dort gewesen ist.«

Er beugte sich über die Mittelkonsole und kam ihr dabei näher als in all den letzten Jahren. »Sollte sich Hammond mit Lute getroffen haben, muss ich das wissen.«

»Ich habe keine Ahnung, ob sich die beiden getroffen haben oder nicht«, fauchte sie ihn an. Was auch der Wahrheit entsprach. Sie hatte Hammond lediglich Lutes Notiz gegeben, ohne zu fragen, ob es zu dem Treffen gekommen war. Und er hatte sich auch nicht dazu geäußert.

»Was könnte hinter einem solchen Treffen stecken?«

»Woher soll ich das wissen?«

»Hat Lute dich mit Hammond erwischt?«

»Was?«, rief sie und lachte kurz auf. »Liebe Güte, Rory, heute Nacht läuft deine Phantasie aber wirklich Amok. Wie kommst du denn auf die Idee?« Er musterte sie scharf und unmissverständlich. Damit zerplatzte die winzige fragile Glücksblase, die das Wiedersehen mit ihm hervorgerufen hatte.

»O«, sagte sie, und ihr Lächeln wurde traurig. »Nun ja, du hast natürlich Recht. Ich stehe ganz gewiss nicht über einem Ehebruch. Aber glaubst du allen Ernstes, dass Hammond Cross mit der Frau eines anderen Mannes schlafen würde?«

Nach kurzem angespanntem Schweigen fragte er: »Welche Gründe könnten sie sonst für ein Treffen gehabt haben?«

»Wir wissen nicht, ob es dazu gekommen ist.«

»Hat Hammond erwähnt, ob er sonst jemanden im Hotel gesehen hat?«

»Sollte er dort gewesen sein, hat er garantiert ganze Horden schwitzender Leute gesehen, die da tagtäglich aus und ein gehen.«

»Irgendjemand speziellen?«

»Nein, Rory!«, rief sie entnervt. »Wie gesagt, er hat nichts erzählt.«

»Irgendetwas stimmt nicht mit ihm.«

»Mit Hammond? Und was, wenn ich fragen darf?«

»Ich weiß es nicht, aber es beunruhigt mich. Er ist zurzeit nicht der übliche Feuerkopf.«

»Er ist verliebt.«

Sein Kinn fuhr herum, als hätte er einen raschen unerwarteten Kinnhaken bekommen. »Verliebt? In Steffi?«

»Gott bewahre«, erwiderte sie schaudernd. »Ich wollte ihn erst gar nicht fragen, wie tief ihre Beziehung geht, aber als ich's dann doch getan habe, hat er gesagt, es sei vorbei. Und das glaube ich. Seine Herzallerliebste ist nicht die uncharmante Miss Mundell.«

»Wer dann?«

»Wollte er nicht sagen. Allerdings wirkte er auch nicht allzu glücklich darüber. Meinte, es sei nicht nur kompliziert, sondern schlicht unmöglich. Außerdem: Nein, die Dame ist nicht verheiratet. Denn das habe ich ihn auch gefragt.«

Rory senkte leicht den Kopf. Irgendwie schien er immer mehr an ihren nackten Zehen zu kleben, während er sich ihre Sätze durch den Kopf gehen ließ. Dies bescherte ihr einige lang ersehnte Augenblicke, um ihn anzuschauen: die glatte Stirn, die strengen Augenbrauen, das klare Kinn, den kompromisslosen Mund. Und doch wusste sie, dass man gerade Letzteren durchaus knacken konnte. Sie hatte ihn gespürt, auf ihren Lippen und auf ihrem Körper, hungrig und zärtlich.

»Sie ist eine mächtige Antriebsfeder«, sagte sie leise. Er hob den Kopf. »Wer?«

»Die Liebe.« Nachdenkliche Momente jenseits von Zeit und Raum vergingen, in denen sie einander tief in die Augen starrten. »Sie bringt dich dazu, Dinge zu tun, an die du sonst keinen Gedanken verschwenden würdest. Zum Beispiel, einen Mann zu heiraten, den du hasst.«

»Oder ihn zu töten.«

Sie holte so rasch Luft, dass ihre Brüste unter dem dünnen Stoff, der an ihnen klebte, zitterten. »Ich wünschte, du hättest mich genug geliebt, um ihn zu töten.« Sie legte ihre Hände auf seine Wangen und strich mit dem Daumen über seine Lippen. »Tust du das, Rory?«, flüsterte sie eindringlich. »Liebst du mich so sehr? Bitte, sag mir, dass du's tust.«

Sie beugte sich zu ihm, als wollte sie all die Jahre überbrücken, die sie mit wehem Herzen sehnsüchtig verbracht hatte, und küsste ihn. Die erste Berührung ihrer Lippen hatte eine ebenso verheerende Wirkung wie das Anreißen eines Streichholzes. Seine Reaktion glich einer Explosion. Er verschlang sie buchstäblich mit seinem Mund, in einem harten gierigen Kuss, dessen Intensität einer Naturgewalt glich.

Aber genauso abrupt endete er auch. Seine Hände fuhren nach oben und lösten ihre mit Gewalt von seinem Gesicht, schoben sie weg.

»Rory?«, rief sie und streckte die Hände nach ihm aus, während er die Autotür aufstieß. »Auf Wiedersehen, Davee.«

»Rory?« Aber er schlüpfte durch die Hecke und verschwand in der Dunkelheit. McDonald's hatte geschlossen. Keiner mehr da. Alle Lichter waren aus. Es war dunkel, und Davee war allein. Niemand hörte sie schluchzen.

34

»Ich weiß, wer Lute ermordet hat.«

Hammonds Feststellung ließ Alex und Frank Perkins schockiert verstummen, aber nur für wenige Sekunden, dann bestürmten ihn beide mit Fragen. Frank wollte in erster Linie wissen, weshalb Hammond hier, in seinem privaten Büro, saß und nicht auf dem Polizeirevier.

»Später«, sagte Hammond. »Ehe wir weitermachen, muss ich von Alex hören, was passiert ist.« Er wandte sich zu ihr und beugte sich dabei vor. »Die Wahrheit, Alex, die ganze. Alles. Heute Abend. Jetzt.«

»Ich –«

Noch ehe sie weiterreden konnte, hielt Frank die Hand hoch. »Hammond, du hältst mich wohl für einen Idioten. Ich werde nicht zulassen, dass dir meine Mandantin auch nur ein verdammtes Wort erzählt. Ich will mich nicht an diesem heimlichen Treffen beteiligen, das du mir aufgezwungen hast. Du hast dich absolut verwerflich, unverantwortlich und unprofessionell –«

»Okay, Frank, weißt du noch, du bist kein Priester?«, meinte Hammond. »Aber auch nicht mein Sonntagsschullehrer oder mein Vater. Alex und ich haben zugegeben, wie unangemessen wir diese Sache angepackt haben.«

»Die Untertreibung des Jahres«, bemerkte Frank ironisch. »Euer intimes Zusammensein birgt katastrophale Folgen. Für uns alle.«

»Wieso sind sie für dich eine Katastrophe?«, wollte Alex wissen.

»Alex, vor nicht einmal fünf Minuten hast du zugegeben, dass du alles in deiner Macht Stehende getan hast, um Hammond ins Bett zu lotsen. Welchen Effekt könnte diese Aussage haben, wenn man deine Vergangenheit so betrachtet, wie sie Bobby Trimble darstellt?«

»Wieso kann mir das angelastet werden? Das liegt doch hinter mir. Dieses Mädchen bin ich nicht mehr. Ich bin ich.« Ihr Blick wanderte von ihm zu Hammond. »Ja, Bobbys Aussage ist wahr, jedes hässliche Detail. Mit einer Ausnahme: Ich habe mich immer nur anschauen lassen. Weiter bin ich nie gegangen.«

Sie schüttelte nachdrücklich den Kopf. »Niemals. Einen kleinen Teil meines Ichs, der nur mir gehörte, habe ich mir bewahrt, für den Fall, dass sich meine Hoffnung auf ein besseres Leben je realisieren würde. Es gab eine Linie, die ich nie überschritten habe. Gott sei Dank war mir dieser Rest Selbstachtung geblieben.

Bobby hat mich auf die allerschändlichste Weise ausgebeutet. Trotzdem habe ich Jahre gebraucht, bis ich meine Selbstvorwürfe abbauen konnte, weil ich mitgemacht habe. Ich dachte, ich sei von Natur aus schlecht. Durch Therapien und meine eigenen Studien weiß ich heute, dass ich ein klassischer Fall war: ein missbrauchtes Kind, das sich für seine Misshandlung verantwortlich fühlte.«

Sie lächelte über diese Ironie. »Ich selbst war mein erster Fall. Ich musste mich selbst heilen, musste lernen, mich zu lieben und überzeugt zu sein, dass ich die Liebe anderer verdiene. Die Ladds haben mir dabei sehr geholfen. Sie haben mir etwas Unschätzbares hinterlassen: bedingungslose Liebe. Eines Tages war es so weit. Ich hatte begriffen. Wenn mich diese von Grund auf guten und anständigen Menschen lieben konnten, dann konnte ich die Vergangenheit begraben und mich endlich selbst akzeptieren.

Aber diese Therapie ist noch nicht abgeschlossen. Manchmal kommt es zu Rückfällen. Bis zum heutigen Tage frage ich mich, ob ich irgendetwas hätte tun können. Hat es je einen Zeitpunkt gegeben, an dem ich mich gegen Bobby auflehnen und wehren konnte? Ich hatte solche Angst, dass er mich genauso verlassen würde wie meine Mutter und ich dann völlig allein wäre. Er war mein Ernährer, von dem ich in jeder Hinsicht abhängig war.«

»Du warst ein Kind«, erinnerte sie Frank sachte.

Sie nickte. »Damals schon, Frank, aber nicht in der Nacht, in der ich mich Hammond in der Hoffnung in den Weg gestellt habe, dass er auf mich reagieren würde.« Sie wandte sich an Hammond und bat flehentlich: »Bitte, verzeih mir den Schaden, den ich angerichtet habe. Genau das habe ich befürchtet, und genau das ist eingetreten. Ich habe Lute Pettijohn nicht umgebracht, aber ich hatte Angst, dessen bezichtigt zu werden. Angst, wegen meiner Jugendakte für schuldig befunden zu werden. Ich bin in Pettijohns Hotelsuite gegangen –«

»Alex, ich muss dich noch einmal warnen, kein Wort mehr zu sagen.«

»Nein, Frank, Hammond hat Recht. Du musst meine Version hören und er auch.« Obwohl der Anwalt noch immer bedenklich die Stirn runzelte, beachtete sie seine stumme Warnung nicht.

»Lasst mich ein paar Wochen zurückgehen.« Sie erzählte ihnen, wie Bobby plötzlich unwillkommen wieder in ihrem Leben aufgetaucht war und sie in seinen Plan eingeweiht hatte, wie er Lute Pettijohn erpressen wollte. »Ich habe Bobby gewarnt, dass er dazu ein paar Nummern zu klein sei und besser beraten wäre, wenn er Charleston verlässt und seinen lächerlichen Plan einfach aufgibt.

Aber er war ganz versessen darauf, die Sache durchzuziehen, genauso, wie er unbedingt meine Mithilfe wollte. Andernfalls drohte er, meine Vergangenheit zu enthüllen. Ich schäme mich, ezuzugeben, aber ich hatte vor ihm Angst. Wenn er noch derselbe großmäulige arrogante simple Bobby von vor fünfundzwanzig Jahren gewesen wäre, hätte ich über seine Drohungen gelacht und auf der Stelle die Polizei geholt.

Aber er hat sich Schliff zugelegt, zumindest mimt er gute Manieren und Umgangsformen. Dieser neue Bobby konnte sich viel leichter in mein Leben einschleichen und es von innen heraus kaputtmachen. Er ist tatsächlich bei einem Vortrag aufgetaucht und hat sich als Psychologe auf Durchreise ausgegeben. Mein Kollege hat nie an seiner Authentizität gezweifelt.

Trotzdem habe ich es darauf ankommen lassen und ihm erklärt, er soll mich in Ruhe lassen. Wahrscheinlich hat er sich daraufhin zum Äußersten entschlossen. Jedenfalls hat er mit Pettijohn Kontakt aufgenommen. Egal, was Bobby gesagt hat, es muss ihn beeindruckt haben, denn er hat sich einverstanden erklärt, Bobby zum Ausgleich für sein Schweigen hunderttausend Dollar zu zahlen.«

»Alex, niemand, der Lute Pettijohn kannte, wird das glauben«, sagte Hammond leise.

»Da stimme ich bei«, fügte Frank hinzu.

»Ich habe es ja selbst nicht geglaubt«, fuhr Alex fort, »und offensichtlich war auch Bobby nicht ganz davon überzeugt, weil er erneut angekommen ist. Diesmal bestand er darauf, dass ich mich mit Pettijohn träfe und das Geld kassierte. Ich erklärte mich einverstanden.«

»In Gottes Namen, warum?«, fragte Frank.

»Weil ich darin eine Gelegenheit sah, Bobby loszuwerden. Ich hatte die Idee, mich zwar mit Pettijohn zu treffen, aber ihm dann, anstatt das Geld zu kassieren, die Situation zu erklären und ihn zu beschwören, Bobbys Erpressung der Polizei zu melden.«

»Warum bist du nicht selbst zur Polizei gegangen?«

»Im Nachhinein erkenne ich, dass das besser gewesen wäre.« Sie seufzte. »Aber ich wollte nicht mit Bobby in Verbindung gebracht werden. Er hat damit geprahlt, wie er in Florida einem Kredithai entkommen ist. Es gab unzählige Gründe, weshalb ich deutliche Distanz zwischen ihm und mir wahren wollte.«

»Also bist du zur verabredeten Zeit ins Charles Towne Plaza gegangen.«

»Ja.«

»Hättest du Pettijohn nicht anrufen können?«

»Frank, ich wünschte, ich hätte es getan, aber ich dachte, eine persönliche Begegnung mit ihm würde einen tieferen Eindruck hinterlassen.«

»Was geschah, als du dort warst?«

»Er war zuvorkommend und hörte mir höflich zu, als ich die Situation erklärte.« Sie setzte sich auf die Kante des Ohrensessels und strich sich über die Stirn.

»Und?«

»Und dann hat er mich ausgelacht«, sagte sie zitternd. »Eigentlich hätte ich schon an der Tür merken müssen, dass etwas nicht stimmte. Er war nicht überrascht, mich zu sehen, obwohl er doch Bobby erwarten musste. Aber das wurde mir erst später klar.«

»Er wusste, dass du kamst und nicht Bobby, und hat über deine Geschichte gelacht.«

»Ja«, sagte sie verzweifelt. »Bobby hat ihn kurz vorher angerufen und Pettijohn gesagt, dass ich komme. Außerdem hat er ihm erklärt, ich sei seine Partnerin und würde ein doppeltes Spiel treiben. Er warnte ihn, ich würde vermutlich eine rührselige Geschichte erfinden, die garantiert sein Mitgefühl weckt. Anschließend würde ich ihn ins Bett locken und mir dadurch eine Gelegenheit verschaffen, ihn um eine noch höhere Summe zu erpressen als die von Bobby geforderte.«

»Das hätte ich diesem Mistkerl gar nicht zugetraut«, stieß Hammond wütend hervor. »So schlau sieht Trimble nicht aus.«

»Schlau ist er nicht«, sagte Alex, »nur gerissen. Bobby besitzt mehr Unverschämtheit als Verstand, und das macht ihn gefährlich. Sobald er eine Gelegenheit wittert, riskiert er Dinge, die kein intelligenter Mensch auch nur andenken würde. Außerdem kennt er den Vorteil des Erstschlags.«

Keines meiner Worte überzeugte Pettijohn davon, dass ich nicht an einem hinterhältigen Megaplan mit Sex und Erpressung beteiligt war. Er schlug vor, ich solle mir die Gelegenheit nicht entgehen lassen. Da wir ja nun schon mal da seien und ich es mir in den Kopf gesetzt hätte, mit ihm ins Bett zu gehen… Ihr versteht schon.«

»Er ist über dich hergefallen?«, mutmaßte Frank.

»Selbstverständlich habe ich mich gewehrt und ihn weggestoßen. Ich bin sicher, dass dabei die Nelke auf seinen Ärmel geraten ist. Damit habe ich am Morgen die Orangen gespickt. Ein Stückchen davon muss noch auf meiner Hand gewesen sein. Jedenfalls habe ich ihn abgewiesen. Daraufhin wurde er wütend und fing an, mir seinerseits zu drohen. Insbesondere, weil er sich mit einem Mitglied der Bezirksstaatsanwaltschaft treffen wollte. Hammond Cross.« Sie warf ihm einen Blick zu. »Er meinte, du würdest dich zweifelsohne für Bobbys und meinen Betrug interessieren.«

Nach einem Moment fuhr sie fort: »Da bin ich in Panik geraten. Ich sah schon mein sorgsam wieder aufgebautes Leben auseinander fallen. Die Ladds, die so hohe Stücke auf mich gehalten haben, entehrt. Meine Glaubwürdigkeit angezweifelt, meine Studien wertlos. Patienten, deren Vertrauen ich gewonnen hatte, würden sich betrogen vorkommen.

Also bin ich weggelaufen. Im Aufzug fing ich unkontrollierbar zu zittern an. Als ich auf Höhe der Halle war, bin ich auf der Suche nach einem Platz zum Hinsetzen in die Bar gegangen. Meine Knie drohten, jeden Moment einzuknicken.

Aber als meine Panik abflaute, wurde mir klar, wie irrational diese Reaktion gewesen war. Binnen Sekunden war ich in das Stadium zurückgefallen, in dem Bobby mein Leben kontrolliert hat. Da in der Bar kam ich wieder zur Besinnung. Meine Jugendsünde lag Jahrzehnte zurück. Ich bin ein angesehenes Mitglied meiner Stadt und beruflich anerkannt. Wovor hatte ich Angst? Ich hatte nichts Schlechtes getan. Sollte es mir gelingen, die richtige Person davon zu überzeugen, dass mich mein Halbbruder wieder einmal ausbeuten wollte, könnte ich es möglicherweise schaffen, ihn für immer loszuwerden. Und wer wäre glaubwürdiger als –«

»Hammond Cross, Bezirksstaatsanwalt in spe.«

»Korrekt.« Sie nickte Frank zu. »Also bin ich wieder zu der

Suite im fünften Stock zurück. Als ich dort ankam, stand die Tür einen Spalt offen. Ich legte mein Ohr daran, konnte aber niemanden reden hören. Ich drückte die Türe auf und schaute hinein. Pettijohn lag mit dem Gesicht nach unten neben dem Couchtisch.«

»Wusstest du, ob er tot war?«

»War er nicht«, sagte sie. Ihre Bemerkung ließ beide Männer zusammenfahren. »Eigentlich wollte ich ihn nicht anfassen, tat es dann aber doch. Er hatte noch Puls, war aber bewusstlos. Angesichts der Erpressungsversuche meines kriminellen Ex-Partners wollte ich neben ihm in diesem Zustand nicht erwischt werden. Also bin ich wieder nach unten gerannt, dieses Mal über die Treppe. Wir müssen uns um Sekunden verpasst haben«, sagte sie zu Hammond. »Kaum war ich in der Halle, sah ich, wie du gerade durch den Haupteingang das Hotel verlassen hast.«

»Woher kanntest du mich?«

»Aus dem Fernsehen, der Zeitung. Du hast sehr aufgewühlt gewirkt. Ich dachte –«

»Ich hätte Pettijohn attackiert.«

»Nicht attackiert. Ich dachte, du hättest ihn windelweich geprügelt, was er vermutlich verdient hätte, wenn dein Treffen auch nur annähernd so verlaufen war wie meines. Deshalb bin ich dir gefolgt. Sollte Pettijohn später gegen Bobby und mich Anzeige erstatten, sollte ich in ein Verbrechen verwickelt werden, wer wäre dann besser als Alibi geeignet als der Staatsanwalt, der selbst mit Pettijohn eine Auseinandersetzung gehabt hat?« Ihr Blick wanderte zu ihren Händen hinunter. »Am Samstagabend hatte ich mehrmals Schuldgefühle deswegen und habe versucht, dich zu verlassen.«

Verstohlen warf sie Hammond einen Blick zu, der seinerseits schuldbewusst zu Frank sah. Dieser musterte ihn finster wie ein Zerberus.

»Am Sonntagmorgen habe ich mich zutiefst geschämt und war weg, ehe Hammond aufgewacht ist«, erklärte sie ihrem Anwalt. »Am selben Abend kam Bobby, um sein Geld zu holen – natürlich war keines da. Aber zu meinem Erstaunen gratulierte er mir zur Ermordung unseres einzigen ›Zeugen‹.«

»Bis zu diesem Zeitpunkt hast du nicht gewusst, dass Pettijohn tot war?«

»Nein. Auf dem Heimweg hatte ich CDs gehört, kein Radio. Ich hab auch nicht ferngesehen. Ich war… ganz in Gedanken.« Nach kurzem angespanntem Schweigen sagte sie: »Jedenfalls habe ich bei der Nachricht von der Ermordung Pettijohns das Schlimmste angenommen.«

»Du dachtest, ich hätte ihn umgebracht«, sagte Hammond. »Er sei schließlich an den Folgen der von mir verursachten Verletzungen gestorben.«

»Richtig. Und das habe ich so lange geglaubt –«

»Bis du erfahren hast, dass er erschossen wurde«, sagte er. »Deshalb warst du über die Nachricht seiner Todesursache so schockiert.«

Sie nickte. »Es gab also keine körperliche Auseinandersetzung zwischen euch beiden?«

»Nein, ich bin nur wütend hinausgerannt.«

»Dann war der Schlaganfall schuld an seinem Sturz.«

»Das würde ich vermuten«, meinte Hammond. »Der Blutpfropf im Gehirn hat einen Ohnmachtsanfall ausgelöst. Dabei ist er an der Tischkante aufgeschlagen, was zur Wunde auf der Stirn geführt hat.«

»Die ich nicht sehen konnte. Mir war nicht klar, wie schlecht sein Zustand war. Bis ans Ende meines Lebens werde ich mir Vorwürfe machen, dass ich nichts unternommen habe«, sagte sie ehrlich betroffen. »Wenn ich Hilfe geholt hätte, hätte ihm das vermutlich das Leben gerettet.«

»Stattdessen ist jemand nach dir hereingekommen, hat ihn dort liegen gesehen und ihn erschossen.«

»Unglücklicherweise stimmt das, Frank«, sagte sie. »Das ist auch der Grund, weshalb ich mein Alibi nicht angegeben habe.«

»Und weshalb ich heute Abend hierher gekommen bin«, meinte Hammond.

Der Anwalt warf ihnen beiden einen verblüfften Blick zu. »Ist mir etwas entgangen?«

Alex übernahm die Erklärung: »Dank Smilows Gründlichkeit,

zu der sich inzwischen die Medien gesellt haben, weiß jeder, dass ich letzten Samstag in Pettijohns Suite gewesen bin. Aber die einzige Person, die mit absoluter Sicherheit weiß, dass ich ihn nicht erschossen habe, ist die Person, die es tatsächlich getan hat.«

»Und diese Person hat gestern Nacht auf Alex einen Mordanschlag verübt.«

Frank klappte vor Erstaunen der Unterkiefer herunter, während er sich Hammonds Bericht über ihr gemeinsames Erlebnis in der Gasse anhörte.

»Er hatte es auf Alex abgesehen. Das war kein Gelegenheitstäter.«

»Aber woher weißt du, dass es sich um den Mörder von Pettijohn gehandelt hat?«

Hammond schüttelte den Kopf. »Er war nur gedungen und außerdem nicht allzu routiniert. Lutes Mörder ist perfekt.«

»Du glaubst tatsächlich, du hättest das Rätsel gelöst?«, fragte Frank.

»Haltet euch fest«, meinte Hammond.

Dann redete er ununterbrochen eine Viertelstunde lang. Frank wirkte schockiert, während Alex ganz und gar nicht überrascht aussah.

Als er fertig war, atmete Frank lange aus. »Du hast bereits mit dem Hotelpersonal gesprochen?«

»Bevor ich herkam. Deren Aussagen bestätigen meine Hypothese.«

»Es klingt plausibel, Hammond. Trotzdem, lieber Gott, verzwickter könnte es nicht sein, oder?«

»Nein, könnte es nicht«, pflichtete Hammond bei.

»Du begibst dich mit einer Kettensäge in der Hand auf einen Hochseilakt.«

»Ich weiß.«

»Wohin wirst du von hier aus gehen?«

»Nun, zuerst möchte ich sicherstellen, dass ich richtig liege.« Hammond wandte sich an Alex. »Hat Pettijohn außer dem Termin mit mir noch andere erwähnt? Ich weiß, dass er für sechs Uhr noch einen weiteren Termin geplant hat. Nur mit wem, weiß ich nicht.«

»Nein. Mir hat er nur erzählt, er würde sich mit dir treffen.«

»Hast du auf dem Weg zur Suite irgendjemanden im Aufzug oder im Flur gesehen?«

»Nur den Mann aus Macon, der mich später identifiziert hat.«

»Und auf dem Weg über die Treppe? Hast du im Treppenhaus niemand gesehen?«

»Nein.« Als er sie unverwandt anschaute, fügte sie hinzu: »Hammond, du setzt für mich deine Karriere aufs Spiel. Ich würde dich in einer solchen Situation nie und nimmer anlügen.«

»Ich glaube dir, aber unser Täter vielleicht nicht. Sollte auch nur *der leiseste Verdacht entstehen*, dass du etwas gesehen hast, ist es egal, ob's so war oder nicht.«

»Für den Mörder stellt sie noch immer eine Bedrohung dar.«

»Was untragbar wäre. Erinnere dich, der Tatort war fast komplett sauber. Hier haben wir es nicht mit einer Person zu tun, die etwas unerledigt lässt.«

»Was schlägst du also vor?«, wollte Frank wissen. »Alex rund um die Uhr bewachen zu lassen?«

»Nein«, widersprach sie entschieden.

»Das würde ich vorziehen«, meinte Hammond. »Trotzdem stimme ich Alex zu, wenn auch nur widerwillig. In erster Linie kenne ich sie gut genug, um zu wissen, dass sie sich das nicht gefallen ließe und dass jedes Gegenargument sinnlos wäre. Zweitens würden Bodyguards oder alles andere auffällig wie ein rotes Tuch wirken.«

»Hammond, wie viel Zeit brauchst du?«

»Ich wünschte, ich wüsste es.«

»Nun, dieser unbegrenzte Zeitrahmen macht mich nervös«, gestand Frank. »Während du Beweismaterial sammelst, schwebt Alex in Lebensgefahr. Du solltest dich mit…«

»Jaja«, meinte Hammond, der Franks unausgesprochene Gedanken gelesen hatte. »Mit wem soll ich mich denn besprechen? Wem traue ich in dieser Situation? Und wer würde mir glauben? Diese Behauptungen klingen ganz wie die berühmten sauren Trauben, insbesondere, falls jemand erfährt, dass Alex und ich ein Paar sind.«

»Sind‹? Heißt das, ihr seid zusammen?« Ihre Mienen mussten sie verraten haben. »Vergesst es«, stöhnte Frank. »Ich will's gar nicht wissen.«

»Wie gesagt«, fuhr Hammond fort, »das muss ich allein erledigen, und zwar schnell.« Er erläuterte ihnen seinen Plan.

Am Ende wandte er sich zuerst an Frank: »Hab ich deinen Segen?«

Der Anwalt überlegte lange, ehe er antwortete. »Ich bilde mir gerne ein, dass die Leute meinen Namen mit Integrität assoziieren. Das war jedenfalls immer mein Ziel. Dies ist das erste Mal, dass ich von den Spielregeln abweiche. Sollte die Sache im Desaster enden, solltest du dich irren, würde ich vermutlich lediglich mit einem leisen Tadel und einer kleinen Schramme auf einem ansonsten makellosen Lebenslauf davonkommen. Aber dir, Hammond, dir ginge es an den Kragen. Darüber bist du dir sicher im Klaren.«

»Ja.«

»Außerdem gebe ich der Sache nicht den Funken einer Chance.«

»Warum nicht?«

»Weil du Steffi Mundell ins Vertrauen ziehen musst, wenn es funktionieren soll.«

»Leider ist das ein notwendiges Übel.«

»Ich hätte denselben Begriff gewählt.« In dem Moment piepste Hammonds Pager. Er prüfte die Nummer. »Kenne ich nicht.« Ohne weiter auf den Pager zu achten, fragte er Frank, ob er noch irgendwelche Fragen hätte.

»Meinst du das im Ernst?«, spöttelte der Anwalt.

Hammond grinste. »Nur Mut. Möchtest du nicht auch lieber als Heiliger gehängt werden denn als Sünder?«

»Ich ziehe es vor, gar nicht gehängt zu werden.«

Hammond lächelte, aber dann wandte er sich von Frank zu Alex: »Was denkst denn du?«

»Was kann ich tun?«

»Tun?«

»Ich möchte helfen.«

»Kommt nicht in Frage«, entgegnete er strikt. »Ich habe diesen Schlamassel verursacht.«

»Pettijohn wäre letzten Samstag so oder so ermordet worden, egal, ob du dich mit ihm getroffen hättest oder nicht. Wie gesagt, es hatte nichts mit dir zu tun.«

»Trotzdem kann ich nicht einfach daneben stehen und nichts tun.«

»Aber genau das musst du. Es darf nicht so aussehen, als steckten wir unter einer Decke.«

»Alex, er hat Recht«, sagte Frank. »Das muss er von innen aufrollen.«

Mit angsterfüllten Augen sagte sie: »Hammond, gibt es keinen anderen Weg? Es könnte dich deine Karriere kosten.«

»Und dich dein Leben. Was mir wichtiger ist als meine Karriere.« Er ergriff ihre Hand, sie erwiderte seinen Händedruck. Unverwandt schauten sie einander in die Augen, bis die Stille drückend und ungemütlich wurde.

Frank räusperte sich feinfühlig. »Alex, du übernachtest heute hier. Keine Widerrede.«

»Ich bin dafür«, sagte Hammond.

»Und du gehst nach Hause.« Diese strikte Anweisung galt Hammond.

»Auch dafür bin ich, wenn auch widerwillig.«

»Das Gästezimmer ist fertig, Alex. Das zweite Schlafzimmer links von der Treppe.«

»Danke schön, Frank.«

»Es ist schon spät, und ich muss noch über eine Menge nachdenken.« Damit steuerte Frank auf die Bürotür zu, wo er stehen blieb und zu den beiden zurücksah. Er wollte schon den Mund aufmachen, da nahm er sich wieder zurück, ehe er dann doch sagte: »Eigentlich wollte ich euch fragen, ob die eine Nacht das alles wert gewesen ist, aber eure Antwort ist klar. Gute Nacht.«

Kaum waren sie allein, wurde das Schweigen noch ungemütlicher, die tickende Uhr auf Franks Schreibtisch noch lauter. Zwischen ihnen herrschte eine Spannung, die nicht nur auf die möglichen Ereignisse des nächsten Tages zurückzuführen war.

Hammond ergriff als Erster das Wort: »Alex, es ist nicht wichtig.«

Sie musste nicht einmal fragen, worauf er anspielte. »Natürlich ist es wichtig, Hammond.« Er streckte die Arme nach ihr aus, aber sie wich ihm aus, stand auf und ging durchs Zimmer, bis sie vor einem Bücherregal mit juristischer Literatur stehen blieb. »Wir machen uns etwas vor.«

»Wieso?«

»Das wird nicht gut gehen. Kann es nicht.«

»Warum nicht?«

»Sei nicht naiv.«

»Trimble ist Müll. Das alles ist Vergangenheit. Das wusste ich doch schon letzte Nacht, als ich dir gesagt habe, dass ich dich liebe.« Er lächelte. »Ich denke jetzt nicht anders darüber.«

»Unsere Liebesaffäre hat damit angefangen, dass ich dir übel mitgespielt habe.«

»Übel mitgespielt? So ist mir die Nacht vom Samstag aber nicht in Erinnerung.«

»Ich habe dich von Anfang an belogen. Hammond, das wird unterschwellig immer bei dir hängen bleiben. Du wirst mir nie völlig vertrauen. Ich will nicht mit jemandem zusammen sein, der ständig alles, was ich tue, hinterfragt und jedes meiner Worte auf die Goldwaage legt.«

»Das würde ich nicht tun.«

Trotz ihres Lächelns wirkte sie traurig. »Dann wärst du kein Mensch. Ich beschäftige mich beruflich mit den Emotionen und dem Verhalten von Menschen. Ich weiß, welchen dauerhaften Einfluss Ereignisse auf unser Leben haben, und kenne die Verletzungen, die uns andere Menschen zufügen, manchmal bewusst, manchmal unabsichtlich. Das Ergebnis dieser Verletzungen sehe ich täglich in meinen Sitzungen. Ich habe selbst darunter gelitten. Hammond, ich habe Jahre gebraucht, um mich selbst emotional wieder zu heilen. Ich habe hart daran gearbeitet, mich von Bobbys Einfluss zu befreien. Und habe es geschafft. Ja, mit Gottes Hilfe. Deshalb bin ich im Stande, dich so zu lieben –«

»Also tust du's? Mich lieben?«

In einer unbewussten Geste legte sie die Hand aufs Herz. »So sehr, dass es wehtut.«

Wieder piepste sein Pager. Leise fluchend schaltete er ihn aus. Zwischen ihnen schien eine enorme Distanz zu herrschen, und er wusste, dass es unangemessen wäre, sie an diesem Abend zu überbrücken. »Ich würde dich gerne küssen.«

Sie nickte.

»Aber wenn ich dich küsse, möchte ich mit dir schlafen.« Wieder nickte sie. Sie tauschten einen langen Blick.

»Ich schlafe so gern mit dir«, sagte er. Ihre Brust hob und senkte sich sachte. »Du solltest gehen.«

»Tja«, sagte er mit belegter Stimme. »Wie du weißt, muss ich morgen sehr früh aufstehen.« Die Falte zwischen seinen Augenbrauen vertiefte sich. »Alex, ich habe keine Ahnung, wie dies alles enden wird. Ich werde ständig mit dir in Verbindung bleiben. Wirst du's schaffen?«

»Werde ich.« Sie lächelte ihm aufmunternd zu.

Er schickte sich an, aus dem Zimmer zu gehen. »Schlaf gut.«

»Gute Nacht, Hammond.«

»Verdammt!« Wütend starrte Loretta Boothe den Münzapparat an, als wollte sie das Telefon mit Gewalt zum Klingeln zwingen. Schon zweimal hatte sie Hammond auf seinem Pager zu erreichen versucht, nachdem sie weder bei ihm daheim noch auf dem Handy eine Antwort bekommen hatte. Das Telefon blieb störrisch stumm. Sie schaute auf ihre Armbanduhr. Fast zwei Uhr. Wo, zum Teufel, konnte er stecken?

Sie wartete noch sechzig Sekunden, dann stopfte sie erneut eine Münze in den Apparat und wählte wieder die Nummer seiner Wohnung.

»Hör mal, Arschloch, ich weiß nicht, warum ich mitten in der Nacht herumhetze, um dich zu decken. Zum x-ten Mal: Ich habe diesen Jahrmarkt mit einem wesentlichen Zeugen im Schlepptau verlassen. Bitte um Rat, so schnell wie möglich. Er hat Wespen im Hintern, und mir geht allmählich der Charme aus.«

»Miss Boothe?«

Sie legte auf. »Komme!«, rief sie dem Mann zu, der einsatzbereit neben ihr im Auto saß.

Zuerst hatte er sich ganz begeistert über den Fall und die Nachricht von Alex Ladds Verhaftung unterhalten. Aber als sie ihm erklärte, man könnte ihn eventuell als wichtigen Zeugen vorladen, zog er in Windeseile alles wieder zurück und meinte, er wolle lieber nicht hineingezogen werden. Er wolle ja ein guter Staatsbürger sein, aber ...

Stundenlang hatte sie ihn mit aller Überredungskunst beschwatzen müssen, damit er sich endlich kooperativ zeigte. Trotzdem traute sie seinem Engagement nicht. Gut möglich, dass er es sich jeden Augenblick anders überlegte und kopfscheu wurde oder sich eine bequeme mentale Blockade zulegte und sämtliche Erinnerungen an letzten Samstag vergaß.

»Miss Boothe?«

Während sie wieder zu ihrem Wagen ging, zeigte sie dem Telefon den Stinkefinger. »Hab ich Ihnen nicht gesagt, Sie sollen Loretta zu mir sagen? Wollen Sie noch 'n Bier?«

»Jetzt, wo ich Zeit zum Nachdenken hatte ...« Er verzog unschlüssig das Gesicht. »Ich weiß einfach nicht, ob ich da hineingezogen werden will. Wissen Sie, ich könnte mich auch irren. So gut habe ich sie nun auch wieder nicht gesehen.«

Wieder baute Loretta ihn auf und dachte dabei ständig: *Zum Teufel, wo steckt Hammond?*

FREITAG

35

Steffi zuckte kurz zusammen, als sie beim Öffnen ihrer Bürotür Hammond mit erhobener Faust davor stehen sah. Er wollte gerade klopfen.

»Hast du eine Minute Zeit?«

»Eigentlich nicht. Ich wollte gerade –«

»Das kann warten, egal, was es ist. Das hier ist wichtig.« Damit schob er sie wieder ins Büro und machte die Tür zu.

»Was gibt's?«

»Setz dich.«

Trotz ihrer fragenden Miene tat sie, worum er gebeten hatte. Noch während sie Platz nahm, begann er, in ihrem Büro auf und ab zu laufen. Er sah nicht besser aus als gestern und hatte den Arm noch immer in der Schlinge. Seine Haare hatte er anscheinend mit dem Laubsauger geföhnt. Beim Rasieren hatte er sich ins Kinn geschnitten. Die kleine Blutkruste erinnerte sie an den Laborbefund, den sie erst vor wenigen Minuten erhalten hatte.

»Du wirkst überdreht. Wie viel Kaffee hast du heute Morgen schon getrunken?«, fragte sie.

»Keinen.«

»Ehrlich? Du siehst aus, als hättest du dir Koffein intravenös gespritzt.«

Plötzlich hörte er mit dem Herumrennen auf und schaute ihr über den Schreibtisch hinweg ins Gesicht. »Steffi, wir beide haben doch eine besondere Beziehung, oder?«

»Pardon?«

»Eine, die übers Kollegiale hinausgeht. Während wir zusammen waren, habe ich dir all meine Geheimnisse anvertraut.

Wenn diese Intimität auch Vergangenheit ist, so hebt sie doch unsere Beziehung auf eine andere Ebene, oder?« Einen Augenblick musterte er sie intensiv, dann versuchte er, fluchend seine Haare zu bändigen. »Himmel noch mal, ist mir das peinlich.«

»Hammond, was ist eigentlich los?«

»Bevor ich dir das erkläre, muss ich noch eine andere Sache bereinigen.«

»Hammond, ich bin darüber weg. Okay? Ich will keinen Mann, der –«

»Doch nicht das. Nicht wir. Harvey Knuckle.«

Der Name schlug auf ihrem Schreibtisch wie eine Bombe ein. Obwohl sie versuchte, ihre Überraschung zu verbergen, wusste sie, dass sie sich mit ihrer bestürzten Miene verraten hatte. Unter Hammonds durchdringendem Blick wäre alles Leugnen zwecklos.

»Okay, also weißt du Bescheid. Ich habe mir heimlich von ihm ein paar Informationen über Pettijohn besorgen lassen.«

»Warum?«

Während sie einen Augenblick lang abwägte, ob es klug sei, Hammond diese Sache in allen Details zu eröffnen, spielte sie mit einer Büroklammer herum. Schließlich sagte sie: »Vor mehreren Monaten ist Pettijohn an mich herangetreten. Zuerst wirkte alles ganz unverfänglich, aber dann holte er zum großen Wurf aus. Er hatte sich überlegt, wie bequem es für uns beide wäre, wenn ich das Amt des Bezirksstaatsanwalts innehätte. Er versprach, das zu arrangieren.«

»Wenn?«

»Wenn ich Augen und Ohren offen hielte und ihm alles berichte, was für ihn von Interesse sein kann, zum Beispiel verdeckte Ermittlungen seiner Geschäfte.«

»Und wie lautete deine Antwort?«

»Leider nicht sehr damenhaft. Ich schlug das Angebot aus. Trotzdem war ich neugierig geworden, was er möglicherweise zu verbergen hat und wie seine Pläne aussehen. Steffi Mundell könnte sich doch eine tolle Feder an den Hut stecken, wenn es ihr gelänge, den größten Gauner im Bezirk Charleston festzunageln.

Also habe ich mich an Harvey gewandt.« Sie bog die Büroklammer zu einem S. »Ich bekam die Information, hinter der ich her war, und –«

»Hast den Namen meines Vaters auf den Papieren gesehen.«

»Ja, Hammond«, erwiderte sie ernst.

»Und hast es für dich behalten.«

»Es war sein Vergehen, nicht deines. Eine Bestrafung Prestons würde immer auch dich treffen. Und das wollte ich nicht. Du weißt, wie gerne ich diesen Spitzenjob bekommen hätte. Daraus habe ich kein Geheimnis gemacht.«

»Allerdings nicht, wenn dazu eine Affäre mit Pettljohn nötig war.«

Sie schüttelte sich. »Hoffentlich hast du das nur im übertragenen Sinn gemeint.«

»Klar. Danke, dass du gestanden hast.«

»Eigentlich bin ich froh, dass es heraus ist. Es war wie eine Eiterbeule.« Sie ließ die Büroklammer fallen. »Und jetzt, was ist los?« Er setzte sich ihr gegenüber auf die Stuhlkante und beugte sich beim Sprechen vor. »Was ich dir jetzt gleich erzähle, ist nur für unser beider Ohren bestimmt«, betonte er mit tiefer Stimme. »Habe ich dein Vertrauen?«

»Selbstverständlich.«

»Gut.« Er holte tief Luft. »Alex Ladd hat Lute Pettijohn nicht ermordet.«

Das war die große Erklärung? Nach dem grandiosen Auftakt hatte sie eine herzzerreißende Beichte über ihre Beziehung erwartet, vielleicht verbunden mit einer ernsten Bitte um Verzeihung. Stattdessen hatte sein verbaler Trommelwirbel lediglich eine neue pathetische Bittschrift für die Unschuld seiner heimlichen Geliebten eingeleitet.

Obwohl ihr die Galle hochstieg, zwang sie sich dazu, sich täuschend entspannt in ihren Sessel zurückzulehnen. »Gestern warst du doch noch ganz wild darauf, die Sache dem Gericht vorzutragen. Woher dieser plötzliche Sinneswandel?«

»Der kommt nicht plötzlich, und wild entschlossen war ich nie. Ich hatte schon die ganze Zeit das Gefühl, dass wir die falsche

Person haben. Es gibt zu viele Faktoren, die keinen Sinn ergeben.«

»Trimble –«

»Trimble ist ein Zuhälter.«

»Und sie war seine Hure«, schoss Steffi zurück. »Es sieht so aus, als wäre sie's noch immer.«

»Lass uns nicht wieder damit anfangen, okay?«

»Einverstanden. Das Argument ist abgedroschen. Hoffentlich hast du noch ein besseres auf Lager.«

»Smilow hat ihn umgebracht.«

Unabsichtlich sackte ihr die Kinnlade herunter. Diesmal konnte sie wirklich nicht glauben, dass sie ihn richtig verstanden hatte. »Soll das ein Witz sein?«

»Nein.«

»Hammond, um Himmels willen, was soll –«

»Hör mir eine Minute zu«, sagte er, wobei er beschwichtigend die Hände hob. »Hör einfach zu. Solltest du dann anderer Meinung sein, werde ich mir deinen Standpunkt gerne anhören.«

»Spar dir die Mühe. Ich kann dir schon jetzt versichern, dass mein Standpunkt garantiert abweichen wird.«

»Bitte.«

Als sie letzten Samstag Smilow im Scherz gefragt hatte, ob er seinen Ex-Schwager ermordet hätte, war dies ein Witz gewesen, wenn auch ein schlechter. Sie hatte ihn aus reiner Boshaftigkeit gefragt in der Absicht, ihn damit zu provozieren. Aber Hammond war es bitterernst. Offensichtlich hielt er Smilow für einen realen Verdächtigen. »Okay«, meinte sie und gab sich mit einem übertriebenen Schulterzucken geschlagen, »schieß los.«

»Überleg mal: Der Tatort war praktisch steril. Smilow selbst hat mehrmals darauf angespielt, wie makellos alles war. Wer verstünde es besser, keinerlei Spuren zu hinterlassen, als ein Detective, der seinen Lebensunterhalt damit verdient, hinter Mördern aufzuräumen?«

»Ein guter Punkt, Hammond, allerdings schießt er übers Ziel hinaus.«

Das tat er, um seine neue Geliebte zu schützen. Sie empfand es als tiefe Beleidigung, dass er für Alex Ladd so weit ging. Was hatte er nicht alles wie ein Schuljunge dahergestottert: Alles sei streng vertraulich. Ihr vertraue er seine Geheimnisse an. Er wolle das Klima bereinigen. Ihre Beziehung sei doch etwas ganz besonders Erhabenes gewesen. Alles absoluter Bockmist. Er versuchte lediglich, sie dazu zu benützen, seine Herzensdame aus der Schlinge zu ziehen.

Am liebsten hätte sie ihm erzählt, sie wüsste über seine ungebührliche Affäre sehr wohl Bescheid, aber das wäre ein impulsiver und törichter Schachzug gewesen. Für diese genüssliche Demütigung müsste sie einen langfristigen Vorteil opfern. Ihr Wissen um ihre geheime Affäre war ein Trumpf, der seine Wirkung einbüßte, wenn sie ihn zu früh ausspielte.

Inzwischen lieferte er ihr mit jedem weiteren Wort noch mehr Munition, die sie gegen ihn verwenden konnte. Ahnungslos überreichte er ihr den Job des Bezirksstaatsanwalts in Geschenkpapier eingewickelt. Sie musste all ihre Selbstkontrolle aufbieten, um ihr Pokergesicht beizubehalten.

»Hoffentlich beruht dein Verdacht auf mehr als nur auf einem Mangel an handfesten Beweisen«, sagte sie.

»Smilow hasste Pettijohn.«

»Das taten bekanntermaßen viele.«

»Aber nicht in dem Maß wie Smilow. Er hat bei verschiedenen Anlässen beinah geschworen, Lute umzubringen, weil er Margaret so unglücklich gemacht hat. Aus sicherer Quelle weiß ich, dass er Lute einmal tätlich angegriffen hat und ihn auf der Stelle getötet hätte, wenn er nicht daran gehindert worden wäre.«

»Wer hat dir das verraten? Deep Throat?«

Er wusste ihr Amüsement nicht zu würdigen und meinte stattdessen steif: »In gewisser Weise ja. Momentan behandle ich diese Information so vertraulich wie möglich.«

»Hammond, bist du sicher, dass dir nicht dein persönlicher Konflikt mit Smilow die Sicht trübt?«

»Sicher, ich kann ihn nicht ausstehen, aber trotzdem habe ich nie damit gedroht, ihn umzubringen. Ganz im Gegensatz zu ihm und Lute Pettijohn.«

»In der Hitze des Gefechts? In einem Wutanfall? Also Hammond, niemand nimmt derartige Morddrohungen ernst.«

»Smilow geht oft auf einen Drink in die Halle des Charles Towne Plaza.«

»Das tun Hunderte anderer ebenso. Wir übrigens auch.«

»Er lässt sich dort die Schuhe putzen.«

»Ach, er lässt sich dort die Schuhe putzen«, rief sie und klatschte mit der flachen Hand auf die Schreibtischkante. »Verdammt, das ist praktisch ein rauchender Colt!«

»Du kannst dich ruhig über mich lustig machen, Steffi. Zu der Waffe komme ich gleich.«

»Der Tatwaffe?«

»Smilow hat Zugang zu Schusswaffen, von denen vermutlich die Hälfte nicht registriert und herrenlos ist.«

Dies war der erste Punkt, den Steffi ernsthaft in Erwägung zog. Langsam erlosch ihr neckisches Lächeln. Sie setzte sich aufrechter hin. »Du meinst Schusswaffen –«

»Aus dem Beweisfundus. Sie werden bei Drogenrazzien konfisziert und bei Verhaftungen einkassiert. Dann werden sie bis zum Prozesstermin oder so lange aufbewahrt, bis man sie entsorgen oder weiterverkaufen kann.«

»Aber sie führen über jede Veränderung des Aufbewahrungsortes genau Buch.«

»Smilow wüsste, wie man das umgeht. Er hätte eine Waffe benützen und anschließend wieder zurückbringen können. Vielleicht hat er sie auch nach Gebrauch weggeworfen. Man würde sie nie vermissen. Möglicherweise hat er auch eine genommen, die noch nicht dem Fundus übergeben wurde. Es gibt Dutzende Möglichkeiten.«

»Ich verstehe, was du meinst«, sagte sie nachdenklich, dann schüttelte sie den Kopf. »Trotzdem ist es immer noch eine gewagte These, Hammond. Genauso wenig, wie wir eine Waffe als Beweis dafür haben, dass Alex Ladd Pettijohn erschossen hat, haben wir eine zum Beweis, dass es Smilow war.«

Seufzend warf er rasch einen Blick zu Boden, ehe er sie wieder über den Schreibtisch hinweg ansah. »Es gibt da noch etwas anderes. Ein weiteres Motiv, das vielleicht sogar noch zwingender ist als die Rache für den Selbstmord seiner Schwester.«

»Nun?«

»Ich kann darüber nicht sprechen.«

»Was? Warum nicht?«

»Weil damit die Privatsphäre eines anderen Menschen verletzt würde.«

»Hast nicht du vor kaum fünf Minuten eine flammende Rede über unsere alles überragende Beziehung und unser gegenseitiges Vertrauen gehalten?«

»Ich will damit nicht sagen, dass ich dir misstraue, Steffi. Es betrifft jemanden, der mir vertraut. Und dieses ganz persönliche Vertrauen kann und werde ich nicht verraten. Es sei denn, diese Information erwiese sich als wesentlicher Bestandteil des Falles.«

»Des Falles?«, wiederholte sie spöttisch. »Es gibt keinen Fall.«

»Ich denke doch.«

»Hast du tatsächlich vor, diese Geschichte weiterzuverfolgen?«

»Ich weiß, es wird nicht einfach. Smilow ist zwar nicht der Liebling des Polizeipräsidiums, aber man fürchtet und respektiert ihn. Zweifelsohne werde ich auf einigen Widerstand stoßen.«

»›Widerstand‹ ist eine milde Umschreibung, Hammond. Wenn du gegen einen aus ihren Reihen ermittelst, wird dich kein anderer Polizist je dabei unterstützen.«

»Ich bin mir der Hindernisse wohl bewusst. Mir ist klar, was mich das kosten wird, trotzdem bin ich entschlossen, die Sache durchzuziehen. Daraus solltest du wenigstens annähernd ermessen können, wie sehr ich von der Richtigkeit meiner Annahme überzeugt bin.«

Oder wie vernarrt du in deine neue Liebste bist, dachte sie. »Und was wird aus Alex Ladd und dem Fall, den wir gegen sie aufgebaut haben? Den kannst du doch nicht einfach wegwerfen und verschwinden lassen.«

»Nein. Wenn ich das täte, würde Smilow den Braten riechen. Ich habe vor weiterzumachen. Aber selbst wenn sie unter Anklage gestellt wird, können wir den Fall, den wir gegen sie vorbereitet haben, nicht gewinnen. Unmöglich«, beharrte er, als er merkte, dass sie widersprechen wollte. »Trimble ist ein schmieriger Aufreißer, dessen Pepsodentpolitur alle Geschworenen sofort durchschauen werden. Alle werden denken, hinter seiner Zeugenaussage stünden egoistische Gründe, und hätten Recht damit. Man wird ihm nicht glauben, auch wenn er gelegentlich die Wahrheit sagt. Außerdem, wie oft hat Dr. Ladd schon ernsthaft bestritten, dass sie es getan hat?«

»Natürlich wird sie das bestreiten. Tun doch alle.«

»Aber sie ist anders«, stieß er hervor.

Obwohl Steffi von seiner Affäre mit der Psychologin wusste, bestürzte sie sein unerschütterlicher Wille, diese Frau zu beschützen und zu verteidigen. Einen Augenblick lang musterte sie ihn eindringlich, wobei sie ihre Frustration nicht einmal zu verbergen suchte. »Das wär's dann? Hast du mir alles erzählt?«

»Ehrlich gestanden, nein. Ich hab gestern Nacht noch ein paar andere Dinge überprüft, aber es gibt noch keinen konkreten Beweis.«

»Was für Dinge?«

»Steffi, darüber möchte ich derzeit nicht reden. Nicht, ehe ich sicher bin, dass ich Recht habe. Die Situation ist prekär.«

»Da hast du verdammt Recht«, sagte sie wütend. »Wenn du mir nicht alles erzählen möchtest, warum erzählst du mir dann überhaupt etwas? Was willst du eigentlich von mir?«

Die letzte Person, die Davee Pettijohn an diesem Morgen bei sich erwartet hätte, war die Frau, die unter dem Verdacht stand, sie zur Witwe gemacht zu haben.

»Danke, dass Sie mich empfangen.«

Sarah Birch hatte Dr. Alex Ladd in das gemütliche Wohnzimmer geführt, wo Davee Kaffee trank. Auch wenn die Haushälterin sie nicht namentlich angekündigt hätte, hätte Davee sie wiedererkannt. Ihr Bild war auf der Titelseite der Morgenausgabe, und außerdem hatte Davee sie in den Abendnachrichten gesehen, vor ihrem beunruhigenden Treffen mit Smilow.

»Dr. Ladd, ich empfange sie mehr aus Neugier als aus Höflichkeit«, sagte sie offen. »Nehmen Sie Platz. Möchten Sie einen Kaffee?«

»Bitte.«

Während sie darauf warteten, dass Sarah Birch mit einer frischen Tasse samt Teller wiederkam, saßen die beiden Frauen schweigend da und taxierten einander. Davee kam zu dem Schluss, dass Fernsehkameras und Zeitungsfotografen Alex Ladd Unrecht taten. Nachdem sich Alex bei der Haushälterin für den Kaffee bedankt und einen Schluck getrunken hatte, sagte sie: »Ich habe Ihren Mann letzten Samstag in seiner Hotelsuite getroffen.« Sie deutete auf die herumliegenden Teile der Zeitung. »Die Artikel deuten an, Mr. Pettijohn und ich hätten eine persönliche Beziehung gehabt.«

Davee lächelte ironisch. »Nun ja, er hatte einen gewissen Ruf zu verteidigen.«

»Aber ich nicht. Diese Behauptung entbehrt jeder Grundlage. Sollte mein Halbbruder je gegen mich aussagen, werden Sie vermutlich trotzdem glauben, dass ich lüge.«

»Ich habe auch über ihn gelesen. In gedruckter Form kommt Bobby Trimble als echtes Arschloch rüber.«

»Sie schmeicheln ihm.«

Davee lachte, aber ein Blick ins Gesicht der anderen Frau machte ihr klar, dass ihr dieses Thema unangenehm war. »Sie hatten es schwer als Kind?«

»Ich habe es überstanden.«

Davee nickte. »Schätzungsweise tragen wir alle Narben aus unserer Kindheit davon.«

»Leider sind manche Narben sichtbarer als andere«, meinte Alex bestätigend. »Ich habe während meiner Arbeit gelernt, wie geschickt Menschen sie verstecken können, sogar vor sich selbst.«

Davee musterte sie noch einen Augenblick länger. »Sie sind nicht das, was ich erwartet habe. So, wie man Sie in den Nachrichten darstellt, hätte ich Sie mir… derber vorgestellt. Härter. Verschlagener. Sogar bösartig.« Wieder lachte sie. »Ich hätte gedacht, Sie wären mir ähnlicher.«

»Ich habe meine Fehler. Genügende. Aber ich schwöre, dass

ich Ihrem Mann nur ein einziges Mal begegnet bin. Das war letzten Samstag. Wie sich herausstellte, nicht lange, bevor er ermordet wurde. Aber ich habe ihn weder umgebracht, noch bin ich in diese Hotelsuite gegangen, um mit ihm zu schlafen. Es ist wichtig für mich, dass Sie das wissen.«

»Ich neige dazu, Ihnen zu glauben«, sagte Davee. »In erster Linie, weil Sie nichts zu gewinnen haben, indem Sie hierher kommen und mir das erzählen. Obendrein entsprechen Sie nicht dem Typ meines lieben Dahingeschiedenen. Und das meine ich nicht als Beleidigung.«

Darüber musste Alex lächeln. Trotzdem war sie ehrlich neugierig, als sie fragte: »Warum wäre ich nicht sein Typ gewesen?«

»Rein körperlich hätten Sie den Anforderungen genügt. Seien Sie auch darüber nicht beleidigt. Lute würde jede Frau bumsen, deren Körper noch warm ist. Wer weiß? Vielleicht war das nicht einmal nötig.

Aber er hatte es gern, wenn seine Weiber Respekt vor ihm hatten. Unterwürfig und dumm und größtenteils stumm, außer beim Orgasmus. Sie hätten ihn nicht gereizt, weil Sie viel zu selbstbewusst und klug sind.«

Sie schenkte sich aus einer Silberkanne Kaffee nach, dann ließ sie zwei Zuckerwürfel in die Tasse fallen, dass es leise platschte. »Zu Ihrer Information, Dr. Ladd, einige von denen, die Sie des Mordes an Lute beschuldigen, glauben in Wahrheit nicht daran, dass Sie's getan haben.«

Völlig überrascht platzte Alex heraus: »Sie haben mit Hammond gesprochen?«

»Nein, das war's nicht ...« Plötzlich ging Davee mitten im Satz ein Licht auf. »Hammond? Sie duzen den Mann, der die Anklage gegen Sie vertritt?«

Kein Zweifel, Alex war nervös. Sie stellte Tasse und Teller auf den Kaffeetisch. »Ich hoffe, mein Kommen war für Sie keine allzu große Zumutung, Mrs. Pettijohn. Ich war mir nicht sicher, ob Sie sich überhaupt bereit erklären würden, mich zu sehen. Ich bedanke mich für den –«

Davee unterbrach das Gerede, indem sie mit der Hand die Distanz zwischen ihnen überbrückte und sie Alex auf den Arm legte. Nach einer Pause hob Alex den Kopf und erwiderte Davees Blick mit stiller Würde. Ihre Kommunikation fand auf einer anderen Ebene statt. Ohne Visier. Zwei Frauen, die einander sahen, verstanden und akzeptierten.

Sie sahen sich einen Moment lang an, dann sagte Davee leise: »Sie sind also diejenige, die nicht nur kompliziert, sondern unmöglich ist.«

Alex öffnete schon den Mund zum Sprechen, aber Davee kam ihr zuvor. »Nein, sagen Sie's mir nicht. Das wäre, als würde man die letzte Seite eines Liebesromans lesen. Trotzdem wüsste ich gerne, wie ihr beide euch in diesen Schlamassel hineinmanövriert habt. Hoffentlich waren die Umstände ganz und gar dekadent und köstlich. Das verdient Hammond.« Anschließend lächelte sie reumütig. »Armer Hammond. Das muss ein höllischer Zwiespalt für ihn sein.«

»Im wahrsten Sinne.«

»Kann ich irgendetwas tun?«

»Vielleicht wird er schon bald Freunde brauchen. Seien Sie sein Freund.«

»Bin ich.«

»Das sagt er auch.« Alex schob sich den Riemen ihrer Handtasche über die Schulter. »Ich sollte gehen.«

Anstatt ihre Haushälterin kommen zu lassen, begleitete Davee Alex persönlich an die Tür. »Sie haben sich gar nicht zu meinem Haus geäußert«, stellte sie fest, während sie das Foyer durchquerten. »Das machen die meisten Leute beim ersten Besuch. Was halten Sie davon?«

Rasch sah sich Alex um. »Ehrlich?«

»Ich bitte darum.«

»Sie haben einige hübsche Stücke, aber für meinen Geschmack ist alles ein wenig überladen.«

»Machen Sie Witze?«, prustete Davee los. »Das ganze Ding ist kitschig bis zum Gehtnichtmehr. Jetzt, wo Lute tot ist, habe ich vor, alles Geschmacklose rauszuwerfen.«

Die beiden Frauen lächelten einander an, eine Seltenheit für

Davee: das Gefühl einer Seelenverwandtschaft mit einer anderen Frau. Mit der für sie typischen Direktheit sagte sie: »Alex, es ist mir egal, ob Sie mit Lute geschlafen haben oder nicht, ich mag Sie.«

»Ich Sie auch.« Alex war schon auf halbem Weg zum Tor, da rief ihr Davee hinterher: »Sie waren mit Lute zusammen, kurz bevor er getötet wurde?«

»Stimmt.«

»Hmm. Möglicherweise denkt der Mörder, Sie würden etwas verheimlichen, etwas, was Sie gesehen oder gehört haben. Tun Sie das?«, fragte sie rundheraus.

»Sollten wir das Fragen nicht der Polizei überlassen?«

Sie ging weiter den Gartenweg hinunter und durchs vordere Tor hinaus. Davee schloss die Tür und drehte sich um. Hinter ihr stand inzwischen Sarah Birch.

»Was ist, Baby?« Sie streckte die Hand aus und glättete die Sorgenfalten auf Davees Stirn.

»Nichts, Sarah«, murmelte sie geistesabwesend. »Nichts.«

36

Noch ehe Hammond ins Büro gefahren war und mit Steffi gesprochen hatte, hatte er am frühen Morgen seinen Anrufbeantworter abgehört und eine einzige Nachricht beantwortet.

»Loretta, hier ist Hammond. Ich habe deine Nachricht erst heute Morgen erhalten. Entschuldige, dass ich dir gestern auf die Zehen getreten bin. Ich habe deine Pagerrufe mit einer falschen Nummer verwechselt. Äh, hör mal, ich finde es toll, was du gemacht hast. Trotzdem möchte ich nicht, dass du diesen Kerl anschleppst, mit dem du auf dem Jahrmarkt geredet hast. Glaub mir, ich habe meine Gründe dafür. Später werde ich dir alles erklären. Leg ihn momentan auf Eis. Sollte sich herausstellen, dass ich ihn brauche, lasse ich's dich wissen. Ansonsten mach… Du kannst vermutlich… Also, was ich sagen möchte: Du kannst jederzeit

andere Arbeit annehmen. Wenn ich dich noch mal brauche, melde ich mich. Nochmals danke. Du bist die Beste. Ade. Ach, ich werde dir einen Scheck für die Ausgaben von gestern und letzter Nacht schicken. Du hast mehr getan als nötig. Tschüss.«

Zweimal hörte sich Bev Boothe diese Nachricht an, dann starrte sie aufs Telefon. Während sie darüber nachdachte, was sie damit tun sollte, tupfte sie mit den Fingern leicht auf das Tastenfeld. Speichern oder löschen?

Am liebsten hätte sie Mr. Cross ihre Meinung dazu gesagt, was er mit dieser Nachricht tun solle, aber das war anatomisch unmöglich. Sie war müde und mürrisch. Über Nacht hatte jemand eine Delle in ihr Auto gefahren, das sie auf dem Parkplatz des Klinikpersonals abgestellt hatte. Nach jeder Zwölfstundenschicht hatte sie dumpfe Kreuzschmerzen.

In erster Linie machte sie sich aber Gedanken um ihre Mutter, deren Schlafzimmer leer und unbenutzt aussah. Wo war sie die ganze Nacht gewesen? Und wo war sie jetzt? Bev dachte daran, wie zerstreut und deprimiert Loretta gewirkt hatte, als sie gestern Abend ins Krankenhaus gefahren war.

Die Nachricht hörte sich an, als ob ihre Mutter draußen herumlief und die Drecksarbeit für den Bezirksstaatsanwalt erledigte, zumindestens eine Zeit lang. Es klang nicht so, als ob dieser Mistkerl den Einsatz ihrer Mutter besonders schätzte.

Boshaft drückte Bev die Nummer drei, um die Nachricht zu löschen. Als sie fünf Minuten später aus der Dusche stieg, hörte sie, wie ihre Mutter ins Zimmer rief: »Bev, ich wollte dir nur sagen, dass ich wieder da bin.«

Bev schnappte sich ein Handtuch, wickelte sich hinein und tappte barfuß ins Schlafzimmer ihrer Mutter, wobei sie nasse Fußabdrücke im Gang hinterließ. Loretta saß auf der Bettkante und zog gerade ein Paar Sandalen aus, die hellrote Striemen in ihre geschwollenen Beine geschnitten hatten.

»Mom, ich habe mir Sorgen gemacht«, rief Bev, wobei sie versuchte, nicht allzu überrascht und erleichtert darüber zu klingen, dass ihre Mutter zwar abgekämpft und zerzaust, aber nüchtern war. »Wo bist du gewesen?«

»Das ist eine lange Geschichte, die warten kann, bis wir beide ein paar Stunden an der Matratze gehorcht haben. Ich bin fix und fertig. Hast du den Anrufbeantworter abgehört? Waren irgendwelche Nachrichten darauf?«

Bev zögerte lediglich einen Herzschlag. »Nein, Mom, keine.«

»Das kann ich nicht glauben«, stieß Loretta hervor, während sie sich aus ihrem Kleid schälte. »Ich reiß mir den Arsch auf, und Hammond spielt Verstecken.«

Nachdem sie sich bis auf die Unterwäsche ausgezogen hatte, zog sie die Bettdecke zurück und legte sich hin. Ihr Kopf lag noch nicht auf dem Kissen, da war sie schon eingeschlafen.

Bev ging wieder in ihr eigenes Zimmer, streifte ein Nachthemd über, stellte den Wecker, drehte die Klimaanlage auf eine niedrigere Temperatur und ging ins Bett.

Diesmal war Loretta nüchtern heimgekommen. Aber was war beim nächsten Mal? Sie versuchte mit allen Kräften, ihren fragilen nüchternen Zustand aufrechtzuerhalten. Dabei musste man sie ständig stützen und ermutigen. Es war unbedingt nötig, dass sie sich nützlich und produktiv fühlte.

Noch ehe Bev langsam einschlief, galt ihr letzter Gedanke Mr. Hammond Cross. Wenn er schon ihrer Mutter den Job kündigen musste, den sie so verzweifelt für ihr derzeitiges und künftiges Wohlergehen brauchte, dann könnte er das, verdammt noch mal, wenigstens persönlich erledigen und nicht über einen lausigen Anrufbeantworter.

»Was ist das?«

Rory Smilow sah von dem braunen Umschlag hoch, den Steffi soeben auf einen randvollen Schreibtisch geknallt hatte. Kaum hatte Hammond ihr Büro verlassen, hatte sie keine Zeit verloren und war sofort zum Polizeipräsidium gefahren, wo sie den Detective im Großraumbüro der Mordkommission fand.

Steffi verspürte keine Gewissensbisse, weil sie Smilow über diese letzte Wendung informierte. Es kam ihr nicht in den Sinn, ihrem Ex-Geliebten gegenüber loyal zu sein. Auch von ihrer Verpflichtung zur vertraulichen Behandlung von Informationen ließ sie sich nicht abhalten. Von jetzt an ging es für sie ums Ganze.

»Das ist ein Laborbefund.« Sie nahm den Umschlag wieder an sich und drückte ihn wie liebkosend an ihre Brust. »Können wir uns in deinem Büro unterhalten?«

Smilow erhob sich und deutete mit dem Kopf in die Richtung. Während sie sich durch ein Schreibtischlabyrinth schlängelten, begrüßte Detective Mike Collins Steffi mit Piepsstimmchen: »Guten Morgen, Miss Mundell.«

»Sie mich auch, Collins.«

Ohne auf das Gelächter und die Pfiffe zu achten, ging sie vor Smilow den kurzen Flur hinunter und von dort in sein Privatbüro. Kaum hatten sie die Tür hinter sich geschlossen, wollte Smilow wissen, was los sei.

»Erinnerst du dich noch an die Blutflecken auf dem Bettlaken von Alex Ladd?«

»Sie hat sich beim Rasieren ihrer Beine geschnitten.«

»Nein, hat sie nicht. Oder vielleicht doch, aber auf dem Laken befindet sich nicht ihr Blut. Ich habe die Blutgruppe ermitteln und mit einer anderen Probe vergleichen lassen. Es ist dasselbe.«

»Und zu wem soll diese andere Probe passen?«

»Zu Hammond.«

Zum ersten Mal, seit sie ihn kannte, schien Smilow gänzlich unvorbereitet auf das zu sein, was er soeben gehört hatte. Er war sprachlos.

»In der Nacht, als er überfallen wurde«, erklärte sie, »hat er Blut verloren. Vermutlich sogar eine Menge. Ich bin am anderen Morgen schon ganz früh zu ihm gefahren, um ihm zu erzählen, dass Trimble bei uns im Kittchen sitzt. Er hat sich seltsam benommen, was ich auf die harte Nacht geschoben habe, die er hinter sich hatte, und auf die Medikamente.«

»Aber dahinter steckte mehr. Ich wurde das Gefühl nicht los, dass er log, um irgendetwas zu verbergen. Jedenfalls habe ich, bevor wir gingen, ganz impulsiv heimlich einen blutigen Waschlappen aus seinem Bad mitgenommen.«

»Was hat dich dazu bewogen? Und dann noch dazu, es mit den Flecken auf Ladds Bettlaken abzugleichen?«

»Die Art und Weise, wie er sich in ihrer Nähe benimmt!«, rief sie leise, wobei sie die Arme seitlich hochwarf. »Als könnte er sich nur mühsam beherrschen, damit er sie nicht an Ort und Stelle verschlingt. Smilow, du hast es doch auch gespürt. Ich weiß es.«

Er strich sich mit der Hand über den Nacken. Dann sagte er etwas, was Steffi am allerwenigsten erwartet hätte: »Himmel, ist mir das peinlich.«

»Peinlich?«

»Ich hätte selbst diesen Schluss ziehen müssen, lange vor dir. Du hast Recht, ich habe gespürt, dass etwas zwischen ihnen ist. Ich konnte es nur nicht exakt definieren. Es ist so undenkbar. An körperliche Anziehung hab ich nicht im Traum gedacht.«

»Nimm's nicht so tragisch, Smilow. Frauen haben diesbezüglich mehr Intuition.«

»Außerdem hattest du, im Vergleich zu mir, einen Vorteil.«

»Welchen?«

»Ich habe nie mit Hammond geschlafen.«

Er grinste ironisch, aber Steffi fand diese Feststellung ganz und gar nicht witzig. »Nun, es ist wirklich egal, wer was wann gespürt oder als Erster registriert hat, was zwischen den beiden ist. Alles läuft darauf hinaus, dass Hammond mit Alex Ladd im Bett gewesen ist, obwohl man ihm als Staatsanwalt die Anklageerhebung bei einem Schwerverbrechen zugeteilt hat, in dem sie als Hauptverdächtige gilt.« Sie hob den Umschlag, als sei er ein Skalp oder eine andere Schlachttrophäe. »Und wir können es beweisen.«

»Mit illegalem Beweismaterial.«

»Reine Formsache«, meinte sie achselzuckend. »Lass uns jetzt doch mal die großen Linien verfolgen. Hammond steckt bis zum Hals in der Tinte. Erinnerst du dich noch an die schwache Lüge auf die Frage, wer das Schloss an ihrer Hintertür geknackt hat? Ich schätze mal, es war Hammond. Er ist bei ihr eingebrochen –«

»Zu welchem Zweck? Um silberne Löffel zu klauen?«

Angesichts seines schnoddrigen Verhaltens runzelte sie die Stirn. »Die beiden sind sich schon früher begegnet. Bevor man sie verdächtigt hat. Beide taten so, als würden sie sich nicht kennen. Sie mussten zusammenkommen, um sich abzustimmen, also ist Hammond zu ihr hingegangen... Mal sehen, das wäre dann am Dienstag gewesen, nachdem wir sie mehrfach beim Lügen erwischt hatten.

Da er schlecht an ihrer Haustür läuten konnte, ist er heimlich eingestiegen. Beim Aufbrechen des Schlosses hat er sich in den Daumen geschnitten. Und das gab dann die Blutflecken auf ihrem Laken. Ich weiß noch, dass er am nächsten Morgen ein Pflaster trug.

Außerdem bin ich überzeugt, dass sie auch bei dem Überfall in seiner Nähe war. Auf meine Frage, welcher Arzt seine Wunden behandelt hat und warum er nicht in die Notaufnahme gegangen ist, hat er nur ausweichend reagiert und sich irgendwelche weit hergeholten Erklärungen ausgedacht.«

Noch immer musterte der Detective sie skeptisch.

»Smilow, ich kenne ihn«, beharrte sie, »ich habe praktisch mit ihm gelebt. Ich kenne seine Gewohnheiten. Er ist zwar ziemlich ordentlich, aber trotzdem ein Mann. Entweder lässt er alles liegen und stehen, bis er zum Aufräumen gezwungen ist, oder er wartet ab, bis seine Putzfrau einmal wöchentlich hinter ihm aufräumt. Weißt du, was ihm am Morgen nach dem Überfall, als er sich völlig mies fühlte, wirklich wichtig war? Sein Bett zu machen. Jetzt kapiere ich, warum. Ich sollte nicht merken, dass jemand neben ihm geschlafen hat.«

»Steffi, ich weiß nicht«, sagte er und zog die Stirn kraus. »Auch wenn ich diesen Pfadfinder liebend gerne über ein paar Zeltheringe zu Boden gehen sähe, kann ich einfach nicht glauben, dass Hammond Cross etwas derart Kompromittierendes tun würde. Hast du ihn damit konfrontiert?«

»Nein, aber ich habe ihn geködert. Ganz sachte. Im Spaß. Bis ich heute Morgen den Laborbefund hatte, war es lediglich ein Verdacht.«

»Eine Blutgruppe ist nichts Eindeutiges.«

»Sollten wir einen Beweis wegen Gesetzesbeugung antreten müssen, könnten wir einen DNA-Test durchführen lassen.«

»Solltest du Recht haben – und ich gebe zu, dass einiges dran ist –, dann würde das seine Reaktion auf die Aussage von Bobby Trimble erklären.«

»Hammond wollte nicht hören, dass Alex Ladd eine Hure ist.«

»War.«

»Über die Vergangenheitsform lässt sich streiten. Jedenfalls liegt hier der Grund, warum er davor zurückschreckt, Trimbles Aussage zu verwenden.« Als Smilow erneut die Stirn in Falten legte, sagte Steffi: »Was ist nun schon wieder?«

»Ich neige dazu, in diesem Punkt seine Meinung zu teilen. Hammonds Argumente ergeben einen gewissen Sinn. Trimble ist so widerlich, dass er Sympathie für Dr. Ladd auslösen könnte. Hier haben wir sie, eine angesehene Psychologin, und da ihn, einen kiffenden Callboy, der sich für das Höchste hält, was Gott den Frauen geschenkt hat. Er könnte unserem Fall mehr schaden als nützen, besonders wenn es auf eine Mehrzahl weiblicher Geschworener hinausläuft. Es wäre fast besser, wenn er nicht ins Bild käme.«

»Wenn es nach Hammond geht, wird es keine Anklageerhebung gegen Alex Ladd geben. Zumindestens nie einen Prozess.«

»Diese Entscheidung liegt nicht nur bei ihm. Will er tatsächlich –«

»Er beabsichtigt, den Mord an Pettijohn einem anderen in die Schuhe zu schieben.«

»Was?«

»Smilow, du hast gar nicht zugehört. Da erzähle ich dir, dass er alles in seiner Macht Stehende tun wird, um diese Frau zu schützen. In einem Atemzug hat er sich geweigert, die Spuren zu nennen, die er verfolgt, und hat mich im nächsten um meine Kooperation und Hilfe gebeten, um eine Anklage gegen jemand anderen aufzubauen. Gegen jemanden, der ein Motiv und die Gelegenheit gehabt hätte. Jemanden, den er mit Wonne darüber stürzen sähe.« Steffi kostete jede Sekunde aus, ehe sie hinzufügte: »Und nun rate mal, wen er im Sinn hat.«

»Hammond, ich habe schon den ganzen Vormittag versucht, dich aufzustöbern.«

»Hallo, Mason.« Er hatte die Nachricht erhalten, dass Mason ihn suchte, hatte aber gehofft, ihm ausweichen zu können. Er hatte keine Zeit für einen Termin, und sei er noch so kurz. »Ich hab heute schrecklich viel zu tun. Bin auch jetzt auf dem Sprung.«

»Dann möchte ich dich nicht aufhalten.«

»Danke«, sagte Hammond und steuerte weiter auf den Ausgang zu, »ich komme später vorbei.«

»Stell nur sicher, dass du heute Nachmittag um fünf frei bist.« Hammond blieb stehen und drehte sich um. »Was passiert dann?«

»Eine Pressekonferenz, die von allen Lokalsendern live übertragen wird.«

»Heute? Um fünf?«

»Im Rathaus. Ich habe beschlossen, offiziell mein Ausscheiden aus dem Amt zu verkünden und dich als meinen Nachfolger zu akklamieren. Ich sehe keinen Grund, die Sache weiter hinauszuschieben. Außerdem weiß sowieso jeder Bescheid. Lass erst mal die Novemberwahl kommen, dann steht dein Name auf dem Stimmzettel.« Er warf seinem Schützling ein strahlendes Lächeln zu und wippte stolz auf dem Absatz.

Hammond kam sich vor, als hätte man ihn kopfüber in den Boden gerammt. »Ich… Ich weiß nicht, was ich sagen soll«, stotterte er.

»Mir musst du gar nichts sagen«, dröhnte Mason los. »Spar dir deinen Kommentar für heute Nachmittag.«

»Aber –«

»Deinen Vater habe ich schon benachrichtigt. Er und Amelia wollen da sein.«

Lieber Gott. »Mason, du weißt doch, dass ich mitten in dieser Pettijohn-Sache stecke.«

»Gibt es einen besseren Zeitpunkt? Jetzt stehst du doch schon im Rampenlicht. Das ist eine großartige Gelegenheit, deinen Namen in ganz Charleston bekannt zu machen.«

Dieser Satz erinnerte ihn an ein anderes Gespräch, das er erst vor kurzem geführt hatte. Hammond machte kurz die Augen zu und schüttelte den Kopf. »Dazu hat dich Dad angestachelt, stimmt's?«

Mason lachte in sich hinein. »Gestern Abend hat er im Club ein paar Runden geschmissen. Ich muss dir ja nicht sagen, wie überzeugend er sein kann.«

»Nein, musst du nicht«, stieß Hammond wütend hervor.

Preston legte nie die Hände in den Schoß und ließ die Karten fallen, wie sie fielen. Er mischte das Blatt immer zu seinen Gunsten. Sein philanthropisches Verhalten auf Speckle Island hatte Hammond den Wind aus den Segeln genommen und praktisch sichergestellt, dass man Preston nie für irgendetwas zur Rechenschaft ziehen würde, das dort passiert war. Sollte es sich Hammond aber in den Kopf setzen, die Sache weiterzuverfolgen, hatte Preston für alle Fälle den Einsatz erhöht und den Druck verstärkt.

»Okay, Mason, ich muss los. Heute geht es rund.«

»Fein. Vergiss nur nicht: fünf Uhr.«

»Nein, werde ich nicht.«

37

Loretta schwenkte ihre Füße in der Wanne mit kaltem Wasser herum, in der sie sie schon seit einer halben Stunde einweichte. Bev kam gähnend über den Gang. »Mom? Du bist schon auf? Hast aber nicht lange geschlafen.«

»Zu viel im Kopf«, sagte sie geistesabwesend. Nach einem Blick zu Bev fragte sie: »Bist du sicher, dass du heute Morgen beim Heimkommen den Anrufbeantworter abgehört hast? Hoffentlich ist er nicht kaputt.«

»Mom, der ist nicht kaputt.« Mit schuldbewusster Miene drehte sich Bev zu ihr um. »Für dich war eine Nachricht von Mr. Cross darauf, die ich einfach nicht weitergeben wollte.«

»Wieso? Was hat er gesagt?«

»Er meinte, du solltest dich nicht weiter um den Kerl vom Jahrmarkt kümmern.«

Loretta sah sie völlig ungläubig an. »Bist du sicher?«

»Meines Wissens hat er ›Jahrmarkt‹ gesagt.«

»Nein, bist du sicher, dass er gesagt hat, ich soll mich nicht weiter darum kümmern?«

»Absolut. Hat mir gestunken. Nach all der harten Arbeit – Vorsicht, Mom, du schwappst Wasser auf den Boden.«

Loretta stand da und stemmte die Hände in die Hüften. »*Ist der durchgeknallt?*«

Bobby Trimble hatte nicht mit Knast gerechnet. Knast stank. Knast war was für Verlierer. Knast war vielleicht was für den alten Bobby, aber nicht für den, der er jetzt war.

Er hatte die Nacht in der Zelle gemeinsam mit einem Betrunkenen verbracht, der die ganze Zeit lautstark geschnarcht und gefurzt hatte. Man hatte ihm versprochen, er würde gleich heute Morgen entlassen, sobald man sein Verfahren einstellen könnte. Dies gehörte zu dem Abkommen, das er mit Detective Smilow und der Zicke von der Staatsanwaltschaft getroffen hatte – höchstens eine Nacht im Kittchen.

Aber nun war es Morgen, und sie ließen sich mächtig Zeit. Frühstück wurde serviert. Beim Geruch des Essens wälzte sich sein Zellengenosse aus der oberen Koje und schaffte es gerade noch rechtzeitig zur offenen Toilette, wo er sich geschlagene fünf Minuten übergab. Als er endlich leer war, kletterte er in die obere Koje zurück und sackte wieder weg. Vorher war er noch gegen Bobby getaumelt und hatte ihm die Kleider verdreckt, sodass nun auch er nach Kotze stank.

Natürlich ließ Bobby derartige Misshandlungen nicht still über sich ergehen, sondern machte seinen Beschwerden lautstark und häufig Luft. Er brüllte und tobte, aber leider ohne Erfolg. Während die Stunden langsam dahinschlichen, bekam er immer mehr Bammel. Der Pessimismus schlug mit voller Wucht zu.

Seit Pettijohn ermordet worden war, hatte sich die schöne Situation in einen Misthaufen verwandelt. So hatte Bobby das nicht geplant. Er war kein Heiliger, aber mit einer Mordanklage wollte er nichts am Hut haben. Sollte er sich aus der Schlinge ziehen können, indem er Alex als Schuldige anschwärzte – wer weiß, vielleicht war sie's ja –, würde er genau das tun. Aber in der Zwischenzeit hing er an der kurzen Leine. Bis ihr Prozess vorbei war, gehörte sein Arsch dem Bezirk Charleston. Keine Partys. Keine Weiber. Keine Drogen. Kein Spaß.

Obendrein war er auch nicht, wie geplant, hunderttausend Dollar reicher. Er hatte das Erpressungsgeld nie eingesammelt. Es blieb unklar, ob Alex die Summe von Pettijohn eingetrieben hatte oder nicht. Aber das war gar nicht der springende Punkt. Er hatte es nicht.

Seine Zukunft sah trübe und ungewiss aus. Seine einzige Sicherheit war die Tatsache, dass er nirgendwo schnell hinkäme, solange er hier drinnen eingebunkert war.

Er rollte sich aus seiner Koje und drückte sich gegen die Gitterstäbe. »Was dauert denn hier so scheiß lange?«

Seine Fragen wurden ignoriert. Die Wärter hatten taube Ohren.

»Ihr kapiert das nicht, ich bin kein normaler Häftling«, erklärte er einem Wärter, der gerade an seiner Zelle vorbeischlenderte. »Eigentlich sollte ich gar nicht hier sein.«

»Bobby, ich wünschte, ich hätte 'nen Nickel für jedes Mal, wo ich den Spruch schon gehört habe.«

Bobby riss den Kopf herum. Ein Neuankömmling, in Begleitung eines anderen Wärters. Trug einen leichten Sommeranzug mit Krawatte. Trotz seines glatt rasierten Kinns wirkte er leicht mitgenommen. Vielleicht lag's an der Schlinge, in der sein rechter Arm steckte. Er stellte sich als Hammond Cross vor.

»Hab schon von Ihnen gehört. Bezirksstaatsanwaltschaft, richtig?«

»Staatsanwalt für Sonderaufgaben im Bezirk Charleston.«

»Ich bin beeindruckt«, sagte Bobby, wobei er wieder seinen modulierten Tonfall annahm. »Offen gestanden ist mir das egal. Solange sie gekommen sind, um mich hier rauszuholen, können Sie meinetwegen auch der Elfenkönig sein.«

»So war's doch abgemacht, oder?«

Cross war ein geschliffener Patron. Bobby konnte seine kultivierte Art – offensichtlich angeboren – auf der Stelle nicht ausstehen.

Er bedeutete dem Wächter, Bobbys Zelle zu öffnen, aber anschließend wurde er in einen Raum gebracht, der für Gespräche zwischen Gefangenen und Anwälten reserviert war. »Mr. Cross, das ist für mich keine Entlassung. Ich habe gestern ein Abkommen getroffen. Oder haben Sie das bequemerweise vergessen?«

»Ich bin mir dessen wohl bewusst, Bobby.«

»Na schön! Dann tun Sie, was Sie tun müssen, um die Räder in Bewegung zu setzen.«

»Erst nach unserem Gespräch.«

»Wenn ich mich mit Ihnen unterhalte, möchte ich einen Anwalt dabeihaben.«

»Ich bin Anwalt.«

»Aber Sie sind –«

»Bobby, setz dich und halt's Maul.«

Dieser Hammond Cross war zwar fit, aber bei weitem nicht massig. Außerdem war er ein wandelnder Invalide. Bobby rollte arrogant die Schultern. »Harte Worte von einem Mann, dessen Arm in einer Schlinge steckt.«

Cross funkelte ihn fast so hart und kalt an wie Smilow, was Bobby zwar nicht direkt Angst einjagte, ihn aber immerhin so weit einschüchterte, dass er sich hinsetzte. Wütend starrte er zu Cross hinauf. »Okay, ich sitze. Was nun?«

»Möglicherweise steckt von dir ein ganz anderer Körperteil in der Schlinge.«

Bobby starrte ihn sprachlos an.

»Ich würde dich am liebsten windelweich prügeln«, fauchte Cross.

Obwohl sich die Lippen des anderen kaum bewegt hatten und seine Stimme weich klang, schwang in dieser Feststellung ein derart feindseliger Ton mit, dass sich Bobbys Nackenhaare aufstellten. Dies und die Tatsache, wie Cross am ganzen Körper die Muskeln spielen ließ. Es schien, als würde seine Haut jeden Moment platzen.

»Schauen Sie, ich habe keine Ahnung, welche Laus Ihnen über die Leber gelaufen ist, aber ich habe ein Abkommen getroffen.«

»Und ich ein anderes«, sagte Cross nüchtern, »mit einem der Investoren – sagen wir mal mit einem Ex-Investor im Speckle-Island-Projekt.«

Er ließ diesen Satz einen Moment lang wirken. Bobby gab sich alle Mühe, nicht unruhig auf seinem Stuhl herumzurutschen.

»Besagte Person ist bereit, für seine Strafminderung gegen dich auszusagen. Wir haben eine ellenlange Anklageliste bezüglich deiner Aktivitäten auf Speckle Island, die mit deinem Abkommen von gestern nichts zu tun hat. Wahrscheinlich würde es dich langweilen, wenn ich alles aufzähle, aber wenn wir mal alphabetisch vorgehen, dann steht Brandstiftung an erster Stelle.« Bobby hatte schweißnasse Hände. Er wischte sie an seinen Hosenbeinen ab. »Hören Sie, ich werde Ihnen alles erzählen, was Sie über meine Schwester wissen wollen.«

»Sinnlos«, meinte Cross mit einer wegwerfenden Handbewegung. »Sie hat Pettijohn nicht umgebracht.«

»Aber Ihre eigenen Leute –«

»Sie hat's nicht getan«, wiederholte er. Dann lächelte er, allerdings nicht freundlich. »Bobby, du bist in der Bredouille. Du hast nichts mehr zum Tauschen. Du wirst für eine Weile in einem unserer Gefängnisse sitzen. Und sollte South Carolina mal keine Lust mehr haben, dich zu beherbergen und durchzufüttern, kann's die Polizei unten in Florida kaum erwarten, dich in die Finger zu bekommen.«

»Scheiß drauf! Leck mich doch am Arsch«, brüllte Bobby, während er von seinem Stuhl hochfuhr. »Ich will mit meinem Anwalt reden.«

Er machte zwei Schritte vorwärts, dann legte ihm Cross die linke Hand aufs Brustbein und schob ihn mit solcher Wucht wieder auf den Stuhl, dass er beinahe selbst mit umgekippt wäre. Anschließend beugte sich Cross so nahe zu ihm herunter, dass Bobby den Kopf weit in den Nacken beugen musste.

Cross flüsterte: »Noch ein Letztes, Bobby. Solltest du je wieder in Alex' Nähe kommen, werde ich dir den Hals brechen. Und dann werde ich deine hübsche Fratze so zurichten, dass man dich nicht mehr erkennt. Dann sind deine Tage als Mann für gewisse

Stunden vorbei. Danach werden dir die Frauen nur noch mitleidige und angewiderte Blicke zuwerfen.«

Bobby war perplex, allerdings nur für ein paar Sekunden. Dann war alles klar: die Drohung und das Beharren des Staatsanwalts auf Alex' Unschuld. Er fing zu lachen an. »Jetzt hab ich kapiert. Dir juckt der Schwanz nach meiner kleinen Schwester!«

Spielerisch tippte er Hammond auf die Brust. »Hab ich Recht? Nicht nötig, ich weiß es. Ich kann die Zeichen deuten. Ich will dir mal was sagen, Mr. Spezialaufgabe oder wie immer du dich schimpfst: Wenn du sie vögeln willst, kommst du zu mir. Egal ob von hinten, von vorne oder von der Seite. Ich mach das schon.«

Plötzlich hing der Stuhl in der Luft, und Bobby flog im hohen Bogen mit ihm nach hinten. Raketengleich schoss der Schmerz durch sein Jochbein in den Schädel, wo er wie ein Feuerwerk explodierte. Seine Rippen brachen unter einem Fausthieb, der die Wucht einer Pleuelstange hatte. »Mr. Cross?« Bobby hörte Fußgetrappel und die Stimmen der Wärter. Die Geräusche waberten durch eine unendlich hohle Dunkelheit zu ihm herüber. »Mr. Cross, ist alles in Ordnung?«

»Danke, mir geht's gut. Allerdings befürchte ich, dass der Häftling ein wenig Hilfe braucht.«

38

»Das ist interessant.«

Steffi klemmte sich den Telefonhörer zwischen Ohr und Schulter. »Hammond? Wo bist du?«

»Ich komme gerade aus dem Gefängnis. Trimble wird noch eine Weile bei uns bleiben.«

»Und was ist mit unserem Abkommen?«

»Das ist angesichts seiner Vergehen auf Speckle Island überholt. Ich werde dir später Näheres erzählen.«

»Okay. Also, was ist interessant?«

»Basset«, sagte er. »Glenn Basset? Der Polizist, der den Beweisfundus überwacht?«

»Okay, ich kenne ihn flüchtig. Hat er 'nen Schnauzbart?«

»Genau der. Er hat eine sechzehnjährige Tochter, die letztes Jahr wegen Drogenbesitzes verhaftet wurde. Zum ersten Mal. Eigentlich ein braves Kind, das aber in der Schule an die falschen Freunde geraten ist. Gruppenzwang. Isoliert –«

»Ich habe verstanden. Was hat das mit allem zu tun?«

»Basset hat sich an Smilow um Rat und Hilfe gewandt. Smilow hat bei uns im Büro zu Gunsten von Bassets Tochter interveniert.«

»Eine Hand wäscht die andere.«

»Ist auch meine Vermutung«, meinte Hammond.

»Nur eine Vermutung?«

»Bisher handelt es sich lediglich um ein Gerücht und versteckte Andeutungen. Ich habe herumgeschnüffelt. Polizisten reden nicht gern über andere Polizisten, und Basset habe ich noch nicht damit konfrontiert.«

»Da wäre ich gerne dabei, Hammond. Und was jetzt?«

»Ich muss noch einmal anhalten, dann gehe ich ins Charles Towne hinüber.«

»Wozu?«

»Erinnerst du dich an die Bademäntel?«

»Die die Leute auf dem Weg ins Fitnesscenter und zurück tragen? Weiße Flauschdinger, in denen alle wie Eisbären aussehen?«

»Wo war Pettijohn?«, fragte er.

»Was? Ich kapiere nicht –«

»Er hat sich am frühen Nachmittag massieren lassen und im Fitnesscenter geduscht, ohne sich hinterher anzuziehen. Ich habe den Masseur gefragt. Er kam im Bademantel herein und ist auch so wieder gegangen. Also hätten in seinem Zimmer ein gebrauchter Bademantel und Schlappen sein sollen. Unter den Beweisstücken vom Tatort waren sie nicht. Also, was ist damit passiert?«

»Gute Frage«, sagte sie langsam.

»Hier kommt eine noch bessere. Wusstest du, dass Smilow regelmäßig zur Maniküre ins Fitnesscenter geht? Kapierst du? Niemand würde Verdacht schöpfen, wenn man ihn in einem dieser Mänteln sieht. Ich werde die Suite noch mal überprüfen und nachschauen, ob wir etwas übersehen haben. Wollte dich nur auf dem Laufenden halten. Übrigens, hast du ihn heute schon gesehen?«

»Smilow?« Sie zögerte, dann sagte sie: »Nein.«

»Falls du ihn siehst, halt ihn auf, damit ich ungestört vorgehen kann.«

»Sicher. Lass mich wissen, was herauskommt.«

»Du bist die Erste.«

»Danke, Hammond, dass du dich mit mir triffst.«

Er rutschte Davee gegenüber in die Nische. »Was ist los? Du hast gesagt, es sei dringend.«

»Möchtest du etwas essen?«

»Nein danke, ich kann nicht. Hektischer Tag. Ich nehme ein Mineralwasser«, erklärte er dem Ober, der sich zurückzog, um seine Bestellung aufzugeben. Er wedelte sich den Rauch aus dem Gesicht. »Seit wann rauchst du wieder?«

»Seit einer Stunde.«

»Davee, was geht hier vor? Du wirkst erregt.«

Sie trank einen Schluck von ihrem Drink, von dem Hammond zu Recht annahm, dass es sich weder um ihren ersten noch um Mineralwasser handelte. Er hatte auf ihre Pager-Nachricht reagiert. Zu seiner Überraschung hatte sie ihn gebeten, sich mit ihr in einem Restaurant im Zentrum zu treffen, das ohnehin auf seinem Weg lag. Angesichts seines randvollen Terminkalenders war dies der einzige Grund, warum er der spontanen Einladung zugestimmt hatte.

»Rory hat mich gestern Nacht angerufen. Wir hatten ein Rendezvous. Keins von der romantischen Sorte«, erklärte sie.

»Von welcher Sorte dann?«

»Er hat mir alle möglichen Fragen über dich und die Mordermittlung gestellt.« Sie wartete, bis der Ober sein Mineralwasser serviert hatte, ehe sie fortfuhr. »Er weiß, dass du dich vergangenen Samstag mit Lute getroffen hast. Allerdings nicht von mir. Ich war's nicht, das schwöre ich.«

»Ich glaube dir.«

»Er meint, man hätte dich im Hotel gesehen. Bisher ist deine Verabredung mit Lute nur eine Vermutung von ihm, aber darin ist er verdammt gut, wie wir wissen.«

»Eine harmlose Vermutung.«

»Vielleicht nicht, denn da gibt es noch etwas, was du wissen solltest.« Zitternd hob sie die Zigarette an die Lippen. Hammond nahm sie ihr aus der Hand und zerdrückte sie im Aschenbecher.

»Schieß los.«

»Ich weiß über dich und Alex Ladd Bescheid.«

Zuerst wollte er sich dumm stellen, aber dann wurde ihm klar, dass gerade Davee dieses Theater durchschauen würde.

»Wieso?«

Schweigend hörte er sich an, was sie ihm über Alex' Besuch an diesem Morgen erzählte. »Ich weiß nicht detailliert, wie ihr euch begegnet seid, auch nicht wann oder wo. Ich habe nicht um nähere Information gebeten, und sie hat mir von sich aus keine geliefert. Übrigens, sie ist liebenswürdig.«

»Ja«, sagte er mit belegter Stimme, »ist sie.«

»Wie du dir sicherlich denken kannst«, fuhr sie fort, »kommt diese Liebesaffäre absolut zur falschen Zeit.«

»Völlig klar.«

»Von all den Frauen, die in Charleston heiß auf dich sind, warum –«

»Davee, ich stehe heute sehr unter Termindruck. Für eine Standpauke habe ich keine Zeit. Ich hatte nicht geplant, mich diese Woche in Alex zu verlieben. Es ist einfach so passiert. Übrigens, du bist genau die Richtige, um mir Predigten über indiskretes Benehmen zu halten.«

»Ich warne dich ja nur, vorsichtig zu sein. Obwohl ich noch nicht einmal mit euch beiden zusammen in einem Raum gewesen bin, konnte ich schon allein aus der Art und Weise, wie sie deinen Namen aussprach, klar erkennen, dass sie in dich verliebt ist. Jeder, der euch beide zusammen erlebt hat, muss spüren, was zwischen euch vorgeht. Sogar einer, der Romantik so abgeneigt ist wie Rory. Deshalb habe ich dich angerufen.« Ihre Augen füllten sich mit Tränen, was ihn sehr beunruhigte, weil Davee nie weinte. »Hammond, ich habe Angst um dich. Und um sie.«

»Warum, Davee? Wovor hast du Angst?«

»Ich befürchte, dass Rory Lute umgebracht hat und möglicherweise noch jemanden töten wird, um die Sache zu vertuschen.«

Er schaute sie lange Zeit an, dann lächelte er leise. »Danke, Davee.«

»Wofür?«

»Weil du dich um mich sorgst. Dafür liebe ich dich. Und noch mehr liebe ich dich, weil du dir Sorgen um Alex machst. Hoffentlich werdet ihr prima Freundinnen.« Er rutschte von der Bank, beugte sich hinunter und gab ihr einen Kuss auf den Scheitel. »Du musst dir keine Sorgen machen.«

»Hammond?«, rief sie hinter ihm her, während er zum Ausgang eilte.

»Ich habe alles im Griff«, rief er zurück. »Versprochen.«

Im Laufschritt legte er die Strecke zwischen Restaurant und Auto zurück. Während er Richtung Hotel fuhr, wählte er Alex' Privatnummer.

Das Schloss an der Küchentür war immer noch kaputt. Wie nachlässig von ihr, dass sie es bis jetzt nicht hatte reparieren lassen. Wie er von früher wusste, war die Küche gemütlich und aufgeräumt, nur der Wasserhahn am Spülbecken tropfte.

Gerade als er am Telefon vorbeiging, klingelte es. Er zuckte zusammen. Beim zweiten Läuten hob sie in einem anderen Zimmer ab. Ihre Stimme drang über den Flur zu ihm.

»Hammond, ist alles in Ordnung?«

Sie saß in ihrem Büro mit dem Rücken zu der Tür, die auf den Flur hinausführte. Er konnte die nelkengespickten Orangen in der Schale auf der Konsole riechen. Sie saß in einem Lehnstuhl. Neben ihrem Ellbogen stapelten sich Unterlagen auf einem Beistelltischchen, vermutlich Patientenberichte. Ein aufgeschlagener Ordner lag zusammen mit einem handgroßen Diktiergerät in ihrem Schoß. Durch die hohen Fenster strömte Sonnenlicht herein, das ihre Haare wie ein Magnet anzogen.

»Mach dir meinetwegen keine Sorgen, mir geht's gut… Was ist mit Sergeant Basset?… Also hattest du Recht. Irgendwie tut er mir Leid. Wir wissen ja nicht, mit welchen Drohungen er gefügig gemacht wurde… Ja, werde ich. Bitte, ruf mich so schnell wie möglich an.«

Sie beendete das Gespräch und stellte das Telefon aufs Tischchen. Im selben Moment bemerkte sie eine Bewegung und drehte sich ruckartig in seine Richtung. Der offene Ordner rutschte von ihrem Schoß auf den Boden, wo sich der Inhalt über den Orientteppich verteilte. Mit einem dumpfen Schlag landete das Diktiergerät zu ihren Füßen. Sie hatte eindeutig geglaubt, sie sei allein. Mit beinahe keuchender Stimme sagte sie: »Detective Smilow, haben Sie mich erschreckt.«

Smitty hatte jemanden im Sessel sitzen, als Hammond auf seinem Weg zu den Aufzügen vorbeiging. »Hallo, Smitty, haben Sie heute schon Detective Smilow gesehen?«

»Nein, Sir, Mr. Cross. Ganz sicher nicht.«

Normalerweise war Smitty gesprächig, aber diesmal sah er weder auf, noch unterbrach er seinen Rhythmus, in dem er abwechselnd mit den Bürsten über die Schuhspitzen seines Kunden fuhr. Hammond dachte nicht weiter darüber nach, da er so rasch wie möglich die Penthouse-Suite im fünften Stock erreichen wollte.

Noch immer klebte das gelbe Band x-förmig über der Tür. Da er sich gestern Abend vom Manager einen Schlüssel besorgt hatte, stieg er über das Band und ging hinein. Er ließ die Tür einen Spaltbreit offen.

Die Vorhänge waren zugezogen, der Raum lag im Halbdunkel. Rein routinemäßig überprüfte er den Salon, auf dessen Teppichboden sich die Blutspuren fast schwarz abzeichneten. Wenn er die Leute vom Hausservice richtig verstanden hatte, hatte man bereits einen Ersatzteppich bestellt.

Als er so über dem Fleck stand, versuchte er vergeblich, wegen Pettijohns Tod irgendwelches Bedauern zu empfinden. Er, der im Leben ein Dreckschwein gewesen war, richtete noch als Toter schlimme Verwüstungen im Leben anderer an.

Hammond begab sich ins Schlafzimmer und ging sofort zum Schrank, wo er sich den Bademantel ansah, der dort mit geknotetem Gürtel hing. Er sah genauso aus wie der, den Lute auf dem Weg ins Fitnesscenter hinunter getragen haben musste. Er hatte seine Kleidung hier in der Suite gelassen, hatte im Fitnesscenter geduscht und sich nach seiner Rückkehr wieder normal angezogen.

»Vielleicht wäre mir dieser Gedanke nie gekommen, wenn du mich nicht am Nachmittag darauf gestoßen hättest, als wir in der Hotelbar saßen«, sagte er. Er drehte sich um und schaute Steffi ins Gesicht, die gedacht hatte, sie hätte sich unbemerkt von hinten angeschlichen. In Wirklichkeit hatte er sie erwartet. Er fuhr fort: »Du hast mich rein rhetorisch gefragt, ob ich mir vorstellen könnte, dass Lute in einem dieser Bademäntel herumspaziert. Was ich nicht konnte und auch nicht tat. Bis gestern Abend. Und diese Vorstellung brachte mich ins Grübeln. Woher hast du gewusst, dass er an dem Tag in einem Bademantel herumspaziert ist? Der nächste Schritt war die Überlegung, wo der benutzte Bademantel geblieben war.« Nachdenklich musterte er sie. »Ich vermute, dass du ihn beim Verlassen der Suite über deiner normalen Kleidung getragen hast.«

»Sportdress. Ich hielt das für eine gute Idee. Wer geht schon in dieser Kleidung zu einem Mord. Aber der Bademantel war noch besser.«

»Den hast du im Fitnesscenter fallen lassen.«

»Zusammen mit dem Handtuch, das Pettijohn mit heraufgebracht hat. Das habe ich mir wie einen Turban um den Kopf gewickelt. Dazu noch eine Sonnenbrille, und ich war buchstäblich unidentifizierbar. Das ganze Drum und Dran habe ich dann im Fitnesscenter fallen lassen. Da waren jede Menge Leute, die Mäntel und Handtücher aus dem Fitnessraum und vom Pool zurückbrachten. Niemand hat mich beachtet. Anschließend bin ich ein paar Kilometer gejoggt, und als ich wiederkam, hatte man die Leiche entdeckt, und die Ermittlungen liefen bereits.«

»Sehr schlau.«

»Dachte ich mir auch«, meinte sie mit einem frechen Lächeln.

Er nickte zu dem Revolver hinunter, den sie auf ihn richtete. »Ist er das?«

»Natürlich nicht. Denkst du, ich bin so dumm, dieselbe Waffe zweimal zu verwenden? Als ich die für Pettijohn zurückgebracht habe, habe ich eine andere geklaut. Nur für alle Fälle.«

»Da wir gerade davon sprechen: Basset schüttet gerade sein Herz aus. Er ist ein reuiger Mensch mit einem schlechten Gewissen.«

»Sein Wort wird gegen meines stehen. Man wird die Spur dieser Waffen nie bis zu mir zurückverfolgen. Weder ich habe im Buch unterschrieben noch er. Basset könnte genauso gut üble Geschichten über mich erfinden, weil er einen Groll gegen mich hegt.«

»Smilow hat dich gebeten, sachte gegen Bassets Tochter vorzugehen.«

»Was ich beim ersten Mal auch getan habe. Ich bin nicht daran schuld, dass sie zum zweiten Mal aufgeflogen ist. Ihre Verhandlung steht in den nächsten Wochen an.«

»Was hast du Basset versprochen?«

»Dass ich bei meinen Strafvorschlägen an den Richter Milde walten lassen würde.«

»Oder?«

»Oder die liebe Amanda bekäme das Gesetz mit voller Härte zu spüren. Die Entscheidung lag bei ihm.«

»Du bist hart im Verhandeln.«

»Wenn ich dazu gezwungen bin.«

»Und du hast dich gezwungen gefühlt, Pettijohn zu töten!«

»Er hat ein falsches Spiel mit mir getrieben!«, rief sie mit einer schrillen Stimme, die Hammond noch nie gehört hatte. Steffi hatte jeden Kontakt zur Realität verloren.

»Ich habe für ihn spioniert«, sagte sie weiter, »habe ihn bei legalen Manövern beraten, die seine Konkurrenten zu Fall gebracht haben, aber noch im Rahmen der Gesetze lagen. Zwar am Rand, aber immerhin im Rahmen. Er hat mir erklärt, damit wolle er Preston in die Hand bekommen, um euch beide zu ruinieren. Damit würde er dich für immer absägen und stattdessen mich installieren. Aber dann hat er sein Wort gebrochen.«

Ihre Augen wurden hart. »Er sah für Prestons Verwicklung eine bessere Verwendung, nämlich, dich in die Knie zu zwingen. Er dachte, er könnte das als Druckmittel benutzen, damit du dich auf seine Seite schlägst. Er hat sich bei mir für meine Mühe bedankt und mich gleichzeitig gefragt, warum er sich mit der zweitbesten zufrieden geben soll, wenn er den besten Anwalt auf seiner Seite haben kann.«

»Also bist du am Samstag hierher gekommen, um ihn zu töten.«

»Hammond, meine Möglichkeiten waren erschöpft. Ich hatte nach den Regeln gespielt, aber die arbeiteten gegen mich. Seit ich zum Team gehöre, habe ich unter größtem Einsatz am härtesten gearbeitet. Trotzdem warst du drauf und dran, den Posten zu bekommen, genau wie du auch den letzten bekommen hast.

Da kam Pettijohn daher und bot mir einen Vorteil an. Zum ersten Mal war ich am Drücker. Doch kaum war die Belohnung in Reichweite, hat mir dieser Dreckskerl seine Unterstützung entzogen.

Ich habe schon früher Enttäuschungen hinnehmen müssen, aber nie so niederschmetternde. Mit jedem Blick würde er mich daran erinnern, was für eine Idiotin ich war. Ein leichtgläubiges Weib. Dafür hat er mich vermutlich gehalten. Ich konnte es nicht ertragen, dass ich mich so leicht hinters Licht habe führen lassen und das dann obendrein von ihm auch noch dauernd aufs Butterbrot geschmiert bekäme. Da ist irgendetwas in mir ausgerastet. Das konnte ich ihm einfach nicht durchgehen lassen.

Er hat es mir am Telefon gesagt, aber ich bestand auf einem Treffen unter vier Augen. Ich kam ein paar Minuten zu früh zu unserer Verabredung. Als ich ihn am Boden liegen sah, war mein erster Gedanke, dass mich jemand meines Vergnügens beraubt hat.«

»Vielleicht Alex.«

»Ich hatte keine Ahnung von Alex Ladd, nicht bis sie uns dieser Typ, dieser Daniels, beschrieben hat. Ich habe Blut und Wasser geschwitzt, als ich ihm im Krankenzimmer gegenübertreten musste. Ich hatte Angst, er würde mich bei Smilow verpfeifen.

Obwohl ich ihn im Hotel nicht gesehen hatte, konnte ich nicht sicher sein, dass dem auch umgekehrt so war. Jedenfalls, als er Ladd beschrieb, konnte ich mein Glück nicht fassen. Es gab also tatsächlich eine Verdächtige. Und als dann Trimble auftauchte, habe ich angefangen, an Schutzengel zu glauben«, sagte sie mit einem Lachen.

»Du hast auf sie einen Mordanschlag verüben lassen.«

»Das war ein Fehler. Diesen Job hätte ich keinem anderen anvertrauen sollen.«

»Wer war er?«

»Irgendein Kerl, den wir vor ein paar Monaten durch die Mühlen der Justiz gedreht haben. Ich hatte ihn wegen Körperverletzung am Wickel. Sein Anwalt hat auf nicht schuldig plädiert. Ich dachte, es könnte eines Tages vielleicht ganz nützlich sein, einen wie ihn in petto zu haben. Vielleicht habe ich schon geahnt, dass meine Allianz mit Pettijohn übel enden würde.« Sie zuckte die Achseln.

»Jedenfalls ließ ich zu, dass der Kerl um eine Gefängnisstrafe herumkam, behielt ihn aber im Auge. Er war bereit, ihr für magere hundert Dollar die Kehle durchzuschneiden. Aber er hat's vermasselt und ist mit den fünfzig, die ich ihm als Vorschuss gezahlt habe, aus der Stadt verduftet, ohne sich noch mal bei mir zu melden.«

Sie schlug sich mit der flachen Hand gegen die Stirn. »Ich Blödian. Ich habe den Überfall auf dich mit diesem Typ in Verbindung gebracht, als ich entdeckt habe, dass Alex Ladd am Leben und putzmunter war.«

»Du hattest Angst, sie hätte dich am Samstag in Pettijohns Suite gesehen.«

»Ich hielt es durchaus für möglich. Vom ersten Verhör an spürte ich, dass sie irgendetwas zurückhielt, und hatte Angst, sie hätte mich erkannt und würde nur den perfekten Moment abwarten, um ihr Geheimnis aufzudecken. Ich muss gestehen, dass ich ziemlich erstaunt war, als ich rausgefunden hab, dass du ihr süßes Geheimnis warst. Wann bist du ihr begegnet?«

Er verweigerte eine Antwort.

»Na schön.« Sie seufzte leise. »Du hast Recht. Vermutlich ist's egal, obwohl mich die Tatsache, wie leicht du von meinem Bett in ihres wandern konntest, schon getroffen hat. Und natürlich habe ich Verständnis dafür, dass sie dich attraktiv findet. Mit dir zu schlafen, war keine Strafe. Das hätte ich sogar getan, wenn Pettijohn nicht vorgeschlagen hätte, Kopfkissenplaudereien als Informationsquelle zu nutzen.«

Sie hob die Waffe. »Ich hasse dich nicht, Hammond, allerdings wäre es nicht sehr ehrlich, wenn ich behaupten würde, dass ich nichts gegen deine Erfolge hätte und gegen die mühelose Art, wie sie dir zufliegen. Jetzt bin ich so weit gekommen, und du bist das letzte Hindernis. Das ist alles. Tut mir Leid.«

»Steffi –« Steffi feuerte ihm in die Brust.

Sie drehte sich um, lief durch den Salon und zog die Tür auf. Vor ihr standen Detective Mike Collins und zwei uniformierte Polizisten mit entsicherten Pistolen.

»Miss Mundell, händigen Sie die Waffe aus«, sagte Collins ohne jeden witzigen Unterton in der Stimme. Einer der Polizisten trat vor und entwand ihr die Pistole, die sie nur lose hielt. »Sind Sie okay?«, fragte Collins.

Hammond beobachtete ihr Gesicht, als sie den Kopf drehte. Vor Erstaunen öffnete sie den Mund. Die kugelsichere Weste hatte ihn gerettet. Trotzdem würde er zu den restlichen Verletzungen, die er sich im Laufe dieser Woche zugezogen hatte, noch einen höllischen blauen Fleck bekommen.

»Du hast mich ausgetrickst?«

Collins las ihr gerade ihre Rechte vor, aber sie hatte nur Augen und Ohren für Hammond.

»Erst gestern Abend bin ich auf die Lösung gekommen und habe mich noch vor Tagesanbruch mit Smilow darüber verständigt. Ich habe ihm alles erzählt, alles. Und so haben wir die ganze Sache inszeniert. Ich tat so, als würde ich Beweismaterial gegen ihn sammeln, während wir eigentlich heute den ganzen Tag zusammengearbeitet haben. Er hatte die Idee, du könntest vielleicht unruhig werden, wenn ich dir den Stand meiner Spurensuche mitteile, Spuren, die auf dich hindeuten. Er beschwor mich, ein Mikrofon mitzunehmen und eine kugelsichere Weste zu tragen. Ich bin froh, dass ich in beiden Punkten seinem Rat gefolgt bin.«

Sie schnaubte buchstäblich vor Hass. Die Erinnerung daran, dass er je mit ihr ein Paar gewesen war, lag unendlich fern. Trotzdem sagte er mit einem gewissen Maß an Traurigkeit: »Steffi, ich wusste, dass du mich als deinen Rivalen betrachtest. Trotzdem hätte ich mir nie träumen lassen, du würdest versuchen, mich umzubringen.«

»Du hast mich schon immer unterschätzt, Hammond. Du hast mir nie allzu viel zugetraut. Und hast dir nie vorstellen können, dass ich genauso schlau bin wie du.«

»Nun, offensichtlich bist du's nicht.«

»Ich bin schlau genug, um alles über deine Affäre mit Alex Ladd zu wissen«, brüllte sie. »Versuch ja nicht, es zu leugnen, denn ich habe Beweise, dass du diese Woche mit ihr im Bett gelegen hast!«

Hammond nickte Collins zu, der sie umdrehte und durch die offene Tür schob. Dabei riss sie den Kopf herum und schrie nach hinten: »Damit werde ich dich schlagen, Hammond. Mit deiner Affäre mit dieser Frau. So etwas nennt man ganz poetisch Gerechtigkeit!«

In Alex' Stimme schwang ein Lachen mit. Es klang nach leisem Selbstvorwurf. »Obwohl ich Sie erwartet hatte, Detective, habe ich Sie nicht gehört.«

»Wir wussten nicht, auf wen Steffi losgehen würde und wann. Ich habe die Rückseite Ihres Hauses überprüft und bin durch die Hintertür gekommen. Das Schloss ist immer noch nicht repariert. Das hätten Sie sofort erledigen lassen sollen.«

»Ich hatte diese Woche Dringlicheres im Kopf.«

»Eine Scheißwoche.«

»Milde ausgedrückt.« Er kniete sich nieder, um ihr beim Aufheben der verstreuten Papiere zu helfen. Sie bedankte sich, während sie das Material wieder im Ordner sammelte.

»Leider war ich gezwungen zu lauschen«, sagte er. »Hammond hat Ihnen die Geschichte mit Basset erzählt?«

»Ja.«

»Verdammt schlau, was Hammond da ausgeknobelt hat.«

»Aber nicht lange vor Ihnen«, sagte Alex. »Er hat mir Folgendes erzählt: Als er Ihnen heute am frühen Morgen seinen Verdacht eröffnete, hätten Sie zugegeben, selbst schon mal daran gedacht zu haben, dass Steffi möglicherweise in die Sache verwickelt ist.«

»Habe ich, allerdings bin ich der Geschichte nicht auf den Grund gegangen. Offen gestanden, weil ich so froh gewesen bin, dass Pettijohn tot war.« Er schaute ihr in die Augen. »Dr. Ladd, ich habe nie wirklich geglaubt, dass Sie die Mörderin sind. Ich entschuldige mich für einige der Fragen.«

Mit einem leichten Kopfnicken akzeptierte sie seine Entschuldigung. »Wenn wir einmal einen Standpunkt eingenommen haben, fällt uns das Nachgeben schwer. Ich war ernsthaft verdächtig, und Sie wollten sich nicht irren.«

»Mehr als das. Ich wollte nicht, dass Hammond Recht hat.«

Betretenes Schweigen breitete sich aus, das erst sein piepsendes Handy unterbrach. »Smilow.«

Er hörte zu. Sein Gesicht blieb ausdruckslos. »Bin schon unterwegs.« Er beendete das Gespräch. »Steffi hat auf Hammond geschossen. Er ist okay«, fügte er rasch hinzu. »Aber er hat ihr Geständnis auf Band, dass sie Pettijohn getötet hat. Sie ist in Haft.«

Erst als all die aufgestaute Anspannung von ihr wich und sie in einen Sessel sank, wurde Alex klar, wie groß ihre Angst gewesen war. »Hammond geht's gut?«

»Absolut.«

»Also ist es vorbei«, sagte sie leise.

»Nicht ganz. Er hält in einer halben Stunde eine Pressekonferenz ab. Darf ich Sie mitnehmen?«

39

Da das Ausweichquartier des Charlestoner Justizgebäudes räumlich derart beschränkt war, hatte Monroe Mason darum gebeten, seine Pressekonferenz im Stadtzentrum abzuhalten, und zwar im Rathaus. Man hatte seiner Bitte gern entsprochen.

Aus Respekt vor dem Mann, der der Bürgerschaft so lange so gute Dienste geleistet hatte, hatten sich viele, die normalerweise freitags um fünf nicht schnell genug ins Wochenende gehen konnten, versammelt, um die offizielle Ankündigung seines Rücktritts zu hören.

Aus diesem Grund waren sie gekommen.

Sie bekamen mehr als erwartet. Als sich Gerüchte über das verbreiteten, was sich in derselben Hotelsuite zugetragen hatte, in der man vor noch nicht einmal einer Woche Lute Pettijohn tot aufgefunden hatte, schien ein verschobener Start ins Wochenende kein so großes Opfer mehr zu sein. Einer der Staatsanwälte war wegen Mordes verhaftet worden.

Im Raum drängte sich bereits eine große Menge, als Hammond hinter Mason und seiner versammelten Mannschaft eintrat. Sogar Wallis, der stellvertretende Bezirksstaatsanwalt, der von der Chemotherapie ganz grau und mitgenommen aussah, hatte die Energie aufgebracht, teilzunehmen. Nur Stefanie Mundell war abwesend, als sie auf dem Podium Platz nahmen. Die erste Zuschauerreihe okkupierten Reporter und Kameraleute. Dahinter waren drei Reihen für die offiziellen Vertreter von Stadt, Bezirk und Bundesstaat reserviert sowie für geladene Geistliche und ausgewählte Würdenträger. Die restlichen Klappstühle waren für die Gäste.

Darunter befanden sich auch Hammonds Eltern. Seine Mutter erwiderte sein Begrüßungsnicken kurz mit einem fröhlichen Winken. Hammond nahm auch seinen Vater zur Kenntnis, aber Prestons Miene blieb so versteinert wie die Köpfe am Mount Rushmore.

Noch am Morgen hatte Hammond Preston bezüglich des Abkommens angerufen, das er Bobby Trimble gegenüber erwähnt hatte. Er wollte dem Oberstaatsanwalt empfehlen, von einer Anklageerhebung gegen seinen Vater abzusehen, falls Preston gegen Trimble aussagen würde.

Dies lief natürlich darauf hinaus, dass Preston von den Terrorakten wusste, die sich auf Speckle Island abspielten. Er hatte sich nicht rechtzeitig genug aus dem Projekt zurückgezogen, um sich jeder Schuld zu entledigen.

»So lautet das Abkommen, Vater. Schlag ein, oder lass es bleiben.«

»Stell mir kein Ultimatum.«

»Entweder gestehst du deinen Fehler ein, oder du kommst wegen Beteiligung ins Gefängnis«, hatte Hammond entschlossen konstatiert. »Schlag ein.«

Hammond hatte ihm zweiundsiebzig Stunden zum Nachdenken und zur Beratung mit seinem Anwalt gegeben. Er hätte wetten mögen, dass sich sein Vater mit seinen Bedingungen einverstanden erklären würde, eine Intuition, die sich bestätigte, als Prestons sonst so unnachgiebiger Blick flackerte und er als Erster wegsah.

Sollte seinen Vater tatsächlich ein Anflug von schlechtem Gewissen beschleichen? Obwohl es zwischen ihnen immer unüberbrückbare Distanzen geben würde, hoffte er doch, sie könnten sich auf einem gewissen Level versöhnen. Er wollte ihn wieder Dad nennen können.

Auch Davee war da. Sie sah wie ein Filmstar aus und warf ihm einen Kuss zu, aber als ihr ein Reporter ein Mikrofon unter die Nase hielt und sie um einen Kommentar bat, sah Hammond, wie sie ihm erklärte, er könne sie mal. Wortwörtlich. Mit dem reizendsten Lächeln.

Er behielt die rückwärtige Tür im Auge. In dem Moment geleitete Smilow Alex herein. Ihre Blicke trafen sich, verschmolzen und verschlangen einander. Sie hatten sich unterwegs über Handy verständigt, aber dies war bei weitem nicht so befriedigend wie jetzt, als er persönlich sehen konnte, dass sie in Sicherheit war. Endlich. Vor dem Staatsanwalt. Vor Steffi. Vor Bobby.

Smilow brachte sie zu einem leeren Stuhl direkt neben Frank Perkins. Der Anwalt stand auf und umarmte sie herzlich. Smilow überließ sie Perkins, dann ging er am Rand der Zuschauerreihen zum Podium, wo er Hammond zu sich winkte. Völlig verdutzt entschuldigte sich Hammond und stieg von der provisorischen Plattform.

»Gute Arbeit«, erklärte ihm Smilow.

Da Hammond genau wusste, wie viel Überwindung dieses Kompliment ihn gekostet haben musste, sagte er: »Ich bin nur hingegangen und habe das getan, was Sie mir geraten haben. Ohne Ihre Koordination hätte es nicht funktioniert.« Er hielt einen Moment inne. »Ich kann's noch immer nicht fassen, dass sie es auf mich abgesehen hatte. Ich war mir sicher, sie würde aufgeben und gestehen.«

»Dann kennen Sie sie nicht besonders gut.«

»Das ist mir inzwischen auch klar geworden. Fast zu spät. Danke für alles, was Sie getan haben.«

»Gern geschehen.« Smilows Blick wanderte rasch zu Davee hinüber und ertappte sie dabei, wie sie ihn anschaute. Wenn Hammond nicht alles täuschte, wurde der Detective tatsächlich rot und wandte seine Aufmerksamkeit rasch wieder ihm zu. »Das ist für Sie.« Damit streckte er Hammond einen braunen Umschlag hin.

»Was ist das?«

»Ein Laborbefund. Steffi hat ihn mir heute Vormittag gegeben. Ein Vergleich zwischen Ihrem Blut und dem, das auf Dr. Ladds Bettlaken gefunden wurde.« Hammond öffnete den Mund, aber Smilow schüttelte energisch den Kopf. »Sagen Sie kein Wort. Nehmen Sie ihn und vernichten Sie ihn. Ohne diesen Befund gibt es keinerlei Indizien, durch die sich Steffis Behauptung erhärten ließe, dass Sie mit einer Verdächtigen geschlafen haben. Was sowieso eine reine Formsache wäre, da sich herausgestellt hat, dass Dr. Ladd nicht die Schuldige ist.«

Hammond betrachtete den nichts sagenden Umschlag. Wenn er ihn annahm, wäre er genauso schuldig wie Smilow damals im Fall *Das Volk gegen Vincent Anthony Barlow*. Obwohl Barlow hundert Prozent schuldig am Mord seiner siebzehnjährigen schwangeren Freundin war, hatte Smilow irgendwelches Entlastungsmaterial herbeigezaubert, das Hammond gezwungenermaßen widerlegen musste.

Erst nachdem er einen Schuldspruch erreicht hatte, hatte er erfahren, dass der Detective den Fall vermutlich bewusst fehlgesteuert hatte. Ob Smilow wirklich absichtlich entlastendes Material ignoriert hatte, konnte Hammond nicht beweisen, jedenfalls kam es nie zu einem Verfahren wegen Amtsmissbrauchs. Barlow, der mittlerweile lebenslänglich saß, hatte Berufung eingelegt, der stattgegeben wurde. Der junge Mann würde berechtigterweise einen neuen Prozess bekommen, egal, wie schuldig er war.

Aber Hammond hatte Smilow nie verziehen, dass er ihn unwissend in diesen Justizmissbrauch hineingezogen hatte.

»Lassen Sie das Pfadfindergehabe«, sagte der Detective jetzt mit gedämpfter Stimme. »Haben Sie denn nicht alles, was Sie wollten?«

»Es ist falsch.«

Smilow senkte die Stimme noch mehr. »Wir können einander nicht leiden und wissen beide, warum. Wir operieren auf unterschiedlichem Level, arbeiten aber trotzdem auf derselben Seite. Ich brauche in der Bezirksstaatsanwaltschaft einen konsequenten Ankläger im Gerichtssaal und keinen umgänglichen Politiker wie Mason. Sie würden Ihrem Land als oberster Gesetzeshüter einen deutlich besseren Dienst erweisen, als wenn Sie einen sexuellen Fehltritt beichten, um den sich sowieso keiner schert. Denken Sie darüber nach, Hammond.«

»Hammond?«

Man bat ihn wieder zurück aufs Podium, um anzufangen. Ohne sich umzudrehen, sagte er: »Ich komme.«

»Manchmal müssen wir die Regeln beugen, um unsere Aufgabe besser zu erfüllen«, sagte Smilow und starrte ihn unverwandt an.

Dieses Argument war überzeugend. Hammond nahm den Umschlag.

Masons Rede näherte sich dem Ende. Die Reporter bekamen allmählich schläfrige Augen. Einige Kameraleute hatten ihre Geräte abgesetzt. Der Bericht über Steffis Anschlag auf Hammonds Leben und ihre anschließende Verhaftung hatte sie gefesselt, aber bei diesem Teil von Masons Ansprache schwand ihr Interesse.

»Es schmerzt mich, dass sich derzeit ein Mitglied meines Stabs in polizeilichem Gewahrsam befindet und in Bälde wegen eines Schwerverbrechens zur Rechenschaft gezogen wird. Trotzdem erfüllt es mich gleichzeitig mit Stolz, dass Hammond Cross, Staatsanwalt für Sonderaufgaben, einen wesentlichen Beitrag zu ihrer Verhaftung geleistet hat. Er hat heute einen Beweis für außerordentliche Tapferkeit erbracht. Dies ist nur einer der Gründe, weshalb ich ihn als meinen Nachfolger vorschlage.«

Diese Bemerkung erzielte donnernden Applaus. Hammond starrte Masons Profil an, während sein Mentor sein Talent, seinen Einsatz und seine Integrität rühmte. Der Umschlag mit dem belastenden Laborbefund ruhte auf seinen Knien. In seiner Vorstellung strahlte er eine bösartig rote Aura aus, die Masons Lobeshymne Lügen strafte.

»Ich möchte Sie nicht länger langweilen«, donnerte Mason auf seine gutmütig-aufrechte Art, die ihn zum Medienliebling gemacht hatte. »Erlauben Sie mir, Ihnen den Held der Stunde vorzustellen.« Er wandte sich um und forderte Hammond mit einer Geste auf, zu ihm zu kommen.

Die Kameraleute schulterten wieder ihre Geräte, die Zeitungsreporter spitzten die Ohren und zückten fast gleichzeitig ihre Kugelschreiber.

Hammond legte den Umschlag auf das schräge Rednerpult und räusperte sich. Nachdem er Mason für seine Ausführungen und für sein Vertrauen gedankt hatte, sagte er: »Dies war eine bemerkenswerte Woche, die in mancher Hinsicht den Eindruck erweckt, als sei viel mehr Zeit vergangen, seit mir die Ermordung Lute Pettijohns mitgeteilt wurde.

Eigentlich halte ich mich weder für einen Helden, noch bereitet mir das Wissen Vergnügen, dass sich meine Kollegin Steffi

Mundell wegen Mordes wird verantworten müssen. Ich glaube, das Beweismaterial gegen sie ist erdrückend. Als einer, der mit diesem Fall bestens vertraut ist –«

Loretta Boothe stürzte in den Saal.

Hammonds Herz tat einen Sprung. Er blieb mitten im Satz stecken und verstummte.

Zuerst bemerkten sie nur diejenigen, die in der Nähe der Tür saßen, aber als Hammond zu reden aufhörte, drehten alle die Köpfe, um zu sehen, wer die Unterbrechung verursachte. Ohne Rücksicht auf das Aufsehen, das sie auslöste, winkte Loretta ihn in heller Aufregung zu sich.

Wegen der hektischen Entwicklung der Ereignisse hatte er nicht die Zeit gefunden, sie anzurufen und ihr zu sagen, dass Alex nicht mehr verdächtigt wurde und ihr Aufenthalt am letzten Samstag deshalb irrelevant war.

Aber hier stand nun Loretta, mit einem muskelbepackten Marine vom Jahrmarkt im Schlepptau, und er konnte ihr in keinster Weise ausweichen. »Entschuldigen Sie mich einen Moment.«

Trotz des verblüfften Murmelns, das durch die Reihen lief, kletterte er vom Podium und bahnte sich einen Weg in den hinteren Teil des Saals. Bei jedem Schritt dachte er an all die Menschen, die er in den nächsten Augenblicken unvermeidlich in Verlegenheit bringen würde: Monroe Mason, Smilow, Frank Perkins, sich selbst, Alex. Als er an ihr vorbeiging, entschuldigte er sich mit Blicken für alles, was nun kam.

»Loretta, du wolltest mich sprechen?«

Sie machte nicht einmal den Versuch, ihren Unmut zu verbergen. »Seit fast vierundzwanzig Stunden.«

»Ich hatte zu tun.«

»Nun, ich auch.« Damit ging sie wieder zur Tür hinaus und redete mit jemandem, den sie draußen im Foyer stehen lassen hatte. »Komm herein.«

Während Hammond angespannt wartete, überlegte er, wie er sich verhalten sollte, wenn der Marine bei seinem Anblick erklärte: »Das ist er! Er hat mit Alex Ladd getanzt.«

Aber zur Tür kam kein frisch geschorener Rekrut herein. Stattdessen betrat ein gehemmt und kläglich aussehender zierlicher Schwarzer mit Nickelbrille den Raum.

Hammond lachte kurz auf, so erstaunt war er, und rief: »Smitty?« Dabei fiel ihm auf, dass er nicht einmal den Familiennamen des Mannes kannte.

»Wie geht's Ihnen, Mr. Cross? Ich hab ihr gesagt, wir sollten nicht stören, aber sie wollte partout nicht auf mich hören.«

Hammonds Blick wanderte von dem Schuhputzer zu Loretta. »Ich dachte, du wärst auf den Jahrmarkt gefahren«, hörte er sich selbst dümmlich sagen. »Jedenfalls lauteten so deine Nachrichten.«

»Bin ich. Dort bin ich Smitty in die Arme gelaufen. Er saß ganz allein im Pavillon und hörte der Musik zu. Wir haben zu plaudern angefangen, und dabei kam das Gespräch auf den Fall Pettijohn. Er hat sein Geschäft ins Charles Towne Plaza verlegt.«

»Ich habe ihn heute dort gesehen.«

»Tut mir Leid, Mr. Cross, dass ich nicht mit Ihnen geredet habe. Wahrscheinlich habe ich mich ein bisschen geschämt.«

»Weswegen?«

»Weil er nichts von Steffi Mundells Maskerade am letzten Samstag erzählt hat«, warf Loretta ein. »Zuerst sieht er sie im Joggingdress, dann in einem Hotelbademantel und schließlich wieder in Joggingkleidung. Alles ziemlich merkwürdig.«

»Mr. Cross, bis ich sie gestern im Fernsehen sah, hab ich mir nicht viel dabei gedacht. Erst dann ist's mir wieder eingefallen.«

»Er wollte niemanden in Schwierigkeiten bringen, deshalb hat er zu keinem ein Wort gesagt, bis auf Smilow.«

»Smilow?«

Der Detective, der inzwischen neben Hammond getreten war, wandte sich an Smitty: »Bei Ihrer Bemerkung über den Anwalt, den Sie im Fernsehen gesehen haben, dachte ich, Sie meinten Mr. Cross.«

»Nein, Sir, die Frau Anwalt«, erklärte der ältere Mann. »Tut mir Leid, wenn ich Ihnen allen Probleme gemacht habe.«

Hammond legte Smitty die Hand auf die Schulter. »Ich danke Ihnen, dass Sie sich jetzt gemeldet haben. Wir werden Ihre Aussage später zu Protokoll nehmen.« Zu Loretta meinte er: »Danke schön.«

Sie runzelte die Stirn und knurrte: »Du hast sie ohne meine Hilfe geschnappt, aber trotzdem schuldest du mir eine Pediküre und einen Drink. Aber einen doppelten.«

Hammond wandte sich wieder zum Saal. Inzwischen surrten die Kameras, deren Lichter ihn fast blind machten, während er zum Podium zurückging. Am liebsten wäre er gehüpft wie ein kleines Kind. Die Anspannung, die ihm wie ein Eisenring die Brust zugeschnürt hatte, war weg. Er konnte wieder normal atmen.

Niemand wusste etwas von ihm und Alex. Es würde keinen Überraschungszeugen geben, der ihn letzten Samstag mit ihr zusammen gesehen hatte. Niemand wusste etwas. Nur sie und Frank Perkins und Rory Smilow und Davee.

Und – er. Er wusste es. Plötzlich war das beschwingte Gefühl weg.

Er nahm wieder seinen Platz hinter dem Rednerpult ein. Dabei blinzelte ihm Monroe Mason zu und streckte die Daumen nach oben. Er warf einen Blick auf seinen Vater. Zum ersten Mal nickte Preston ganz und gar zustimmend. Er wäre mit Smilow einer Meinung. Lass es fallen. Nimm das Amt an. Mach deine Arbeit gut, dann wäre der Fehltritt gerechtfertigt. Seine Kandidatur war sicher. Er würde die Wahl haushoch gewinnen, wahrscheinlich sogar ohne einen Gegenkandidaten. Aber war ein Job, egal welcher, es wert, dass er dafür seine Selbstachtung opferte?

Wäre ihm nicht wohler zu Mute, wenn er, anstatt ein Geheimnis mit sich herumzuschleppen, die Wahrheit sagte, auch wenn es ihn die Wahl kosten würde? Je länger es ein Geheimnis blieb, umso mehr Schmutz würde es ansetzen. Er wollte die Erinnerung an seine erste Nacht mit Alex nicht mit Heimlichtuerei trüben.

Flüchtig streifte sie sein Blick. Im gleichen Moment erkannte er am liebevollen Ausdruck ihrer Augen, dass sie sich über seine Gedanken völlig im Klaren war. Sie war *die Einzige*, die wirklich wusste, was er dachte. Und auch die Einzige, die den Grund dafür verstünde. Sie lächelte ihn aufmunternd an, und dieses ganz intime Lächeln war nur für ihn bestimmt.

In diesem Augenblick liebte er sie mehr, als er es je für möglich gehalten hätte.

»Bevor ich fortfahre… möchte ich mich an einen Menschen wenden, dessen Leben in dieser Woche auf unverzeihliche Weise umgestülpt wurde. Dr. Alex Ladd hat mit der Charlestoner Polizei und meinem Büro zusammengearbeitet und dabei ihre Praxis, ihre Zeit und vor allem ihre Würde geopfert. Sie musste unsägliche Peinlichkeiten erdulden. Ich entschuldige mich im Namen dieses Bezirks bei ihr.

Darüber hinaus schulde ich ihr persönlich Abbitte. Weil… weil ich von Anfang an wusste, dass Sie Lute Pettijohn nicht ermordet hat. Sie gibt zu, dass sie sich mit ihm an jenem Nachmittag getroffen hat, allerdings weit vor der Todeszeit. Manches schien darauf hinzudeuten, dass sie ein Motiv hatte. Aber noch während sie auf demütigende Weise verhört wurde, wusste ich, dass sie nicht die Mörderin von Lute Pettijohn gewesen sein konnte. Weil sie ein Alibi hatte.«

Niemand weiß es. Wirklich nur eine Formsache. Warum den Pfadfinder spielen? Du kannst deinem Land einen größeren Dienst erweisen… Es schert sich sowieso niemand darum.

Hammond hielt inne und holte tief Luft, aber nicht aus Beklommenheit, sondern vor Erleichterung.

»*Ich* war ihr Alibi.«